Het RHINEMANN SPEL

ROBERT LUDLUM

Het RHINEMANN SPEL

Uitgeverij Luitingh

Vijfde druk
© 1974 Robert Ludlum
Published in agreement with the author,
c/o Baror International, Inc., Bedford Hills, New York, USA
All rights reserved
© 1990, 2009 Nederlandse vertaling
Uitgeverij Luitingh ~ Sijthoff B.V., Amsterdam
Alle rechten voorbehouden
Oorspronkelijke titel: *The Rhinemann Exchange*
Vertaling: Otto Verveen
Omslagontwerp: Wouter van der Struys / Twizter.nl
Omslagfotografie: Leif Skoogfors / Corbis

ISBN 978 90 245 3079 3

www.boekenwereld.com
www.uitgeverijluitingh.nl

Voorwoord

20 maart 1944
Washington D.C.

'David?'

De jonge vrouw kwam de kamer in en keek een ogenblik zwijgend naar de forse legerofficier, die door het raam van de hotelkamer naar buiten staarde. De maartse regen doorpriemde een maartse kou en deed wind- en nevelvlagen boven het silhouet van de stad Washington ontstaan.

Haar aanwezigheid voelend zonder dat haar stem tot hem doordrong, keerde Spaulding zich om. 'Pardon. Zei je iets?' Hij zag dat ze zijn regenjas bij zich had. Hij zag ook de bezorgdheid in haar ogen – en de angst die ze trachtte te verbergen.

'Het is voorbij,' zei ze zacht.

'Het is voorbij,' herhaalde hij. 'Of het zal het over een uur zijn.'

'Zullen ze er allemaal zijn?' vroeg ze, terwijl ze met de regenjas als een schild voor zich naar hem toekwam.

'Ja. Ze hebben geen keus... en ik heb geen keus.' Spauldings linkerschouder was onder zijn uniform ingepakt in verband en zijn arm zat in een brede, zwarte mitella. 'Help me even dat ding aantrekken. De regen houdt maar niet op.'

Met tegenzin vouwde Jean Cameron de jas open en hield hem uit.

Opeens bleef ze staan en keek strak naar de kraag van zijn dienstoverhemd en daarna naar de revers van zijn uniform. Alle insignes waren verwijderd. De stof vertoonde alleen flauwe verkleuringen op de plaatsen waar de uitmonsteringen gezeten hadden. Geen enkel teken van rang, geen strepen of sterren. Niet eens de gouden initialen van het land dat hij diende. Gediend had.

Hij zag wat zij gezien had.

'Zo begon ik,' zei hij rustig. 'Zonder naam, zonder rang, zonder geschiedenis. Alleen een nummer. Met een letter erachter. Ik wil dat ze dat niet vergeten.'

De jas omklemmend bleef Jean bewegingloos staan. 'Ze zullen je doden, David.' Haar woorden waren nauwelijks verstaanbaar.

'Dat is het enige wat ze niet zullen doen,' zei hij kalm. 'Er zullen geen moordaanslagen zijn, geen ongelukken, geen plotselinge opdrachten die me naar Burma of Dar es Salaam voeren. Dat is voorbij... Ze kunnen niet weten wat ik gedaan heb.' Hij glimlachte haar toe en raakte haar gezicht aan. Haar lieve gezicht. Ze haalde diep adem en dwong zichzelf tot een zelfbeheersing, waarvan ze wist dat die niet echt was. Ze schoof de regenjas voorzichtig over zijn linkerschouder en reikte toen naar de rechtermouw. Even drukte ze haar wang tegen zijn rug en hij voelde de zachte trilling toen ze sprak.

'Ik zal niet bang zijn. Dat beloof ik je.'

Hij verliet het Shoreham Hotel door de glazen deuren en schudde ontkennend zijn hoofd tegen de portier onder het baldakijn. Hij wilde geen taxi, hij wilde lopen. Het smeulende vuur van zijn woede eindelijk laten uitbranden en doven. Een lange wandeling. Het zou het laatste uur van zijn leven zijn dat hij zijn uniform droeg. Een uniform, nu zonder lintjes of distinctieven. Hij zou de binnendeuren van het ministerie van oorlog binnengaan en zijn naam opgeven aan de militaire politie.

David Spaulding. Dat was alles wat hij zeggen zou. Het zou voldoende zijn; niemand zou hem tegenhouden of tussenbeide komen.

Er zouden orders achtergelaten zijn door naamloze commandanten alleen aangeduid door hun afdeling – waardoor hij de grijze gangen zou mogen doorlopen naar een kamer zonder nummer of uiterlijk kenmerk. Die orders zouden bij de receptionist liggen omdat er nog een order gegeven was. Een order die niemand kon natrekken. En die niemand omvatte.

Ze eisten. Woedend. Maar geen van die eisen evenaarde zijn woede. Dat wisten ze ook, de onbekende commandanten.

Namen, die hem nog maar enkele maanden geleden niets zeiden, zouden zich in die onopvallende kamer bevinden. Namen, die nu symbolisch waren voor een afgrond van bedrog waar hij zó van walgde, dat hij werkelijk meende dat hij gek geworden was.

Howard Oliver, Jonathan Craft, Walter Kendall.

De namen op zichzelf klonken onschuldig genoeg. Ze konden aan talloze honderdduizenden toebehoren. Ze hadden iets zo... Amerikaans. Toch hadden die namen, die mannen, hem op de grens van waanzinnigheid gebracht. Ze zouden in die onopvallende kamer zijn, en hij zou hen herinneren aan de afwezigen. Erich Rhinemann in Buenos Aires, Alan Swanson in Washington, Franz Altmüller in Berlijn.

Andere symbolen. Andere draden...

De afgrond van bedrog waarin hij gestort was door... vijanden. Hoe was het in vredesnaam *gebeurd*? Hoe had het *kunnen* gebeuren? Maar het was gebeurd. En hij had de feiten genoteerd zoals ze hem bekend waren. Genoteerd en het document opgeborgen... in een geldkistje in een safeloket in een bankkluis in Colorado.

Onvindbaar. Voor duizend jaar weggesloten in de aarde... want dat was beter. Tenzij de mannen in de onopvallende kamer hem tot andere daden dwongen. Als ze dat deden... als ze hem dwongen... zou het verstand van miljoenen op de proef gesteld worden De reactie zou geen nationale grenzen of erezaak van een wereldnatie eerbiedigen.

De leiders zouden uitgestoten worden. Zoals hij nu een uitgestotene was. Een nummer met een letter erachter.

Hij kwam bij de trap van het ministerie van oorlog; de geelbruine stenen pilaren waren nu voor hem geen uiting meer van kracht. Alleen maar een bewijs van lichtbruine pleisterkalk.

Hij liep de dubbele deuren door naar de portiersloge van de geheime dienst, bemand door een luitenant-kolonel van middelbare leeftijd, geflankeerd door twee sergeants.

'Spaulding, David,' zei hij rustig.

'Van afdeling...' de overste keek naar de epauletten van de regenjas en dan naar de kraag. 'Spaulding...'

'Mijn naam is David Spaulding. Mijn basis is Fairfax,' herhaalde David zacht. 'Kijk je papieren maar eens na, soldaat.'

Het hoofd van de overste schoot woedend omhoog, maar de woede maakte geleidelijk plaats voor verbijstering toen hij Spaulding aankeek. Want David had niet op snauwerige of zelfs onbeleefde toon gesproken. Alleen maar nuchter zakelijk.

De sergeant links van de overste schoof zonder iets te zeggen een blad papier voor de neus van de officier. De overste keek ernaar. Toen wierp hij nog weer een korte blik op David en wuifde dat hij kon doorlopen.

Terwijl hij de grijze gang doorliep met zijn regenjas over zijn arm, voelde hij de blikken op zich rusten, die zijn uniform zonder rangaanduiding of distinctieven aftastten. Verschillende malen werd er aarzelend gesalueerd. Hij beantwoordde geen enkele groet. Mannen keerden zich om, anderen staarden hem door geopende deuren na. Dat was de... officier, verrieden hun blikken hem. Ze hadden de geruchten opgevangen, die op fluisterende toon, met gedempte stemmen in verborgen hoeken verteld waren. Dit was de man.

Er was een order gegeven.

De *man*.

Proloog

I

De twee legerofficieren in hun stijf geplooide uniformen hadden hun pet afgezet en keken door de glazen tussenwand naar het groepje informeel geklede mannen en vrouwen. De kamer waarin de officieren zaten was donker.

Een rood lampje flitste aan en orgelspel donderde uit de twee met stof beklede luidsprekers in de hoeken van het onverlichte kamertje met de glazen wand. Daarna volgde een verwijderd gehuil van honden – grote, vraatzuchtige honden – en vervolgens klonk er een stem – diep, helder en afstotend – boven het vermengde geluid van het orgel en de dieren uit.

Waar ook maar ergens waanzin bestaat, waar ook maar de kreten van de hulpelozen te horen zijn, daar zult u de forse gestalte vinden van Jonathan Tyne – wachtend, toeziend in de schaduw, klaar om de strijd aan te binden met de machten der hel. De zichtbare en de onzichtbare...

Opeens klonk er een doordringende, door merg en been gaande gil. 'Ieieieieie!' In het verlichte binnenvertrek knipoogde een corpulente vrouw naar de man met een bril met dikke glazen, die van een getypt draaiboek had voorgelezen. Ze liep bij de microfoon vandaan, verwoed op haar kauwgom kauwend.

De diepe stem ging voort. *Vanavond komt Jonathan Tyne de van angst verlamde Lady Ashcroft te hulp, wier echtgenoot drie weken geleden precies om middernacht in de mistige Schotse moerassen verdween. En elke nacht, precies om middernacht, klinkt het geblaf van onbekende honden huilend over de duistere velden. Het is of ze speciaal die ene man willen uitdagen, die nu sluipend de alles omhullende mistdeken binnendringt. Jonathan Tyne. De speurder naar het kwaad, de Nemesis van Lucifer. De verdediger van de hulpeloze slachtoffers der duisternis...*

De orgelmuziek zwol opnieuw aan tot een crescendo en het geluid van de bassende honden werd nog boosaardiger.

De oudste officier, een kolonel, wierp een blik op zijn metgezel, een luitenant. Deze keek met gespannen blik naar de groep

nonchalante acteurs in de verlichte studio. De kolonel rilde.
'Interessant, hè?' zei hij.
'Wat? O... jawel, ja kolonel, erg interessant. Wie is onze man?'
'Die grote kerel in de hoek. Die ene die een krant leest.'
'Speelt hij Tyne?'
'Wie? O nee, luitenant. Hij heeft maar een klein rolletje. In een Spaans dialect.'
'Een klein rolletje... in een Spaans dialect.' Met haperende stem en een verbijsterde blik herhaalde de luitenant de woorden van de kolonel. 'Neem me niet kwalijk, kolonel, ik raak in de war. Ik begrijp niet goed wat wij hier doen en wat hij hier doet. Ik dacht dat hij bouwkundig ingenieur was.'
'Dat is hij ook.'
De orgelmuziek zwakte af tot een pianissimo en het gehuil van de blaffende honden stierf weg. Nu klonk er een andere stem – helderder, vriendelijker, en zonder die ondertoon van dreigend drama – uit de twee luidsprekers.
Pilgrim. De zeep met de geur van meibloemen: Mayflower zeep. Pilgrim brengt u een nieuwe aflevering van... 'De Avonturen van Jonathan Tyne'.
De dikke, met kurk beklede deur van het donkere vertrekje ging open en een kalende man met een kaarsrecht figuur en gekleed in een conservatief burgerpak, kwam binnen. In zijn linkerhand had hij een bruine envelop en vooroverbuigend, stak hij de kolonel zijn rechterhand toe. Hij sprak zachtjes, maar niet fluisterend. 'Hallo, Ed. Blij je weer te zien. Ik hoef je niet te zeggen, dat je telefoontje een verrassing was.'
'Dat neem ik aan. Hoe gaat het, Jack? Luitenant, dit is Mr. John Ryan, vroeger majoor John N.M.I. Ryan van het Zesde Korps.'
De officier stond op.
'Blijf zitten, luitenant,' zei Ryan, terwijl hij de jongeman de hand schudde.
'Aangenaam, meneer. Dank u, meneer.'
Ryan baande zich een weg om de rijen zwartleren fauteuils heen en ging naast de kolonel voor de glazen tussenwand zitten. De orgelmuziek zwol weer aan, begeleid door het opnieuw opkomende geluid van de jankende honden. Verschillende acteurs en actrices verdrongen zich om twee microfoons, de ogen gericht op een man achter een bedieningspaneel in een tweede –

maar verlicht – glazen hokje aan de overkant van de studio.

'Hoe gaat het met Jane?' vroeg Ryan. 'En met de kinderen?'

'Ze vindt Washington afschuwelijk, en mijn zoon ook. Ze zouden wat graag teruggaan naar Oahu. Maar Cynthia geniet hier. Ze is nu achttien en dan al die officiële bals.'

De man in het verlichte hokje gebaarde met zijn hand. De acteurs begonnen hun dialogen.

'Hoe is het met jou?' ging Ryan voort. 'Als detachering staat "Washington" altijd goed.'

'Dat zal wel, maar niemand weet dat ik hier ben. Ik schiet er niks mee op.'

'O nee?'

'G-2.'

'Ja, dat dacht ik al.'

'Aan je uiterlijk te oordelen gaat het je goed, Jack.'

Ryan lachte een beetje onbeholpen. 'Het is niet zwaar. Tien anderen op het bureau zouden kunnen doen wat ik doe... en beter. Maar zij hebben geen plusje op hun beoordelingsstaat. Ik ben een symbool van het bureau, het toonbeeld van strikte integriteit. De cliënten komen daarop af.'

De kolonel begon te lachen. 'Larie. Jij was altijd goed in stroop smeren. Zelfs de hoge omes droegen de congresleden aan jou over.'

'Je vleit me. Ik *geloof* tenminste dat je me vleit.'

'Ieieieieie!' De nog steeds kauwgom kauwende corpulente actrice gilde in de tweede microfoon. Ze stapte achteruit en perste zich langs een magere, verwijfd uitziende acteur die nu aan de beurt was.

'Er wordt veel in geschreeuwd, hè?' De kolonel stelde niet echt een vraag.

'En veel blaffende honden en valse orgelmuziek en een enorme hoop gezucht en gesteun. "Tyne" is momenteel ons populairste programma.'

'Ik luisterde er ook wel eens naar. De hele familie trouwens, sinds we terug zijn.'

'Je zult me niet geloven als ik je vertel wie de meeste draaiboeken schrijft.'

'Hoe bedoel je?'

'Een dichter die de Pulitzerprijs won. Natuurlijk schrijft hij onder pseudoniem.'

'Dat klinkt merkwaardig.'

'Helemaal niet. De strijd om het bestaan. Wij betalen. De dicht-kunst niet.'

'Doet hij dáárom mee?' De kolonel gebaarde met een knik van zijn hoofd naar de grote man met het donkere haar die de krant had neergelegd, maar in de hoek van de studio tegen de witte muur van kurkplaten bleef staan leunen, afgezonderd van de anderen.

'Het is mij een volkomen raadsel. Ik wist niet wie hij was, of liever – ik wist wie hij *was*, maar van hemzelf wist ik niets, – totdat jij belde.' Ryan overhandigde de kolonel de bruine envelop. 'Hier heb je een lijst van de gezelschappen en theater-agenten voor wie hij gewerkt heeft. Ik heb grondig geïnfor-meerd; ik liet doorschemeren dat we hem een hoofdrol wilden geven. De Hammerts zetten hem veel in...'

'De wie?'

'Een opvulagentuur. Ze hebben een stuk of vijftien program-ma's; series voor overdag en shows voor 's avonds. Ze noemen hem betrouwbaar; geen brutaliteiten of hoge eisen. Hij schijnt uitsluitend voor dialecten gebruikt te worden. En voor talen-kennis, waar dat nodig is.'

'Duits en Spaans.' Het was een constatering van een feit.

'Precies... Alleen is het geen Spaans, maar Portugees.'

'Wie weet nou het verschil? Je weet wie zijn ouders waren.' Weer een constatering, ditmaal met vooropgestelde bevesti-ging.

'Richard en Margo Spaulding. Concertpianisten met een heel grote naam in Engeland en op het Europese vasteland. Huidige status: leven half teruggetrokken in Costa del Santiago in Portu-gal.'

'Maar het zijn toch Amerikanen, is 't niet?'

'In hart en nieren. Ze zorgden ervoor dat hun zoon hier geboren werd. Overal waar ze woonden stuurden ze hem naar de school van de Amerikaanse kolonie. Ze stuurden hem hierheen terug voor zijn laatste twee jaar voorbereidend hoger onderwijs en verdere studie.'

'Vanwaar dan Portugal?'

'Wie zal het zeggen? Ze behaalden hun eerste successen in Eu-ropa en besloten er te blijven. Een feit waarvoor ik *denk* dat wij dankbaar zullen zijn. Ze komen alleen nog hier voor hun vrij

zeldzame tournees... Wist je dat hij bouwkundig ingenieur is?'
'Nee, dat wist ik niet. Interessant.'
'Interessant? Alleen maar "interessant"?'
Ryan glimlachte; er blonk iets van triestheid in zijn ogen. 'De laatste vijf, zes jaar viel er niet veel te bouwen, nietwaar? Ik bedoel, dat er weinig vraag was naar bouwkundigen... behalve bij het gevangeniswezen en de Rijksgebouwendienst.' Hij hief zijn linkerhand op en beschreef een cirkel in de lucht, die de groep mannen en vrouwen in de studio omvatte. 'Weet je wie daar allemaal meedoen? Een advocaat bij de balie wiens cliënten – als hij er af en toe een paar kan krijgen – hem niet kunnen betalen; een stafmedewerker van Rolls-Royce die al sinds '38 zonder werk is, en een gewezen senator, wiens verkiezingscampagne hem een paar jaar geleden niet alleen zijn baan kostte, maar ook een massa potentiële werkgevers. Ze vinden hem een rooie. Beduvel jezelf niet, Ed. Jij hebt het goed. De crisis is nog lang niet over. Deze lui zijn nog gelukkig. Ze bleken hobby's te hebben, waarin ze carrière konden maken... Voor zolang het duurt.'
'Als ik mijn werk doe, zal zijn carrière nog hooguit een maand duren.'
'Ik vermoedde al zoiets. De storm is op komst, hè? We zullen er gauw middenin zitten. Dan word ik ook weer opgetrommeld... Waar wou je hem inzetten?'
'In Lissabon.'
David Spaulding maakte zich los van de witte studiowand. Hij hield de bladzijden van zijn draaiboek in de hand terwijl hij naar de microfoon liep en zich klaarmaakte voor zijn rol.
Pace nam hem op door de glazen wand en vroeg zich af hoe Spauldings stem zou klinken. Het viel hem op, dat toen Spaulding dichter bij de groep acteurs om de microfoon kwam, de lichamen opzettelijk – zo leek het althans – uiteenweken, alsof de nieuwe medespeler min of meer een buitenstaander was. Misschien was het gewone beleefdheid om de nieuwe vertolker de kans te geven zich goed op te stellen, maar de kolonel dacht van niet. Hij zag geen glimlachjes, geen blikken van verstandhouding, geen tekenen van vertrouwelijkheid zoals die tussen de anderen werden gewisseld.
Niemand knipoogde. Zelfs de corpulente dame, die schreeuwde en kauwgom kauwde en haar medespelers opzij schoof, stond

Spaulding aan te kijken met haar kauwgom onbeweeglijk in haar mond.

En toen gebeurde het; een merkwaardig ogenblik.

Spaulding grijnsde en de anderen, zelfs het magere, verwijfde mannetje dat midden in een zin was, antwoordden met vrolijke glimlachjes en knikjes. De corpulente dame knipoogde.

Een merkwaardig ogenblik, dacht kolonel Pace.

Spauldings stem – vrij diep, snijdend en met een zwaar accent – klonk uit de beklede luidsprekers. Zijn rol van krankzinnige dokter grensde aan het komische. Het zou komisch geweest zijn, dacht Pace, als Spaulding niet zoveel gezag gelegd had in de woorden van de tekstschrijver. Pace wist niets van acteren, maar hij wist wanneer iemand overtuigend was. Spaulding was het. Dat zou in Lissabon noodzakelijk zijn.

Na een paar minuten was Spauldings rol kennelijk afgelopen. De corpulente dame schreeuwde weer en Spaulding keerde terug naar zijn hoekje en raapte zijn opgevouwen krant op, waarbij hij er zorgvuldig voor oppaste dat de pagina's niet ritselden. Hij leunde tegen de wand en haalde een potlood uit zijn zak. Hij scheen bezig met het oplossen van de kruiswoordpuzzel uit de *New York Times*.

Pace kon zijn ogen niet van Spaulding afhouden. Het was voor hem belangrijk om iedereen met wie hij contact moest aanknopen, zo nauwkeurig mogelijk op te nemen. Op kleinigheden letten: de manier waarop iemand liep, de manier waarop hij zijn hoofd hield, de vastberadenheid of het ontbreken daarvan in de blik. Kleren, horloge, manchetknopen, of hij gepoetste schoenen had, of de hakken afgesleten waren, de kwaliteit – of het gebrek aan kwaliteit – die uit iemands postuur sprak. Pace probeerde de man die daar tegen de wand in de krant stond te krabbelen, in overeenstemming te brengen met het dossier op zijn kantoor in Washington.

Zijn naam was het eerst opgedoken uit de dossiers van het Korps Pioniers. David Spaulding had geïnformeerd naar de mogelijkheden van een opdracht – hij had zich niet aangemeld als vrijwilliger. Wat waren zijn kansen? Bestonden er bouwplannen die een uitdaging betekenden? Wat behelsde een lang-verbandacte? Het waren vragen zoals duizenden mannen – vakkundige mannen – ze stelden, in de wetenschap dat de Wet op de Selectieve Dienstplicht binnen een paar weken van kracht zou wor-

den. Als een vrijwillig dienstverband een kortere diensttijd en/
of voortgezette uitoefening van hun beroep betekende, wilden
ze liever vrijwillig dienst nemen dan straks met de grote massa
gemobiliseerd worden.

Spaulding had alle benodigde formulieren ingevuld en had te
horen gekregen, dat het leger zich met hem in verbinding zou
stellen. Dat was nu zes weken geleden en niemand had het gedaan. Niet dat het Korps niet geïnteresseerd was, dat was het
wel. Roosevelts adviseurs meldden, dat de mobilisatiewet nu
elke dag door het Congres kon worden aangenomen en de ge-
plande uitbreiding van de legerkampen was zo reusachtig, zo
ongelooflijk veelomvattend, dat een ingenieur – en zeker een
bouwkundig ingenieur van het kaliber van Spaulding – een fel-
begeerde kracht was.

Maar de hogere officieren van het Korps Pioniers wisten van de
speuractie, die door de Inlichtingendienst van de Verbonden
Chefs van Staven en het ministerie van oorlog werd uitgevoerd.
Rustig en langzaam. Er mochten geen vergissingen gemaakt
worden. Dus gaven ze de formulieren van David Spaulding door
aan G-2 en kregen te horen, dat ze van hem af moesten blijven.
De man die de Inlichtingendienst zocht, moest drie fundamentele capaciteiten bezitten. Als die eenmaal waren aangetroffen,
kon de rest van het portret microscopisch uitgeplozen worden
om na te gaan of de persoon als geheel ook aan de andere gewenste vereisten voldeed. Die drie basiseisen waren op zichzelf
al moeilijk genoeg: de eerste was een vloeiende beheersing van
de Portugese taal; de tweede een gelijkwaardige beheersing van
het Duits en de derde voldoende beroepservaring op bouwkundig gebied voor een vlot en accuraat begrip van blauwdrukken,
foto's en zelfs mondelinge beschrijvingen van de meest uiteen-
lopende industriële ontwerpen. Van bruggen en fabrieken tot
opslagplaatsen en spoorwegemplacementen.

De man in Lissabon zou elk van die drie fundamentele capaciteiten nodig hebben. Hij zou ze gedurende de hele komende
oorlog moeten gebruiken, de oorlog die de Verenigde Staten
onvermijdelijk zou moeten voeren. De man in Lissabon zou verantwoordelijk zijn voor het opzetten van een netwerk van inlichtingenbronnen, dat zich vooral zou bezighouden met de vernietiging van installaties van de vijand, diep in diens eigen gebied. Bepaalde mannen – en vrouwen – reisden heen en weer

door vijandelijk gebied, met neutrale landen als basis van hun niet nader omschreven activiteiten. Dat waren de mensen, waarvan de man in Lissabon gebruik zou maken... voor anderen het konden doen. Die, plus degenen die hij voor infiltratiedoeleinden zou opleiden. Spionage-eenheden. Hij zou groepjes twee- en drietalige agenten dwars door Frankrijk naar de Duitse grenzen sturen. Om terug te komen met hun waarnemingen en eventueel om zelf vernietiging te veroorzaken.

De Engelsen waren het ermee eens dat er in Lissabon zo'n Amerikaan nodig was. De Britse Geheime Dienst gaf zijn zwakheid in Portugal toe; zijn agenten waren er al te lang en waren te veel opgevallen. En de laatste tijd waren er zeer ernstige hiaten in de berichtgeving naar Londen. MI-5 was geïnfiltreerd.

Lissabon zou het project worden van een Amerikaan. Als er zo'n Amerikaan te vinden was.

David Spauldings aanmeldingsformulieren vermeldden de eerste vereisten. Hij sprak drie talen en had ze al van jongsaf gesproken. Zijn ouders, de gevierde Richard en Margo Spaulding, hadden drie adressen: een kleine, elegante flat in de Londense wijk Belgravia, een winterverblijf in het Duitse Baden-Baden en een ruim huis aan zee in de kunstenaarskolonie van Costa del Santiago in Portugal. In die omgevingen was Spaulding opgegroeid. Toen hij zestien was, had zijn vader er ondanks de bezwaren van zijn moeder op gestaan dat hij zijn opleiding in de Verenigde Staten zou voltooien en aan een Amerikaanse universiteit zou gaan studeren. Eerst op Andover in Massachusetts, toen Dartmouth in New Hampshire en tenslotte het Carnegie Institute in Pennsylvania.

Natuurlijk had de Inlichtingendienst niet al die gegevens uit Spauldings aanmeldingsformulieren geput. De bijkomende gegevens – en nog heel wat meer – waren onthuld door een zekere Aaron Mandel in New York.

Pace, zijn blik nog steeds strak gericht op de forse, lenige gestalte die zijn krant had neergelegd en nu met onbevangen plezier naar de acteurs bij de microfoons keek, haalde zich zijn ontmoeting met Mandel voor de geest. Opnieuw vergeleek hij Mandels mededelingen met de man die hij voor zich zag. Mandel stond op de aanmelding vermeld onder 'Referenties'. *Gevolmachtigde, tournee-manager van ouders*. Er stond een adres bij: een aantal kantoorlokalen in het Chrysler Building. Mandel was een zeer succesvol agent van kunstenaars, een Russische jood die het wat cliënten betreft tegen Sol Hurok kon opnemen, maar die minder de aandacht trok en daar ook niet zo gebrand op was.

'David is als een zoon voor me geweest,' vertelde Mandel aan Pace. 'Maar ik moet aannemen dat u dat al weet.'

'Waarom moet u dat? Ik weet alleen wat ik in zijn aanmeldingsformulieren las. Plus wat losse inlichtingen: universitaire resultaten en referenties van werkgevers.'

'Laten we zeggen dat ik u verwachtte. Of iemand zoals u.'

'Neem me niet kwalijk?'

'Och kom. David heeft verscheidene jaren in Duitsland doorgebracht; hij groeide er bijna op.'

'Zijn aanmelding... of eigenlijk zijn paspoortgegevens, vermelden ook huisadressen in Londen en in een plaats in Portugal die Costa del Santiago heet.'

'Ik zei "bijna". Hij converseert gemakkelijk in het Duits.'

'In het Portugees ook, naar ik hoor.'

'Even goed. En in het daaraan verwante Spaans... Het was me niet bekend, dat iemands aanmelding bij het Korps Pioniers de bemoeienis van een kolonel vereiste. Plus een onderzoek van paspoortgegevens.'

Mandels glimlach bracht plooien in de huid bij zijn ooghoeken. 'Ik was niet op u voorbereid.' Het antwoord van de kolonel was er heel simpel uitgekomen. 'De meeste mensen beschouwen dit soort gesprekken als routine. Of ze maken zichzelf wijs dat het routine is... met een beetje hulp.'

'De meeste mensen hebben niet als jood in het tsaristische Kiëv gewoond... Wat wilt u van me weten?'

'Allereerst of u Spaulding vertelde, dat u ons verwachtte? Of iemand verwachtte...?'

'Natuurlijk niet,' onderbrak Mandel hem vriendelijk. 'Ik zei u al dat hij als een zoon voor mij is. Ik zou hem niet graag op zulke ideeën brengen.'

'Dat lucht me op. 't Is trouwens best mogelijk, dat er niets van terechtkomt.'

'Maar u hoopt van wel.'

'Eerlijk gezegd wel. Maar we moeten een antwoord hebben op bepaalde vragen. Zijn achtergrond is niet alleen ongewoon, maar schijnbaar vol tegenstrijdigheden. Om te beginnen ver-

wacht je niet dat de zoon van bekende muzikanten... ik bedoel...'
'Concertmusici.' Mandel noemde de term die Pace zocht.
'Juist, concertmusici. Je verwacht niet dat de kinderen van zulke
mensen ingenieur worden. Of accountant, als u voelt wat ik bedoel. En verder – en dat zult u zeker begrijpen – doet het hoogst
onlogisch aan, dat wanneer eenmaal het feit is geconstateerd dat
de zoon werkelijk ingenieur is, hij het grootste deel van zijn huidige inkomen blijkt te verdienen als... hoorspelacteur. Daar zit
iets van ongedurigheid in. Misschien zelfs meer dan een ietsje.'
'U lijdt aan de Amerikaanse manie voor consistentie. Ik bedoel
dat niet onvriendelijk. Ik zou minder op mijn plaats zijn als ze-
nuwarts. U speelt misschien heel goed piano, maar ik betwijfel
of ik u in Covent Garden zou laten optreden... De vraag die u
stelt is gemakkelijk te beantwoorden. En misschien vinden we
dat woord ongedurigheid in de kern ervan. Hebt u enig idee,
enige nótie van de wereld van het concertpodium? Dat is wáán-
zin... David leefde bijna twintig jaar in die wereld, vermoed ik...
of nee, ik vermoed het niet, ik weet het zeker... en hij walgde
ervan... En heel dikwijls worden bepaalde fundamentele eigenschappen van de muzikaliteit over het hoofd gezien; eigenschappen, die gemakkelijk overgeërfd worden. Een groot musi-
cus is op zijn eigen manier vaak een buitengewoon wiskundige.
Neem Bach. Een wiskundig genie...'
Volgens Aaron Mandel had David Spaulding zijn toekomstige
beroep ontdekt tijdens zijn tweede jaar als student. De soliditeit
en duurzaamheid van bouwkundige scheppingen, plus de precisie van de constructiedetails waren zowel het antwoord op als de
uitweg uit de kwikzilverachtige wereld van het 'concertpodium'.
Maar er waren nog andere overgeërfde eigenschappen in hem
aan het werk. Spaulding bezat een ego, een gevoel van onaf-
hankelijkheid. Hij had behoefte aan bijval en waardering. En
dergelijke blijken van goedkeuring schoten er niet gauw over
voor een pas afgestudeerd ingenieurtje bij een grote Newyorkse
firma in het eind van de dertiger jaren. Er was gewoon niet veel
te doen en niet veel kapitaal om het mee te doen.
'Hij ging bij die Newyorkse firma weg,' vervolgde Mandel, 'om
zelfstandig een aantal bouwprojecten te kunnen aanpakken,
waarmee hij sneller geld dacht te kunnen maken en onafhankelijk te zijn. Hij was aan niemand gebonden en kon op reis gaan.
Verschillende projecten in het Midden-Westen, een... of nee,

twee, in Midden-Amerika, en ik meen vier in Canada. De eerste opdrachten diepte hij uit de krant op en die leidden naar de volgende. Ongeveer achttien maanden geleden keerde hij terug naar New York. Het geld groeide niet zoals hij dacht; ik had hem dat al gezegd. Het waren zijn eigen projecten niet; provinciale of plaatselijke autoriteiten bemoeiden zich ermee.'

'En dit leidde op de een of andere manier tot het radiowerk?'

Lachend had Mandel achterovergeleund in zijn stoel. 'Zoals u bekend zal zijn, kolonel Pace, zocht ik diversificatie. Het concertpodium en een oorlog in Europa – die spoedig ook onze kusten zal bereiken, zoals we allemaal beseffen – gaan niet goed samen. De laatste jaren zijn mijn cliënten voor andere media gaan optreden, waaronder het uitstekend betalende radiowerk. David zag kansen voor zichzelf en ik was het met hem eens. Hij heeft het er bijzonder goed van afgebracht, weet u.'

'Maar hij is geen beroepsacteur.'

'Dat niet, maar hij bezit iets anders... Denkt u maar eens na. De meeste kinderen van bekende podiumkunstenaars, of vooraanstaande politici of van de schatrijken bezitten het. Dat is zelfvertrouwen, of zelfverzekerdheid zo u wilt, ook al voelen ze zich privé nog zo onzeker. Ze hebben meestal in het brandpunt van de belangstelling gestaan vanaf dat ze leerden lopen en praten. David heeft die gave zeker. En hij heeft een scherp oor, net als zijn beide ouders. Hij heeft een oraal geheugen voor muzikale of taalkundige cadansen... Hij acteert niet, hij léést. En vrijwel uitsluitend in de dialecten of de vreemde talen die hij vloeiend spreekt...'

David Spauldings uitstapje naar het 'uitstekend betalende radiowerk' werd uitsluitend door geld ingegeven; hij was gewend aan een goed leventje. In een tijd dat eigenaars van bouwbedrijven zichzelf maar met moeite honderd dollar per week inkomen konden verschaffen, verdiende Spaulding het drie- of viervoudige alleen al met zijn 'radiowerk'.

'Zoals u misschien vermoed hebt,' zei Mandel, 'is Davids onmiddellijke doel, genoeg geld bijeen te sparen om een eigen zaak te kunnen beginnen. Tenzij natuurlijk internationale of nationale omstandigheden er een andere richting aan geven. Hij is niet blind; iedereen die een krant kan lezen, ziet dat we in de oorlog betrokken zullen raken.'

'Verwacht u dat?'

'Ik ben een jood. Wat mij betreft zijn we al te laat.'

'Die Spaulding. Uw beschrijving wekt bij mij de indruk van een zeer veelzijdig man.'

'Ik heb alleen beschreven wat u ook uit andere bronnen te weten had kunnen komen. En ú beschreef de conclusie, die u uit die oppervlakkige inlichtingen trok. Dat is niet het hele beeld.'

Pace herinnerde zich dat Mandel op dat moment uit zijn stoel was opgestaan en zonder Pace aan te zien in het vertrek op en neer was gaan ijsberen. Hij had gezocht naar negatieve eigenschappen en naar de woorden die de belangstelling van de regering voor 'zijn zoon' zouden afwenden. En Pace was zich daarvan bewust geweest. 'Wat u ongetwijfeld zal zijn opgevallen – uit wat ik u vertelde – is Davids zorg voor zichzelf, voor zijn comfort, als u het zo wilt stellen. Zakelijk gezien zou dit toe te juichen zijn; daarom hielp ik u uit de droom wat betreft uw zorgen over stabiliteit. Maar ik zou onoprecht zijn als ik u verzweeg dat David afschuwelijk koppig is. Hij functioneert volgens mij maar heel matig als hij iemand boven zich heeft. Kortom, hij is een zelfzuchtig mens en niet vatbaar voor discipline. Het spijt me dat ik dit zeggen moet, ik houd erg veel van hem...'

En hoe meer Mandel gepraat had, hoe onuitwisbaarder Pace het woord 'geschikt' op Spauldings dossier stempelde. Hij geloofde geen ogenblik in de gedragsextremen die Mandel plotseling aan David Spaulding toeschreef – niemand kon zo 'stabiel' functioneren als Spaulding gedaan had indien die beschrijving waar was. Maar als die maar half waar was, was het geen nadeel maar een pluspunt.

De laatste vereisten.

Want als er één militair was in het leger van de Verenigde Staten – met of zonder uniform – die helemaal zelfstandig zou moeten opereren, zonder de steun van de keten van bevelvoering, zonder de wetenschap dat moeilijke beslissingen door zijn superieuren genomen konden worden, dan zou het de man van de Inlichtingendienst in Portugal zijn.

De man in Lissabon.

Namen bestonden niet.

Alleen cijfers en letters.

Cijfers gevolgd door letters.

Twee-zes-B. Drie-vijf-Y. Vijf-een-C.

Er waren ook geen levensbeschrijvingen of persoonlijke gegevens... geen verwijzingen naar echtgenoten, kinderen, vaders, moeders... geen landen, steden, woonplaatsen, scholen of universiteiten; er bestonden alleen lichamen en geesten en afzonderlijke specifiek reagerende breinen.

De plek lag diep in de jachtgebieden van Virginia, negentig hectaren weiden, heuvels en bergstroompjes. Stukjes dicht bos omzoomden perceeltjes vlak grasland. Moerassen – gevaarlijk terrein met zuigende modder en vijandige bewoners uit de wereld der reptielen en insekten – bevonden zich op een paar pas afstand van onverwachte stapels rolstenen aan de rand van abrupte steilten.

De plek was met uiterste zorg gekozen. Hij werd afgebakend door een prikkeldraadversperring van vijf meter hoogte, waar een verlammende – maar niet dodelijke – elektrische stroom op stond, en om de paar meter stond een waarschuwingsbord, dat passanten erop attent maakte, dat dit terrein – bos, mocras, grasland en heuvels – exclusief eigendom was van de regering van de Verenigde Staten.

Overtreders werden ervan in kennis gesteld dat de toegang niet alleen verboden, maar zelfs uiterst gevaarlijk was. De namen en de artikelen van de op deze exclusiviteit betrekking hebbende wetten en het voltage van de stroom op de draden waren overal aan de afrastering bevestigd.

Het terrein was zo afwisselend als binnen redelijke afstand van Washington maar te vinden was. Op de een of andere manier stemde het opmerkelijk goed overeen met de topografie van de gebieden die men op het oog had voor degenen die op dit enorme terrein hun opleiding ontvingen.

De door letters gevolgde cijfers.

Geen namen.

Halverwege het noordelijke deel van de afrastering was één enkele ingang, die via een binnenweggetje bereikbaar was. Voorbij de ingang, tussen de twee tegenover elkaar staande wacht-huisjes, stond een metalen bord met in blokletters de tekst: HOOFDKWARTIER VELDDIVISIE – FAIRFAX.

Zonder nadere omschrijving, zonder aanduiding van bestem-ming. Voor elk van de wachthuisjes stonden identieke bordjes, duplicaten van de waarschuwingen die om de paar meter aan de afrastering bevestigd waren en het exclusieve eigendom, de wet-ten en het voltage bekendmaakten.

Geen mogelijkheid tot vergissing.

David Spaulding had een identiteit gekregen – zijn Fairfax iden-titeit. Hij was Twee-Vijf-L. Geen naam. Alleen een getal gevolgd door een letter.

Twee- Vijf-L.

Vertaling: zijn opleiding moest voltooid zijn op de vijfde dag van de tweede maand. Zijn bestemming: Lissabon.

Het was ongelooflijk. In vier maanden tijd moest een nieuwe levenswijze – een lééfwijze – zo volledig geabsorbeerd worden, dat het verstand er nauwelijks bij kon.

'Het zal je waarschijnlijk niet lukken,' zei kolonel Edmund Pace.

'Ik weet niet zeker of ik het wel wil,' was Spauldings antwoord geweest.

Maar de opleiding bestond voor een belangrijk deel uit motiva-tie. Diepe, onwrikbare en ontwijfelbaar ingewortelde motiva-tie... die echter niet uitging boven de psychologische realiteit zoals de kandidaat die waarnam.

Bij Twee-Vijf-L zwaaide de regering van de Verenigde Staten niet met banieren en er werd hem geen omhelzing van vader-landslievende beginselen ingepompt. Zulke methoden zouden niet zinvol zijn: de kandidaat had zijn ontwikkelingsjaren bui-tenslands doorgebracht in een verfijnd internationaal milieu. Hij sprak de taal van de toekomstige vijanden; hij kende ze als mensen – als taxichauffeurs, kruideniers, bankiers en advocaten – en de overgrote meerderheid van degenen die hij kende waren niet de Duitsers zoals ze door het propaganda-apparaat werden afgeschilderd. In plaats daarvan – en dat was het waarheidsge-trouwe aanknopingspunt van Fairfax – waren het vervloekte stommelingen onder leiding van psychopatische misdadigers. De leiders waren inderdaad fanatici en de stroom van bewijzen was een overduidelijke en onloochenbare vaststelling van hun misdaden. Tot die misdaden behoorden willekeurige, niets en niemand ontziende moord, marteling en volkenmoord.

Onloochenbaar.

Misdadigers.

Psychopaten.

Bovendien was daar Adolf Hitler.

Adolf Hitler vermoordde joden. Bij duizenden – weldra bij miljoenen als zijn *Endlösung* goed geïnterpreteerd werd.

Aaron Mandel was een jood. Zijn tweede 'vader' was een jood; de 'vader' van wie hij meer hield dan van de werkelijke. En de vervloekte stommelingen duldden zelfs een uitroepteken na het woord *Juden*!

David Spaulding kwam soms zover, dat hij de vervloekte stommelingen – de taxichauffeurs, kruideniers, bankiers en advocaten – onder de gegeven omstandigheden zonder veel gewetenswroeging begon te haten.

Behalve deze zeer rationele benadering gebruikte Fairfax nog een secundair psychologisch wapen dat universeel was in het kamp. De een kreeg er meer mee te maken dan de ander, maar ontbreken deed het nooit.

De leerlingen in Fairfax hadden één eigenschap – of tekortkoming – gemeen, afhankelijk van hoe men het beschouwde. Niemand werd aangenomen die deze eigenschap miste.

Een sterk ontwikkelde eerzucht – een prikkel om te winnen.

Er was geen twijfel mogelijk: arrogantie was in Fairfax geen geminachte kwaliteit.

Uit David Spauldings psychologische profiel – een dossier dat steeds meer instemming vond bij de Afdeling Veiligheid – maakten de commandanten in Fairfax op dat de kandidaat-in-opleiding voor Lissabon een zachte kern bezat die door de ondervinding waarschijnlijk zou verharden – en ongetwijfeld wel móest verharden als hij zo lang leefde – maar hoe meer vorderingen in het kamp gemaakt konden worden, hoe beter. Vooral voor de kandidaat zelf.

Spaulding was zelfbewust, onafhankelijk, hij paste zich bijzonder goed aan zijn omgeving aan... allemaal pluspunten; maar Twee-Vijf-L had een zwakke zijde. Zijn karakter vertoonde een traagheid als het ging om een voordeel onmiddellijk uit te buiten, een aarzeling om de dodelijke slag toe te brengen als hij het heft in handen had. Zowel letterlijk als figuurlijk.

Kolonel Edmund Pace zag deze tekortkoming in de derde week van de opleiding. Twee-Vijf-L's abstracte code van rechtvaardigheid was onaanvaardbaar voor Lissabon. En kolonel Pace wist het antwoord.

De mentale aanpassing zou via fysische processen bewerkstelligd worden.

'Vat-, houd- en bevrijdingsgrepen' was de nuchtere titel van de cursus. Het was de dekmantel voor de inspannendste fysieke training in Fairfax: het gevecht van man tegen man. Met mes, ketting, ijzerdraad, naald, touw, vingers, knieën, ellebogen... nooit een vuurwapen.

Reactie, reactie en nog eens reactie.

Behalve wanneer je zelf de aanval begon.

Twee-Vijf-L had goede vorderingen gemaakt. Hij was een forse kerel, maar hij bezat de snelle coördinatie die men meestal bij een meer gedrongen persoon vindt. Daarom moest zijn voortgang belemmerd en de man zelf vernederd worden. Dan zou hij de praktische voordelen van ongelijkheid leren.

Van kleinere en meer arrogante kerels.

Van de Britse commando-eenheden 'leende' kolonel Edmund Pace hun beste geüniformeerde krachten. Ze werden overgevlogen door het Commando Transportbommenwerpers; drie verbijsterde 'specialisten', die zonder veel plichtplegingen het kamp Fairfax binnengeloodst werden en hun instructies kregen.

'Sla de angst uit Twee-Vijf-L.'

Dat deden ze. Weken achtereen.

Toen konden ze er niet langer straffeloos mee voortgaan. David Spaulding aanvaardde geen vernedering; hij begon even goed te worden als de 'specialisten'.

De man voor Lissabon maakte vorderingen.

Kolonel Edmund Pace ontving de rapporten op zijn bureau in het ministerie van oorlog.

Alles verliep volgens schema.

De weken werden maanden. Elk bekend draagbaar aanvallend en verdedigend wapen, elk sabotage-instrument, iedere denkbare methode van binnendringen en aftocht – openlijk en verdekt – werd uitentreuren door de mannen in opleiding in Fairfax beproefd. Codes en hun variaties werden vlotte voertaal; onmiddellijke bedenksels een tweede natuur. En Twee-Vijf-L bleef vorderingen maken. Als ergens een verslapping optrad, kregen de 'specialisten' in 'vat-, houd- en bevrijdingsgrepen' strengere instructies. De psychologische sleutel lag in de waarneembare, fysieke vernedering.

Tot het niet langer ging. De commando's kregen het benauwd. Alles volgens schema.

'Misschien lukt het je toch nog,' zei de kolonel.

'Ik ben er niet zeker van wat me gelukt is,' antwoordde David in zijn uniform van eerste luitenant tijdens een borrel in de Mayflower Cocktail Lounge. En toen lachte hij zachtjes. 'Als er examens werden afgenomen in Gespecialiseerde Criminele Methoden, zou ik waarschijnlijk slagen.'

De opleiding van Twee-Vijf-L zou over tien dagen voltooid zijn. Zijn verlofpasje voor 24 uur was een afwijking van de regel, maar Pace had het verlangd. Hij moest Spaulding spreken.

'Zit dat je dwars?' vroeg Pace.

Over het tafeltje heen keek Spaulding de kolonel aan. 'Als ik de tijd had om erover na te denken, ongetwijfeld. Zit het u niet dwars?'

'Nee... Omdat ik de redenen begrijp.'

'Goed. Dan doe ik dat ook.'

'Ze zullen je in de praktijk wel duidelijker worden.'

'Zeer zeker,' beaamde David kort.

Pace nam Spaulding nauwkeurig op. Zoals te verwachten was, was de jongeman veranderd. Verdwenen was de ietwat zachte, ietwat aangekweekte gratie van stembuiging en gebaar. Ze hadden plaatsgemaakt voor strakheid, voor bondigheid van beweging en taal. De transformatie was nog niet volledig, maar een eind op weg.

Het patina van de professional begon zich te vertonen. Lissabon zou het verder verharden.

'Maakt het indruk op je, dat Fairfax je direct een rang oplevert? Het kostte mij achttien maanden om die zilveren balk te krijgen.'

'Nog eens: tijd. Ik heb geen tijd gehad om me erin te verdiepen. Ik draag vandaag pas voor het eerst een uniform; het zit niet lekker.' Spauldings hand gleed over zijn tenue.

'Heel goed. Wen er niet aan.'

'Dat vind ik een vreemde opmerking...'

'Hoe voel je je?' onderbrak Pace.

David keek de kolonel aan. Enkele ogenblikken keerden de gratie, de zachtheid en zelfs de droge humor terug. 'Ik weet het niet goed... Alsof ik vervaardigd ben op een heel snelle lopende band. Een supersnelle tredmolen, als u mijn bedoeling kunt aanvoelen.'

'In enkele opzichten is dat een juiste definitie. Behalve dat je heel wat meebracht naar de fabriek.'

Spaulding draaide zijn glas langzaam rond. Hij keek naar de drijvende ijsblokjes en daarna naar Pace. 'Ik wou dat ik dat als een compliment kon opvatten,' zei hij zacht. 'Maar dat kan ik niet. Ik ken de lui met wie ik in opleiding was. Een uitzonderlijk stel.'

'Ze zijn sterk gemotiveerd.'

'De Europeanen zijn net zo gek als degenen die ze willen bestrijden. Ze hebben er reden voor; daar kan ik niets tegen inbrengen...'

'We hebben niet veel Amerikanen,' onderbrak de kolonel. 'Nog niet.'

'En degenen die u hebt, staan voor de deur van het cachot.'

'Het zijn geen militairen.'

'Dat wist ik niet,' zei Spaulding snel, en voegde er met een glimlach het vanzelfsprekende aan toe: 'Natuurlijk niet.'

Pace was boos op zichzelf. De onverstandigheid was gering, maar niettemin een onverstandigheid. 'Het is van geen belang. Over tien dagen ben je klaar in Virginia. Dan gaat het uniform uit. Eerlijk gezegd was het een vergissing je er een te geven. We zijn op dit terrein nog maar pas begonnen; reglementen over requisitie en bevoorrading zijn moeilijk te veranderen.' Pace nam een slok en vermeed Spauldings blik.

'Ik dacht dat ik militair attaché op de ambassade zou worden. Een van de zoveel.'

'Officieel ja. Er wordt een dossier voor je opgesteld. Maar er is verschil; het is een deel van de dekmantel. Je bent niet dol op uniformen. We vinden dat je er geen moet dragen. Nooit.' Pace zette zijn glas neer en keek David aan. 'Je hebt een heel veilige en heel prettige baan te pakken gekregen door je talenkennis, je domicilies en je familierelaties. Kort maar krachtig: je liep zo hard je kon zodra je dacht dat de kans bestond dat je mooie nek voor het echte leger gestrikt zou worden.

Spaulding dacht even na. 'Dat klinkt logisch. Waarom zit dat u dwars?'

'Omdat maar één man op de ambassade de waarheid zal weten. Hij zal zich bekend maken... Na een poos zullen anderen misschien iets vermoeden... na een heel lange poos. Maar weten zullen ze het niet. De ambassadeur niet, de staf niet... Wat ik probeer duidelijk te maken is, dat je niet erg populair zult zijn.'

David lachte zachtjes. 'Ik vertrouw erop dat u me zult overplaatsen voor ik gelyncht word.'

Pace antwoordde snel en rustig, bijna kortaf. 'Anderen zullen overgeplaatst worden. Jij niet.'

Zwijgend beantwoordde Spaulding de blik van de kolonel. 'Dat is me niet duidelijk.'

'Ik betwijfel of ik het verduidelijken kan.' Pace zette zijn glas op het cocktailtafeltje. 'Je zult langzaam moeten beginnen, uiterst omzichtig. De Britse MI-5 verstrekt ons een paar namen – niet veel, maar althans iets om mee te beginnen. Maar je zult je eigen netwerk moeten opbouwen. Mensen die alleen met jou contact onderhouden, met niemand anders. Dat zal inhouden dat je veel moet reizen. Je zult het zwaartepunt in het noordelijke gebied moeten leggen, over de grens, in Spanje. In Baskenland... over het geheel anti-falangistisch. We denken dat de streken ten zuiden van de Pyreneeën de contactpunten en de ontsnappingsroutes zullen worden... We maken onszelf niets wijs: de Maginotlinie houdt het niet. Frankrijk zal vallen...'

'Jezus,' interrumpeerde David zacht. 'U hebt heel wat berekeningen gemaakt.'

'We doen vrijwel niet anders. Dat is de reden voor Fairfax.'

Spaulding leunde achterover en draaide opnieuw zijn glas in het rond. 'Dat van het netwerk begrijp ik; in de een of andere vorm worden we op het terrein daar allemaal voor opgeleid. Maar ik hoor nu voor het eerst over het noorden van Spanje en Baskenland. Ik ken die streek.'

'We zouden het mis kunnen hebben. Het is maar een theorie. Misschien vind je de waterwegen – via de Middellandse Zee, Malaga, de Golf van Biscaje of de Portugese kust – geschikter. Dat moet je zelf uitmaken. En op touw zetten.'

'Uitstekend. Ik begrijp het... Maar wat heeft dat met overplaatsingen te maken?'

Pace glimlachte. 'Je bent nog niet eens op je post. Hengel je nu al naar verlof?'

'U bracht het ter tafel. Nogal abrupt, vind ik.'

'Dat deed ik.' De kolonel ging verzitten op de stoel. Spaulding was snel van begrip; hij omsingelde met woorden en benutte korte adempauzen voor een maximaal effect. Hij zou goed zijn bij verhoren. Snelle, harde verhoren. In de praktijk. 'We hebben besloten dat je zolang het duurt in Portugal blijft. De gewone en "buitengewone" verloven die je neemt, breng je in het zuiden door. Er ligt een reeks vakantieoorden langs de kust...'

'Waaronder Costa del Santiago,' bracht Spaulding gedempt in het midden. 'Rustoorden voor de internationale geldadel.'

'Precies. Zorg daar voor camouflage-verblijfplaatsen. Laat je zien met je ouders. Word een vaste gast.' Pace glimlachte weer, maar het was een aarzelende glimlach. 'Ik zou me een onprettiger diensttijd kunnen voorstellen.'

'U kent die vakantieoorden niet... Als ik u door heb – zoals wij in Fairfax zeggen – moet kandidaat Twee-Vijf-L de straten van Washington en New York maar eens goed in zich opnemen, want hij zal ze in een heel lange tijd niet meer te zien krijgen.'

'We kunnen niet riskeren je terug te laten komen als je eenmaal een netwerk hebt opgebouwd, aangenomen dàt je er een opbouwt. Als je om een of andere reden uit Lissabon naar geallieerd gebied zou vliegen, zou een leger vijandelijke agenten zich verdringen om elk van je bewegingen uit de voorafgaande maanden microscopisch uit te pluizen. Dat zou alles in gevaar brengen. Jíj bent het veiligst en ònze belangen zijn het veiligst als je er voorgoed blijft. Dat leerden de Engelsen ons. Enkele van hun speurneuzen zijn al jaren vaste gasten ter plaatse.'

'Geen erg prettig vooruitzicht.'

'Jij bent niet bij MI-5. Jij blijft zolang het duurt. De oorlog duurt niet eeuwig.'

Nu was het Spauldings beurt om te glimlachen; de glimlach van een man die argeloos in een valstrik gelopen was. 'Dat is een onzinnige uitspraak: "De oorlog duurt niet eeuwig."'

'Waarom?'

'We zijn nog niet in oorlog.'

'Jij wel,' zei Pace.

8 september 1943
Peenemünde, Duitsland

De man in het maatpak, een duur pak met een krijtstreepje, gemaakt bij een kleermakerij in de Alte Strasse, staarde de drie mannen aan de andere kant van de tafel ongelovig aan. Hij zou krachtig geprotesteerd hebben als de drie deskundigen niet het vierkante roodmetalen plaatje op de revers van hun gesteven witte laboratoriumjassen gedragen hadden ten bewijze dat zij toegang hadden tot deuren die gesloten bleven voor iedereen die niet tot de elite van Peenemünde behoorde. Hij had ook zo'n plaatje op de revers van zijn streepjespak; het was een tijdelijke pas waar hij niet bijzonder gebrand op was.

En nú was hij er helemaal niet op gesteld.

'Ik kan uw conclusie niet aanvaarden,' zei hij rustig. 'Het is onzinnig.'

'Gaat u maar mee,' antwoordde de middelste geleerde met een knikje naar zijn rechter buurman.

'Uitstel heeft geen zin,' voegde de derde man eraan toe.

De vier mannen stonden op en liepen naar de stalen deur, die de enige toegang tot het vertrek vormde. Om de beurt deden ze hun rode plaatje af en drukten het tegen een grijze plaat in de muur. Zodra het contact tot stand kwam, ging er een witte gloeilamp aan die twee seconden bleef branden en dan weer uitging: er was een foto genomen. De laatste man – een personeelslid van Peenemünde – deed vervolgens de deur open en allen liepen de gang in.

Zouden er maar drie mannen naar buiten gekomen zijn, of vijf, of een ander aantal dat niet klopte met de foto's, dan zouden er alarminstallaties in werking getreden zijn.

Ze liepen zwijgend de lange, helderwitte gang door, de Berlijner voorop met de geleerde die tussen de beide anderen aan de tafel gezeten had en kennelijk de woordvoerder was. Zijn collega's volgden. Ze kwamen bij een reeks liften, waar zich het ritueel herhaalde van de rode identiteitsplaatjes, de grijze plaat en het kleine witte lampje dat precies twee seconden bleef branden.

Onder de grijze plaat lichtte ook een nummer op.

Zes.

Uit lift nummer zes klonk één enkele maal het gedempte geluid van een belletje toen de dikke stalen deur opengleed. Een voor een stapten de mannen naar binnen.

De lift daalde acht etages, waarvan vier ondergronds, naar de diepste gewelven van Peenemünde. Toen de vier mannen uitstapten, alweer een witte gang in, werden ze tegemoet getreden door een grote man in een nauwsluitende groene overall met een overmaatse holster aan zijn brede bruine riem. In de holster zat een Lüger Sternlicht, een speciaal ontworpen pistool met telescoopvizier. Zoals uit de klep van 's mans uniformpet bleek, werden die wapens voor de Gestapo gemaakt.

De Gestapo-officier bleek de drie geleerden te kennen. Hij glimlachte flauwtjes en richtte zijn aandacht op de man in het streepjespak. Met uitgestoken hand gebaarde hij de Berlijner het rode plaatje af te doen.

De Berlijner deed het af. De Gestapo-officier pakte het aan, liep naar een telefoontoestel aan de muur en drukte op een reeks knoppen. Hij noemde de naam van de Berlijner en wachtte misschien een seconde of tien.

Hij legde de hoorn op de haak en liep terug naar de man in het streepjespak. Weg was zijn arrogantie van enkele ogenblikken geleden.

'Excuseert u het oponthoud, Herr Strasser. Ik had moeten begrijpen...' Hij gaf de Berlijner diens identiteitsplaatje.

'Geen onnodige excuses, Herr Oberleutnant. Het zou iets anders zijn als u uw plichten verzaakt had.'

'*Danke*,' zei de Gestapoman en wuifde de vier mannen langs zijn controlepunt.

Ze liepen naar een stel dubbele deuren die klikten toen ze van slot gedaan werden. Boven de deurposten begonnen kleine witte lampjes te branden en weer werden foto's genomen van degenen die de dubbele deuren passeerden.

Ze gingen rechtsaf een gevorkte gang binnen – ditmaal geen witte, maar een bruinzwarte en zo donker, dat Strassers ogen verscheidene seconden nodig hadden om van de witheid van de portalen over te schakelen op het plotselinge nachtelijke duister van deze gang. Minuscule plafondlampjes verspreidden het weinige licht dat er was.

'U bent hier nog nooit geweest,' zei de geleerde die als woordvoerder optrad tegen de Berlijner. 'Deze gang werd ontworpen door een optisch ingenieur. Hij zou de ogen voorbereiden op de hoge intensiteit van het licht in de microscoop. De meesten van ons hebben er geen hoge dunk van.'

Er was een stalen deur aan het eind van de lange, donkere tunnel. Strasser tastte automatisch naar zijn rode identiteitsplaatje, maar de geleerde schudde zijn hoofd en zei, terwijl hij licht wuifde met zijn hand: 'Onvoldoende licht voor foto's. De wacht binnen is gewaarschuwd.'

De deur ging open en de vier mannen betraden een groot laboratorium. Langs de rechtermuur stond een rij krukken en elke kruk stond voor een krachtige microscoop. Alle microscopen waren op gelijke onderlinge afstand op een ingebouwde werkbank gemonteerd. Achter iedere microscoop was een afgeschermde sterke lamp aangebracht op een arm in de vorm van een zwanehals, die uit de smetteloos witte muur stak. De linkermuur was een variant van de rechter, maar er stonden geen krukken en minder microscopen. Het blad van de werkbank was hoger en werd kennelijk gebruikt voor besprekingen, waarbij vele paren ogen door dezelfde stellen lenzen tuurden. Krukken waren dan alleen maar hinderlijk en de deelnemers beraadslaagden staande over sterk vergrote deeltjes.

In de verste hoek van het vertrek was nog een deur, maar geen ingang. Een kluis. Een zware stalen kluisdeur, twee meter hoog en 1,25 meter breed. Hij was zwart, maar de twee hefbomen en het combinatiewiel waren zilverglanzend.

De woordvoerder-geleerde liep erheen.

'Het duurt een kwartier tot de tijdklok het paneel en de laden afsluit. Ik heb een week sluiting gevraagd, maar natuurlijk heb ik daar uw toestemming voor nodig.'

'En u bent er zeker van dat ik die zal geven, nietwaar?'

'Dat ben ik.' De geleerde draaide het wiel naar rechts en naar links voor de gewenste combinatie. 'De combinatie verandert automatisch om de 24 uur,' zei hij toen hij het wiel stilhield bij het laatste cijfer en naar de zilverkleurige hefbomen reikte. Hij trok de bovenste omlaag bij een nauwelijks hoorbaar snorrend geluid en trok enkele seconden later de onderste omhoog.

Het gesnor hield op, er klonk geklik van metaal en de geleerde trok de dikke stalen deur open. Hij wendde zich tot Strasser.

'Dit is het werkmateriaal voor Peenemünde. Kijkt u zelf maar.'
Strasser liep naar de kluis. Die bevatte van boven naar beneden vijf rijen uittrekbare glazen bakken; honderd bakken per rij, vijfhonderd in totaal.

De lege bakken waren aan de voorkant herkenbaar aan een wit stukje papier met de duidelijke opdruk *Auffüllen*. De volle bakken waren aan de voorkant met een zwarte strip gemerkt.

Er waren viereneenhalve rij witte bakken. Leeg.

Strasser keek nog eens goed, trok verschillende bakken open, sloot ze weer en staarde de geleerde aan.

'Is dit de enige opslagplaats?' vroeg hij rustig.

'Ja. We hebben zesduizend exemplaren klaar en God mag weten hoeveel er bij de proefnemingen verloren zullen gaan. Berekent u zelf maar hoelang we nog door kunnen gaan.'

Strassers blik hield die van de geleerde vast. 'Beseft u wel wat u zegt?'

'Dat doe ik. We kunnen maar een fractie van de vereiste schema's leveren. Bij lange na niet genoeg. Peenemünde is een fiasco.'

9 september 1943
De Noordzee

De vloot B-17 bommenwerpers was wegens een dicht wolkendek afgezwenkt van het eerste doel, Essen. Ondanks de tegenwerpingen van de andere piloten beval de squadroncommandant een aanval op het secundaire doel: de scheepswerven ten noorden van Bremerhaven. Iedereen had een hekel aan de vlucht naar Bremerhaven; de onderscheppende eskaders Messerschmitts en Stuka's deden vernietigend werk. Ze werden de zelfmoordsquadrons van de Luftwaffe genoemd, maniakale jonge nazi's die met evenveel plezier een botsing in de lucht met vijandelijke vliegtuigen veroorzaakten als erop schoten. Dat was niet noodzakelijkerwijs een bravourstaaltje, dikwijls was het alleen maar gebrek aan ervaring of, nog erger, een slechte opleiding.

Bremerhaven-Noord was een afschuwelijk secundair doel. Als het een primair doel was, beten de escorterende jagers van de Achtste Luchtvloot de spits af; maar met Bremerhaven als secundair doel waren ze er niet.

Maar de squadroncommandant was een doorbijter. Nog sterker: hij was een West Point-officier; het secundaire doel zou niet alleen geraakt worden, het zou geraakt worden vanaf een hoogte die een maximale nauwkeurigheid waarborgde. Hij luisterde niet naar de heel duidelijke kritiek van zijn onderbevelhebber in het vliegtuig naast hem, die met ronde woorden verklaarde dat een dergelijkc hoogte nauwelijks haalbaar was mèt escorterende jagers; zònder hen was het bij het zware afweervuur ronduit waanzin. De squadroncommandant had geantwoord met een korte opgave van de nieuwe koers en had het radiocontact verbroken.

Toen ze de corridors naar Bremerhaven bereikten, doken van alle kanten Duitse onderscheppingsvliegtuigen op en het luchtafweervuur was moordend. De commandant liet zijn toestel meteen duiken tot de hoogte voor maximale nauwkeurigheid en werd uit het luchtruim geblazen.

Zijn plaatsvervanger hechtte meer waarde aan zijn leven en aan de kosten van een vliegtuig dan zijn commandant van West Point. Hij beval zijn squadron hoogte te winnen en commandeerde zijn bommenrichters hun bommen af te werpen op wat ze beneden ook maar zagen, maar verminder-hier-en-gunter-die-verdomde-vracht, zodat alle vliegtuigen hun maximale hoogte konden bereiken en het luchtafweer- en onderscheppingsvuur zouden kunnen ontwijken.

In vele gevallen was het te laat. Een bommenwerper vloog in brand en raakte in een spin; er kwamen maar drie parachutes naar buiten. Twee vliegtuigen waren zo zwaar toegetakeld, dat ze onmiddellijk begonnen te dalen. De piloten en de bemanningsleden sprongen eruit. De meesten althans.

De rest bleef klimmen en de Messerschmitts klommen met hen mee. Ze gingen hoger en nog hoger, boven de veilige hoogte uit. Er werd bevolen zuurstofmaskers op te zetten, maar die functioneerden niet allemaal.

Maar wat er van het squadron was overgebleven, bevond zich na vier minuten in een heldere middernachtelijke hemel, die nog verrassend helderder werd door de substratosferische afwezigheid van stofdeeltjes. De sterren bezaten een uitzonderlijke helderheid en de maan was meer dan ooit tevoren een maan voor bommenwerpers.

In deze regionen lag hun ontsnapping.

'Navigator!' zei de uitgeputte, opgeluchte onderbevelhebber in zijn radio, 'geef ons een koers. Terug naar Lakenheath graag.' Het antwoord over de radio vergalde het gevoel van opluchting. Het kwam van een boordschutter die achter de navigator zat. 'Hij is dood, kolonel. Nelson is dood.'

Er was geen tijd voor commentaar. 'Neem 't over, vliegtuig drie. Jullie moeten 't nu opknappen,' zei de kolonel in vliegtuig twee. De koers werd opgegeven. De formatie groepeerde zich, daalde naar een veilige hoogte met beschutting van het wolkendek en haastte zich naar de Noordzee.

Het werden vijf, toen zeven en toen twaalf minuten. Tenslotte twintig. Er hingen beneden betrekkelijk weinig wolken en de kust van Engeland had minstens twee minuten geleden in zicht moeten komen. Verschillende piloten waren bezorgd en enkelen zeiden dat ook.

'Gaf je de juiste koers, vliegtuig drie?' vroeg de nieuwe squadronleider.

'Inderdaad, kolonel,' kwam het antwoord over de radio.

'Zijn alle navigators het ermee eens?'

Uit de overgebleven vliegtuigen kwamen allerlei tegenstrijdige antwoorden.

'Geen paniek, kolonel,' kwam de stem van de commandant van vliegtuig vijf. 'Maar ik ben het niet met uw beslissing eens.'

'Wat klets je in vredesnaam?'

'Volgens mijn kompas gaf u twee-drie-negen aan. Ik dacht dat mijn instrumenten beschadigd waren.'

Plotseling kwamen er interrupties van alle piloten in het gedecimeerde squadron.

'Ik heb een-zeven...'

'Mijn kompas gaf twee-negen-twee. Wij kregen een voltreffer...'

'Jezus. Ik had zes-vier...'

'De meesten van onze middengroep kregen een portie. Ik had mijn instrumenten al helemaal afgeschreven!'

En toen was er stilte. Ze begrepen het allemaal.

Of ze begrepen wat ze niet konden bevatten.

'Laat alle frequenties vrij,' zei de squadroncommandant. 'Ik wil proberen de basis op te roepen.'

De wolken boven hem braken; niet lang, maar lang genoeg. De stem over de radio was die van de gezagvoerder van vliegtuig drie.

'Volgens een snelle beoordeling, kolonel, koersen we precies naar het noordwesten.'

Weer stilte.

Na enkele ogenblikken sprak de commandant weer. 'Ik krijg wel iemand te pakken. Geven jullie meters dezelfde stand aan als de mijne? Benzine voor ruwweg tien tot vijftien minuten?'

'Het is een lange vlucht geweest, kolonel,' zei vliegtuig zeven.

'Meer zeker niet, dat staat vast.'

'Ik dacht vijf minuten geleden dat we rondcirkelden,' zei toestel acht.

'Dat doen we niet,' zei toestel vier.

De kolonel in toestel twee kreeg over een noodfrequentie verbinding met Lakenheath.

'Voor zover wij kunnen bepalen,' klonk de gespannen, opgewonden, maar toch beheerste Engelse stem, 'en daarmee bedoel ik open vliegroutes over het hele kustverdedigingsgebied, zowel ter zee als te land, nadert u de sector Dunbar. Dat is de Schotse grens, kolonel. Wat doet u in vredesnaam in die contreien?'

'Lieve help, man, dat wéét ik niet. Zijn daar vliegvelden?'

'Niet voor uw toestel. Zeker niet voor een formatie; voor een of twee kisten misschien...'

'Zo'n antwoord neem ik niet, lammeling! Geef me noodaanwijzingen!'

'We zijn volledig onvoorbereid...'

'Verstá je me? Wij zijn het restje van een zwaar gehavend squadron. We hebben voor nog geen zes minuten benzine. Kom op met je instructies!'

De stilte duurde precies vier seconden. Lakenheath beraadslaagde snel. En beslissend.

'We vermoeden dat u de kust zult zien, waarschijnlijk Schotland. Maak een landing op zee... Wij zullen ons best doen, mannen.'

'Wij zijn met elf bommenwerpers, Lakenheath. We zijn geen troep eenden.'

'We hebben geen tijd, squadronleider... De berekeningen zijn ondoenlijk. Tenslotte hebben wij u niet op die koers gezet. Land op zee. Wij doen ons best... Succes.'

Deel 1

I

10 september 1943
Berlijn, Duitsland

Rijksminister van bewapening Albert Speer rende de trappen van het ministerie van luchtvaart aan de Tiergarten op. Hij voelde de striemende, diagonale regenvlagen niet, die uit de grijze hemel naar beneden kletterden; hij merkte niet dat zijn regenjas – die niet dichtgeknoopt was – opengewaaid was en zijn uniform en overhemd onbeschermd liet tegen de stortbui. Zijn kokende woede liet in zijn gedachten voor niets anders plaats dan voor de directe crisis.

Waanzin! Pure, onvervalste, onvergeeflijke waanzin!

De industriële reserves van Duitsland waren vrijwel uitgeput, maar dat immense probleem kon hij aan. Dat kon hij aan door een juist gebruik van het produktiepotentieel van de bezette gebieden, door omkering van de onhanteerbare methode van invoer van werkkrachten. Werkkrachten? Slaven!

De produktiviteit was rampzalig, met voortdurende en onophoudelijke sabotage.

Wat verwachtten ze wel?

Het was tijd voor offers! Hitler kon niet tot in het oneindige alles voor iedereen zijn! Hij kon niet zorgen voor kolossale Mercedessen en grootse opera's en goed bezette restaurants; in plaats daarvan moest hij zorgen voor tanks, munitie, schepen en vliegtuigen. Dàt waren de prioriteiten.

Maar de Führer kon de herinnering aan de revolutie van 1918 maar niet uitwissen.

Wat een inconsequentie! De enige man met de wil de geschiedenis te bepalen, die de onzinnige droom van een Duizendjarig Rijk dicht genaderd was, was versteend van angst door een vervlogen herinnering aan bandeloos gepeupel, aan ontevreden volksmenigten.

Speer vroeg zich af of toekomstige geschiedschrijvers het feit zouden vermelden. Of ze zouden doorzien hoe zwak Hitler wel was waar het zijn eigen landgenoten betrof. Hoe hij zich kromde van angst als de levensmiddelenproduktie beneden de verwachte opbrengsten bleef.

Waanzin!

Maar niettemin kon hij, de rijksminister van bewapening, deze rampzalige inconsequentie de baas zolang hij maar de overtuiging had dat het alleen maar een kwestie van tijd was. Een paar maanden nog; misschien hoogstens zes.

Want daar was Peenemünde.

De raketten.

Alles werd teruggebracht tot Peenemünde.

Peenemünde was onstuitbaar. Peenemünde zou de ineenstorting van Londen en Washington bewerkstelligen. Beide regeringen zouden de zinloosheid inzien van voortgezette vernietiging op grote schaal.

Verstandige mannen konden dan bij elkaar aan tafel gaan zitten en verstandige verdragen opstellen.

Ook als dat betekende dat aan onverstandige mannen het zwijgen moest worden opgelegd. Dat Hitler tot zwijgen gebracht moest worden.

Speer wist dat anderen er net zo over dachten. De Führer begon onmiskenbare en ongezonde tekenen van overspanning te vertonen – vermoeidheid. Hij omringde zich nu met middelmatigen – een slecht verborgen verlangen om in het behaaglijke gezelschap van zijn geestelijk gelijken te blijven. Maar het ging te ver wanneer het Reich zelf daaronder leed. Een wijnhandelaar als minister van buitenlandse zaken! Een derderangs partijpropagandist als minister voor het Ostland! Een gewezen vliegtuigpiloot als opzichter over de hele economie!

Zelfs hijzelf. Zelfs de rustige, verlegen architect was nu minister van bewapening.

En dat alles zou veranderen met Peenemünde.

Zelfs hijzelf. Goddank!

Maar eerst moest Peenemünde er zíjn. Er was geen twijfel mogelijk aan het operationele succes ervan. Want zonder Peenemünde was de *Krieg* verloren.

En nu moest hij horen dàt er twijfel bestond. Een leemte, die best eens de voorbode van Duitslands nederlaag zou kunnen zijn.

Een korporaal opende de deur van de vergaderkamer. Albert Speer liep naar binnen en zag dat de plaatsen aan de lange conferentietafel voor ongeveer tweederde bezet waren, met coterie-achtige tussenruimten, alsof de verschillende groepen verdenking tegen elkaar koesterden. Dat was dan ook inderdaad het geval in deze tijden van voortdurend toenemende rivaliteiten binnen het Reich.

Hij liep naar het hoofd van de tafel, waar aan zijn rechterhand de enige man zat die hij onder de aanwezigen kon vertrouwen. Franz Altmüller.

Altmüller was 42 jaar en een cynicus. Groot, blond en aristocratisch, de verpersoonlijking van de Ariër van het Derde Rijk, maar in het minst geen aanhanger van de onzinnige rassenleer zoals die door het Derde Rijk verkondigd werd. Wel was hij een aanhanger van de theorie dat hij ieder voordeeltje moest meepikken dat binnen zijn bereik kwam door eensgezindheid te veinzen met iedereen van wie hij kon profiteren.

In het openbaar, wel te verstaan.

Privé, onder zijn allernaaste medestanders, vertelde hij de waarheid. Wanneer die waarheid hem ook ten nutte kon komen.

Speer was niet alleen Altmüllers medestander, hij was zijn vriend. Hun families waren meer geweest dan gewone buren; de beide vaders hadden gezamenlijke handelstransacties ondernomen en de moeders waren schoolvriendinnen geweest.

Altmüller was in de voetsporen van zijn vader getreden. Hij was een uiterst bekwaam zakenman en een expert op het gebied van produktieadministratie.

'Goedemorgen,' zei Altmüller, terwijl hij een denkbeeldig draadje van zijn uniformkraag klopte. Hij droeg zijn partijuniform veel vaker dan nodig was en hield zich het liefst in de omgeving van de aartsengel op.

'Dat lijkt onwaarschijnlijk,' zei Speer en nam snel plaats. De groepen – en groepen waren het – rondom de tafel bleven doorpraten, maar de stemmen waren merkbaar zachter. Ogen flitsten in Speers richting en wendden zich dan snel af; iedereen was klaar voor een onmiddellijk zwijgen, maar niemand wilde bezorgd of schuldig lijken.

De stilte zou vallen als Altmüller of Speer zelf uit zijn stoel opstond om het woord tot de vergadering te richten. Dat zou het sein zijn. Niet eerder. Een eerder blijk van aandacht zou de indruk van angst kunnen wekken. Angst stond gelijk aan de bekentenis van een fout. Dat kon niemand aan de conferentietafel zich permitteren.

Altmüller opende een map van bruin henneppapier en legde die voor Speer neer. Het was een lijst van de opgeroepenen voor de vergadering. Er waren in feite drie verschillende partijen met onderafdelingen daarbinnen, elk met een eigen woordvoerder. Speer las de namen en keek – naar hij dacht onopvallend – op om zich te vergewissen van de aanwezigheid en de plaats van de drie leiders.

Aan het uiteinde van de tafel zat in zijn schitterende generaals-uniform, dat bezaaid was met gedeeltelijk al dertig jaar geleden verleende decoraties, de chef Militaire Bevoorrading en Materieel, Ernst Leeb. Hij was van normaal postuur, maar uitzonderlijk gespierd, en was dat tot dik in de zestig gebleven. Hij rookte zijn sigaret in een ivoren pijpje, waarmee hij naar believen de opmerkingen van zijn verschillende mindere goden afbrak. In sommige opzichten was Leeb een karikatuur, maar nog steeds machtig. Hitler mocht hem graag, zowel om zijn gebiedende militaire optreden als om zijn capaciteiten.

Aan het midden van de tafel zat links Albert Vögler, de spitse, agressieve directeur-generaal van Nijverheid van het Rijk. Vögler was een gezette kerel, het prototype van een burgemeester, en zijn vlezige gezicht plooide zich voortdurend in een onderzoekende frons. Hij lachte veel, maar zijn lach had een harde klank; het was een instrument, niet een uiting van plezier. Hij was geknipt voor zijn post. Vögler vond niets fijner dan onderhandelingen forceren tussen industriële tegenstanders. Hij was een uitstekend tussenpersoon, want alle betrokkenen waren meestal bang voor hem.

Tegenover Vögler en iets meer naar rechts, naar de kant van Altmüller en Speer, zat Wilhelm Zangen, de Reichsverwalter van het Duitse Industriële Verbond. Zangen had dunne lippen, een akelig tenger postuur en totaal geen gevoel voor humor; een vleesloos skelet, dat het gelukkigst was als het zich over zijn staten en grafieken kon buigen. Een precies mannetje, dat snel begon te transpireren aan de rand van zijn terugwijkende haardos, onder zijn neusvleugels en op zijn kin, vooral als hij zenuwachtig was. Hij transpireerde nu en greep voortdurend naar zijn zakdoek om de hinderlijke vochtdruppeltjes weg te vegen. Enigszins in tegenspraak met zijn voorkomen was Zangen echter een overtuigend spreker. Want hij debatteerde nooit zonder de feiten.

Ze waren allemaal overtuigend, dacht Speer. En zonder zijn

woede als wapen wist hij dat die mannen hem konden – en waarschijnlijk ook zouden – intimideren. Albert Speer was eerlijk in zijn zelfontleding; hij erkende dat hij geen wezenlijk gevoel voor gezag bezat. Hij formuleerde zijn gedachten moeilijk tegenover zulke potentieel vijandige mannen. Maar nu waren de potentieel vijandige mannen in een verdedigende positie gedrongen. Het mocht niet zover komen dat zijn woede hen in paniek bracht, zodat ze alleen maar vergiffenis voor zichzelf zouden trachten te verkrijgen. Ze hadden een remedie nodig. Duitsland had een remedie nodig.

Peenemünde moest gered worden.

'Hoe stel je voor te beginnen?' vroeg Speer met de hand voor de mond aan Altmüller, zodat niemand anders aan de tafel hem kon horen.

'Ik geloof niet dat het een snars uitmaakt. Het zal een uur van erg luide, erg saaie en erg stompzinnige uiteenzettingen kosten voor we iets concreets bereiken.'

'Uiteenzettingen interesseren me niet...'

'Excuses dan.'

'Excuses wil ik helemaal niet horen. Ik wil een oplossing.'

'Als die aan deze tafel te vinden is – wat ik eerlijk gezegd betwijfel – zul je je door die overtollige woordenbrij moeten heenwerken. Misschien komt er iets uit voort. Maar nog eens, ik betwijfel het.'

'Zou je me dat eens duidelijk willen maken?'

Altmüller keek Speer recht in de ogen. 'In laatste instantie ben ik er niet zeker van dat er een oplossing bestaat. Maar als die bestaat, verwacht ik die niet aan deze tafel... Misschien heb ik het mis. Waarom luisteren we niet eerst eens?'

'Uitstekend. Wil jij beginnen met het overzicht dat je gemaakt hebt? Ik zou halverwege mijn zelfbeheersing wel eens kunnen verliezen.'

'Mag ik je wijzen,' fluisterde Altmüller, 'op de noodzaak dat jij ergens tijdens deze vergadering je zelfbeheersing verliest. Ik zie niet in hoe je dat kunt vermijden.'

'Ik begrijp het.'

Altmüller schoof zijn stoel achteruit en stond op. Groep na groep zwegen de stemmen om de tafel.

'Heren, deze spoedvergadering werd belegd om redenen waarvan wij aannemen dat u ze kent. U behoort ze althans te kennen.

Het schijnt dat alleen de rijksminister van bewapening en zijn staf niet op de hoogte gebracht werden; een feit dat de rijksminister en zijn staf schokkend vinden... Kort maar krachtig: het Peenemündeproject staat voor een ongeëvenaarde crisis. Ondanks de miljoenen die in dit allervitaalste nieuwe wapen gestoken werden, ondanks de voortdurend door uw diverse afdelingen gegeven verzekeringen, vernemen wij nu, dat de produktie binnen enkele weken misschien volkomen stilgezet moet worden: verscheidene maanden voor de overeengekomen afleveringsdatum van de eerste operationele raketten. Aan die datum is nooit getornd. Hij was het fundament voor hele militaire strategieën, hele legers zijn met het oog daarop gereedgemaakt. Op grond daarvan is de Duitse overwinning voorspeld... Maar nu wordt Peenemünde bedreigd en Duitsland wordt bedreigd... Als de taxaties, die de staf van de rijksminister heeft opgesteld – aan het licht gebracht en opgesteld – juist zijn, zal het Peenemündeproject in minder dan negentig dagen zijn voorraad industriediamant opgebruikt hebben. Zonder industriediamant kan de precisiefabricage in Peenemünde niet voortgezet worden.'

Het lawaai van stemmen – opgewonden, diepe keelgeluiden, wedijverend om aandacht – barstte los op hetzelfde moment dat Altmüller ging zitten. Het sigarettepijpje van generaal Leeb hieuw door de lucht voor hem alsof het een sabel was; Albert Vögler fronste zijn voorhoofd en kneep zijn papperige oogleden samen, legde zijn kolenschoppen van handen op tafel en snauwde met luide, monotone stem; de zakdoek van Wilhelm Zangen schoot als een razende over zijn gezicht en hals, en zijn piepstem stak fel af tegen de mannelijker geluiden om hem heen.
Franz Altmüller leunde over naar Speer. 'Heb je in de dierentuin wel eens woedende ocelotten in een kooi gezien? De oppasser kan niet toestaan dat ze zich in de tralies werpen. Ik stel voor dat je je heilzame zelfbeheersing heel wat eerder verliest dan we bespraken. Misschien nu al.'
'Dat is de methode niet.'
'Laat ze niet denken dat je bang geworden bent.'
'En evenmin dat ik hen bang wil maken.' Speer onderbrak zijn vriend en een heel flauw glimlachje speelde om zijn lippen. Hij stond op. 'Heren.'

De stemmen verstomden.

'Herr Altmüller spreekt een harde taal; hij doet dat ongetwijfeld omdat ik harde woorden tegen hem gebruikte. Dat gebeurde vanmorgen, heel vroeg in de morgen. Er is nu meer perspectief; het is geen tijd voor verwijten. Dat vermindert niet de kritieke aspecten van de toestand, want die zijn zeer groot. Maar woede lost niets op. En we hebben oplossingen nodig... Daarom zou ik uw medewerking willen vragen – de medewerking van de knapste koppen op industrieel en militair gebied van het Reich. Allereerst moeten we natuurlijk de details weten. Ik begin met Herr Vögler. Wilt u als directeur-generaal van Nijverheid van het Reich ons uw schatting geven?'

Vögler was van zijn stuk gebracht, hij wilde niet als eerste opgeroepen worden. 'Ik betwijfel of ik veel opheldering kan geven, Herr Reichsminister. Ik ben ook afhankelijk van de rapporten die ik krijg. Ze waren steeds optimistisch en tot voor kort was er geen enkele aanwijzing voor moeilijkheden.'

'Wat bedoelt u met optimistisch?' vroeg Speer.

'De hoeveelheden industriediamant, dus boort en carbonado, werden voldoende genoemd. Bovendien wordt er voortdurend geëxperimenteerd met lithicum, koolstof en paraffine. Onze inlichtingendienst meldt ons dat de Engelsman Storey in het Brits Museum de Hannay-Moissan theorieën nog eens heeft nagegaan. Er zijn op die manier diamanten geproduceerd.'

'Wie controleerde de Engelsman?' Franz Altmüller zei het verre van vriendelijk. 'Is het in u opgekomen dat een dergelijk bericht verspreid werd met de bedoeling dat het zou worden doorgegeven?'

'Verificatie is een zaak van de Inlichtingendienst. Ik ben niet bij de Inlichtingendienst, Herr Altmüller.'

'Ga door,' zei Speer haastig. 'Wat is er nog meer?'

'Er vinden Engels-Amerikaanse proefnemingen plaats onder supervisie van het Bridgemannteam, waarbij grafiet wordt blootgesteld aan een druk van meer dan vierhonderdduizend atmosfeer. Tot dusverre is er niets vernomen over succes.'

'Is er iets vernomen over mislukkingen?' Altmüller trok zijn aristocratische wenkbrauwen op en zijn toon was beleefd.

'Ik herhaal nog eens dat ik niet bij de Inlichtingendienst ben. Ik heb totaal niets vernomen.'

'Reden om na te denken,' zei Altmüller zonder een vraag te stellen.

'Niettemin,' onderbrak Speer voor Vögler kon repliceren, 'had u reden om aan te nemen dat de hoeveelheden boort en carbonado voldoende waren. Of niet soms?'

'Voldoende. Of althans verkrijgbaar, Herr Reichsminister.'

'Hoezo, verkrijgbaar?'

'Ik vermoed dat generaal Leeb beter ingelicht is over dat onderwerp.'

Leeb liet zijn ivoren sigarettepijpje bijna vallen. Altmüller merkte zijn verrassing op en kwam snel tussenbeide. 'Waarom zou de chef Militaire Bevoorrading over die informatie beschikken, Herr Vögler? Ik vraag dat alleen uit persoonlijke nieuwsgierigheid.'

'Opnieuw, vanwege de rapporten. Ik meen te weten dat de bevoorradingsdienst verantwoordelijk is voor taxatie van het industriële, agrarische en minerale potentieel van bezette gebieden. Of gebieden die daarvoor op de nominatie staan.'

Ernst Leeb was niet gcheel onvoorbereid. Hij was onvoorbereid op de insinuaties van Vögler, niet op het onderwerp. Hij wendde zich tot een van zijn helpers, die op Speers vraag om inlichtingen in een stapel papieren begon te zoeken.

'De Dienst Militaire Bevoorrading en Materieel staat tegenwoordig onder enorme druk, evenals uw afdeling, Herr Vögler. Ik betwijfel of generaal Leeb tijd gehad heeft...'

'Wij hebben tijd gemáákt,' zei Leeb en stelde zijn afgemeten militaire houding tegenover Vöglers burgemeesterachtige lompheid. 'Toen wij bericht kregen van de ondergeschikten van Herr Vögler dat er een crisis dreigde – hoewel niet voor ons – hebben wij onmiddellijk naar mogelijkheden gezocht om die af te wenden.'

Franz Altmüller bracht zijn hand naar zijn mond om een onwillekeurige glimlach te verbergen. Hij keek Speer aan, maar die was te geërgerd om enige humor in de situatie te kunnen ontdekken.

'Ik ben blij dat de Dienst Bevoorrading zoveel vertrouwen heeft, generaal,' zei Speer. Hij had weinig vertrouwen in de militair en kon dat maar met moeite verbergen. 'Hoe wendt u die crisis af?'

'Ik zei mógelijkheden, Herr Speer. Het vinden van praktische oplossingen zal méér tijd kosten dan wij hadden.'

'Begrijpelijk. Uw mogelijkheden?'

'Er is een onmiddellijke oplossing met een historisch precedent.' Leeb pauzeerde om het peukje uit zijn sigarettepijpje te
verwijderen en uit te drukken, in de bewustheid dat iedereen
om de tafel hem gespannen aankeek. 'Ik ben zo vrij geweest, de
Generale Staf een vooronderzoek aan te bevelen. Het betreft
een expeditionaire macht van minder dan vier bataljons naar...
Afrika. De diamantmijnen in Tanganyika.'
'Wàt?' Altmüller leunde voorover; hij kon klaarblijkelijk zijn
oren niet geloven. 'Dat kan u geen ernst zijn.'
'Kom heren.' Speer wilde niet dat zijn vriend de generaal interrumpeerde. Als Leeb al een zo drastische actie overwogen had,
kon die verdiensten hebben. Een hoge militair die bekend was
met de geringe gevechtssterkte – ingedeukte linies aan het
Oostfront en moorddadige aanvallen van de geallieerden in Italië – zou nooit een dergelijke absurditeit voorstellen als hij geen
reële hoop op slagen had. 'Gaat u door, generaal.'
'De Williamson Mijnen in Mwadui, in het Shinyanga district in
Tanganyika. De mijnen van Mwadui produceren jaarlijks meer
dan een kwart miljoen karaat carbonado-diamanten. De Inlichtingendienst – met inlichtingen die mij op mijn aandringen regelmatig worden toegezonden – meldt ons dat er voorraden van
verscheidene maanden opgeslagen liggen. Onze agenten in Dar
es Salaam zijn ervan overtuigd dat een dergelijke overval zou
slagen.'
Franz Altmüller schoof Speer een vel papier toe. Hij had erop
gekrabbeld: 'Hij is gek geworden!'
'Wat is het historische precedent waar u op doelde?' vroeg
Speer, met zijn hand op Altmüllers papier.
'Alle districten ten westen van Dar es Salaam behoren rechtens
aan het Derde Rijk als Duits Oost-Afrika. Na de Wereldoorlog
werden ze het vaderland ontnomen. De Führer zelf heeft dat
vier jaar geleden al duidelijk laten blijken.'
Rond de tafel heerste stilte. Een pijnlijke stilte. Zelfs de ogen
van zijn adjudanten meden die van de oude veteraan. Tenslotte
nam Speer het woord.
'Dat is rechtvaardiging, geen precedent, generaal. De wereld
geeft weinig om onze gerechtvaardigde aanspraken en hoewel
ik twijfel aan de uitvoerbaarheid van de verplaatsing van vier
bataljons over de halve aardbol, kunt u een bruikbare koers
hebben aangegeven. Waar ergens dichterbij, in West-Afrika

misschien, wordt boort of carbonado gewonnen?'
Leeb keek zijn adjudanten aan; Wilhelm Zangen bracht zijn zakdoek naar zijn neusgaten en boog zijn hoofd in de richting van de generaal. Hij sprak alsof hij uitademde, met een hinderlijke piepstem.
'Daar kan ik op antwoorden, Herr Reichsminister. Ik neem aan dat u daarna zult inzien hoe zinloos deze bespreking is... Zestig procent van de crushing boort industriediamant komt uit Belgisch Kongo. De twee voornaamste vindplaatsen zijn de diamantvelden Kasai en Bakwanga, tussen de rivieren Kanshi en Bushimaie. Gouverneur-generaal van het district is Pierre Ryckmans; hij is de uitgeweken Belgische regering in Londen toegedaan. Ik kan Leeb verzekeren dat de trouw van de Kongo aan België veel groter is dan die in Dar es Salaam aan ons ooit geweest is.'
Leeb stak nijdig een sigaret op. Speer leunde achterover en richtte zich tot Zangen.
'Akkoord, zestig procent van de crushing boort, maar hoe staat het met carbonado en de rest?'
'Frans Equatoriaal Afrika: geheel toegedaan aan de Vrije Fransen van De Gaulle. De Goudkust en Sierra Leone: geheel onder Britse controle. Angola: onder bestuur van Portugal met een onaantastbare neutraliteit; dat weten we met absolute zekerheid. Frans West-Afrika: niet alleen onder mandaat van de Vrije Fransen, maar bovendien met geallieerde strijdkrachten op de buitenposten... Er was daar maar één mogelijkheid en die kans ging anderhalf jaar geleden voor ons verloren. Vichy ontruimde de Ivoorkust... Er is geen toegangsweg naar Afrika, Reichsminister. Althans geen van militaire aard.'
'O, juist.' Speer krabbelde afwezig op het vel papier dat Altmüller hem gegeven had. 'U stelt een niet-militaire oplossing voor?'
'Er is geen andere. De vraag is alleen welke.'
Speer wendde zich tot Franz Altmüller. Zijn grote, blonde medewerker staarde hen allen aan. Ze keken wezenloos. Met stomheid geslagen.

2

11 september 1943
Washington D.C.

Brigadegeneraal Alan Swanson stapte uit de taxi en keek op naar de imposante eikehouten deur van het statige huis in de wijk Georgetown. De rit over de kinderhoofdjes had een voortdurend tromgeroffel geleken.

Het voorspel van de executie.

Die trappen op, die deur door, ergens in dat vijf verdiepingen hoge aristocratische huis van bruinrood zandsteen en baksteen was een grote kamer. En in die kamer zouden duizenden doodvonnissen uitgesproken worden, zonder enig verband met iemand rondom de tafel in die kamer.

Voorspel tot vernietiging.

Àls de schema's aangehouden werden. En het was ondenkbaar dat ze veranderd zouden worden.

Moord op grote schaal.

Overeenkomstig zijn orders overzag hij de straat om zich ervan te vergewissen dat hij niet gevolgd was. Ezelachtig! Het cic liet hen allemaal voortdurend bewaken. Wie van de voetgangers of langzaam rijdende automobilisten hield hem in het oog? Het deed niet ter zake; het gekozen trefpunt was ook ezelachtig. Dachten ze echt dat ze een crisis geheim konden houden? Dachten ze dat het houden van besprekingen in gesloten herenhuizen zou helpen?

De ezelskoppen!

Hij was zich onbewust van de regen, die gestadig in rechte stralen naar beneden viel. Een herfstregen in Washington. Zijn regenjas stond open en zijn uniformblouse was vochtig en gekreukt. Hij maalde niets om dat soort dingen; hij dacht er niet aan.

Het enige waar hij aan kon denken, was verpakt in een metalen omhulsel van hoogstens zeventien centimeter breed, twaalf centimeter hoog en misschien drie decimeter lang. Het was voor die afmetingen ontworpen, zag eruit als een geperfectioneerd technisch instrument en was bedoeld te werken op de fundamentele eigenschappen van inertie en precisie.

En het functioneerde niet, het werkte niet.

De ene proef na de andere mislukte.

Op de lopende banden in het hele land kwamen tienduizend hoogvliegende B-17 bommenwerpers gereed. Zonder radiostraalgyroscopen voor het vliegen op grote hoogte konden ze net zo goed op de grond blijven staan.

En zonder die vliegtuigen liep Operatie Overlord ernstig gevaar. De invasie in Europa zou dan een walgelijk hoge prijs vragen.

Om nog vliegtuigen te laten opstijgen voor massale bombardementen over heel Duitsland, dag en nacht, de klok rond, zonder de bescherming van grotere hoogten, betekende dat de meeste vliegtuigen aan vernietiging en hun bemanningen aan de dood werden overgegeven. Er waren voortdurend waarschuwende voorbeelden... telkens als de zware vliegtuigen te hoog stegen. Ze waren niet het gevolg van vergissingen van de piloten, vijandelijk afweervuur of instrumentenmoeheid. Het kwam door de grote hoogten... Nog maar vierentwintig uur geleden had een squadron bommenwerpers na een aanval op Bremerhaven door het uiterste van de kisten te vergen zich ver boven de grens voor zuurstofmaskers weten te hergroeperen. Uit wat men had kunnen afleiden, waren de geleidesystemen onklaar geraakt en het squadron was in de Dunbar-sector bij de Schotse grens terechtgekomen. Alle vliegtuigen op een na waren in zee gestort. Kustpatrouilles hadden drie overlevenden opgepikt. Drie van de god-weet-hoeveel die aan Bremerhaven waren ontkomen. Het enige vliegtuig dat op de grond had trachten te landen, was boven de buitenwijken van een stad ontploft... Geen overlevenden.

Duitsland was op weg naar een onvermijdelijke nederlaag, maar het zou niet gemakkelijk sterven. Het was gereed om terug te slaan. Het had de Russische les geleerd; Hitlers generaals waren voorbereid. Ze wisten dat in laatste instantie hun enige kans op een andere dan onvoorwaardelijke overgave daarin lag, dat zij de prijs van een geallieerde overwinning zó hoog zouden maken, dat het elke verbeelding te boven zou gaan en het geweten van de mensheid misselijk maken zou. Dan zou een verzoening bereikt worden.

En dàt was onaanvaardbaar voor de geallieerden. De onvoorwaardelijke overgave was nu een standpunt van drie partijen; het absolute ervan was zo vast ingeprent, dat er niet aan te tornen viel. De koorts van een totale overwinning had de landen bevangen en ook dat hadden de leiders zo bewerkt. En op dit hoogtepunt van razernij staarden de leiders naar witte muren zonder te zien wat anderen konden zien en zeiden dan heldhaftig dat verliezen toelaatbaar waren.

Swanson liep de trappen van het deftige herenhuis op. Als op commando ging de deur open, een majoor salueerde en Swanson werd snel binnengelaten. In de hal stonden vier adjudanten in parachutistenuniform in plaats-rust houding; Swanson herkende de epauletten van de Ranger bataljons. Het ministerie van oorlog had voor een doeltreffend decor gezorgd.

Een sergeant loodste Swanson een kleine lift binnen met een koperen hek ervoor. Twee verdiepingen hoger hield de lift stil en Swanson stapte de overloop op. Hij herkende het gezicht van de kolonel die aan het eind van de korte gang voor een gesloten deur stond. Maar diens naam herinnerde hij zich niet. De man werkte bij Ondergrondse Operaties en liet zich nooit veel zien.

De kolonel stapte naar voren en salueerde.

'Generaal Swanson? Kolonel Pace.'

Swanson knikte het saluut weg en stak in plaats daarvan zijn hand uit. 'O ja, Ed Pace, nietwaar?'

'Jawel, generaal.'

'Dus ze hebben je uit de cellen gehaald. Ik wist niet dat dit jouw terrein was.'

'Dat is het niet. Ik kreeg alleen gelegenheid om kennis te maken met de mannen die u gaat ontmoeten. Veiligheidsverificaties.'

'En met jou hier weten ze dat het ons ernst is.' Swanson glimlachte.

'Dat is het ons ongetwijfeld, maar ik weet niet wàt ons ernst is.'

'Je boft. Wie zijn er binnen?'

'Howard Oliver van Meridian. Jonathan Craft van Packard. En de laboratoriumman van ATCO, Spinelli.'

'Dat wordt een goeie dag voor me; ik heb haast. Wie is de voorzitter? Allejezus, er moet toch íemand zijn die aan onze kant staat.'

'Vandamm.'

Swansons lippen spitsten zich voor een zacht gefluit; de kolonel knikte instemmend. Frederic Vandamm was onderminister van buitenlandse zaken en ging door voor de nauwste medewerker van Cordell Hull. Als iemand Roosevelt wilde bereiken, ging dat het beste via Hull; als die toegangsweg afgesloten was, schakelde men Vandamm in.

'Dat is zwaar geschut,' zei Swanson.

'Toen ze hem zagen, schrokken Craft en Oliver zich wild en Spinelli verkeert in een toestand van permanente verbijstering. Hij ziet misschien Patton al als schildwacht bij de deur.'

'Spinelli ken ik alleen van naam. Hij wordt als de grootste gyroscoopdeskundige in de laboratoria beschouwd... Oliver en Craft ken ik maar al te goed. Het was me een lief ding waard als jullie ze nooit toegang tot onze terreinen hadden verleend.'

'Je kunt niet veel beginnen als de terreinen hun eigendom zijn, generaal.' De kolonel haalde de schouders op. Het was duidelijk dat hij het met Swansons standpunt eens was.

'Ik zal je een tip geven, Pace. Craft is een sjieke patser. Oliver is de kwaaie genius, het vraatzuchtige koekoeksjong.'

'Dat is hem aan te zien,' antwoordde de kolonel zachtjes grinnikend.

Swanson trok zijn regenjas uit. 'Als je kanonvuur hoort, kolonel, ben ik wat aan het stoeien. Loop dan maar de andere kant uit.'

'Ik beschouw dat als een order, generaal. Ik ben horende doof,' antwoordde Pace, terwijl hij de deurknop pakte en de deur snel voor zijn meerdere opende.

Swanson liep haastig de kamer binnen. Het was een bibliotheek. De meubelen stonden tegen de muren en in het midden stond een vergadertafel. Aan het hoofd van de tafel zat de witharige, aristocratische Frederic Vandamm. Links van hem zat de corpulente, kalende Howard Oliver met een stapel papieren voor zich. Tegenover Oliver zaten Craft en een kleine, donkere, brildragende man, van wie Swanson vermoedde dat het Gian Spinelli was.

De lege stoel aan het eind van de tafel tegenover Vandamm was kennelijk voor hem. Voor wat Vandamm betreft was het een uitstekende opstelling.

'Het spijt me dat ik te laat ben, excellentie. Met een stafauto zou dat niet gebeurd zijn, maar een taxi was niet makkelijk te vinden... Heren?'

Het drietal knikte; Craft en Oliver mompelden een gedempt 'Generaal,' terwijl Spinelli hem vanachter zijn dikke brilleglazen alleen maar aankeek.

'Mijn excuses, generaal Swanson,' zei Vandamm met een over-beschaafde, Engels aandoende articulatie die van een voorna-me afkomst getuigde. 'Om begrijpelijke redenen wilden we deze bespreking niet in een regeringsgebouw houden en evenmin wilden we dat er enige betekenis zou worden toegekend aan deze bijeenkomst, als die bekend was geworden. Deze heren vertegenwoordigen de geruchten die op het ministerie van oor-log de ronde doen, dat hoef ik wel niet uiteen te zetten. Het was wenselijk dat er geen haast tentoongespreid werd. Door Wash-ington razende stafauto's – vraag mij niet waarom, maar ze schijnen nooit vaart te minderen – wekken automatisch de nieuwsgierigheid op. Begrijpt u?'

Swanson beantwoordde de verstolen blik van de oude aristo-craat. Vandamm was een uitgekookte, dacht hij. Het was een grote gok om de taxi te noemen, maar Vandamm had het be-grepen. Hij had erop ingehaakt en er een goed, zelfs onpartijdig, gebruik van gemaakt.

Het drietal stond op de nominatie voor ontslag. Op deze bij-eenkomst waren zij de vijand.

'Ik heb mijn mond gehouden, excellentie.'

'Daar twijfel ik niet aan. Zullen we ter zake komen? Mr. Oliver heeft gevraagd, te mogen beginnen met een algemene uiteen-zetting van de positie van de Meridian Vliegtuigmaatschappij.'

Swanson keek hoe Oliver, een man met zware kaken, zijn papie-ren sorteerde. Hij had een intense afkeer van Oliver; de man had iets ingeboren vraatzuchtigs over zich. Hij was een manipu-lator en die waren er tegenwoordig erg veel. Je vond ze overal in Washington, kolossale oorlogswinsten opstapelend. Ze verkon-digden de kracht van de overeenkomst, de prijs van de over-eenkomst en de prijs van de macht – die in hun handen was.

Olivers ruwe stem dreunde uit zijn dikke lippen. 'Dank u. Wij bij Meridian zijn van mening, dat de... vermeende ernst van de toe-stand de werkelijk gemaakte vorderingen heeft overschaduwd. Het onderhavige vliegtuig heeft onomstotelijk zijn superieure kwaliteiten bewezen. Het nieuwe, verbeterde Fort is klaar voor operationele actie; het is alleen nog maar een kwestie van het gewenste hoogtebereik.'

Oliver hield abrupt op en legde zijn dikke handen voor zich op zijn papieren. Hij was klaar met zijn verklaring en Craft knikte instemmend. Beide mannen keken Vandamm aan met een niets

verradende blik. Gian Spinelli, wiens bruine ogen door zijn brilleglazen vergroot werden, keek alleen maar strak naar Oliver.
Alan Swanson was ontzet. Niet zozeer door de beknoptheid van
de verklaring als wel door de spitsvondigheid van de leugen.
'Als dat een verklaring is over de positie, vind ik die volkomen
onaanvaardbaar. Het onderhavige vliegtuig heeft zijn kwaliteit
niet eerder bewezen dan wanneer het operationeel is op de
vlieghoogten die in het regeringscontract staan aangegeven.'
'Het is operationeel,' antwoordde Oliver kortaf.
'Operationeel, maar niet functioneel, Mr. Oliver. Het is pas
functioneel als het van punt A naar punt B gevlogen kan worden
op de in de specificaties verlangde hoogten.'
'Gespecificeerd als "beoogd maximum", generaal Swanson,'
kaatste Oliver terug met een kruiperig glimlachje, dat alles kon
betekenen, maar geen beleefdheid.
'Wat moet dat voor de drommel betekenen?' Swanson keek on-
derminister Vandamm aan.
'Het gaat Mr. Oliver om een contractuele interpretatie.'
'Mij níet.'
'Ik kan niet anders,' antwoordde Oliver. 'Het ministerie van
oorlog heeft de Meridian Vliegtuigmaatschappij betaling ge-
weigerd. Wij hebben een contract...'
'Vecht dat verrekte contract maar met een ander uit.'
'Woede lost niets op.' Vandamm zei het op harde toon.
'Het spijt me, excellentie, maar ik ben niet hier om over con-
tractuele interpretaties te spreken.'
'U zult wel moeten, generaal Swanson.' Vandamm zei het nu op
kalme toon. 'De Verrekeningsdienst heeft op uw negatieve advies de betalingen aan Meridian tegengehouden. U hebt nog
geen fiat gegeven.'
'Waarom zou ik? Het vliegtuig kan niet de taak verrichten die
wij ervan verwachtten.'
'Het kàn de taak verrichten waarvoor u een contract afsloot,' zei
Oliver en draaide zijn stierenek van Vandamm naar de generaal.
'Weest u ervan verzekerd, generaal, dat wij onze beste krachten
wijden aan het geleidesysteem voor het beoogde maximum. We
putten al onze reserves uit. We komen beslist tot een doorbraak,
daar zijn we van overtuigd. Maar tot zolang verwachten wij dat
de contracten nageleefd zullen worden. Wij hebben aan de garanties voldaan.'

'Bedoelt u dat wij het vliegtuig moeten accepteren zoals het is?'
'Het is de beste bommenwerper in het luchtruim.' Jonathan
Craft liet zich horen. Zijn zachte, hoge stem gaf een zwakke
uitroep die halverwege bleef steken. Hij drukte zijn tengere vingers tegen elkaar, in wat hij voor een accentuerend gebaar hield.
Swanson negeerde Craft en keek strak naar het kleine gezichtje
en de vergrote ogen van de ATCO-geleerde, Gian Spinelli. 'Hoe
staat het met de gyroscopen? Kunt u me daar een antwoord op
geven, Mr Spinelli?'
Howard Oliver interrumpeerde kortaf: 'Gebruik de bestaande
systemen. Werp het toestel in de strijd.'
'Néé!' Swanson kon er niets aan doen. Het was een gebrul van
afkeer, onderminister Vandamm kon zeggen wat hij wilde. 'Onze strategie vereist ononderbroken aanvallen tot in het hartje
van Duitsland. Vanaf alle punten – bekende en onbekende.
Vliegvelden in Engeland, Italië, Griekenland... ja, zelfs vanaf
niet vermelde bases in Turkije en Joegoslavië, vliegdekschepen
in de Middellandse Zee en, verdomme, in de Zwarte Zee! Duizenden en nog eens duizenden vliegtuigen die elkaar in de luchtcorridors verdringen. We móeten de extra hoogte hebben! We
móeten de geleidesystemen hebben om op grote hoogten te
kunnen opereren! Minder is onbestaanbaar! Het spijt me, Mr.
Vandamm. Ik geloof dat ik het recht heb om kwaad te zijn.'
'Ik heb er begrip voor,' zei de witharige onderminister van buitenlandse zaken. 'Daarom zijn we vanmiddag hier. Om te zoeken naar oplossingen... en naar geld.' De oude heer wendde zijn
blik naar Craft. 'Kunt u iets aan de opmerkingen van Mr. Oliver
toevoegen, vanuit het standpunt van Packard bekeken?'
Craft deed zijn slanke, gemanicuurde vingers van elkaar en
ademde diep in door zijn neusgaten, alsof hij op het punt stond
een fundamentele wijsheid te verkondigen. De leidinggevende
bron van kennis, dacht Swanson, konkelend om de bijval van
een commissaris.
'Zeer zeker, excellentie. Als voornaamste onderaannemer van
Meridian zijn wij even verontrust als de generaal over het ontbreken van resultaten op het gebied van geleidesystemen. Wij
hebben kosten noch moeite gespaard om hierin te voorzien. De
aanwezigheid van Mr. Spinelli is daar een bewijs van. Tenslotte
zijn wij degenen die ATCO erbij betrokken...' Craft glimlachte
manmoedig en een tikje triest. 'Zoals wij allen weten, is ATCO de

beste – en de duurste. Wij hebben níets gespaard.'

'U betrok ATCO erbij,' zei Swanson vermoeid, 'omdat uw eigen laboratoria de zaak niet konden klaren. U diende gewijzigde kostennota's in bij Meridian die naar ons werden doorgezonden. Ik zie dus niet in dat u zo erg veel kosten gemaakt hebt.'

'Goeie genade, generaal,' riep Craft uit, maar met heel weinig overtuiging. 'En de tijd dan, en de onderhandelingen... Tijd is geld, vergist u zich daar niet in. Ik kan u aantonen...'

'Nu de naam ATCO is gevallen, wil ik daar graag op inhaken.'

De met een licht accent uitgesproken woorden kwamen uit de mond van de geleerde, die waarschijnlijk een eind wilde maken aan Crafts onzin.

'Daar zou ik u dankbaar voor zijn, Mr. Spinelli.'

'We maken voortdurend voortgang, gestadig, als u wilt. Niet snel. De problemen zijn groot. Wij menen dat de afbuiging van de radiostralen boven bepaalde hoogten onderhevig is aan temperaturen en oneffenheden van de landmassa's. De oplossingen liggen op het gebied van variërende compensaties. Onze proeven versmallen het terrein steeds verder. Zonder voortdurende inmenging zouden we snellere voortgang maken.'

Gian Spinelli zweeg en richtte zijn grotesk vergrote ogen op Howard Oliver, wiens stierenek en plompe gezicht opeens rood aanliepen van woede.

'Er was geen inmenging van ònze kant!'

'En zeer zeker niet van de kant van Packard!' galmde Craft na. 'We hebben een vrijwel dagelijks contact onderhouden. Onze belangstelling is geen moment verflauwd!'

Spinelli wendde zich tot Craft. 'Uw belangstelling, evenals die van Meridian, was uitsluitend van financiële aard, voor zover ik het bekijken kan.'

'Dat is waanzinnig! Alle financiële inlichtingen die gevraagd werden, waren op verzoek van de accountantsdienst van de opdrachtgever!'

'En ze waren absoluut noodzakelijk!' Oliver kon zich niet inhouden, zo woedend was hij op de kleine Italiaan. 'Jullie laboratoriumlui denken niet logisch na! Kinderen zijn jullie!'

De volgende dertig seconden schreeuwden de drie opgewonden mannen elkaar woest toe. Swanson keek Vandamm aan en ze wisselden een blik van verstandhouding.

Oliver was de eerste die de valstrik aanvoelde. Hij stak zijn hand op... een dwingend bevel, dacht Swanson.

'Excellentie,' zei Oliver, zijn ergste woede bedwingend. 'Laat ons getwist geen verkeerde indruk wekken. We zullen de produkten leveren.'

'Dit produkt levert u niet,' zei Swanson. 'Ik herinner me heel duidelijk welke voorstelling er in uw inschrijving gegeven werd. U kon tóen al àlles leveren.'

Toen Oliver hem aankeek, voelde Swanson instinctief dat hij naar een wapen moest grijpen om zichzelf te verdedigen. De directeur van Meridian stond op ontploffen.

'Wij vertrouwden op beoordelingen van ondergeschikten,' zei Oliver langzaam en vijandig. 'Ik meen dat het leger ook een portie fouten van de staf te verwerken gehad heeft.'

'Ondergeschikten stellen de voornaamste strategieën niet op.'

Nu verhief Vandamm zijn stem. 'Mr. Oliver, stel eens dat generaal Swanson ervan overtuigd was dat het aanhouden van betalingen nergens toe diende. Welke uiterste tijdslimiet zou u dan nu kunnen garanderen?'

Oliver keek Spinelli aan. 'Wat schat jij?' vroeg hij koud.

Spinelli's grote ogen dwaalden over het plafond. 'Daar kan ik in alle oprechtheid geen antwoord op geven. Het zou volgende week kunnen zijn. Of volgend jaar.'

Swanson voelde haastig in zijn uniformzak en haalde er een opgevouwen blad papier uit. Hij spreidde het voor zich uit en begon snel te spreken. 'In dit memo – de laatste mededeling die wij van ATCO ontvingen – noemt u zes weken voor het invliegen nadat het geleidesysteem vervolmaakt is. Op de testbaan van Montana.'

'Dat klopt, generaal. Ik heb dat zelf gedicteerd,' zei Spinelli.

'Zes weken na volgende week. Of na volgend jaar. En, aannemende dat de proeven in Montana positief uitvallen, nog een maand voor montage in de toestellen.'

'Jawel.'

Swanson keek over de tafel Vandamm aan. 'In dit licht bezien, excellentie, zit er niets anders op dan onmiddellijke verandering van de prioriteiten. Of althans van de voorspellingen. We kunnen niet aan de eisen voldoen.'

'Onmogelijk, generaal Swanson. We moeten eraan voldoen.'

Swanson keek de oude man strak aan. Ze wisten allebei precies waarop ze zinspeelden.

Overlord. De invasie in Europa.
'Dan moeten we uitstellen.'
'Onmogelijk. Dat is het enige woord ervoor, generaal.'
Swanson keek de drie mannen om de tafel aan.
De vijand.
'U hoort nog van ons, heren,' zei hij.

3

David Spaulding wachtte in de schaduw van de dikke, knoestige boom op de rotshelling boven het ravijn. Dit was Baskenland en de lucht was vochtig en koud. Het late zonlicht overspoelde de heuvels, hij zat er met zijn rug naartoe. Jaren geleden – het leken er duizend, maar zoveel waren het er niet – had hij het voordeel leren inzien van het opmerken van de weerkaatsing van zonnestralen op het staal van kleine wapens. De loop van zijn eigen geweer was dof gemaakt met gebrande kurk.

Vier.

Vreemd, maar het getal vier kwam steeds weer bij hem boven terwijl zijn blik het terrein in de verte aftastte.

Vier.

Precies vier jaar en vier dagen geleden. Het contact voor vanmiddag was op precies vier uur bepaald.

Vier jaar en vier dagen geleden had hij voor het eerst de gekreukte bruine uniformen gezien achter de dikke glazen wand van de radiostudio in New York. Vier jaar en vier dagen sinds hij naar die glazen wand was gelopen om zijn regenjas van een stoelleuning te pakken en de ogen van de oudere officier op zich had voelen rusten. Strak. Koud. De jongere man vermeed het hem aan te kijken alsof hij zich schuldig maakte aan indringing, maar niet die van zijn superieur, niet de overste.

De overste had hem zitten bestuderen.

Dat was het begin geweest.

En nu vroeg hij zich af, terwijl hij het ravijn afspeurde naar tekenen van beweging, wanneer het zou eindigen. Zou hij het einde beleven? Hij was het wel van plan.

Eens had hij het een tredmolen genoemd. Onder een borrel in de Mayflower in Washington was Fairfax werkelijk een tredmolen geweest; maar destijds had hij niet geweten hoe volkomen toepasselijk dat woord zou blijven: een razende tredmolen, die nooit stilstond.

Af en toe minderde hij vaart. De fysieke en mentale druk eisten dat hij op bepaalde herkenbare – voor hem herkenbare – tijden terugkoppelde. Tijden waarop hij besefte dat hij zorgeloos werd... of te zeker van zichzelf. Of te absoluut bij beslissingen die mensenlevens eisten.

Of het zijne zouden kunnen eisen.

Dat kon maar al te gemakkelijk gebeuren. En soms maakte dat hem bang. Intens bang.

In zulke tijden ging hij er vandoor. Dan trok hij zuidwaarts langs de Portugese kust, waar de enclaves van de tijdelijk vleugellamme rijken het bestaan van oorlog loochenden. Of hij logeerde in Costa del Santiago, bij zijn stomverbaasde ouders. Of hij bleef in het gebouw van de ambassade in Lissabon en verdiepte zich in het zinloze werk van neutrale diplomatie. Een ondergeschikte militaire attaché die geen uniform droeg. Op straat werd dat niet verwacht, binnen het 'territorium' wel. Maar hij droeg er geen en niemand trok zich er iets van aan. Hij was niet erg geliefd. Hij ging te vaak uit, en had te veel vrienden van voor de oorlog. Over het algemeen werd hij genegeerd... met een zekere minachting.

Op zulke tijden rustte hij. Dan dwong hij zijn geest zich leeg te maken om zich opnieuw op te laden. Vier jaar en vier dagen geleden zouden zulke gedachten onvoorstelbaar geweest zijn. Nu verteerden ze hem. Als hij tijd had voor zulke gedachten. En dat had hij nu niet.

Er was nog steeds geen beweging in het ravijn. Er was iets mis. Hij raadpleegde zijn horloge; de groep uit San Sebastian was te ver over tijd. Het was een ongewone vertraging. Nog maar zes uur geleden had de Franse ondergrondse geseind dat alles in orde was; er waren geen complicaties en de groep was onderweg. De koeriers uit San Sebastian kwamen foto's brengen van Duitse installaties op het vliegveld ten noorden van Mont-de-Marsan. De strategen in Londen hadden er al maanden om geschreeuwd. De foto's hadden het leven gekost van vier – alweer dat vervloekte getal – vier agenten van de ondergrondse.

De groep zou eerder te vroeg geweest zijn dan te laat, zodat de koeriers op de man uit Lissabon hadden zitten wachten.

Toen zag hij het in de verte, misschien een kleine kilometer verderop, dat was moeilijk te bepalen. Over het ravijn, voorbij de tegenoverliggende helling, vanaf een van de lage heuvels. Een lichtflits.

Een onderbroken maar ritmisch geflits. De afgemeten pauzes waren opzet, geen toeval.

Er werd geseind. Er werd naar hèm geseind door iemand die zijn werkwijze goed kende, misschien wel iemand die hij zelf had opgeleid. Het was een waarschuwing.

Spaulding gooide het geweer over zijn schouder en trok de riem strak en toen nog weer strakker, zodat die een vast maar flexibel aanhangsel van zijn bovenlichaam werd. Hij voelde naar de klep van zijn holster: die zat goed en het wapen was gezekerd. Hij drukte zich weg van de oude boomstam en klauterde kruipend het resterende deel van de rotshelling op.

Op de richel holde hij naar links, het hoge gras in naar een boomgaard met stervende perebomen. Twee mannen in bemodderde kleren, het geweer naast zich, zaten op de grond met hun mes te spelen zonder een woord te spreken. Hun hoofden schoten plotseling omhoog en hun handen grepen naar hun geweren. Spaulding gebaarde ze te blijven zitten. Hij kwam bij ze en sprak zachtjes in het Spaans.

'Weet een van jullie wie er bij de aankomende groep zijn?'

'Bergeron denk ik,' zei de man rechts. 'En waarschijnlijk Chivier. Die ouwe heeft ervaring met patrouilles; hij is al veertig jaar grenssmokkelaar.'

'Dan is het Bergeron,' zei Spaulding.

'Wat?' vroeg de tweede man.

'Er wordt naar ons geseind. Ze zijn laat en iemand gebruikt het laatste restje zon om onze aandacht te trekken.'

'Misschien om u te laten weten dat ze onderweg zijn.' De eerste man stak onder het praten zijn mes weer in de schede.

'Mogelijk, maar niet waarschijnlijk. We zouden nog niet vertrekken. Althans de eerste uren niet.' Spaulding hees zich gedeeltelijk van de grond op en keek oostwaarts. 'Kom mee! We steken over langs de rand van de boomgaard. Vandaar kunnen we het ravijn overzien.'

De drie mannen renden verspreid, maar binnen gehoorsafstand van elkaar, ongeveer driehonderdvijftig meter over het veld onder de hoogte. Spaulding koos positie achter een laag rotsblok, dat over de rand van het ravijn uitstak. Hij wachtte op de beide anderen. Het water beneden lag naar zijn schatting zowat dertig meter pal onder hem. De groep uit San Sebastian zou de rivier waarschijnlijk zo'n kleine tweehonderd meter westwaarts oversteken, bij de smalle ondiepte waar ze altijd doorwaadden. Enkele seconden na elkaar kwamen de beide andere mannen. 'De oude boom waar u stond was het trefpunt, nietwaar?' vroeg de eerste man.

'Ja,' antwoordde Spaulding en haalde zijn verrekijker uit een tas aan zijn riem. Het was een heel sterke met Zeiss-Ikon lenzen, de beste die Duitsland maakte. Afgepakt van een dode Duitser aan de Taag. 'Waarom dalen we dan hierheen af? Als er moeilijkheden zijn, had u op uw oude plaats het beste gezichtsveld. Veel directer.'

'Als er moeilijkheden zijn, zullen ze dat weten. Dan wijken ze naar links uit. Oostwaarts. Westwaarts buigt het ravijn zich van het trefpunt af. Misschien is het niets. Misschien had je gélijk en willen ze alleen maar melden dat ze eraan komen.'

Iets meer dan tweehonderd meter verderop, net ten westen van de ondiepte, kwamen twee mannen in zicht. De links van Spaulding geknielde Spanjaard raakte de schouder van de Amerikaan aan.

'Het zijn Bergeron en Chivier,' zei hij zachtjes.

Spaulding stak zijn hand omhoog ten teken van stilte en verkende de omgeving met zijn verrekijker. Plotseling hield hij hem onbeweeglijk in één richting. Met zijn linkerhand richtte hij de aandacht van zijn ondergeschikten op de plek.

Beneden hen, hoogstens vijftig meter van hen af, worstelden vier soldaten in Wehrmachtsuniformen zich door het struikgewas op weg naar de stroom in het ravijn.

Spaulding richtte zijn verrekijker weer op de twee Fransen, die nu de ondiepte doorwaadden. Hij steunde zijn kijker op de rots tot hij in het bos achter de twee mannen zag wat hij wist dat er zijn moest. Een vijfde Duitser, een officier, werd half verborgen door de verwarde massa planten en laag hangende takken. Hij hield een geweer op de twee Fransen gericht die nu het ravijn overstaken.

Spaulding gaf zijn kijker snel aan de eerste Spanjaard. 'Achter Chivier,' fluisterde hij.

De man keek en gaf de kijker toen door aan zijn landgenoot.

Elk wist wat hem te doen stond; zelfs de methoden waren duidelijk. Het was alleen maar een kwestie van timing en nauwkeurigheid. Uit een schede op zijn rechterheup haalde Spaulding een korte bajonet van een karabijn, die door slijpen nog korter gemaakt was. Zijn twee metgezellen deden hetzelfde. Alle drie keken ze over het rotsblok heen naar de mannen van de Wehrmacht beneden hen.

Met het oog op het tot de borst reikende water en een stroom, die wel niet uitzonderlijk sterk, maar toch aanzienlijk was, bonden de vier Duitsers hun geweren dwars over hun schouders en gingen in ganzemars het water in. De voorste man stak over naar de andere oever, voorzichtig de diepte aftastend.

Spaulding en de twee Spanjaarden kwamen snel achter het rotsblok vandaan en gleden, verborgen door het geboomte, de helling af. Voor zover ze geluid maakten werd dat overstemd door het kolkende water. In nog geen halve minuut waren ze, verborgen door omgevallen boomstronken en struikgewas, de Wehrmachtleden tot op tien meter genaderd. David stapte het water in en drukte zich tegen de oever. Tot zijn opluchting zag hij dat de vierde man, op een meter of vijf voor hem, de meeste moeite had om op de glibberige stenen overeind te blijven. De andere drie, op een onderlinge afstand van een meter of tien, hielden de twee Fransen in de gaten. Heel scherp.

De nazi zag hem en angst en verbijstering waren in de ogen van de Duitser te lezen. De fractie van een seconde die hij nodig had om de schok te verwerken was voor David voldoende. Gedekt door de geluiden van het water besprong David de man en zijn mes drong diep in de keel van de Wehrmachtsoldaat. Hij drukte het hoofd met geweld onder water en het bloed vermengde zich met de voortruisende stroom.

Er was geen tijd, geen seconde te verliezen. David liet de levenloze gestalte los en zag dat de twee Spanjaarden evenwijdig met hem op de oever waren. De eerste man, gehurkt en verborgen, wees op de voorste soldaat; de tweede Spanjaard knikte naar de volgende man. En David wist dat de derde Wehrmachtsoldaat voor hem was.

Het kostte niet meer dan de tijd die Bergeron en Chivier nodig hadden om de zuidelijke oever te bereiken. De drie soldaten werden uit de weg geruimd; hun bebloede lichamen dreven stroomafwaarts, stootten tegen rotsblokken en kleurden het water met strepen rood. David wenkte de Spanjaarden het water over te steken naar de noordelijke oever. De eerste man hees zich naast David omhoog. Zijn rechterhand bloedde uit een diepe snee dwars over de handpalm.

'Hoe is het?' fluisterde Spaulding.

'Mijn mes gleed uit. Ik ben het kwijt.' De man vloekte.

'Verdwijn uit deze streek,' zei David. 'Laat de wond verbinden op de Valdero boerderij.'

'Ik kan er een drukverband om leggen. Dan red ik het best.'

De tweede Spanjaard voegde zich bij hen. Hij huiverde even toen hij de hand van zijn landgenoot zag; een reactie, die Spaulding niet erg vond passen bij een guerrilla die nog maar een paar minuten tevoren een mes in de hals van een mens had gestoken en het hoofd bijna had afgesneden.

'Dat ziet er lelijk uit,' zei hij.

'Zo kun je niet werken,' voegde Spaulding eraan toe, 'en we hebben nu geen tijd om te kibbelen.'

'Ik kan...'

'Je kunt niet.' David sprak op gebiedende toon. 'Ga terug naar Valdero. Over een paar weken zie ik je wel terug. Op mars en laat je niet zien!'

'Goed dan.' De Spanjaard was opgewonden, maar het was duidelijk dat hij niet ongehoorzaam wilde en kon zijn aan de bevelen van de Amerikaan. Hij kroop oostwaarts de bossen in.

Juist hoorbaar boven het geruis van het water riep Spaulding hem zachtjes na: 'Bedankt. Dat was goed werk vandaag.'

De Spanjaard grijnsde en rende het bos in, terwijl hij zijn gewonde hand omklemde.

Niet minder snel raakte David de arm van de tweede man aan en wenkte hem te volgen. Met voorzichtige stappen volgden ze de oever stroomopwaarts. Spaulding bleef staan bij een omgevallen boom die met de kruin in de bergstroom lag. Hij keerde zich om, hurkte neer en beval de Spanjaard hetzelfde te doen. Hij sprak op gedempte toon.

'Ik wil hem levend hebben. Om hem te ondervragen.'

'Ik haal hem wel.'

'Nee, dat doe ik. Ik wil alleen niet dat je vuurt. Er zou een dekkingspatrouille kunnen zijn.'

Het viel hem op dat de man onwillekeurig glimlachte om zijn gefluister. Hij wist ook waarom: hij sprak Spaans met de zachte cadans van het Castiliaans, het Castiliaans van een buitenlander nog wel. Dat paste niet in Baskenland.

Net zo min als hij er eigenlijk paste.

'Zoals je wilt, goede vriend,' zei de man. 'Zal ik verder terug de rivier oversteken en Bergeron achterna gaan? Die zal intussen waarschijnlijk kotsmisselijk zijn.'

'Nog niet. Wacht tot we hier veilig zijn. Hij en de oude baas blijven wel doorlopen.' David keek behoedzaam over de gevallen boomstam heen en schatte de afstand. De Duitse officier was ongeveer vijftig meter van hen af, verborgen in het bos. 'Ik ga het bos in tot ik achter hem ben. Ik wil zien of er tekenen zijn van een tweede patrouille. Zo ja, dan kom ik terug en gaan we er vandoor. Zo niet, dan probeer ik hem te grijpen... Als er iets mis gaat of als hij me hoort, zal hij waarschijnlijk de waterkant opzoeken. Pak hem dan.'

De Spanjaard knikte. Spaulding controleerde of zijn geweerriem stevig genoeg zat en trok die nog snel even aan. Hij lachte zijn ondergeschikte bemoedigend toe en zag dat de grote, eeltige handen van de man als klauwen op de grond waren uitgespreid. Als de Wehrmachtofficier deze kant uitkwam, zou hij nooit langs die handen komen, dacht David.

Hij kroop snel en geluidloos het bos in. Als een jager uit de oertijd duwden zijn handen takken opzij en ontweek hij rolstenen en verwarde onderbegroeiing.

In minder dan drie minuten was hij dertig meter achter de nazi aan diens linkerflank. Hij bleef onbeweeglijk staan en haalde zijn verrekijker te voorschijn. Hij speurde het bos en het pad af. Er waren geen andere patrouilles. Snel en voorzichtig keerde hij terug, elke beweging van zijn lichaam samenvloeiend met die van zijn omgeving.

Op drie meter afstand van de Duitser, die op de grond was neergeknield, maakte David zachtjes zijn holster open en haalde zijn pistool eruit. Scherp, maar niet onbeleefd, zei hij in het Duits: 'Blijf waar je bent of ik schiet je hersens uit elkaar.'

De nazi keerde zich in een flits om en frommelde onhandig naar zijn wapen. Spaulding nam een paar snelle stappen en schopte het hem uit zijn hand. De man krabbelde op en David liet zijn zware bergschoen tegen de zijkant van 's mans hoofd uitschieten. De pet van de officier viel op de grond; het bloed stroomde uit zijn slaap en sijpelde langs zijn scheiding en over zijn gezicht. Hij was bewusteloos.

Spaulding bukte zich en rukte het uniform van de nazi open. Over de borst van de Oberleutnant was een documententas gebonden. David trok de stalen ritssluiting open en vond in het waterdichte zeildoek wat hij zeker wist dat zich daar bevinden moest.

De foto's van de geheime installaties van de Luftwaffe ten noorden van Mont-de-Marsan. Bij de foto's bevonden zich amateuristische tekeningen, die eigenlijk eenvoudige blauwdrukken waren of althans schetsen. Afgepakt van Bergeron, die daarna de Duitser in de val gelokt had.

Als hij eruit wijs kon worden – en uit de foto's – zou hij Londen waarschuwen dat sabotage-eenheden de noodzakelijke vernielingen moesten aanbrengen en het complex van de Luftwaffe uitschakelen. Hijzelf zou die eenheden overbrengen.

De geallieerde luchtmachtstrategen waren bezeten van bombardementen. De vliegtuigen doken neer uit de lucht en veranderden alles, doel of geen doel, in puin en bomkraters, waarbij evenveel vijanden als onschuldigen sneuvelden. Als Spaulding luchtaanvallen ten noorden van Mont-de-Marsan kon verhinderen, zou dat op de een of andere manier – in abstracte zin – een compensatie zijn voor de beslissing waar hij nu voor stond. In de Galicische heuvels bevonden zich geen krijgsgevangenen en in Baskenland geen interneringskampen.

De luitenant van de Wehrmacht, die zo tekort geschoten was in zijn rol van jager, wie een vreedzaam leven in een vreedzame Duitse stad in een vreedzame wereld te wachten had kunnen staan, zou moeten sterven. En hij, de man uit Lissabon, zou het vonnis moeten voltrekken. Hij zou de jonge officier bijbrengen, hem met de punt van een mes uithoren om te weten te komen hoe diep de nazi's in de ondergrondse in San Sebastian waren doorgedrongen, en dan zou hij hem doden.

Want de Wehrmachtofficier had de man uit Lissabon gezien; hij zou die man kunnen identificeren als David Spaulding.

Het feit dat het een genadige, snelle executie zou zijn – in tegenstelling tot de dood door de handen van partizanen – was voor David weinig troost. Hij wist dat de man, op het moment dat hij de trekker overhaalde, een paar tellen waanzinnig zou staan rondtollen. Hijzelf zou kotsmisselijk zijn en willen overgeven, en zijn hele constitutie zou van de kook zijn.

Maar dat zou hij niet laten blijken. Hij zou niets zeggen en zich niet bloot geven... stilte. En zo zou de legende blijven voortbestaan. Want dat was een deel van de tredmolen.

De man uit Lissabon was een genadeloze moordenaar.

4

Wilhelm Zangen bracht de zakdoek naar zijn kin, daarna naar de huid onder zijn neusgaten en tenslotte naar de haargrens van zijn kalende schedel. Hij zweette overmatig en had uitslag gekregen in de kloof onder zijn lippen, wat verergerd werd door de dagelijkse noodzaak om zich te scheren en de voortdurende spanning.

Zijn hele gezicht stak en zijn verlegenheid werd hem opgedrongen door de laatste woorden van Franz Altmüller.

'Heus, Wilhelm, je moet toch eens naar de dokter gaan. Het is hoogst onsmakelijk.'

Met die bewuste uiting van bezorgdheid was Altmüller van tafel opgestaan en de kamer uitgelopen. Langzaam en weloverwogen had hij zijn aktentas – de aktentas met de rapporten – op armlengte van zich af gehouden alsof het een ontstoken aanhangsel van zijn lichaam was.

Ze waren alleen geweest. Altmüller had het groepje wetenschapsmensen weggestuurd zonder ook maar met een woord te reppen over vorderingen. Hij had zelfs hem, de Reichsverwalter van het Duitse Industriële Verbond, niet toegestaan ze te danken voor hun bijdragen. Altmüller wist dat het de knapste wetenschapsmensen van heel Duitsland waren, maar hij had er geen slag van om met ze om te gaan. Ze waren op hun eigen onopvallende manier gevoelig en wispelturig; ze hadden voortdurend behoefte aan een pluimpje. Hij had geen geduld om tactvol te zijn.

En er wáren vorderingen gemaakt.

De laboratoria van Krupp waren ervan overtuigd dat de grafietproeven het antwoord zouden brengen. Essen had bijna een maand lang dag en nacht doorgewerkt en de chefs hadden de ene slapelozè nacht na de andere doorstaan. Ze hadden inderdaad koolstofdeeltjes geproduceerd in afgesloten ijzeren buizen en ze waren ervan overtuigd, dat deze koolstofdeeltjes alle eigenschappen bezaten die voor precisiegereedschappen nodig waren. Het was alleen nog maar een kwestie van tijd, tijd om grotere deeltjes te vervaardigen, groot genoeg om ze in bestaande apparaten te kunnen plaatsen.

Franz Altmüller had de mensen van Krupp aangehoord zonder het minste teken van enthousiasme, hoewel er onder de gegeven omstandigheden ongetwijfeld plaats was voor enthousiasme. In plaats daarvan had Altmüller één vraag gesteld. En hij had die gesteld met een allerverveeldste uitdrukking op zijn gezicht!

'Zijn die deeltjes onderworpen aan de druk die bij operationeel gebruik ontstaat?'

Natuurlijk was dat niet gebeurd! Hoe had dat ook gekund? Men had ze onderworpen aan een vervangende, kunstmatige druk; meer was er voorlopig niet mogelijk.

Het antwoord was onbevredigend geweest en Altmüller had de knapste koppen van het Reich weggestuurd zonder een enkel woord van waardering en met maar nauw verholen vijandigheid.

'Heren, u kwam bij mij met woorden. We hebben geen woorden nodig, maar diamanten. Die hebben we nodig en die móeten we hebben, binnen enkele weken. Op zijn allerlaatst over twee maanden. Ik stel voor dat u terugkeert naar uw laboratoria en ons probleem nog eens bestudeert. Goedendag, heren.'

Altmüller was onuitstaanbaar!

Na het vertrek van de geleerden was Altmüller nog grover geworden.

'Wilhelm,' had hij op een aan minachting grenzende toon gezegd, 'was dit de niet-militaire oplossing waarover je het tegen de minister van bewapening had?'

Waarom had hij Speers naam niet genoemd? Was het nodig om te dreigen met het gebruik van titels?

'Uiteraard. Deze is in elk geval heel wat realistischer dan die onzinnige inval in de Kongo. De mijnen aan de Bushimaierivier! Waanzin!'

'Een afschuwelijke vergelijking. Ik overschatte je; ik gaf je meer eer dan je verdient. Je begrijpt natuurlijk dat je gefaald hebt.' En dat was geen vraag.

'Daar ben ik het niet mee eens. De resultaten zijn nog niet binnen. Je kunt zo'n oordeel nog niet uitspreken.'

'Dat kan ik wel en dat heb ik gedaan ook!' Altmüller had met zijn vlakke hand op tafel geslagen, een klap van zacht vlees op hard hout. Een onduldbare belediging. 'We hebben geen tijd meer! We kunnen geen weken verspillen door jouw mislukkelingen in hun laboratorium met bunsenbranders te laten spelen om kleine steentjes te maken die bij het eerste contact met staal uiteen kunnen vallen. We moeten het produkt hebben!'

'Dat krijg je!' Zangens kin begon eruit te zien als een olieachtig mengsel van zweet en stoppels. 'De knapste koppen in Duitsland zijn...'

'Zijn aan het experimenteren.' Altmüller had hem bedaard en met honende nadruk onderbroken. 'Lever ons het prodùkt. Dat is mijn opdracht aan jou. Onze machtigste ondernemingen hebben een geschiedenis van vele jaren. Er zal er toch wel één zijn die een oude vriend weet te vinden.'

Wilhelm Zangen had zijn kin gebet; de uitslag was ontstellend. 'We hebben in die richting al gezocht. Onmogelijk.'

'Zoek nog eens.' Altmüller had met een elegante vinger naar Zangers zakdoek gewezen. 'Heus, Wilhelm, je moet toch eens naar de dokter gaan. Het is hoogst onsmakelijk.'

24 september 1943
New York City

Jonathan Craft liep Park Avenue op en controleerde zijn polshorloge onder het schijnsel van een straatlantaarn. Zijn lange, slanke vingers beefden: de laatste sporen van de te vele martini's, die hij vierentwintig uur geleden in Ann Arbor als laatste genuttigd had. Jammer genoeg was hij de drie dagen daarvoor dronken geweest. Hij was niet naar kantoor gegaan. Het kantoor herinnerde hem aan generaal Alan Swanson, een herinnering die hij niet verdragen kon. Maar nu moest hij.

Het was kwart voor negen; nog vijftien minuten en dan zou hij Park Avenue 800 binnengaan, glimlachen tegen de portier en naar de lift lopen. Hij wilde niet te vroeg zijn en durfde niet te laat te komen. Hij was precies zeven keer in dat grote pand geweest en elke keer was traumatisch voor hem geweest. Altijd om dezelfde reden: hij was de brenger van slecht nieuws.

Maar ze hadden hem nodig. Hij was zonder enige smet. Zijn familie was oud en welgesteld; hij was op de juiste scholen geweest en had toegang tot kringen – maatschappelijk en institutioneel – waar de kóóplui nooit zouden komen. Het hinderde niet dat hij in Ann Arbor was blijven steken; dat was maar tijdelijk, een ongemak van de oorlog. Een offer.

Hij zou terug zijn op de Beurs in New York zodra de rotzooi voorbij was.

Hij moest die overwegingen vanavond vasthouden, want over een paar minuten zou hij de woorden moeten herhalen, die Swanson hem in zijn kantoor bij Packard had toegeschreeuwd. Hij had een vertrouwelijk verslag gemaakt van het gesprek – het ongelooflijke gesprek – en had dat naar Howard Oliver bij Meridian gestuurd.

Als je gedaan hebt wat ik denk dat je deed, valt dat onder het hoofd 'verraderlijke handelingen'! En we zijn in oorlog!

Swanson.

Waanzin.

Hij vroeg zich af hoevelen er in het vertrek zouden zijn. Het was altijd beter als er een heel stel waren, een man of tien bijvoorbeeld. Dan redetwistten ze onder elkaar en was hij vrijwel vergeten. Behalve wat zijn inlichtingen betrof.

Diep ademhalend om te kalmeren, wandelde hij het blok rond en doodde daarmee tien minuten tijd.

Verraderlijke handelingen!

En we zijn in oorlog!

Zijn horloge wees vijf voor negen aan. Hij ging het gebouw binnen, glimlachte tegen de portier, noemde de liftbediende de etage en liep, nadat het koperen hek was opengegaan, de foyer van het dakterras binnen.

Een butler nam zijn overjas aan en ging hem voor, de hal en de deur door en de drie treetjes af naar de grote verzonken zitkamer.

Er waren maar twee mannen in de kamer. Craft voelde een acute, stekende pijn in zijn maag. Het was een instinctieve reactie, deels veroorzaakt door het feit dat er maar twee anderen aanwezig waren voor deze uiterst belangrijke bespreking, maar meer door de persoon van Walter Kendall.

Kendall was een man achter de schermen, een getallenmanipulator die buiten beeld werd gehouden. Hij was een vijftiger van normaal postuur, met een ongewassen dunnende haardos en een onopvallend, parvenuachtig uiterlijk. Zijn blik dwaalde voortdurend rond en ontmoette maar zelden die van een ander.

Men beweerde dat zijn geest voortdurend bezig was met intriges en contra-intriges; zijn enige levensdoel was klaarblijkelijk ieder ander mens te glad af te zijn – vriend of vijand, dat maakte voor Kendall niets uit, want hij deelde de mensen niet in categorieën met zulke etiketten in.

Voor hem waren het allemaal vage tegenstanders.

Maar Walter Kendall was briljant in wat hij deed. Zolang hij maar op de achtergrond gehouden werd, dienden zijn manipulaties zijn cliënten. En ze leverden hem een massa geld op – waarvan hij geen cent uitgaf, getuige zijn slecht-zittende kostuums die slobberden in de knieën en afzakten onder het kruis. Maar hij werd altijd buiten beeld gehouden; zijn aanwezigheid betekende een crisis.

Jonathan Craft verachtte Kendall omdat hij bang voor hem was.

De tweede man kon onder deze omstandigheden verwacht worden. Dat was Howard Oliver, de corpulente onderhandelaar van de Meridian Vliegtuigmaatschappij over defensieorders.

'Precies op tijd,' zei Walter Kendall afgemeten, terwijl hij plaats nam in een fauteuil en in een vieze, open aktentas op de grond naar paperassen reikte.

'Hallo, Jon.' Oliver kwam naar hem toe en schudde hem kort en neutraal de hand.

'Waar zijn de anderen?' vroeg Craft.

'Niemand wilde komen,' antwoordde Kendall met een steelse blik op Oliver. 'Howard moet er zijn en ik word ervoor betaald. Dat was geen malse bespreking met Swanson.'

'Je hebt mijn verslag gelezen?'

'Hij heeft het gelezen,' zei Oliver en liep naar een serveerwagentje met een koperen blad waar flessen en glazen op stonden. 'Hij heeft een paar vragen.'

'Ik heb alles duidelijk uiteengezet...'

'Daar gaan de vragen niet over,' onderbrak Kendall, terwijl hij het mondstuk van een sigaret plat kneep alvorens die in zijn mond te steken. Terwijl Kendall een lucifer afstreek, liep Craft naar een grote, met fluweel beklede fauteuil schuin tegenover de accountant en ging zitten. Oliver had zichzelf een whisky ingeschonken en bleef staan.

'Als je een borrel wilt, Jon, bedien jezelf,' zei Oliver.

Bij het noemen van alcohol keken Kendalls priemende ogen op van zijn papieren. 'Nee, merci,' antwoordde Craft. 'Ik wil dit liefst zo gauw mogelijk afgehandeld hebben.'

'Net zo je wilt.' Oliver keek de accountant aan. 'Stel je vragen maar.' Al pratende zoog Kendall aan zijn sigaret, zodat de rook om zijn neusvleugels kringelde. 'Die Spinelli van de ATCO. Heb je die nog gesproken na dat onderhoud met Swanson?'

'Nee. Er viel niets te vertellen; niets dat ik kon vertellen zonder instructies. Zoals je weet, heb ik Howard aan de telefoon gehad. Hij zei me te wachten, een verslag op te stellen en verder niets te doen.'

'Craft is de verbindingsman met ATCO,' zei Oliver. 'Ik wilde niet dat hij bang zou worden en de toestand zou verzwijgen. Dat zou lijken alsof we iets achterhielden.'

'Dat doen we.' Kendall nam de sigaret uit zijn mond, waarbij de as op zijn broek viel. Terwijl hij langzaam de paperassen op zijn schoot sorteerde, ging hij voort: 'Laten we Spinelli's klachten doornemen. Zoals Swanson ze ter tafel bracht.'

Kort en beknopt roerde de accountant alle behandelde punten aan. Ze betroffen Spinelli's verklaringen over te late leveringen, overplaatsingen van personeel, het aanhouden van tekeningen en een dozijn andere bijkomstige grieven. Craft antwoordde even beknopt, lichtte toe waar hij kon of betuigde zijn onwetendheid waar hij het niet kon. Er was geen reden om iets te verzwijgen. Hij had instructies uitgevoerd, maar ze niet gegeven.

'Kan Spinelli die aanklachten waarmaken? En maak jezelf niets wijs: het zijn aanklachten, geen klachten.'

'Welke aanklachten?' Oliver spuwde de woorden uit. 'Die gore smeerlap heeft de hele boel in de war gestuurd! Wie is hij wel om met aanklachten te komen?'

'Schei uit,' zei Kendall met zijn krassende stem. 'Speel geen spelletjes. Bewaar die maar voor een onderzoek door het Congres, als ik tenminste niets weet te verzinnen.'

Bij de woorden van Kendall voelde Craft de stekende pijn weer in zijn maag. Het vooruitzicht te schande gemaakt te worden – ook al was hij er maar zeer zijdelings bij betrokken – kon zijn leven ruïneren. Het leven dat hij later in New York verwachtte te zullen leven. De financiële boerenkinkels, de kooplui, zouden dat nooit begrijpen. 'Dat gaat een beetje ver...'

Kendall keek op naar Craft. 'Misschien hóórde je Swanson niet goed. Het gaat nog niet ver genoeg. Je kreeg de contracten voor de Forten omdat je volgens je voorspèllingen de zaak kon klaren.'

'Een ogenblikje!' schreeuwde Oliver. 'Wij...'

'Lees die onzinnige stadhuistaal dan door!' bulderde Kendall over Olivers interruptie heen. 'Mijn firma, ìkzelf, regelde die voorspellingen. Ik weet wat ze inhouden en wat ze suggereerden. Je gaf de andere maatschappijen het nakijken. Die wilden niet verklaren wat jij verklaarde. Douglas niet, Boeing niet en Lockheed niet. Jij had honger en slokte de buit op en nu lever je niet... wat is er dan voor nieuws? Laten we ter zake komen: kan Spinelli iets waarmaken?'

'Barst!' viel Oliver uit en liep naar de bar.

'Hoe bedoel je, waarmaken?' vroeg Jonathan Craft met snijdende pijn in zijn maag.

'Zwerven er ergens memo's rond,' Kendall tikte op de papieren in zijn hand, 'die op iets hiervan betrekking hebben?'

'Tja...' Craft aarzelde; de pijn in zijn maag werd onverdraaglijk. 'Als er overplaatsingen moesten plaatsvinden, werden ze per...'

'Het antwoord luidt bevestigend,' onderbrak Oliver walgend, terwijl hij zich nog een borrel inschonk.

'En financiële besnoeiingen?'

Weer was het Oliver die antwoordde. 'Die hebben we verdonkeremaand. Spinelli's rekwisities zijn gewoon verloren gegaan in de papierwinkel.'

'Heeft hij niet gejammerd? Heeft híj geen memo's gestuurd?'

'Dat is Crafts afdeling,' antwoordde Oliver en dronk in één slok zowat zijn hele glas whisky leeg. 'Spinelli was zijn troetelkind.'

'Nou?' Kendall keek Craft aan.

'Nou... hij stuurde talloze mededelingen.' Craft leunde voorover in zijn stoel, evenzeer om de pijn te verminderen als om vertrouwelijk te lijken. 'Ik heb alles uit de dossiers gelicht,' zei hij zachtjes.

'Verdomme,' barstte Kendall onderdrukt los. 'Ik geef geen lor om wat jij lichtte. Hij heeft kopieën. Gegevens.'

'Ik zou niet willen beweren...'

'Hij typte die verrekte kennisgevingen toch niet zelf? Of heb je de secretaresses soms ook achterover gedrukt?'

'Je hoeft niet beledigend te worden...'

'Belédigend? Een mooi nummer ben jij. Misschien hebben ze nog een paar mooie strepen voor je in Leavenworth.' De accountant snoof verachtelijk en richtte zijn aandacht op Howard Oliver. 'Swanson staat sterk; hij zal je ophangen. Je hoeft geen advocaat te zijn om dat in te zien. Je verzweeg iets. *Je was van plan de bestaande geleidesystemen te gebruiken.*'

'Alleen omdat de nieuwe gyroscopen niet ontwikkeld konden worden! Omdat dat uilskuiken zover achterop raakte dat hij geen kans meer zag om bij te komen.'

'Bovendien spaarde het je een paar honderd miljoen... Je had de pompen op gang moeten brengen in plaats van het water af te sluiten. Jullie zijn een paar onovertroffen sukkels. Een blinde zou jullie knock out kunnen slaan.'

Oliver zette zijn glas neer en zei langzaam: 'We betalen je niet om zulk soort uitspraken te krijgen, Walter. Ik zou maar liever met iets anders komen als ik jou was.'

Kendall drukte zijn verminkte sigaret uit met zijn met as bedekte bruine vingertoppen. 'Dat doe ik ook,' zei hij. 'Jullie hebben gezelschap nodig; jullie zijn midden in een heel emotionele kwestie beland. Het zal je geld kosten, maar je hebt geen keus. Je zult overeenkomsten moeten afsluiten en iedereen erbij halen. Neem contact op met Sperry Rand, General Motors, Chrysler, Lockheed, Douglas, Rolls-Royce... als het moet met iedere lamstraal die een technisch laboratorium heeft. Een nationaal noodprogramma. Verwijs naar je gegevens, leg alles bloot wat je hebt.'

'Ze zullen ons arm stelen!' raasde Oliver. 'Dat kost miljoenen!'

'Het kost je meer als je het niet doet. Ik zal aanvullende financiële overzichten klaarmaken. Ik zal ze in zoveel ijs verpakken, dat het tien jaar kost om ze te ontdooien. Dat zal je ook geld kosten.' Kendall grijnsde en ontblootte zijn vieze tanden.

Howard Oliver staarde de onverzorgde accountant aan. 'Je reinste waanzin,' zei hij zachtjes. 'We zullen kapitalen weggeven voor iets dat niet te koop is omdat het niet bestaat.'

'Jij zei dat het wèl bestond. Je vertelde Swanson dat het bestond en met heel wat meer overtuiging dan enig ander. Je verkocht je indrukwekkende industriële know-how en toen je niet leveren kon, drukte je je snor. Swanson heeft gelijk. Je bent een gevaar voor de oorlogsinspanning. Misschien moesten ze je maar doodschieten.'

Jonathan Craft keek de smerige, grijnzende accountant met het gore gebit aan en voelde de neiging om te braken. Maar de man was hun enige toeverlaat.

5

Wilhelm Zangen stond bij het raam dat uitzag over de Reichssiegplatz van Stuttgart en hield zijn zakdoek tegen zijn ontstoken, transpirerende kin. Deze buitenwijk van de stad was nog niet door bombardementen getroffen; het was een woonwijk en het was er zelfs vredig. In de verte was de Neckar te zien, waarvan de wateren rustig voortrolden, zonder wetenschap van de vernielingen die aan de andere kant van de stad aangericht waren.

Zangen realiseerde zich dat er van hem verwacht werd dat hij zou spreken en Von Schnitzler, die namens heel I.G. Farben sprak, zou antwoorden. De twee andere mannen waren even benieuwd naar zijn woorden als Von Schnitzler. Uitstel had geen zin. Hij moest Altmüllers bevelen uitvoeren.

'De laboratoria van Krupp hebben gefaald. En wat Essen ook zegt, er is geen tijd voor experimenten. Het ministerie van bewapening liet daar geen twijfel over bestaan; Altmüller is vastbesloten. Hij spreekt namens Speer.' Zangen keerde zich om en keek de drie mannen aan. 'Hij stelt u verantwoordelijk.'

'Hoe kan hij dat?' vroeg Von Schnitzler, wiens diepe gelispel extra opviel nu hij kwaad was. 'Hoe kunnen wij verantwoordelijk zijn voor iets waar we niets van weten? Dat is onredelijk. Belachelijk!'

'Wilt u dat ik die uitspraak aan het ministerie overbreng?'

'Dat zal ik zelf wel doen,' antwoordde Von Schnitzler. 'Farben is hier niet bij betrokken.'

'We zijn er allemaal bij betrokken,' zei Zangen rustig.

'Hoe kan ònze maatschappij erbij betrokken zijn?' vroeg Heinrich Krepps, de directeur van Schreibwaren, de grootste drukkerij van Duitsland. 'Ons contact met Peenemünde was vrijwel nihil en wat er was, werd tot op het waanzinnige af verdoezeld. Geheimhouding is één, maar ons zelf voorliegen is iets anders. Laat u ons erbuiten, Herr Zangen.'

'Het geldt óók voor u.'

'Ik verwerp uw conclusie. Ik heb onze contacten met Peene-münde bestudeerd.'

'Misschien werd u niet over alle feiten ingelicht.'

'Onzin!'

'Best mogelijk. Niettemin...'

'Die betiteling kan nauwelijks op míj van toepassing zijn, Herr Zangen,' zei Johann Dietrich, een verwijfde man van middel-bare leeftijd en directeur van het Dietrich Chemikaliën con-cern. Dietrichs familie had grote bijdragen geleverd aan de par-tijkas van Hitlers nationaal-socialisten en na het overlijden van zijn vader en zijn oom had Johann Dietrich de directie mogen blijven voeren – meer in naam dan in werkelijkheid. 'Bij Die-tricht gebeurt niets waar ik geen weet van heb. Wij hebben niets met Peenemünde te maken gehad.'

Johann Dietrich glimlachte. Zijn dikke lippen krulden zich; zijn glinsterende ogen verrieden een overmatig gebruik van alcohol en zijn gedeeltelijk geëpileerde wenkbrauwen zijn seksuele af-wijking – ook iets buitensporigs. Zangen kon Dietrich niet uit-staan; de man – hoewel hij geen man was – was een schandvlek en zijn levensstijl een aanfluiting van de Duitse industrie. Op-nieuw vond Zangen dat talmen geen zin had. De mededeling zou geen verrassing zijn voor Von Schnitzler en Krepps.

'Er zijn zeer veel aspecten van de Dietrich Chemikaliën waar u niets van afweet. Uw eigen laboratoria hebben voortdurend met Peenemünde samengewerkt op het gebied van chemische ex-plosieven.'

Dietrich verbleekte en Krepps interrumpeerde.

'Waar wilt u heen, Herr Reichsverwalter? Hebt u ons alleen hier laten komen om ons te beledigen? Wilt u ons als directeuren vertellen dat wij geen baas zijn over onze eigen maatschappij-en? Ik ken Herr Dietrich niet zo goed, maar ik kan u verzeke-ren dat Von Schnitzler en ikzelf geen ledepoppen zijn.'

Von Schnitzler had Zangen nauwkeurig gadegeslagen en had gemerkt, hoe de Reichsverwalter steeds naar zijn zakdoek greep. Zangen veegde voortdurend zenuwachtig zijn kin af. 'Ik neem aan dat u over specifieke gegevens beschikt – van het gen-re zoals u zojuist tegenover Herr Dietrich vermeldde – om uw verklaringen te bevestigen.'

'Die heb ik.'

'En dan zegt u daarmee dat bepaalde verrichtingen – zelfs bin-

nen onze eigen fabrieken – buiten ons om plaatsvinden.'
'Zo is het.'
'Hoe kunnen wij dan verantwoordelijk gesteld worden? Dit zijn onzinnige beschuldigingen.'
'Ze worden om praktische redenen geuit.'
'Nu draait u er omheen!' schreeuwde Dietricht, die nog maar nauwelijks bekomen was van Zangens belediging.
'Daar moet ik het mee eens zijn,' zei Krepps, alsof instemming met de aperte homoseksueel walgelijk, maar niettemin geboden was.
'Kom nou, heren. Moet ik het uittékenen? Dit zijn úw maatschappijen. I.G. Farben leverde 83 procent van alle chemicaliën voor de raketten; Schreibwaren vermenigvuldigde elke tekening en blauwdruk en Dietricht fabriceerde de meeste explosieven voor de springkoppen. We bevinden ons in een crisis. Als we die niet te boven komen, zullen betuigingen van onkunde u het allerminst helpen. Ik zou zelfs zo ver kunnen gaan dat ik zeg dat er mensen zijn op het ministerie en elders die zullen ontkennen dat er iets verzwegen werd. Dat u gewoon gezamenlijk uw kop in het zand gestoken hebt. Ik ben er persoonlijk niet zeker van dat een dergelijke uitspraak onjuist is.'
'Leugens!' schreeuwde Dietricht.
'Absurd!' viel Krepps hem bij.
'Maar weerzinwekkend praktisch,' besloot Von Schnitzler langzaam, terwijl hij Zangen strak aankeek. 'Dus dat is wat u ons te zeggen hebt, nietwaar? Wat Altmüller ons te zeggen heeft. Of we schakelen al onze hulpbronnen in om een oplossing te vinden – om onze industriële zwakkeling te hulp te komen – òf we riskeren uniforme afkeuring in de ogen van het ministerie.'
'En in de ogen van de Führer, het oordeel van het Reich zelf.'
'Maar hóe dan?' vroeg de verschrikte Johann Dietricht.
Zangen herinnerde zich Altmüllers woorden precies. 'Uw ondernemingen hebben een geschiedenis van vele jaren. Zowel gezamenlijk als individueel. Van de Oostzee tot de Middellandse Zee, van New York tot Rio de Janeiro, van Saoedi-Arabië tot Johannesburg.'
'En van Shanghai via Malakka tot de havens in Australië en de Tasman Zee,' zei Von Schnitzler zachtjes.
'Die gaan ons niet aan.'
'Wilt u zeggen, Herr Reichsverwalter, dat de oplossing voor

Peenemünde bij onze vroegere relaties gezocht moet worden?'
Von Schnitzler leunde voorover in zijn stoel en zijn handen en ogen rustten op de tafel.
'Dit is een crisis. Geen enkele uitweg mag over het hoofd gezien worden. De verbindingen kunnen bespoedigd worden.'
'Ongetwijfeld. Waarom denkt u dat men zal toehappen?' ging het hoofd van I.G. Farben voort.
'Om de winsten.'
'Die zijn moeilijk uit te geven als je voor een vuurpeloton staat.'
Von Schnitzlers logge lichaam veranderde van houding en met een peinzende uitdrukking keek hij het raam uit.
'U gaat uit van de commissie voor bepaalde transacties. Ik doel meer op omissies.'
'Verklaar u nader.' De ogen van Krepps bleven op de tafel gericht. 'Er zijn misschien vijfentwintig aanvaardbare vindplaatsen voor boort en carbonado-diamanten – aanvaardbaar in die zin dat er in een enkele aankoop voldoende hoeveelheden te krijgen zijn. In Afrika en Zuid-Amerika en een of twee vindplaatsen in Midden-Amerika. De mijnen worden onder strenge veiligheidsmaatregelen geëxploiteerd door Britse, Amerikaanse, Vrije Franse en Belgische maatschappijen... u kent ze wel. De zendingen worden gecontroleerd en de bestemmingen goedgekeurd... Wij willen zeggen dat zendingen omgeleid kunnen worden en dat de bestemmingen veranderd kunnen worden in neutrale landen. Door omissie van de normale veiligheidsvoorzieningen. Daden van incompetentie, zo u wilt; menselijke vergissingen, geen verraad.'
'Bijzonder winstgevende vergissingen,' vatte Von Schnitzler samen.
'Precies,' zei Wilhelm Zangen.
'Waar vind je zulke mensen?' vroeg Johann Dietricht met zijn hoge piepstem.
'Overal,' antwoordde Heinrich Krepps.
Zangen bette zijn kin met zijn zakdoek.

6

Spaulding rende over de voet van de heuvel tot hij de takken van de twee bomen in elkaar zag overgaan. Dat was het merkteken. Hij sloeg rechtsaf en klom honderdtien meter de steile helling op; het tweede merkteken. Toen sloeg hij linksaf en stak langzaam over naar de westelijke helling, in gebukte houding, terwijl zijn ogen voortdurend in alle richtingen rondspiedden en hij zijn pistool stevig omklemd hield.

Op de westelijke helling keek hij uit naar een afzonderlijk rotsblok – een van de zoveel op de met rotsblokken bezaaide Galicische heuvel – dat aan de onderkant behouwen was. Zorgvuldig behouwen met drie inkervingen. Dat was het derde en laatste herkenningsteken.

Hij vond het, nadat hij eerst de geknakte halmen van het stugge gras had opgemerkt. Hij knielde en keek op zijn horloge: kwart voor drie.

Hij was een kwartier te vroeg, zoals hij van plan geweest was. Over een kwartier zou hij de westelijke helling recht tegenover het behouwen rotsblok afdalen. Dan zou hij een stapel takken vinden. Onder de takken zou een ondiepe grot zijn en in die grot – als alles volgens plan verliep – zouden zich drie mannen bevinden. De ene behoorde tot een infiltratiegroep. De twee anderen waren Wissenschaftler – Duitse geleerden die in de Kindorf laboratoria in het Ruhrdal werkten. Hun afvalligheid – ontsnapping – was het doel geweest van langdurige planning.

De obstakels waren altijd dezelfde.

Gestapo.

De Gestapo had een ondergrondse agent klein gekregen en was de geleerden op het spoor. Maar, typerend voor de s.s.-elite, de Gestapo hield deze wetenschap voor zich, op jacht naar groter wild dan twee ontrouwe laboranten. Gestapo-agenten hadden de geleerden vrij baan gegeven, surveillanten afgedankt, laboratoriumcontroles tot op het inefficiënte af verslapt en routineverhoren veronachtzaamd. Tegenstellingen.

De Gestapo was net zo min inefficiënt als zorgeloos. De s.s. was een val aan het opstellen.

Davids instructies aan de ondergrondse waren kort en eenvoudig geweest: laat de val dichtklappen. Zonder prooi erin.

Het praatje werd rondgestrooid dat de geleerden, die een weekend verlof hadden gekregen om naar Stuttgart te gaan, in werkelijkheid langs ondergrondse routes pal noordwaarts trokken naar Bremerhaven. Daar werd contact gelegd met een hooggeplaatste afvallige Duitse marineofficier, die een klein bootje gevorderd had en een dramatische vlucht naar de geallieerden wilde ondernemen. Het was algemeen bekend dat de Duitse marine borrelde van onrust. Het was een wervingsterrein voor de anti-Hitler bewegingen, die overal in het Reich ontstonden.

Dat praatje zou iedereen iets te overdenken geven, redeneerde Spaulding. En de Gestapo zou twee mannen volgen in de veronderstelling dat het de geleerden uit Kindorf waren, terwijl het in werkelijkheid twee veiligheidsagenten van de Wehrmacht zouden zijn, die op een loos alarm werden uitgestuurd.

Zetten en tegenzetten.

Zo veel en zo verschillend. Het vergrote werkterrein van de man in Lissabon.

Deze middag was een concessie. Op verlangen van de ondergrondse in Duitsland. Het laatste contact moest hij alleen leggen. De ondergrondse beweerde dat de man in Lissabon te veel complicaties schiep; er was te veel kans op vergissingen en contra-infiltratie. Dat was er niet, vond David, maar als een solotocht de nerveuze gemoederen van de anti-Reichsgezinden kon kalmeren, was het een kleinigheid ze hun zin te geven.

Zijn eigen Valdero-groep bevond zich een kleine kilometer hogerop in de heuvels. Twee schoten en ze zouden hem te hulp komen op de snelste paarden die er voor Castiliaans geld te krijgen waren.

Het was tijd. Hij kon op weg gaan naar de grot voor het laatste contact.

Hij gleed over de harde grond naar beneden, boorde zijn hielen in de grond van de steile helling of remde af tegen rotsblokken, tot hij boven de stapel takken en twijgen was die de ingang van de schuilplaats maskeerde. Hij raapte een handvol losse grond op en gooide die in de afgebroken takken.

De reactie was zoals afgesproken: een kort slaan met een stok op de opgestapelde takken. Het fladderen van vogels die uit het struikgewas werden opgejaagd.

Spaulding deed een paar snelle stappen naar de ingang van de schuilplaats en bleef bij de camouflage staan.

'Alles in Ordnung. Kommen Sie,' zei hij zachtjes maar duidelijk. 'Er is niet veel tijd meer om door te reizen.'

'Hàlt!' klonk de onverwachte kreet uit de grot.

David draaide zich bliksemsnel om, drukte zich tegen de rots en hief zijn Colt op. De stem van binnen sprak weer. In het Engels.

'Bent u... Lissabon?'

'Allemachtig, ja! Doe zóiets niet! Dat kost je de kop!' Verdomme, dacht Spaulding. De infiltratiegroep moest een kind of een imbeciel, of allebei, als koerier gebruikt hebben. 'Kom er maar uit.'

'Mijn verontschuldigingen, Lissabon,' zei de stem, terwijl de takken uiteen weken en de stapel verplaatst werd. 'We hebben een zware tijd gehad.'

De koerier verscheen. Het was niet iemand die David had opgeleid. Hij was klein, erg gespierd en niet ouder dan vijf- of zesentwintig. Zijn ogen vertoonden een nerveuze angst.

'Voortaan,' zei Spaulding, 'bevestig je geen signalen om dan op het laatste moment de gever van de signalen te ondervragen. Tenzij je van plan bent om hem te vermoorden. *Es ist Schwarztuch-chiffre.*'

'*Was ist das?* Zwart...'

'Zwart floers, waarde vriend. Van voor onze tijd. Het betekent: bevestig en eindig. 't Geeft niet, maar doe het niet weer. Waar zijn de anderen?'

'Binnen. Ze maken het goed. Ze zijn erg moe en erg bang, maar ongedeerd.' De koerier keerde zich om en trok nog meer takken weg. 'Kom naar buiten. Het is de man uit Lissabon.'

De twee bange geleerden van middelbare leeftijd kropen voorzichtig uit de grot en knipperden met hun ogen tegen de felle hete zon. Ze keken David dankbaar aan; de grootste van de twee begon in moeizaam Engels te praten.

'Dit is een... ogenblik waarop we gewacht hebben. Onze zeer vele dank.'

Spaulding glimlachte. 'We zijn de bossen nog niet uit. *Frei.* In dubbele betekenis. Jullie zijn dappere kerels. We zullen voor jullie doen wat we kunnen.'

'Er was... *nichts*... over,' zei de kleinste laborant. 'Mijn vriend is een socialist... *Politik*... was niet populair. Wijlen mijn vrouw was... *eine Jüdin*.'

'Geen kinderen?'

'*Nein*,' antwoordde de man '*Gott sei dank*.'

'Ik heb een zoon,' zei de grootste koel. '*Er ist... Gestapo*.'

Meer viel er niet te zeggen, dacht Spaulding. Hij wendde zich tot de koerier die de heuvel en de lager gelegen bossen afspeurde. 'Ik neem ze nu over. Keer zo spoedig mogelijk terug naar Basis Vier. Over een paar dagen krijgen we een groot contingent uit Koblenz. Dan hebben we iedereen nodig. Neem wat rust.'

De koerier aarzelde. David had die gelaatsuitdrukking al eerder gezien, heel vaak zelfs. De man moest nu alleen op stap. Zonder gezelschap, prettig of onprettig. Gewoon alleen.

'Zo heb ik het niet begrepen, Lissabon. Ik moet bij je blijven.'

'Waarom?' vroeg Spaulding.

'Mijn instructies...'

'Van wie?'

'Van de lui in San Sebastian. Herr Bergeron en zijn mannen. Bent u niet ingelicht?'

David keek de koerier aan. 's Mans angst maakte hem tot een slechte leugenaar, dacht Spaulding. Of hij was iets anders. Iets volkomen onverwachts omdat het niet logisch was; in dit stadium verdiende het zelfs in de verte geen overweging. Tenzij... David legde de gespannen zenuwen van de jonge koerier in diens voordeel uit. Maar ontlasten deed hij ze niet. Dat kwam later wel. 'Nee, ik wist er niets van,' zei hij. 'Kom mee, we gaan naar kamp Bêta. Daar blijven we tot de ochtend.' Spaulding wenkte en ze gingen op weg langs de voet van de helling.

'Ik heb nog niet zo ver zuidelijk gewerkt,' zei de koerier en ging achter David lopen. 'Reis je nooit 's nachts, Lissabon?'

'Soms,' antwoordde Spaulding en keek om naar de beide geleerden, die naast elkaar liepen. 'Als we het vermijden kunnen niet. De Basken schieten er 's nachts meteen op los. Ze hebben te veel honden van de ketting in 't donker.'

'O juist.'

'Laten we naast elkaar gaan lopen. Naast onze gasten,' zei David tegen de koerier.

Gevieren trokken ze verscheidene kilometers oostwaarts. Spaulding hield er flink de pas in. De niet meer zo jonge geleerden klaagden niet, maar ze hadden kennelijk moeite om mee te komen. Verscheidene keren zei David de anderen te blijven waar ze waren en ging dan op onderscheiden plaatsen de bossen in om pas minuten later terug te komen. Telkens als hij dat deed maakten de beide oudere mannen dankbaar gebruik van de rustpauze. De koerier rustte niet. Hij leek bang – alsof de Amerikaan niet terug zou komen. Spaulding moedigde de conversatie niet aan, maar na een zo'n verdwijning kon de jonge Duitser zich niet langer inhouden.

'Wat dóe je eigenlijk?' vroeg hij.

David keek de *Widerstandskämpfer* glimlachend aan. 'Berichten oppikken.'

'Berichten?'

'Het zijn merktekens. Overal langs de route. We hebben bepaalde merktekens voor berichten die we niet per radio willen doorgeven. Te gevaarlijk als ze onderschept worden.'

Ze trokken verder over een smal pad aan de rand van de bossen, tot ze bij een open plek kwamen. Het was een weide, een laag plateau te midden van de omringende heuvels. De geleerden transpireerden hevig; ze hijgden en hun benen deden pijn.

'Hier blijven we even uitrusten,' zei Spaulding, tot zichtbare opluchting van de oudere mannen. 'Het wordt trouwens tijd dat ik contact maak.'

'*Was ist los?*' vroeg de jonge koerier. 'Contact?'

'Positiebepaling,' antwoordde David en haalde een klein metalen spiegeltje uit zijn blouse. 'De verkenners kunnen er hun gemak van nemen als ze weten waar we zijn. Als je in de noordelijke streken – wat jij het zuiden noemt – komt te werken, doe je er goed aan dit te onthouden.'

'Dat zal ik; dat zal ik.'

David ving de zonnestralen in de spiegel op en weerkaatste die naar een noordelijke heuvel. Met zijn pols maakte hij een serie bewegingen en de metalen plaat bewoog zich in ritmische precisie voor- en achteruit.

Enkele seconden later kwam er antwoord van halverwege de hoogste heuvel in het noorden. Lichtflitsen spatten uit een minuscuul gaatje in de onbestemde groene verte. Spaulding wendde zich tot de anderen.

'We gaan niet naar Bêta,' zei hij. 'Er zijn falangistische patrouilles in de buurt. We blijven hier tot de kust vrij is. Ontspan u maar.'

De zwaargebouwde Bask legde de zakspiegel neer. Zijn maat hield de kijker nog steeds op de weide gericht, kilometers verderop in de diepte, waar de Amerikaan met zijn drie pupillen nu op de grond zat.

'Hij zegt dat ze gevolgd worden. We moeten controleposities innemen en uit het zicht blijven,' zei de man met de metalen spiegel. 'Wij moeten morgenavond de geleerden ophalen. Hij zal ons seinen.'

'Wat gaat híj doen?'

'Weet ik niet. We moeten bericht sturen naar Lissabon. Hij blijft in de heuvels.'

'Hij is een ijskouwe,' zei de Bask.

2 december 1943
Washington D.C.

Alan Swanson zat op de achterbank van de legerauto en deed zijn best kalm te blijven. Hij keek uit het raam; in de late ochtend was er weinig verkeer. Het immense leger van werkkrachten in Washington bevond zich op zijn aangewezen bestemming; machines gonsden, telefoons rinkelden, mannen schreeuwden en fluisterden en namen op al te veel plaatsen hun eerste borrel van de dag. De opwinding van de eerste uren van de werkdag taande bij het naderen van de middag. Tegen een uur of half twaalf vonden zeer veel mensen de oorlog saai en hun mechanische sleurwerk verveelde hen: de eindeloze duplicaten, triplicaten en quadruplicaten. Ze begrepen de noodzakelijkheid niet van moeizame berekeningen, van het verstrekken van gegevens aan talloze ketens van bevelvoering.

Ze konden dat niet begrijpen, omdat men ze geen volledig beeld kon geven, maar alleen fragmenten, herhalende statistieken. Natuurlijk verveelde hun dat.

Ze waren moe en lusteloos. Zoals hij veertien uur geleden in Pasadena in Californië moe geweest was.

Alles was misgegaan.

De Meridian vliegtuigmaatschappij was gedwongen geweest een noodprogramma op stapel te zetten, maar de knapste technische koppen in het land konden de fouten niet wegnemen uit de kleine doos die het geleidesysteem vormde. De kleine draai-

86

ende sferoïdale schijfjes wilden op de allergrootste hoogten niet betrouwbaar blijven draaien. Ze waren misleidend: het ene ogenblik correct, het andere ogenblik afwijkend.

De allerkleinste afwijking kon leiden tot botsingen in de lucht van reusachtige vliegtuigen. En met de aantallen die gepland waren voor het leggen van de bommentapijten die aan Overlord vooraf zouden gaan – en dat binnen vier maanden moest beginnen – zouden er beslist botsingen voorkomen.

Maar vanmorgen was alles anders.

Of zou anders kùnnen zijn, als er iets geloofwaardigs stak in wat men hem verteld had. Hij had in het vliegtuig niet kunnen slapen en nauwelijks kunnen eten. Na de landing in Andrews had hij zich naar zijn flat in Washington gerept, gedoucht, geschoren, een schoon uniform aangetrokken en zijn vrouw opgebeld in Scarsdale, waar zij bij een zuster logeerde. Hij herinnerde zich het gesprek niet meer, de gewone lieve woordjes hadden ontbroken en de vragen waren oppervlakkig geweest. Hij had geen tijd voor haar.

De legerauto reed de Virginia autoweg op en meerderde vaart. Ze gingen naar Fairfax; over een minuut of twintig zouden ze er zijn. In minder dan een half uur zou hij weten of het onmogelijke, juist omgekeerd, volkomen mogelijk was. Het nieuws was doorgekomen als een uitstel van executie op het allerlaatste moment; als cavallerie in de heuvels in de verte – als het gedempte geschal van trompetten die de redding verkondigden.

Inderdaad gedempt, dacht Swanson toen de legerauto van de hoofdweg afboog en een binnenweg insloeg. In Fairfax, dat zo'n negentig hectare midden in de jachtgebieden besloeg, was een afgezet gedeelte met barakken naast enorme radarschermen en radiozendmasten, die als reusachtige stalen wangedrochten uit de grond oprezen. Het was het Hoofdkwartier Velddivisie Clandestiene Operaties; na de ondergrondse vertrekken in het Witte Huis de vitaalste berichtenverwerkingsdienst van de geallieerde inlichtingendiensten.

Gisterenmiddag laat had HKV-Fairfax bevestiging ontvangen van een inlichtingenpeiling die al lang geleden als onnuttig was opgegeven. Het bericht kwam uit Johannesburg in Zuid-Afrika. Het was nog niet geverifieerd, maar er waren voldoende aanwijzingen om aan te nemen dat het juist kon zijn.

Er waren geperfectioneerde substratosferische gyroscopen. De ontwerpen ervan waren te krijgen.

In de open Mercedes racete Franz Altmüller Berlijn uit over de autoweg van Spandau naar Falkensee. Het was vroeg in de ochtend; de lucht was koud en dat was goed.

Hij was zo opgewonden dat hij de theatraal terughoudende methoden van de Nachrichtendienst kon vergeven, de codenaam voor een selecte eenheid van de spionagedienst, welks bestaan aan maar een paar van de allerhoogste landsdienaars bekend was en aan niet velen van het Oppercommando zelf. Een specialiteit van Gehlen.

Om deze reden belegde deze dienst nooit conferenties in Berlijn zelf, maar altijd buiten de stad, altijd in een afgelegen en afgesloten gebied of stad en zelfs dan op particulier terrein, onzichtbaar voor de potentieel nieuwsgierigen.

Vanmorgen was de plaats van bijeenkomst Falkensee, een kilometer of dertig ten noordwesten van Berlijn. De bespreking zou plaatsvinden in een vakantieverblijf op het landgoed van Gregor Strasser.

Altmüller zou zelfs naar Stalingrad gevlogen zijn als het waar was wat men hem wilde doen geloven.

De Nachrichtendienst had de oplossing voor Peenemünde gevonden!

De oplossing wàs er; het was de taak van anderen die snel te realiseren.

De oplossing die ontgaan was aan 'onderhandelingsteams' die naar alle delen van de wereld gezonden waren om vooroorlogse 'relaties' op te zoeken – bloot te leggen. In Kaapstad, Dar es Salaam, Johannesburg, Buenos Aires...

Mislukkingen.

Geen enkele maatschappij, geen enkel individueel persoon wilde van Duitse onderhandelingen weten. Duitsland verkeerde in het begin van zijn doodsstrijd. Het zou ten onder gaan.

Dat was de mening in Zürich. En wat Zürich voor waar hield, werd door de internationale zakenwereld niet aangevochten.

Maar de Nachrichtendienst had een andere waarheid ontdekt.

Dat had men hem verteld.

De krachtige motor van de Mercedes zoemde; de wagen kwam op topsnelheid; het verkleurende herfstlover vervaagde.

Het stenen hek van Strassers landgoed kwam links in zicht; bronzen Wehrmachtadelaars prijkten boven de beide posten. Hij draaide de lange, kronkelende oprijlaan in en stopte bij het hek, dat bewaakt werd door twee soldaten met grommende waakhonden. Altmüller wierp zijn papieren toe aan de eerste schildwacht, die ze terdege inspecteerde.

'Goedemorgen, Herr Unterstaatssekretär. Volgt u de oprijlaan rechts, voorbij het hoofdgebouw.'

'Zijn de anderen er al?'

'Ze wachten op u.'

Altmüllers auto zwenkte langs het hoofdgebouw de stijgende oprit op en minderde vaart. Voorbij de beboste bocht stond het vakantiehuis; het leek meer op een jachthut dan op een woning. Overal zag je zware, donkerbruine balken: een deel van het bos. Op het grindpad stonden vier personenauto's. Hij parkeerde, stapte uit, trok zijn uniform recht en keek of er soms pluisjes op zijn revers zaten. In kaarsrechte houding liep hij het pad op naar de deur.

Op een conferentie van de Nachrichtendienst werden nooit namen genoemd; als er identiteiten bekend waren – wat beslist het geval moest zijn – werd er tijdens een vergadering nooit van gerept. Men richtte het woord tot iemand door hem aan te kijken en tot de groep door een gebaar.

Er stond geen lange conferentietafel, zoals Altmüller verwacht had, en geen formele opstelling van stoelen volgens een geheim protocol. In plaats daarvan stond een half dozijn informeel geklede mannen, vijftigers en zestigers, rustig in de kamer met de hoge Beierse zoldering met elkaar te praten en koffie te drinken. Altmüller werd verwelkomd als 'Herr Unterstaatssekretär' en kreeg te horen dat de bespreking maar heel kort zou duren en direct bij aankomst van de laatste verwachte deelnemer beginnen zou.

Altmüller accepteerde een kop koffie en probeerde zich in te leven in de ongedwongen sfeer. Het lukte hem niet; hij verlangde ernaar, zijn afkeuring uit te bulderen en onmiddellijk serieuze gesprekken te eisen. Begrépen ze dan niets?

Maar dit was de Nachrichtendienst. Daar werd niet gebulderd of geëist.

Tenslotte, na wat zijn oproerige maag een eeuwigheid toescheen, hoorde Altmüller buiten een auto. Enkele ogenblikken later ging de deur open en hij liet van verbazing bijna zijn kop koffie vallen. Hij kende de binnenkomende man van de paar maal dat hij Speer naar Berchtesgaden vergezeld had. Het was de huisknecht van de Führer, maar hij miste nu volkomen het onderdanig voorkomen van een huisknecht.

Zonder enig bevel daartoe zwegen de mannen. Enkelen namen plaats in een leunstoel, anderen leunden tegen de muur of bleven bij de koffietafel staan. Een oudere man met een jasje aan van zware tweed, die voor de open haard stond, nam het woord. Hij keek Franz aan, die in zijn eentje achter een leren bank stond.

'We hoeven niet lang te praten. We menen, dat we over de inlichting beschikken die u zoekt. Ik zeg "menen", want wij verzamelen inlichtingen, maar wij doen er niets mee. Misschien wil het ministerie er ook niets mee doen.'

'Dat lijkt mij hoogst onwaarschijnlijk,' zei Altmüller.

'Uitstekend. Dan heb ik verschillende vragen. Om tegenstrijdigheden en misvattingen te voorkomen.' De oude man zweeg even en stak een zware meerschuimen pijp aan. 'U hebt alle normale kanalen van inlichtingen uitgeput? Via Zürich en Lissabon?'

'Ja, en ook in talloze andere plaatsen – bezette, vijandelijke en neutrale.'

'Ik doelde op de bestaande kanalen, voornamelijk de Zwitserse, Scandinavische en Portugese.'

'In de Scandinavische landen hebben we geen intensieve pogingen ondernomen. Herr Zangen dacht niet...'

'Geen namen alstublieft. Behalve waar het andere inlichtingendiensten of algemeen bekende personen betreft. Noem desgewenst ambtelijke aanduidingen, geen individuele personen.'

'Het Reichsamt voor de Industrie – dat voortdurend actief is in de Baltische gebieden – was ervan overtuigd, dat daar niets te bereiken was. Om geografische redenen, neem ik aan. In de Baltische landen zijn geen diamanten.'

'Of ze zijn te vaak verbrand,' zei een niet nader aangeduide man van middelbare leeftijd, die op de leren sofa voor Altmüller zat. 'Als je Londen of Washington wilt laten weten wat je gaat doen voor je het doet, moet je naar de Scandinaviërs gaan.'

'Heel juist geanalyseerd,' zei een ander lid van de Nachrichten-dienst bij de koffietafel met een kopje in zijn hand. 'Ik kwam vorige week uit Stockholm terug. We kunnen zelfs degenen niet vertrouwen die zich openlijk voor ons uitspreken.'

'Die het allerminst,' zei de oude man voor de haard glimlachend en keek Franz weer aan. 'We nemen aan, dat u aanzienlijke be-dragen geboden hebt? In Zwitserse valuta natuurlijk.'

'Aanzienlijk is bescheiden uitgedrukt voor de bedragen waar wij over gesproken hebben,' antwoordde Altmüller. 'Ik zal eerlijk zijn. Niemand wil van ons weten. Degenen die iets zouden kun-nen doen, onderschrijven Zürichs mening dat wij verslagen zul-len worden. Ze vrezen vergelding en spreken zelfs over terug-vordering van banktegoeden na de oorlog.'

'Als dergelijke geruchten het Oppercommando bereiken, komt er paniek.' Deze opmerking werd goedgehumeurd gemaakt door de huisknecht van de Führer, die in een leunstoel zat. De spreker bij de haard ging voort.

'Dus moet u geld als prikkel uitschakelen... Zelfs bijzonder gro-te bedragen.'

'De onderhandelingsteams hadden geen succes. Dat weet u.' Altmüller moest zijn geprikkeldheid onderdrukken. Waarom kwamen ze niet terzáke?

'En er zijn geen ideologisch gemotiveerde overlopers aan de horizon. En zeker geen overlopers, die aan industriediamanten kunnen komen.'

'Dat ligt voor de hand, mein Herr.'

'Dus moet u een ander motief zoeken. Een andere prikkel.'

'Ik zie het doel hiervan niet in. Er was gezegd...'

'Dat komt nog wel,' onderbrak de oude man hem, terwijl hij met zijn pijp op de schoorsteenmantel klopte. 'Wij hebben namelijk een even grote paniek als de uwe ontdekt... De paniek van de vijand. We ontdekten het meest logische motief voor alle be-trokkenen. Elke partij beschikt over de oplossing die de andere zoekt.'

Franz Altmüller werd opeens bang. Hij wist niet zeker of hij de bedoelingen van de spreker geheel begreep. 'Wat wilt u daar-mee zeggen?'

'Peenemünde heeft een substratosferisch geleidesysteem ont-wikkeld. Klopt dat?'

'Inderdaad. Dat is noodzakelijk voor de fundamentele werking van de raketten.'

'Maar er komen geen raketten – of hoogstens een armzalig klein aantal – zonder aanvoer van industriediamant.'

'Ontegenzeggelijk.'

'Er zijn zakelijke belanghebbenden in de Verenigde Staten, die voor onoverkomelijke...' de oude man pauzeerde precies één seconde en ging toen verder, 'onoverkomelijke problemen staan, die alleen opgelost kunnen worden door de verwerving van goed functionerende gyroscopen voor grote hoogten.'

'Suggereert u...'

'De Nachrichtendienst suggereert niet, Herr Unterstaatssekretär. Wij geven feiten door.' De spreker nam de pijp uit zijn mond. 'Als de omstandigheden het wettigen, geven wij concrete gegevens aan verschillende ontvangers door. Maar nogmaals, alleen feiten. Dat deden we in Johannesburg. Toen de man van I.G. Farben, die diamanten van de Koening-mijnen probeerde te kopen, geen succes had, bemoeiden wij ons ermee en bevestigden een al lang lopende inlichtingenpeiling, waarvan wij wisten dat die uit Washington kwam. Onze agenten in Californië hadden ons al ingelicht over de crisis in de vliegtuigindustrie. We menen dat we het juiste tijdstip gekozen hadden.'

'Ik weet niet of ik het goed begrijp...'

'Tenzij we ons vergissen, zal er een poging ondernomen worden om weer in contact te komen met een van de I.G. Farben-mensen. We vermoeden, dat daarvoor mogelijkheden geschapen werden.'

Natuurlijk. In Genève. De bestaande kanalen.'

Dan zijn we wat u betreft klaar, meneer. We wensen u een prettige rit terug naar Berlijn.'

2 december 1943
Fairfax, Virginia

Het interieur van de barak klopte in het geheel niet met het kale uiterlijk. Om te beginnen was hij vijf maal zo groot als de gewone hangars van golfplaten en de metalen wand was geïsoleerd met geluiddempend materiaal, dat naadloos van het hoge plafond af naar beneden liep. Hij wekte niet zozeer de indruk van een vliegtuighangar – wat het had moeten zijn – als wel van een grote vensterloze schelp met omvangrijke wanden. Overal in de immense ruimte stonden rijen gecompliceerde hoogfrequente radiopanelen en tegenover elk paneel in glas gevatte lijsten met dozijnen gedetailleerde kaarten, die door een druk op een knop verwisseld konden worden. Boven de kaarten hingen fijne, stalen armen – merkpennen, die op hectograafnaalden leken – die bediend werden door de marconisten en die in de gaten gehouden werden door mannen met klemborden. De hele staf bestond uit militairen: legerofficieren, waarvan er niet een beneden de rang van eerste luitenant was.

Driekwart in het gebouw was een van de vloer tot het plafond doorlopende wand, die klaarblijkelijk niet het eind van het bouwsel vormde. In het midden bevond zich een enkele, afgesloten deur. Die deur was van zware stalen platen gemaakt.

Swanson was nog nooit in dit speciale gebouw geweest. Hij was vaak naar de Velddivisie in Fairfax gereden – om ingelicht te worden over strikt geheime ontdekkingen van de inlichtingendienst, om naar de training van bepaalde oproer- of spionageteams te kijken – maar ondanks zijn generaalsrang en ondanks alle geheimen die hij in zijn hoofd had, had hij geen toegang tot dit bepaalde gebouw. Degenen die dat wel hadden bleven weken, maanden achtereen binnen de afrastering van het negentig hectare grote terrein, waar verloven zeldzaam en alleen in geval van dringende noodzaak en onder geleide verleend werden.

Het was fascinerend, dacht Swanson, die werkelijk meende dat hij alle gevoel van ontzag verloren had. Geen liften, geen trappen, geen ramen. In de linkerwand zag hij de deur van een toilet, maar ook zonder er binnen te gaan wist hij, dat er kunstmatige ventilatie was. En er was maar een enkele ingang. Als iemand eenmaal binnen was, kon hij zich onmogelijk gedurende enige tijd verstoppen of naar buiten gaan zonder afgemeld en nauwkeurig gecontroleerd te worden. Persoonlijke bezittingen werden bij de ingang achtergelaten; er gingen geen aktetassen, enveloppen, papieren of materialen het gebouw uit zonder schriftelijke machtiging van kolonel Edmund Pace en zonder dat de kolonel zelf de betreffende persoon begeleidde.

Als er ergens volledige geheimhouding bestond, was het hier. Swanson liep naar de stalen deur en de hem begeleidende luitenant drukte op een knop. Boven een intercom aan de muur flitste een rood lampje aan en de luitenant diende hem aan.

'Generaal Swanson, kolonel.'

'Dank u, luitenant,' klonk het uit het ronde raster onder de lamp. Er volgde een klik in het slot van de deur en de luitenant reikte naar de knop.

Het kantoor van Pace daarbinnen zag eruit als elk ander hoofdkwartier van de inlichtingendienst – grote kaarten aan de wanden, sterke schijnwerpers op de kaarten en drukknoppen op het bureau voor het verstellen van schijnwerpers en kaarten. Op gelijkmatige onderlinge afstand telexapparaten onder bedrukte bordjes die operationelen aanduidden – heel de gebruikelijke inventaris. Op het meubilair na. Dat was eenvoudig, op het primitieve af. Geen fauteuils, geen zitbanken, niets comfortabels. Alleen maar gladde metalen stoelen met rechte rugleuningen, een bureau dat meer een tafel was dan een bureau, en een kale hardhouten vloer. Het was een kamer voor geconcentreerde arbeid, geen kamer om je in te ontspannen.

Edmund Pace, commandant van de Velddivisie Fairfax, stond op uit zijn stoel, liep om zijn tafel heen en begroette Alan Swanson.

Er was nog iemand in het vertrek, een burger. Frederic Vandamm, onderminister van buitenlandse zaken.

'Generaal. Blij u te zien. De laatste keer was bij Mr. Vandamm thuis, als ik me goed herinner.'

'Dat klopt. Hoe is het hier?'

'Een beetje geïsoleerd.'

'Dat neem ik aan.' Swanson wendde zich tot Vandamm. 'Excellentie? Ik ben zo snel mogelijk gekomen. Ik hoef u wel niet te zeggen hoe benieuwd ik ben. Het is een moeilijke maand geweest.'

'Daar ben ik me van bewust,' zei de aristocratische Vandamm met een voorzichtige glimlach, terwijl hij Swanson terloops de hand schudde. 'Dat gaan we meteen behandelen. Kolonel Pace, wilt u de generaal inlichten zoals we besproken hebben?'

'Jazeker, meneer. En daarna laat ik u alleen.' Pace zei het op neutrale toon; de militaire manier om een boodschap over te seinen aan een medeofficier: weest op uw hoede!

Pace liep naar een kaart aan de muur, gemerkt met spelden. Het was een vergrote plattegrond van een deel van Johannesburg in Zuid-Afrika. Frederic Vandamm zat op een stoel voor het bureau; Swanson volgde Pace en ging naast hem staan.

'Je weet nooit wanneer een peiling opgevangen zal worden. Of waar.'

Pace nam een houten aanwijsstok van een tafeltje en wees op een blauwe speld op de kaart. 'Of zelfs of de plaats belangrijk is. In dit geval misschien wel. Een week geleden werd een raadslid van Johannesburg, een advocaat en ex-directeur van Koening Mines Ltd., opgezocht door twee mannen die hij voor medewerkers van de Staatsbank in Zürich hield. Ze wilden dat hij bemiddelde bij een transactie met Koening: een eenvoudige zaak van Zwitserse francs tegen diamanten – maar van grote omvang, in de verwachting dat de diamantprijs constanter zou blijven dan de prijsschommelingen voor goud.' Pace wendde zich tot Swanson. 'Tot dusver niets bijzonders. Met de Leen- en Pachtwet en de overal in rook opgaande valutaverhoudingen wordt er op de diamantmarkt veel gespeculeerd. Na de oorlog zou men elkaar kunnen afslachten. Toen hij op het voorstel inging, kun je je zijn ontsteltenis bij aankomst voor de bespreking voorstellen, toen een van de "Zwitsers" een oude vriend – een zeer oude en zeer goede vriend – bleek te zijn van voor de oorlog. Een Duitser met wie hij op school was geweest – de moeder van de Afrikaner was een Oostenrijkse, zijn vader een Boer. De beide mannen hadden tot '39 in nauw contact met elkaar gestaan. De Duitser werkte voor I.G. Farben.'

'Wat was het doel van de bespreking?' Swanson was ongeduldig.

'Dat komt zo. De achtergrond is belangrijk.'

'Uitstekend. Ga door.'

'Het ging helemaal niet om speculaties op de diamantmarkt of om een transactie met een bank in Zürich. Het was een gewone aankoop. De man van I.G. Farben wilde grote hoeveelheden boort en carbonado kopen...'

'Industriediamant?' onderbrak Swanson.

Pace knikte. 'Hij bood zijn oude vriend een vermogen als die het vrij kon maken. De Afrikaner weigerde, maar zijn langdurige vriendschap met de Duitser weerhield hem ervan het voorval te melden. Tot drie dagen geleden.' Pace legde de aanwijsstok neer en liep naar zijn bureau. Swanson begreep dat de kolonel nog meer gegevens had, schriftelijke gegevens die hij moest raadplegen en dus liep de generaal naar de stoel naast Vandamm en nam plaats.

'Drie dagen geleden,' ging Pace voort, die achter zijn bureau was blijven staan, 'werd de Afrikaner opnieuw opgebeld. Ditmaal werd er niet geprobeerd identiteiten te verdoezelen. De man aan de telefoon zei, dat hij een Duitser was en over gegevens beschikte die de geallieerden zochten, al een hele tijd.'

'De peiling?' vroeg Swanson, wiens toon zijn ongeduld verried. 'Niet precies de peiling die we verwachtten. De Duitser zei dat hij naar het kantoor van de Afrikaner zou komen, maar hij dekte zich. Hij zei tegen de advocaat dat bij enige poging om hem vast te houden, diens oude vriend van I.G. Farben in Duitsland doodgeschoten zou worden.' Pace pakte een vel papier van zijn bureau. Terwijl hij voorover leunde en het aan Swanson overhandigde, zei hij: 'Dit zijn de gegevens; het rapport dat per koerier werd overgebracht.'

Swanson las de getypte tekst onder het briefhoofd van de Militaire Inlichtingendienst met erboven het grote stempel *Strikt geheim. Alleen lezen. Fairfax 4-0.*

28 nov. 1943. Johannesburg: Bevestigd door Nachrichtendienst. Substratosferische gyroscopen geperfectioneerd. Alle proeven positief. Peenemünde. Volgend contact: Genève. Eventueel Johannesburg.

Swanson liet de mededeling bezinken; hij las het bericht herhaaldelijk over. Met één enkel woord stelde hij Edmund Pace een vraag: 'Genève?'

'Het neutrale kanaal. Onofficieel uiteraard.'

'Wat is die... Nachrichtendienst?'

'Een spionage-eenheid. Klein, gespecialiseerd en zo verfijnd, dat hij zelfs boven de best geïnformeerden staat. Soms vragen we ons wel eens af, of deze dienst wel positie kiest. Hij lijkt vaak meer geïnteresseerd in waarneming dan in deelneming en zich meer bezig te houden met de naoorlogse toestand dan die van nu. We vermoeden dat het een Gehlen-specialisatie is. Maar ze hadden het nooit mis en waren nooit misleidend.'

'O juist.' Swanson hield Pace het papier voor.

De kolonel pakte het niet aan. In plaats daarvan liep hij om het bureau heen naar de stalen deur. 'Ik laat u alleen, heren. Als u klaar bent, waarschuw dan door op de witte knop op mijn bureau te drukken.' Hij deed de deur open en ging haastig weg. Het zware stalen frame sloot zich luchtdicht, waarna in het slot een klik gehoord werd.

Frederic Vandamm keek Swanson aan. 'Daar hebt u uw oplossing, generaal. Uw gyroscoop. In Peenemünde. U hoeft alleen maar een mannetje naar Genève te sturen. Iemand wil het instrument verkopen.'

Alan Swanson staarde naar het papier dat hij in de hand had.

7

Altmüller staarde naar het papier dat hij in de hand had. Het was al na middernacht; de stad was in duister gehuld. Berlijn had weer een avond van moorddadige bombardementen doorstaan; nu was het rustig. Pas laat in de ochtend zouden er nieuwe aanvallen komen, dat was het gebruikelijke patroon. Toch bleven de verduisteringsgordijnen voor de ramen. Zoals overal op het ministerie.

Spoed betekende nu alles. Maar in de haast van het plannen maken konden de noodzakelijke voorzorgen niet over het hoofd gezien worden. De bespreking in Genève met het bemiddelingskanaal was alleen maar de eerste stap, het voorspel, maar er moest omzichtig gehandeld worden. Het ging niet zozeer om wàt er gezegd werd, als om wíe het zei. Het wàt kon door iedereen met de juiste geloofsbrieven of met erkend gezag worden overgebracht. Maar in geval van de ineenstorting van Duitsland kon die íemand het Derde Rijk niet vertegenwoordigen. Speer was onvermurwbaar geweest.

En Altmüller begreep het: als de oorlog verloren werd, kon het etiket van verrader niet tot het Reichsministerium nagespoord worden. Of tot de leiders, die het verslagen Duitsland nodig zou hebben. In 1918, na Versailles, was er binnenslands een regen van beschuldigingen losgebarsten. Ongebreidelde polarisatie schoot wortel en de blinde woede van de natie over verraad van binnenuit werd het fundament voor het fanatisme van de twintiger jaren. Duitsland had de nederlaag niet kunnen verwerken; het duldde de vernietiging van zijn identiteit door verraders niet.

Natuurlijk waren dat uitvluchten.

Maar het vooruitzicht van herhaling, hoe ver weg dat ook mocht zijn, moest ten koste van alles vermeden worden. Op dat punt was Speer zelfs fanatisch. De vertegenwoordiger voor Genève moest volkomen los staan van het Oppercommando. Het moest iemand zijn uit de rijen van de industriëlen, die op geen enkele manier verbonden was met de heersers over het Derde Rijk. Een kwetsbaar iemand.

Altmüller probeerde op het onlogische ván Speers manipulatie te wijzen: ontwerpen voor substratosferische gyroscopen zouden niet gauw ter hand gesteld worden aan een kwetsbare doorsnee figuur uit het bedrijfsleven. Peenemünde was begraven – letterlijk begraven onder de grond, met absolute militaire veiligheidsmaatregelen.

Maar Speer was niet voor rede vatbaar en plotseling begreep Altmüller de logica van de Rijksminister. Hij verplaatste het probleem precies daarheen waar het hoorde: naar degenen wier leugens en verzwijgingen Peenemünde op de rand van een ramp gebracht hadden. En zoals met zoveel dingen in het Reich in oorlogstijd – de dwangarbeiders, de kampen en de moordpartijen – wendde Albert Speer gemakshalve het hoofd af. Hij wilde positieve resultaten, maar zonder zelf vuile handen te krijgen.

In dit bepaalde geval, peinsde Altmüller, had Speer gelijk. Als er risico's van grote schande moesten zijn, moest de Duitse industrie die maar lopen. Dan moest de Duitse zakenman de volledige verantwoordelijkheid maar op zich nemen.

Genève was alleen vitaal in die zin, dat het als een introductie diende. Er zouden voorzichtige woorden gesproken worden die misschien – of misschien ook niet – de tweede fase van deze ongelooflijke transactie konden inleiden.

Fase twee was van geografische aard: de plaats van de ruil, als die werkelijk zou plaatsvinden.

De afgelopen week had Altmüller dag en nacht weinig anders gedaan dan zich hierop concentreren. Hij benaderde het probleem zowel vanuit het standpunt van de vijand als vanuit het zijne. Het blad van zijn schrijfbureau was overdekt met kaarten en zijn laden zaten vol met tientallen rapporten over het politieke klimaat van dat ogenblik van elk neutraal land op aarde.

Want het moest een neutrale plaats zijn; er moesten voldoende garanties zijn die beide partijen konden onderzoeken en aanhouden. En, wat misschien het belangrijkste van alles was, het moest duizenden kilometers verwijderd zijn van het machtsgebied van beide vijanden.

Afstand.

Afgelegenheid.

Maar toch met de mogelijkheid van onmiddellijk contact.

Zuid-Amerika.

Buenos Aires.

Een geïnspireerde keuze, dacht Franz Altmüller. De Amerikanen zouden het misschien zelfs als een voor hen gunstige plaats beschouwen. Het was onwaarschijnlijk dat ze het zouden verwerpen. Buenos Aires bezat veel, dat beide vijanden als het hunne beschouwden: beiden hadden er enorme invloed, maar toch bezat geen van beiden er gezaghebbende invloed.

De derde fase, zoals hij die zag, hield verband met de menselijke factor en werd omschreven door het woord Schiedsrichter.

Arbiter.

Een man die capabel was om de ruil te overzien en in het neutrale land machtig genoeg was om alle regelingen te treffen. Iemand, die de indruk wekte van onpartijdigheid en bovenal aanvaardbaar was voor de Amerikanen.

In Buenos Aires was zo'n man.

Een van Hitlers gigantische vergissingen.

Hij heette Erich Rhinemann. Een in ballingschap gedreven jood, in ongenade gevallen door Goebbels' waanzinnige propaganda-apparaat, wiens landerijen en bedrijven door het Reich onteigend waren. Althans de landerijen en bedrijven die hij nog niet had overgeschreven toen de misplaatste bliksems insloegen. Een klein gedeelte van zijn eigendommen, voldoende voor het maniakale geschreeuw van de antisemitische pers, maar weinig meer dan een splintertje van zijn enorme vermogen.

Erich Rhinemann leefde als balling in pracht en praal in Buenos Aires met zijn fortuinen veilig op Zwitserse banken, terwijl zijn belangen overal in Zuid-Amerika groter werden. En wat weinig mensen wisten was, dat Erich Rhinemann een overtuigder fascist was dan Hitlers naaste medewerkers. Hij was oppermachtig op ieder financieel of militair gebied en koos zijn medewerkers alleen uit de geestelijke elite. Hij was een bouwer van een imperium, die merkwaardig – stoïcijns – zwijgzaam bleef.

Hij had er reden voor.

Hij zou teruggehaald worden naar Duitsland, wat de uitslag van de oorlog ook mocht zijn. Dat wist hij.

Als het Derde Rijk zou zegevieren, zou Hitlers belachelijke edict ingetrokken worden – evenals misschien de volmachten van de Führer indien deze zouden blijven afbrokkelen. Als Duitsland de nederlaag zou lijden – zoals Zürich voorspelde –

dan zouden Rhinemanns kennis en Zwitserse banktegoeden nodig zijn voor de wederopbouw van het land.

Maar dat alles lag in de toekomst. Het ging nu om het heden en in het heden was Erich Rhinemann een jood, die in ballingschap gedreven was door zijn eigen landgenoten, Washingtons vijanden.

Hij zou aanvaardbaar zijn voor de Amerikanen.

En hij zou de belangen van het Reich in Buenos Aires behartigen. Altmüller meende dan ook, dat fase twee en drie helder genoeg leken. Maar ze waren zinloos zonder overeenkomst in Genève. Het voorspel moest door de instrumenten van het tweede plan met succes gespeeld worden.

Wat er nodig was, was een man voor Genève. Iemand, die door geen mens in verbinding gebracht zou worden met de leiders van het Reich, maar toch iemand die een zeker officieel aanzien genoot. Altmüller bleef naar de papieren onder zijn bureaulamp zitten turen. Zijn ogen waren moe, net zo moe als zijn lichaam, maar hij wist dat hij niet van kantoor kon weggaan om te gaan slapen voor hij de beslissing genomen had.

Zíjn beslissing, en van niemand anders. Die 's morgens met een vluchtige blik door Speer zou worden goedgekeurd. Een naam. Waar niet over geredetwist werd, maar direct aanvaardbaar.

Hij zou er nooit achter komen of het door de formulering van Johannesburg of door het onbewuste eliminatieproces kwam, maar zijn ogen prikten zich vast op één naam en die omcirkelde hij. Hij zag meteen, dat het een geïnspireerde keus was.

Johann Dietricht, de walgelijke erfgenaam van de Dietricht Fabrieken, de afstotelijke homoseksueel die zich te buiten ging aan drank en bevangen kon worden door plotselinge paniek. Een volledig kwetsbaar lid van de industriële gemeenschap, die zelfs door de grootste cynicus nauwelijks in verband gebracht zou worden met het Oppercommando.

Een kwetsbare doorsnee-figuur.

Een boodschapper.

5 december 1943
Washington D.C.

De diepe slagen van de klok op de schoorsteenmantel gaven

somber het uur aan. Het was zes uur 's morgens en Alan Swanson keek uit het raam naar de donkere gebouwen van Washington. Zijn flat lag op de twaalfde verdieping en bood een aardig uitzicht over het silhouet van de stad, vooral vanuit de huiskamer waar hij nu stond, in zijn badjas en zonder slippers aan. Hij had het grootste deel van de nacht naar het silhouet van Washington staan kijken... het grootste deel van de nachtelijke uren van de laatste drie etmalen. Het beetje slaap dat hij genoot was onderhevig aan plotselinge angstbeelden waarvan hij wakker schrok, en altijd was er het vochtige kussen, dat de zweetdruppels absorbeerde die onophoudelijk uit de poriën in zijn nek sijpelden.

Als zijn vrouw bij hem geweest was, zou ze erop gestaan hebben dat hij zich door Walter Reed zou laten onderzoeken. Ze zou zo lang op dat aambeeld blijven hameren tot hij tot onderwerping gebracht was. Maar ze was niet bij hem; hij was onvermurwbaar geweest. Ze moest bij haar zuster in Scarsdale blijven. De aard van zijn huidige bezigheden was dusdanig, dat hij zijn werktijden niet in de hand had. Vertaling: de legerechtgenoot had geen tijd voor zijn legerechtgenote. De legerechtgenote begreep het: er was een ernstige crisis en haar echtgenoot was niet opgewassen tegen zelfs maar haar geringste verlangens plus nog de crisis. Hij hield er niet van, dat ze hem in deze omstandigheden zag; hij wist dat zij dat wist. Ze moest in Scarsdale blijven.

Verdomme, het was onvoorstelbaar!

Niemand zei die woorden, misschien durfde niemand ze zelfs maar te denken.

Dat was het natuurlijk. De weinigen – en het waren er zeer weinig – die toegang hadden tot de gegevens, wendden hun blik en hun geest van de uiteindelijke beslissing af. Ze braken de transactie halverwege af en weigerden de laatste helft van de overeenkomst onder ogen te zien. Met die helft moesten anderen maar afrekenen. Zij niet.

Zoals de geslepen oude aristocraat Frederic Vandamm gedaan had.

Daar hebt u uw oplossing, generaal. Uw gyroscoop. In Peenemünde... Iemand wil het instrument verkopen.

Meer niet.

Koop het.

Niemand vroeg naar de prijs. De prijs was van geen betekenis.

Laat anderen zich maar in details verdiepen. Onder geen beding mochten onbelangrijke details aan de orde worden gesteld ter bespreking. Ze dienden alleen bespoedigd te worden.

Vertaling: de keten van bevelvoering verliet zich op de uitvoering van de orders in het algemeen en verlangde geen – herhaal: géén – onnodige uitwerking, opheldering of rechtvaardiging. Bijzonderheden waren uit den boze; die kostten tijd. En bij al wat militair heilig was, de hoogste geledEren hadden geen tijd. Verdorie, kerel, het is óórlog! Wij moeten ons wijden aan de grote militaire staatszaken! Het vuilnis wordt wel opgeruimd door minderen, wier handen af en toe misschien ruiken naar de stank van ondergeschikte taken, maar daar is de keten van bevelvoering voor.

Koop het!

Wij hebben geen tijd. Onze blik is afgewend. Onze geest is met iets anders bezig.

Voer de order op eigen initiatief uit, zoals het een goed soldaat betaamt die weet wat de keten van bevelvoering is. Niemand zal hinderlijke vragen stellen; alleen het resultaat doet ertoe. Dat weten wij allemaal; de keten van bevelvoering, beste kerel.

Waanzin.

Door een allermerkwaardigste samenloop van omstandigheden wordt een inlichtingenpeiling teruggespeeld door een man in Johannesburg, die werd aangezocht voor de aankoop van industriediamant. Een aankoop, waarvoor een vermogen in Zwitserse valuta werd uitgetrokken door de Duitse I.G. Farben, de bewapeningsreus van het Derde Rijk. Peenemünde had het geleidesysteem; het was te koop. Voor een bepaalde prijs.

Er was geen uitzonderlijk intellect voor nodig om die prijs te berekenen.

Industriediamant.

Waanzin.

Om onnaspeurlijke redenen was Duitsland wanhopig om de diamanten verlegen. Om maar al te duidelijke redenen waren de geallieerden wanhopig om het substratosferische geleidesysteem verlegen.

Een ruil tussen vijanden op het hoogtepunt van de verbitterdste oorlog in de geschiedenis der mensheid.

Waanzin. Het ging alle verstand te boven.

De klok stoorde met een enkele diepe slag die het kwartier aangaf. Hier en daar in het labyrint van donker beton buiten het raam werden lampen aangeknipt achter verspreide kleine vensters. Een grijzig purper overdekte langzaam de zwarte hemel; vage contouren van wolkenflarden begonnen zichtbaar te worden.

Op grotere hoogten.

Swanson liep van het raam weg naar de bank voor de haard en ging zitten. Het was twaalf uur geleden geweest – om precies te zijn elf uur en drie kwartier – dat hij de eerste stap genomen had ter verwíjdering.

Hij had de waanzin verplaatst, daarheen gedirigeerd waar die behoorde. Naar degenen wier leugens en manipulaties Overlord op de rand van obsceniteit gebracht hadden.

Hij had Howard Oliver en Jonathan Craft bevolen, om zes uur in zijn flat te zijn. Twaalf uur en vijftien minuten geleden. Hij had ze de voorafgaande dag opgebeld en duidelijk laten blijken, dat hij geen excuses duldde. Als het vervoer een bezwaar was, zou hij dat regelen, maar ze hadden maar in Washington te zijn, in zijn flat, om zes uur.

Onthulling was een dienstig alternatief.

Precies om zes uur waren ze verschenen, toen de klok op de schoorsteenmantel haar donkere slagen liet horen. Op dat ogenblik wist Swanson dat hij de absolute macht in handen had. Mannen als Oliver en Craft – vooral Craft – zouden nooit die stiptheid handhaven als ze niet bang waren. Beleefdheid was het zeker niet.

De voorlichting had met de minst mogelijke omhaal plaatsgevonden. Er was een telefoonnummer in Genève in Zwitserland. Op dat nummer was iemand die als reactie op een gegeven codezin twee ongelijke partijen bij elkaar zou brengen en die zo nodig als tolk zou fungeren. Er was vernomen dat de andere partij – om die gemakshalve maar zo aan te duiden – beschikken kon over een geperfectioneerd substratosferisch geleidesysteem. Daartegenover zou de eerste partij bekend zijn met – of misschien kunnen beschikken over – partijen industriediamant. De Koening-mijnen in Johannesburg zouden het beginpunt kunnen zijn.

Dat waren alle inlichtingen die ze kregen.

De heren Oliver en Craft werd aangeraden, onmiddellijk op deze inlichtingen in te haken.

Als ze dat niet deden, zou het ministerie van oorlog buitengewoon ernstige aanklachten indienen wegens persoonlijk en in vereniging gepleegd bedrog ten aanzien van bewapeningsorders.

Er was een lange stilte gevolgd. Geleidelijk waren de consequenties van zijn mededeling – met alles wat daaraan vast zat – tot beide mannen doorgedrongen.

Daarna had Alan Swanson de simpele bevestiging gegeven van hun ergste vermoedens: degene die gekozen werd om naar Genève te gaan, moest een onbekende zijn voor hem. En voor iedere contactpersoon van het ministerie van oorlog, met welke van hun afdelingen ook. Dat was van overheersend belang.

De bespreking in Genève was oriënterend van aard. Degene die naar Zwitserland ging, moest ter zake kundig zijn en zo mogelijk in staat om bedrog te doorzien. Het meest logische was dus iemand die zelf bedrog toepaste.

Dat zou wel geen moeilijke opgave voor ze zijn; zeker niet gezien de kringen waarin zij verkeerden. Ongetwijfeld kenden ze wel zo iemand.

Dat deden ze. Een accountant, met name Walter Kendall.

Swanson keek naar de klok op de schoorsteenmantel. Het was twintig minuten over zes.

Waarom kroop de tijd zo? En anderzijds, waarom stond hij niet stil? Waarom stond niet alles stil, behalve het zonlicht? Waarom moesten er zulke nachten zijn om door te maken?

Over een uur zou hij naar zijn bureau gaan en rustig voorbereidingen treffen voor ene Walter Kendall, voor een vlucht over neutrale routes naar Genève in Zwitserland. Samen met een hele serie andere vervoersaanwijzingen en vergunningen zou hij de orders opbergen in een blauwe map. De orders zouden geen ondertekening dragen, alleen het officiële stempel van Velddivisie Fairfax, de gebruikelijke procedure bij verbindingskanalen. Verdomme! dacht Swanson. Kon er maar controle zijn zònder eigen deelneming.

Maar hij wist dat dat onmogelijk was. Vroeg of laat zou hij voor de werkelijkheid van zijn daden komen te staan.

8

Hij was al acht dagen in het noorden. Hij had niet verwacht dat het zo lang zou duren, maar Spaulding wist dat het nodig was... een onverwacht meevallertje. Wat begonnen was als een routineontsnapping van twee ontrouwe geleerden uit het Ruhrdal was iets anders geworden.

De geleerden waren waardeloos aas. Gestapo-aas. De koerier die hun ontsnapping uit het Ruhrgebied mogelijk gemaakt had, was geen lid van de Duitse ondergrondse. Hij was van de Gestapo.

Het had Spaulding drie dagen gekost om absolute zekerheid te krijgen. De Gestapo-agent was een van de beste die hij ooit was tegengekomen, maar hij maakte herkenbare fouten: hij was géén ervaren koerier. En als David zékerheid had, wist hij precies wat hem te doen stond.

Vijf dagen lang had hij zijn 'ondergrondse' metgezel oostwaarts gevoerd door de heuvels en bergpassen naar de Sierra de Guara, honderdvijftig kilometer van de geheime ontsnappingsroutes verwijderd. Hij ging afgelegen dorpen binnen en hield 'besprekingen' met mannen van wie hij wist, dat ze falangist waren – maar die hem níet kenden – en vertelde de Gestapo-agent dan dat het partizanen waren. Hij trok over binnenwegen en stroomafwaarts langs de Rio Guayardo en vertelde dat dit de ontsnappingswegen waren. In tegenstelling tot wat de Duitsers geloofden, liepen de routes óóstwaarts, naar de Middellandse Zee, níet naar de Atlantische Oceaan. Deze misleiding was de voornaamste oorzaak voor het succes van de organisatie in de Pyreneeën. Tweemaal had hij de nazi stadjes ingestuurd om inkopen te doen – beide malen was hij hem gevolgd en had de Gestapoman gebouwen zien binnengaan met dikke telefoonkabels door het dak. De inlichtingen werden doorgegeven naar Duitsland. Dat was voldoende reden om er vijf dagen extra aan te besteden. De Duitse onderscheppers zouden zich maandenlang vastbijten op de oostelijke 'routes'; zodat het netwerk naar het westen betrekkelijk ongemoeid gelaten zou worden.

Maar nu liep het spelletje ten einde. Maar goed ook, dacht David; er wachtte hem werk bij Kaap Ortegal, aan de kust van Galicië.

Het kleine kampvuur was vergaan tot smeulende as en de nachtlucht was koud. Spaulding keek op zijn horloge. Het was twee uur in de ochtend. Hij had de 'koerier' vrij ver van de kampplaats op wacht gezet, buiten het schijnsel van het vuur, in het donker. Hij had de Gestapoman voldoende tijd en afzondering gelaten om zijn zet te doen, maar de Duitser had zijn zet níet gedaan en was op zijn post gebleven.

Het zij zo, dacht David. Misschien was de man niet zo'n deskundige als hij gedacht had. Of misschien waren de inlichtingen van zijn eigen mensen in de heuvels niet accuraat. Er was geen peloton Duitse soldaten – verondersteld werd Alpenjagers – vanaf het grensgebergte onderweg om de Gestapo-agent op te halen.

En hem.

Hij ging naar het rotsblok waar de Duitser op zat. 'Ga maar slapen. Ik neem de wacht over.'

'Danke,' zei de man en kwam overeind. 'Maar eerst moet ik mijn behoefte doen. Ik neem een spa mee naar de wei.'

'Ga de bossen in. Hier graast vee. De wind voert de lucht mee.'

'Dat is waar. Je bent grondig.'

'Dat probeer ik althans,' zei David.

De Duitser liep terug naar het vuur en zijn rugzak. Hij haalde er een kleine handspade uit en ging naar het bos aan de rand van de weide. Spaulding sloeg hem gade, en besefte nu dat zijn eerste indruk juist geweest was. De Gestapo-agent wàs een expert. De nazi was nog niet vergeten, dat de twee geleerden zes dagen geleden 's nachts verdwenen waren – op een ogenblik dat hij ingedommeld was. David had de woede in de ogen van de Duitser gezien en wist dat de nazi zich nu dat incident herinnerde.

Als Spaulding de huidige toestand juist taxeerde, zou de Gestapo minstens een uur wachten om er zeker van te zijn dat hij, David, geen contact opnam met onzichtbare partizanen in het donker. Pas dan zou de Duitser het sein geven, dat de Alpenjagers uit het bos zou doen komen. Met gevelde geweren.

Maar de Gestapoman had een fout gemaakt. Hij was te gretig – zonder commentaar – op Spauldings opmerking ingegaan over de weide en de wind en op het voorstel om in het bos zijn behoeften te doen. Ze hadden dit veld laat in de middag bereikt; het was kaal, het gras was verzuurd en de helling was rotsig. Hier zou niets grazen, zelfs geen geiten.

En wind was er helemaal niet. De nachtlucht was koud, maar bewegingloos als de dood.

Een ervaren koerier zou – ongetwijfeld goedmoedig – tegengesputterd hebben en gezegd hebben dat hij het vertikte om één stap in het pikdonkere bos te zetten. Maar de Gestapo-agent kon de ongedachte gelegenheid niet weerstaan om zijn eigen contact te maken.

Als er contact te maken viel, dacht Spaulding. Over een paar minuten zou hij het weten.

David wachtte dertig seconden nadat de man in het bos verdwenen was. Toen gooide hij zich snel en geluidloos op de grond en rolde zijn lichaam steeds verder van het rotsblok af, in een scherpe hoek met het punt waar de koerier het bos was binnengedrongen.

Toen hij tien tot vijftien meter in het gras had afgelegd, richtte hij zich op en holde gebukt naar de rand van het bos, naar een punt dat hij op een vijftig meter van de Duitser schatte.

Hij drong de dichte begroeiing binnen en legde geluidloos de afstand tussen hen beiden af. Hij kon de man niet zien, maar hij wist dat hij hem spoedig zou ontdekken.

Toen zag hij het. Het signaal van de Duitser. Er werd een lucifer aangestoken, met de handen omvat en snel gedoofd.

Nog een. Deze werd verscheidene seconden aan gelaten en toen met een korte ademstoot uitgeblazen.

Diep uit het bos kwamen twee afzonderlijke, korte antwoorden. Twee aangestoken lucifers. In verschillende richtingen.

David schatte de afstand op misschien dertig meter. De Duitser, onbekend als hij was met de Baskische wouden, bleef dicht bij de rand van het veld. De mannen die hij geseind had, naderden. Ieder onnatuurlijk geluid vermijdend, kroop Spaulding dichterbij. Hij hoorde de fluisterende stemmen. Alleen losse woorden waren herkenbaar, maar dat was genoeg.

Snel keerde hij door het struikgewas terug naar zijn oorspronkelijke toegangspunt en rende terug naar zijn wachtpost, het rotsblok. Hij haalde een kleine zaklantaarn uit zijn blouse, hield zijn gespreide vingers over het glas en richtte zuidwestwaarts.

Vijf maal snel achtereen drukte hij op de schakelaar. Daarna stak hij de lamp weer in zijn zak en wachtte.

Het zou nu niet lang meer duren.

Dat klopte.

De Duitser kwam met zijn spa terug uit het bos. Hij rookte een sigaret. Het was een donkere nacht, want de maan brak maar af en toe door het dikke wolkendek heen en de duisternis was vrijwel volkomen. David stond op van het rotsblok en riep de Duitser met een kort gefluit. Hij kwam naar hem toe.

'Wat is er, Lissabon?'

Spaulding sprak zachtjes. Twee woorden maar.

'Heil Hitler.'

Hij stootte zijn korte bajonet in de maag van de nazi en flitste het wapen omlaag. De man was meteen dood.

Het lichaam viel op de grond; het gezicht was volkomen vertrokken. Het enige geluid was een teug ingeademde lucht, het begin van een schreeuw die gesmoord werd door stramme vingers die in de mond van de man gestoten en naar beneden geduwd werden, net als het mes, tot ze de doorgang van de adem afsloten.

David holde over het gras naar de zoom van het bos, links van zijn vorige toegangspunt en iets, maar niet veel, dichter bij het punt waar de nazi met zijn beide consorten had staan fluisteren. Toen de maan plotseling door de wolken brak, dook hij een bos wintervarens in. Verscheidene seconden bleef hij onbeweeglijk zitten en luisterde naar tekenen van alarm.

Die kwamen niet. De maan school weer weg en de duisternis keerde terug. In de korte periode van maneschijn was het lijk op de weide niet ontdekt. En dat feit maakte David heel wat wijzer. Wat er aan Alpenjagers in de bossen zat, bevond zich niet aan de zoom van het bos. En als ze daar zaten, concentreerden ze hun aandacht niet op de weide.

Ze wachtten af. Ze concentreerden zich op iets anders.

Of ze zaten gewoon te wachten.

Hij verhief zich op zijn knieën en kroop snel westwaarts door de dichte onderbegroeiing. Hij boog zijn lichaam en ledematen in dezelfde bochten als het struikgewas en maakte geluiden, die overeenkwamen met die van het bos. Op het punt waar de drie mannen nog maar enkele minuten geleden hadden staan overleggen, voelde hij niemands aanwezigheid en zag hij niets.

Hij haalde een pakje waterbestendige lucifers uit zijn zak en nam er twee uit. Hij stak de eerste aan en blies die meteen na het ontbranden weer uit. Daarna stak hij de tweede aan en liet die enkele ogenblikken branden alvorens hem te doven.

Ruim tien meter verderop in het bos werd een lucifer ten antwoord aangestoken. Direct noordelijk van hem.

Vrijwel gelijktijdig kwam er een tweede antwoord; ditmaal uit het westen, misschien vijftien meter van hem af.

Niet meer.

Maar ver genoeg.

Spaulding kroop snel onder een hoek het bos in. Noordoostelijk. Na niet meer dan vijf meter drukte hij zich tegen de stam van een door mieren aangevreten ceiba-boom.

Hij wachtte af. En onder het wachten haalde hij een kort, dun en flexibel stuk lusvormig staaldraad uit de zak van zijn blouse. Aan elk uiteinde van de draad zat een handvat dat berekend was op de menselijke hand.

De Duitse soldaat maakte te veel lawaai voor een Alpenjager, dacht David. Hij holde zelfs in zijn haast om te voldoen aan het onverwachte bevel voor een ontmoeting. Dat leerde Spaulding nog iets: de Gestapo die hij gedood had, was een gezaghebbend man. Dat betekende, dat de overige soldaten op hun plaats zouden blijven in afwachting van bevelen. Er was een minimum aan individueel initiatief te verwachten.

Maar er was nu geen tijd om aan hen te denken. De Duitse soldaat kwam langs de ceiba-boom.

David ging voorzichtig staan en hield de draad met beide handen omhoog. De lus viel over de helm van de soldaat heen en werd zo snel en bruut aangetrokken, dat de draad met onherroepelijke afdoendheid door het vlees van de hals sneed.

Er klonk geen ander geluid dan opnieuw het ontsnappen van lucht, een geluid, dat David Spaulding al zo vaak gehoord had, dat het hem niet langer vastnagelde aan zijn plaats, zoals vroeger het geval was geweest.

Stilte.

En toen het onmiskenbare breken van takken; voetstappen die het wegdek van een onbekend pad vertrapten. Haastig en ongeduldig, even ongeduldig als de dode aan zijn voeten geweest was.

Spaulding stak de bebloede staaldraad weer in zijn zak en nam de verkorte karabijnbajonet uit de schede aan zijn riem. Hij wist dat hij zich niet hoefde te haasten; de derde man wachtte wel. Verward, bang misschien... maar waarschijnlijk niet, als hij een Alpenjager was. De Alpenjagers waren geharder dan de Gestapo. Volgens zeggen werden de Alpenjagers vooral gekozen vanwege hun aanleg tot sadisme. Het waren robots die in bergpassen konden leven en die in ijzige afzondering hun haatgevoelens voedden tot het bevel tot de aanval gegeven werd. Het viel niet te ontkennen, dacht David. Alpenjagers doden schonk een bepaald genoegen.

De tredmolen.

Met opgeheven mes werkte hij zich vooruit.

'Wer...? Wer ist dort?' De figuur in het duister fluisterde opgewonden.

'*Hier, mein Soldat,*' antwoordde David. Zijn karabijnbajonet groef zich in de borst van de Duitser.

De partizanen kwamen van de heuvel naar beneden. Er waren er vijf, vier Basken en een Catalaan. De leider was een zwaargebouwde, grove Bask.

'Je gaf ons heel wat te stellen, Lissabon. Op sommige momenten dachten we dat je gek geworden was. Heilige Moeder Gods! We hebben wel honderdvijftig kilometer afgelegd!'

'De Duitsers zullen een veelvoud daarvan afleggen, dat verzeker ik jullie. Wat is er noordwaarts?'

'Een keten van Alpenjagers. Misschien twintig. Om de zes kilometer, tot aan de grens toe. Zullen we ze in hun sop laten gaar koken?'

'Nee,' zei Spaulding nadenkend. 'Maak ze af op de laatste drie na, die jaag je terug. Zij zullen bevestigen wat we de Gestapo wijs willen maken.'

'Ik begrijp het niet.'

'Dat hoeft ook niet.' David liep naar het stervende vuur en schopte naar de restanten. Hij moest naar Ortegal. Dat was alles waaraan hij kon denken.

Opeens bemerkte hij dat de zwaargebouwde Bask hem gevolgd was. De man stond bij het dovende kampvuur en wilde iets zeggen. Hij keek David strak aan en sprak over het vuur heen.

'We vonden dat u het weten moest. We kwamen erachter hoe de zwijnen contact maakten. Acht dagen geleden.'

'Waar heb je het over?' Spaulding was geprikkeld. In het noorden waren ketenen van bevelvoering in het gunstigste geval een berekend risico. Hij zou de schriftelijke verslagen wel krijgen en wenste geen gesprek. Hij wilde gaan slapen, opstaan en naar Ortegal gaan. Maar de Bask leek gekwetst en dat was niet nodig.
'Ga door, amigo.'
'We hebben het u niet eerder verteld. We dachten dat u dan in woede overhaast zou handelen.'
'Hoezo? Waarom?'
'Het was Bergeron.'
'Dat geloof ik niet...'
'Het is zo. Ze pakten hem in San Sebastian. Ze kregen hem niet gemakkelijk klein, maar hij sloeg door. Tien dagen martelingen... elektrische draden in zijn geslachtsdelen en andere behandelingen, waaronder onderhuidse injecties. We hoorden dat hij spuwend in hun gezicht stierf.'
David keek de man aan. Hij merkte, dat hij zonder enig gevoel de mededeling ter kennis nam. *Zonder enig gevoel.* En dat ontbreken van gevoel waarschuwde hem op zijn hoede te zijn. Hij had de man die Bergeron heette opgeleid, in de heuvels met hem geleefd, en uren achtereen met hem gepraat over dingen die alleen de afzondering naar buiten kan brengen. Bergeron had naast hem gevochten en zich voor hem opgeofferd. Bergeron was de beste vriend die hij hier in het noorden gehad had. Twee jaar geleden zou zulk nieuws hem in tomeloze woede hebben doen losbarsten. Hij zou op de grond gestampt en om een actie ergens over de grens geschreeuwd hebben als vergelding. Een jaar geleden zou hij bij de brenger van zulk nieuws vandaan gelopen zijn en gevraagd hebben een paar minuten aan zichzelf te worden overgelaten. Een korte stilte om – in zichzelf – het gehele wezen zijn geestesoog te laten passeren van een man, die zijn leven geofferd had en de herinneringen die die man opriep. Maar nu voelde hij niets.
Totaal niets.
En het was een vreselijk gevoel, totaal niets te voelen.
'Maak die fout niet weer,' zei hij tegen de Bask. 'Vertel het me als zoiets weer gebeurt. Ik handel niet overhaast.'

9

Johann Dietrichts enorme vleesmassa ging verzitten in de leren stoel die voor Altmüllers bureau stond. Het was half elf 's avonds en hij had nog niet gegeten; er was geen tijd voor geweest. De vliegtocht met de Messerschmidt uit Genève in de bekrompen stoel had hem versteend en alles bijeengenomen verkeerde Dietricht in een staat van verregaande uitputting. Een feit, dat hij herhaalde malen aan de Unterstaatssekretär ter kennis bracht.

'We hebben begrip voor alles wat u hebt doorstaan, Herr Dietricht. En we waarderen de buitengewone dienst die u uw land bewezen hebt.' Altmüller sprak op bezorgde toon. 'Nog een paar minuten, en dan wordt u gebracht waarheen u maar wilt.'

'Naar een behoorlijk restaurant, als er om deze tijd nog een open is,' zei Dietricht gemelijk.

'Onze excuses voor de haast. Een gezellige avond misschien; een echt goede maaltijd. Schnapps, prettig gezelschap. De hemel weet dat u het verdient... Een eind buiten de stad is een café-restaurant. Geselecteerde clientèle, hoofdzakelijk jonge vliegeniers in opleiding. De keuken is er voortreffelijk.'

Johann Dietricht hoefde Altmüllers glimlachende blik niet te beantwoorden; hij aanvaardde bepaalde dingen als behorende tot zijn levensstijl. Hij was jarenlang in de watten gelegd. Hij was een erg belangrijk man en andere mannen probeerden onveranderlijk hem te behagen. Zoals Herr Altmüller nu probeerde hem te behagen.

'Dat zou een aangename ontspanning zijn. Het was een afschuwelijke dag. Afschuwelijke dagen zelfs.'

'Tenzij u natuurlijk liever...'

'Nee, nee, ik ga graag op uw aanbeveling in. Zullen we maar doorgaan?'

'Uitstekend. De verschillende punten nog eens doornemen om vergissingen uit te sluiten... De Amerikaan was niet ontstemd over Buenos Aires?'

'Hij was er enthousiast over. Een weerzinwekkende man; hij kon je niet in de ogen kijken, maar hij meende wat hij zei. Maar gewoonweg weerzinwekkend. Zijn kleren en zelfs zijn nagels. Een smerige kerel.'

'Dat neem ik aan. U kunt hem niet misverstaan hebben?'

'Ik spreek vloeiend Engels. Ik begrijp zelfs de nuances. Hij was dolblij. Het leek me een tweeledig doel te dienen: ver weg, duizenden kilometers ver, en in een stad die in naam wordt beheerst door Amerikaanse belangen.'

'Ja, wij verwachtten die reactie. Was hij gevolmachtigd om het te bevestigen?'

'Inderdaad. Zonder enige twijfel. Ondanks zijn onverzorgde uiterlijk is hij kennelijk hooggeplaatst en erg besluitvaardig. Onmiskenbaar slinks, maar erg verlangend om de ruil tot stand te brengen.'

'Is er nog – zelfs maar oppervlakkig – over wederzijdse motieven gesproken?'

'Dat was onvermijdelijk, op mijn woord! Die Kendall ging recht op het doel af. Het was enkel en alleen een financiële kwestie. Andere overwegingen waren er niet. En ik geloof hem volkomen; hij praat alleen in cijfers. Hij herleidt alles tot getallen. Ik betwijfel of hij tot iets anders in staat is. Ik ben een bijzonder scherp waarnemer.'

'Daar rekenden we op. En Rhinemann? Was die ook acceptabel?'

'Onbelangrijk. Ik wees op het welbewuste risico dat wij nemen door verdenkingen te willen wegnemen; dat Rhinemann in onvrijwillige ballingschap vertoeft. Die Kendall was alleen maar onder de indruk van Rhinemanns rijkdom.'

'En het element tijd; we moeten uiterst precies zijn. Laten we de voorgestelde data nog eens doornemen. Het zou rampzalig zijn als ik een vergissing maakte. Naar ik begrijp had de Amerikaan opklimmende schattingen van de verlangde hoeveelheden boort en carbonado...'

'Ja, ja,' kwam Dietricht ertussen, alsof hij een kind inlichtte. 'Hij had helemaal geen idee van onze behoeften. Natuurlijk hield ik het op het maximum; wat de levertijd betreft was er niet zoveel verschil. Ze moeten zendingen omleiden vanaf de winningsplaatsen; bestaande voorraden opvorderen was een te groot risico.'

'Dat begrijp ik niet helemaal. Het zou een hele klus kunnen zijn.'

'Ze zitten verstrikt in hun eigen veiligheidsmaatregelen. Sinds vorige maand bestaan er voor elke opslagplaats van industrie-diamant omvangrijke controles. Voor iedere kilo zijn dozijnen handtekeningen nodig. Onze behoeften zijn zo groot dat het tot onthulling zou leiden.'

'Het nadeel van de democratische werkwijze. De ondergeschikten krijgen verantwoordelijkheid. En als ze die eenmaal hebben is ontheffing moeilijk. Ongelooflijk.'

'Om de woorden van Kendall te gebruiken: er zouden te veel vragen gesteld en mensen bij betrokken worden. Het zou een heel tere kwestie worden. Hun veiligheidsdienst wemelt van de barbaren.'

'We zullen die voorwaarde moeten aannemen,' zei Altmüller gelaten – en gemeend, niet ter wille van Dietricht. 'En de ver-wachte tijd voor de omgeleide zendingen is vier tot zes weken. Sneller kan niet?'

'Jawel. Als we zelf het erts verwerken.'

'Onmogelijk. Dan blijven we misschien met tonnen waardeloos afval zitten. Wij moeten natuurlijk het eindprodukt hebben.'

'Allicht. Dat heb ik hem duidelijk gemaakt.'

'Het komt mij als een onnodige vertraging voor. Ik moet naar onlogische dingen uitkijken, Herr Dietricht. En u vond die Kendall links.'

'Maar ook happig. Ik zei ook dat hij verlangend was. Hij maakte een vergelijking die zijn verklaringen ondersteunt. Hij zei dat hun probleem niet geringer was dan dat van een man die de nationale kluizen in de staat Kentucky binnengaat en naar bui-ten komt met kisten ongemunt goud... Zijn we klaar?'

'Zo goed als. Krijgt de contactman in Genève de naam van de man in Buenos Aires? De man met wie we contact maken?'

'Ja. Over drie of vier dagen. Kendall dacht dat het een zekere Spinelli zou kunnen zijn, een gyroscoop-deskundige.'

'Daar kan misschien een onderzoek naar ingesteld worden. Is hij een Italiaan?'

'Maar Amerikaans staatsburger.'

'Dat was te verwachten. De tekeningen worden natuurlijk haar-fijn uitgeplozen. Wat er nu nog overblijft zijn de controles en tegencontroles die beide partijen toepassen tot op het moment van de ruil. Een rituele dans.'

'Dat is de taak van uw mensen. Ik doe niet meer mee. Ik heb de eerste, en volgens mij belangrijkste, bijdrage geleverd.'

'Ontegenzeggelijk. En ik neem aan dat u het vertrouwen dat de Führer bij monde van dit bureau in u stelde, niet beschaamd hebt. U hebt met niemand gesproken over de reis naar Genève?'

'Met niemand. Het vertrouwen van de Führer is niet misplaatst. Dat weet hij. Zoals gold voor mijn vader en zijn broer, mijn oom, zijn de trouw en gehoorzaamheid van een Dietricht onwankelbaar.'

'Daar heeft hij vaak over gesproken. Wij zijn klaar, Herr Dietricht.'

'Gelukkig. Het was absoluut zenuwslopend! Ik ga graag in op uw aanbeveling wat het restaurant betreft. Als u de reservering zou willen maken, bel ik om mijn auto.'

'Zoals u wilt, maar mijn privé-chauffeur kan u er ook makkelijk even brengen. Zoals ik zei, is het een gelegenheid met nogal geselecteerde clientèle en mijn chauffeur is een jonge vent die zijn pappenheimers kent.' Altmüller keek even op naar Dietricht en een heel kort ogenblik ontmoetten hun blikken elkaar.

'De Führer zou gebelgd zijn als hij dacht dat ik u ontriefde.'

'Ook goed dan. Het is misschien gemakkelijker. En we willen de Führer niet van streek maken.' Dietricht worstelde zich uit de stoel toen Altmüller opstond en om het bureau heen liep.

'Dank u, Herr Dietricht,' zei de Unterstaatssekretär en stak hem de hand toe. 'Te gelegener tijd zullen wij uw bijzondere bijdrage wereldkundig maken. U bent een held van het Reich, mein Herr. Het is een voorrecht u te mogen kennen. De adjudant op de gang zal u naar de auto brengen. De chauffeur wacht al.'

'Wat een opluchting! Goedenavond, Herr Altmüller.' Johann Dietricht waggelde naar de deur, terwijl Franz zich voorover boog en op een knop op het bureau drukte.

De volgende ochtend zou Dietricht dood gevonden worden onder zulke gênante omstandigheden, dat niemand er anders dan fluisterend over zou durven reppen.

Dietricht, het misbaksel, zou opgeruimd worden.

En met hem zouden alle sporen van de manipulatie in Genève naar de leiders van het Reich uitgewist worden. Buenos Aires was nu in handen van Erich Rhinemann en zijn gewezen broeders in de Duitse industrie.

Alleen hij was er nog – Franz Altmüller.
De ware manipulator.

Swanson verafschuwde de methoden die hij gedwongen was te gebruiken. Hij voelde dat ze het begin waren van een eindeloze reeks bedriegerijen. En hij was geen bedrieger. Misschien ontdekte hij een bedrieger eerder dan de meeste andere mensen, maar dat kwam door voortdurend ermee te maken hebben, niet door intrinsieke karaktereigenschappen.

De methoden waren weerzinwekkend: mensen schaduwen die niet wisten dat ze gadegeslagen en afgeluisterd werden, die spraken zonder de remmingen die ze beslist zouden hebben als ze er een idee van gehad hadden, dat er ogen en oren en bandrecorders op hen letten. Dat behoorde allemaal tot die andere wereld, die wereld van Edmund Pace.

Het was makkelijk genoeg te regelen geweest. De Leger-Inlichtingendienst beschikte overal in Washington over ondervragingskamers. Op de onwaarschijnlijkste plaatsen. Pace had hem een lijst met locaties gegeven en hij had er een uitgekozen in het Sheraton Hotel. Vierde etage, suite 4-M; twee zichtbare kamers en een onzichtbare. Die onzichtbare kamer lag achter de muur met openingen van eenzijdig doorzichtig glas in de twee kamers van de suite. Die kijkgaten waren afgedekt met impressionistische schilderijen, die permanent in de slaap- en de zitkamer hingen. Bandrecorders met aftapkabels stonden op planken naast de openingen in de onzichtbare kamer. Luidsprekers versterkten het gesprokene met een minimum aan vervorming. Het enige visueel storende waren de lichte pastelkleuren van de schilderijen.

Echt storend waren ze trouwens helemaal niet.

Ook was het niet moeilijk geweest om de drie mannen naar deze kamer in het Sheraton te krijgen. Swanson had Jonathan Craft van Packard opgebeld en had hem verteld, dat Walter Kendall vroeg in de middag met een vliegtuig uit Genève terugverwacht werd. De autoritaire generaal vertelde de angstige burger ook, dat het mogelijk was dat het leger telefonisch in contact zou willen blijven. Hij stelde daarom voor, dat Craft een kamer zou reserveren in een druk zakenhotel in het centrum van de stad. Hij kon het Sheraton aanbevelen.

Craft was maar al te bereid; hij liep voor zijn leven. Als het ministerie het Sheraton aanbeval, dan zou het ook het Sheraton zijn. Hij had de kamer gereserveerd zonder de moeite te nemen Howard Oliver van de Meridian Vliegtuigmaatschappij in te lichten.

De receptie zorgde voor de rest.

Toen Walter Kendall een uur geleden was aangekomen, was Swanson getroffen door het onverzorgde uiterlijk van de accountant. Dit was aangeboren viesheid, niet het gevolg van de reis. Een slonzigheid die zich zelfs uitstrekte tot zijn gebaren en zijn voordurend ronddwalende ogen. Hij was een overmaats knaagdier met het lichaam van een man van middelmatig postuur. Het leek onbestaanbaar, dat mannen als Oliver en Craft – vooral Craft – zich zouden inlaten met een Walter Kendall. Hetgeen alleen Kendalls waarde vermeerderde, veronderstelde hij. Kendall was eigenaar van een accountantskantoor in New York. Hij was een financieel analyticus, die door bedrijven werd aangetrokken om te manipuleren met voorspellingen en statistieken.

De accountant had niemand de hand gegeven. Hij was direct naar een leunstoel tegenover de sofa gestevend, was gaan zitten en had zijn tas opengemaakt. Hij begon zijn verslag heel bondig. 'De viezerik was een homo, daar durf ik op te zweren!'

Met het verstrijken van de tijd beschreef Kendall tot in de kleinste details alles wat in Genève was voorgevallen. De overeengekomen hoeveelheden boort en carbonado; de kwaliteitsgaranties: Buenos Aires; Gian Spinelli en de gyroscooptekeningen; hun garanties en leveringen – en de tussenpersoon, Erich Rhinemann, een verbannen jood. Kendall was een gezaghebbend knaagdier dat zich niet hulpeloos voelde in de riolen van kwalijke praktijken. Hij voelde zich er zelfs heel goed thuis.

'Hoe weten wij zeker, dat zij te goeder trouw zullen handelen?' vroeg Craft.

'Te goeder tróuw?' Kendall meesmuilde, rilde en grijnsde tegen de topfunctionaris van Packard. 'Een mooi nummer ben jij. Te goeder trouw!'

'Misschien geven ze ons niet de juiste ontwerpen,' ging Craft

voort. 'Ze kunnen wel met waardeloze surrogaten komen!'
'Daar zit wat in,' zei de dikke Oliver met samengeperste lippen.
'En wij zouden kisten geslepen glas kunnen sturen. Dacht je dat
ze daar niet aan gedacht hadden? Maar zoiets doen zij niet en
wij ook niet. Om dezelfde gore rotreden. Onze respectieve koppen zouden voor de bijl gaan. We hebben een gemeenschappelijke vijand, namelijk elkaar.'
Oliver, die tegenover Kendall zat, keek de accountant aan. 'Hitlers generaals ginds; het ministerie van oorlog hier.'
'Precies. We zijn allebei leveranciers. Voor God, het vaderland
en een paar grijpstuivers. En we zitten allebei in een rotsituatie.
Wij vertellen de verdomde generaals niet hoe ze een oorlog
moeten voeren en zij vertellen ons niet hoe we de produktie op
gang moeten houden. Als zij de strategie in de war sturen of een
slag verliezen, beginnen wij niet te schreeuwen. Maar als wij in
de klem raken, als wij niet leveren, vliegen die rotzakken ons
naar de keel. Het is verdomd unfair. Die homo Dietricht bekijkt
het net als ik. We moeten onszelf beschermen.'
Craft stond op van de sofa; het was een nerveuze beweging, een
gebaar van twijfel. Hij sprak zacht en aarzelend. 'Dit is niet bepaald onszelf op een normale manier beschermen. We hebben
met de vijand te maken.'
'Welke vijand?' Kendall sorteerde de papieren op zijn schoot en
keek Craft niet aan. 'Maar je hebt weer gelijk. Het is beter dan
"normaal". Wie er ook wint, we hebben allemaal een kleinig-
heidje aan de hand als het afgelopen is. Daar zijn we het ook
over eens.'
Er heerste een korte stilte. Oliver leunde voorover in zijn stoel,
zijn blik nog steeds strak op Kendall gericht. 'Dat is een voordeeltje, Walter. Daar zit heel wat in.'
'Heel wat,' zei de accountant met een vluchtige blik op Oliver.
'Wij gooien hun steden in mekaar, bombarderen fabrieken,
spoorlijnen en verkeerswegen van de kaart – alles gaat in rook
op. Het zal nog erger worden. Er zal heel wat geld verdiend
worden met het herstel daarvan. Wederopbouwgeld.'
'En stel dat Duitsland wint?' vroeg Craft, die nu bij het raam
stond.
'Verdomd onwaarschijnlijk,' antwoordde Kendall. 'Het gaat er
alleen maar om, hoeveel schade beide partijen oplopen en wij
hebben de zware stukken. Hoe groter de schade, hoe meer het

herstel kost. Dat geldt ook voor Engeland. Als jullie handig zijn, zorg je tijdig voor omschakeling om het naoorlogse wisselgeld te kunnen incasseren.'

'De diamanten...' Craft wendde zich van het raam af. 'Waar zijn die voor?'

'Wat doet dat ertoe?' Kendall pakte een van de vellen papier en schreef er iets op. 'Zij zitten zonder; ze zitten voor het blok. Net als wij met het geleidesysteem. Apropos, Howard, had je al een inleidend gesprek met de mijnen?'

Oliver was in gedachten verzonken. Knipperend sloeg hij zijn ogen op. 'Ja, met Koening. Het kantoor in New York.'

'Hoe heb je het voorgebracht?'

'Dat het strikt geheim was, goedgekeurd door het ministerie van oorlog. Dat de machtiging van het bureau van Swanson zou komen, maar dat zelfs hij niet volledig was ingelicht.'

'Slikten ze dat?' De accountant zat nog te pennen.

'Ik zei dat het geld klaar zou liggen. Ze verdienen al gauw een paar miljoen. We spraken elkaar op de Bankiersclub.'

'Ze slikten het.' Een constatering.

'Walter,' ging Oliver voort, 'je noemde zojuist Spinelli. Dat staat me niet erg aan. Hij is een slechte keus.'

Kendall hield op met schrijven en keek op naar de man van Meridian. 'Ik was niet van plan hem iets te vertellen. Alleen dat we kopen en dat hij alles moet goedkeuren voor we betalen, om zeker te zijn dat de tekeningen authentiek zijn.'

'Dat gaat niet. Hij kan niet van het project weggehaald worden. Nu niet; dat geeft te veel vragen. Zoek een ander.'

'Ik snap je bedoeling.' Kendall legde zijn potlood neer. Hij peuterde in zijn neus, een bewijs dat hij zat na te denken. 'Wacht eens... Er is iemand. In Pasadena zelfs. Het is een griezelige snuiter, maar misschien volmaakt voor deze klus.' Kendall lachte en haalde door zijn mond adem. 'Praten doet hij niet; hij kàn niet eens praten.'

'Is hij goed?' vroeg Oliver.

'Problemen heeft hij ook, maar hij is misschien zelfs nog beter dan Spinelli,' antwoordde Kendall en schreef iets op een apart vel papier. 'Ik zorg er wel voor... Maar het kost je geld.'

Oliver haalde de schouders op. 'Tel het maar bij de declaratie, duitendief die je bent. Wat is er nog meer?'

'Een contactpersoon in Buenos Aires. Iemand die met Rhinemann kan onderhandelen om de details uit te werken.'

'Wie?' vroeg Craft bezorgd, met zijn handen voor zich in elkaar geslagen.

De accountant grijnsde en ontblootte zijn verkleurde tanden. 'Wou jij je aanmelden? Je ziet eruit als een priester.'

'Lieve help, nee! Ik wou alleen...'

'Hoeveel, Kendall?' interrumpeerde Oliver.

'Meer dan jij betalen wilt, maar je hebt waarschijnlijk geen keus. Ik zal aan Uncle Sam doorberekenen wat ik kan en ik zal jou besparen wat ik kan.'

'Doe dat.'

'Er zijn veel militairen in Buenos Aires. Swanson zal wel een stem in het kapittel willen houden.'

'Hij wil zich er niet mee inlaten,' zei Oliver snel. 'Dat zei hij uitdrukkelijk. Hij wil jouw naam niet meer zien of horen.'

'Dat zal mij een zorg zijn. Maar die Rhinemann zal bepaalde garanties verlangen. Dat kan ik je nu al vertellen.'

'Swanson zal overstuur zijn.' De stem van Craft was hoog en gespannen. 'We willen hem niet overstuur maken.'

'Overstuur, je zuster! Hij wil zijn mooie uniform netjes en schoon houden. Weet je wat, jaag hem nu nog niet op. Geef me even tijd; ik heb heel wat uit te zoeken. Misschien vind ik een manier om zijn uniform schoon te houden. Misschien stuur ik hem wel een rekening.'

Hij wil zijn mooie uniform netjes en schoon houden...
Een vrome wens, Mr Kendall, dacht Swanson terwijl hij naar de rij liften liep.

Maar dat is nu eenmaal niet mogelijk. Het uniform moest bezoedeld raken. De verschijning van de man die Erich Rhinemann heette, maakte dat noodzakelijk.

Rhinemann was een van Hitlers fiasco's. Berlijn wist het; Londen en Washington wisten het ook. Rhinemann was iemand die volkomen bezeten was van macht: financiële, politieke en militaire macht. Voor hem moest alle gezag van één centraal punt uitgaan en uiteindelijk zou hij met niets minder tevreden zijn dan zelf in dat centrale punt te zitten.

Het feit dat hij een jood was, was maar toeval. Een ongerief dat met het einde van de oorlog zou eindigen.

Als de oorlog voorbij was, zou Erich Rhinemann teruggeroepen worden. Wat er over zou zijn van de Duitse industrie zou dat verlangen; de financiële leiders op de wereld zouden het verlangen.

Rhinemann zou terugkeren op het internationale marktplein met meer macht dan ooit tevoren.

Zonder de manipulatie in Buenos Aires.

Met die erbij zou zijn invloed ongekend zijn.

Zijn kennis van en zijn deelneming aan deze ruil zou hem een weergaloos wapen in de hand geven, dat tegen alle partijen, alle regeringen gebruikt kon worden.

Vooral tegen Washington.

Erich Rhinemann moest uit de weg geruimd worden.

Na de ruil.

En alleen al daarom moest Washington nog iemand in Buenos Aires hebben.

10

16 december 1943
Washington D.C.

Het was voor de hoogste officier van Fairfax ongewoon dat hij om een of andere reden van het terrein afging, maar kolonel Edmund Pace had er bevel toe gekregen.

Pace stond voor het bureau van generaal Swanson en begon de zaak te begrijpen. Swansons instructies waren beknopt, maar hielden veel meer in dan hun beknoptheid deed vermoeden. Uit tientallen dubbel afgesloten opbergkasten moesten dossiers van de inlichtingendienst geplukt worden om enkele daarvan nauwkeurig te onderzoeken.

Swanson wist, dat Pace het er aanvankelijk niet mee eens was. De commandant van Fairfax kon zijn verbazing – aanvankelijk – niet verbergen. De betreffende agent moest zowel vloeiend Duits als Spaans spreken. Hij moest fundamentele kennis hebben, niet specialistisch, maar zeker meer dan oppervlakkig, van vliegtuigbouw, met inbegrip van metallurgische dynamica en navigatiesystemen. Hij moest in staat zijn een schijnpositie in te nemen die mogelijk op ambassadeniveau zou liggen. Dat betekende iemand met de nodige distinctie om zich gemakkelijk in welgestelde kringen en in de diplomatieke arena te bewegen.

Op dat moment had Pace tegengestribbeld. Zijn bekendheid met de peiling in Johannesburg en de contactpersoon in Genève deden hem protesteren. Hij onderbrak Swanson, maar kreeg te horen dat hij zijn opmerkingen voor zich moest houden tot zijn superieur uitgesproken was.

De laatste kwalificatie van de man voor Buenos Aires – en de generaal erkende de inconsequentie ervan naast de eerdere technische kwalificaties – was dat de agent ervaring moest hebben met 'snelle opruiming'.

De man moest niet onbekend zijn met het doden van tegenstanders. Niet in de vorm van geweervuur tussen van elkaar gescheiden tegenstanders, die tot waanzin opgehitst werden door de aanblik en de geluiden van het slagveld, maar een man die in stilte kon doden als hij tegenover zijn doel stond. Alleen.

Deze laatste kwalificatie vermurwde Pace. Zijn gelaatsuitdrukking verried, dat waar zijn meerderen ook in betrokken mochten zijn, het niet helemaal was wat hij vermoedde dat het zijn kon. Het ministerie van oorlog zou niet om zo'n man vragen als het van plan was zich aan oppervlakkige overeenkomsten te houden.

De hoogste officier van Fairfax gaf geen commentaar. Hij begreep dat hij, alleen, de dossiers zou doorzoeken. Hij vroeg om een code, een naam waarnaar hij bij communicaties kon verwijzen.

Swanson had voorovergeleund in zijn stoel en strak naar de kaart op zijn bureau gekeken. Die kaart had er al meer dan drie uur gelegen.

'Refereer maar aan "Tortugas",' zei hij.

18 december 1943
Berlijn, Duitsland

Altmüller bekeek het onbeschadigde zegel van de grote bruine manilla-envelop. Hij bewoog het heen en weer onder zijn bureaulamp en nam een vergrootglas uit de bovenste bureaula. Hij bestudeerde het zegel onder de vergroting. Hij was tevreden: er was niet mee geknoeid.

De ambassadekoerier was per vliegtuig overgekomen uit Buenos Aires – via Senegal en Lissabon – en had volgens opdracht de envelop persoonlijk afgeleverd. Aangezien de koerier permanent in Argentinië gestationeerd was, wilde Altmüller niet dat er praatjes overgebracht zouden worden en dus betrok hij de man in een onschuldig gesprek, waarin hij verscheidene malen op een impulsieve, geringschattende manier over de mededeling sprak. Hij deed het voorkomen alsof het een futiliteit was – een mededeling over de financiën van de ambassade, die eigenlijk op het Finanzministerium thuishoorde, maar wat wilde hij? De ambassadeur stond bekend als een oude vriend van Speer.

Nu de koerier vertrokken en de deur gesloten was bepaalde Altmüller al zijn aandacht op de envelop. Hij kwam van Erich Rhinemann.

Hij sneed de bovenkant open. De brief was met de hand geschreven in Rhinemanns nauwelijks te ontcijferen handschrift.

Mijn waarde Altmüller,

Het Reich te dienen is een voorrecht, dat ik met enthousiasme aangrijp. Natuurlijk ben ik u dankbaar voor uw toezegging, dat mijn bemoeienissen ter kennis van mijn vele oude vrienden gebracht zullen worden. Onder de gegeven omstandigheden had ik niet anders verwacht.
Het zal u genoegen doen te vernemen, dat mijn sehepen in de kustwateren van Punta Delgada tot de Caribische Zee onder de neutrale Paraguese vlag varen. Deze faciliteit kan u misschien van nut zijn. Verder heb ik een aantal, meest kleine en middelgrote, schepen met sterke motoren laten uitrusten. Ze kunnen de kustwateren vlug doorkruisen en er zijn bunkerstations, zodat ze snel aanzienlijke afstanden kunnen afleggen. Natuurlijk zijn ze niet te vergelijken met het vliegtuig, maar de tochten kunnen in volstrekte geheimhouding worden volbracht, onzichtbaar voor de spiedende ogen die tegenwoordig alle vliegvelden omringen. Zelfs de neutralen moeten voortdurend de blokkaden ontwijken.
Deze inlichtingen dienen ter beantwoording van de merkwaardig duistere vragen die u stelde.
Ik verzoek u, in volgende mededelingen preciezer te zijn. Desondanks kunt u verzekerd zijn van mijn toewijding aan het Reich.
Van relaties in Bern hoor ik, dat uw Führer duidelijke tekenen van vermoeidheid begint te vertonen. Dat was te verwachten, nietwaar?
Onthoud, beste Franz, dat de opzet altijd een grootser monument is dan de man. In dit geval kwam de opzet vóór de man.
Dàt is het monument.
Ik wacht op uw bericht.

Erich Rhinemann

Wat was Rhinemann toch opvallend doorzichtig! *Toewijding aan het Reich... relaties in Bern... duidelijke tekenen van vermoeidheid... te verwachten... een grootser monument dan de man...*

Rhinemann weidde uit over zijn capaciteiten, zijn financiële macht, zijn 'gerechtvaardigde' bezorgdheid en zijn ondubbelzinnige toewijding. Door deze factoren op te nemen, ze tegenover elkaar te plaatsen, verhief hij zich zelfs boven de Führer. En daardoor veroordeelde hij Hitler – tot meerdere glorie van het Reich. Ongetwijfeld had Rhinemann fotokopieën van zijn brief gemaakt en zou hij een volledig dossier gaan aanleggen over de operatie in Buenos Aires. En de een of andere dag zou hij dat gebruiken om zichzelf naar de top te werken van het naoorlogse Duitsland. Misschien zelfs van heel Europa. Want hij zou het wapen in handen hebben, dat zijn aanvaarding garandeerde.

Bij overwinning of nederlaag. Onwrikbare toewijding of, omgekeerd, chantage van zodanige omvang, dat de geallieerden zouden beven bij de gedachte eraan.

Het zij zo, dacht Altmüller. Hij had geen kwestie met Rhinemann. Rhinemann was een expert op elk terrein waarop hij zich begaf. Hij was methodisch op het overdrevene af en conservatief in zijn voortgang – maar alleen in die zin dat hij zich eerst alle details eigen maakte alvorens voort te gaan. Boven alles had hij een enorme verbeeldingskracht.

Altmüllers oog viel op de woorden van Rhinemann:
Ik verzoek u, in volgende mededelingen preciezer te zijn.

Franz glimlachte. Rhinemann had gelijk. Hij wàs duister geweest in zijn mededelingen. Maar om een gegronde reden: hij wist niet zeker welke kant hij uitging, of misschien waarheen hij geleid werd. Hij wist alleen dat de kisten carbonado grondig onderzocht moesten worden, en dat zou tijd kosten. Meer tijd dan Rhinemann besefte, als de mededeling die hij uit Peenemünde ontvangen had juist was. Volgens Peenemünde zou het voor de Amerikanen doodeenvoudig zijn om er duizenden inferieure boort-diamanten bij te pakken, die voor een ondeskundig oog niet te ontdekken zouden zijn. Stenen die zouden scheuren zodra ze met staal in aanraking kwamen.

Als de Britten deze operatie in handen zouden hebben kon zo'n manoeuvre verwacht worden.

En zelfs de Amerikanen hadden knappe manipulators bij de inlichtingendienst. Àls de inlichtingendiensten bij de ruil gehaald werden. Maar Altmüller betwijfelde hun actieve deelneming. De Amerikanen in de regering waren hypocrieten. Ze zouden eisen stellen aan hun industrieën en verwachten dat daaraan voldaan werd. Maar ze zouden hun ogen sluiten voor de methoden; in Washington werd zeer veel lippendienst bewezen aan het ongekunstelde puriteinse trekje.

Kinderen waren het. Maar boze, gefrustreerde kinderen waren gevaarlijk.

De kisten moesten minutieus gecontroleerd worden.

In Buenos Aires.

En na goedkeuring kon er niet het minste risico genomen worden, dat ze uit de lucht of het water weggeblazen werden. Dus leek het logisch om Rhinemann te vragen, wat voor ontsnappingswegen er waren. Want op de een of andere plaats en op de een of andere manier moest er contact gemaakt worden met de meest logische manier van vervoer naar Duitsland. Per duikboot.

Rhinemann zou dat begrijpen, hij zou misschien zelfs de nauwkeurigheid van toekomstige mededelingen bewonderen.

Altmüller stond op van zijn bureau en rekte zich uit. Afwezig liep hij zijn kantoor rond en probeerde de krampen in zijn rug kwijt te raken, die het gevolg waren van te lang stilzitten. Hij liep naar de leren fauteuil waarin Johann Dietricht verscheidene dagen geleden gezeten had.

Dietricht was dood. De kwetsbare mislukkeling van een boodschapper was in een met bloed doordrenkt bed gevonden en de bewijzen van de uitspattingen van die avond waren zo schandelijk, dat besloten was, zowel die bewijzen als het lijk zonder uitstel te begraven.

Altmüller vroeg zich af, of de Amerikanen het lef hadden voor zulke beslissingen.

Hij betwijfelde het.

19 december 1943
Fairfax, Virginia

Swanson stond zwijgend voor de zware stalen deur in de plaatijzeren barak. De luitenant van de veiligheidsdienst sprak maar juist zolang in de intercom aan de muur als hij nodig had om de naam van de generaal te noemen. De luitenant knikte, legde de hoorn op de haak en salueerde voor de tweede keer tegen de generaal. De zware stalen deur klikte en Swanson wist dat hij naar binnen kon.

De commandant van Fairfax was alleen, overeenkomstig Swansons bevel. Hij stond naast zijn schrijftafel met een dossier in de hand. Hij begroette zijn meerdere.

'Goedemorgen, generaal.'

'Morgen. Je deed vlug werk; dat waardeer ik.'

'Het is misschien niet alles wat u nodig hebt, maar het is het beste wat we u kunnen bezorgen. Gaat u zitten, dan geef ik een opsomming van de kwalificaties. Als ze uw goedkeuring wegdragen, kunt u het dossier meenemen. Zo niet, dan gaat het terug in de kluis.'

Swanson liep naar een van de rechte stoelen die voor het bureau van de kolonel stonden en nam plaats. Met een tikje ergernis. Net als zovelen van zijn ondergeschikten bij Clandestiene Operaties deed Ed Pace alsof hij aan niemand verantwoording verschuldigd was dan aan God alleen, en zelfs Hij werd zonder fiat niet in Fairfax toegelaten. Het trof Swanson, dat het veel eenvoudiger zou zijn als Pace hem het dossier gewoon overgaf en zelf liet lezen.

Anderzijds was de kern van de indoctrinatie van Fairfax de mogelijkheid – al was die ook nog zo ver te zoeken – dat elk paar ogen de vijand in handen zou kunnen vallen. Iemand kon de ene week in Washington zitten en de week daarop in Anzio of op de Salomons Eilanden. De methoden van Pace waren niet zonder logica; een heel geografisch netwerk van geheime agenten kon door een enkele breuk in de veiligheidsketen blootgelegd worden.

Niettemin was het meer dan ergerlijk. Pace scheen te genieten van zijn rol; hij had geen humor, dacht Swanson.

'De onderhavige persoon is een beproefd man te velde. Hij is volkomen onafhankelijk opgetreden op een van onze gevoeligste locaties. Talen: vloeiend. Houding en camouflage: bijzonder flexibel. Hij beweegt zich gemakkelijk in allerlei milieus, van teaparties op ambassades tot arbeiderscafés – hij is erg beweeglijk en overtuigend.'

'Je komt met een positief beeld, kolonel.'

'Als dat zo is, spijt me dat. Hij is waardevol waar hij nu is. Maar u hebt de rest nog niet gehoord. Misschien verandert u van gedachten.'

'Ga door.'

'Aan de negatieve kant staat, dat hij geen militair is. Ik bedoel niet dat hij een burger is – hij heeft zelfs de rang van kapitein maar hij heeft geen praktijk. Wat ik zeggen wil is, dat hij nooit binnen een keten van bevelvoering gewerkt heeft. Hij bouwde het netwerk op, hij hééft het commando. Al bijna vier jaar.'

'Waarom is dat negatief?'

'Omdat we niet weten hoe hij op tucht zal reageren. Op het aanvaarden van orders.'

'Er zal weinig ruimte zijn om af te wijken. Alles is voorgekauwd.'

'Uitstekend. Het tweede negatieve punt: hij is geen vliegtuigbouwer...'

'Dat is èrg belangrijk.' Swanson zei het op norse toon; Pace verspilde zijn tijd. De man in Buenos Aires moest begrijpen wat er aan de hand was en misschien zelfs meer dan begrijpen.

'Hij komt uit een verwant vak. Een dat hem volgens onze mensen uitermate geschikt maakt voor noodsituaties.'

'Welk vak is dat?'

'Hij is bouwkundig ingenieur. Met aanzienlijke ervaring op het gebied van mechanische, elektronische en metalen ontwerpen. Hij heeft volledige verantwoordelijkheid gehad voor complete gebouwen – vanaf de fundamenten tot de afwerking. Hij is een expert wat blauwdrukken betreft.'

Swanson zweeg, maar knikte toen vaag.

'Oké, ga verder.'

'Het moeilijkste deel van uw opdracht was, iemand te vinden – iemand met deze technische kwaliteiten – die praktische ervaring had met "snelle opruiming". Dat gaf u zelf toe.'

'Dat weet ik.' Swanson vond dat het tijd werd om zich wat menselijker te tonen. Pace zag er uitgeput uit, het zoeken was niet makkelijk geweest. 'Ik gaf je een harde noot te kraken. Heeft je niet-militaire, beweeglijke ingenieur "opruimingen" op zijn naam staan?'

'We proberen registraties te vermijden, omdat...'

'Je weet wel wat ik bedoel.'

'Het antwoord luidt bevestigend. Op zijn standplaats is het onvermijdelijk. Met uitzondering van de mannen in Burma en India heeft hij meer gelegenheid gehad voor het gebruik van de allerlaatste oplossing dan iemand anders. Voor zover wij weten heeft hij nooit geaarzeld om er gebruik van te maken.'

Swanson begon te spreken, maar aarzelde toen. Hij trok zijn wenkbrauwen samen boven zijn vragende ogen. 'Je vraagt je onwillekeurig af wat voor lui het zijn, nietwaar?'

'Ze zijn getraind. Net als ieder ander verrichten ze een taak... voor een bepaald doel. Hij is van nature niet bloeddorstig. Maar heel weinig van onze echt goede mensen zijn dat.'

'Ik heb jouw werk nooit kunnen begrijpen, Ed. Is dat niet vreemd?'

'Helemaal niet. Ik zou onmogelijk kunnen werken aan uw kant van het ministerie van oorlog. Die kaarten en grafieken en dubbelzinnig pratende burgers brengen me in de war... Wat denkt u van deze kandidaat?'

'Heb je geen anderen?'

'Verscheidenen, maar allemaal met een negatieve kant. Degenen die de talen spreken èn de luchtvaartopleiding hebben, missen ervaring met "opruimingen". Geen vermeldingen van... bijzondere vooringenomenheid. Ik ben ervan uitgegaan, dat het even belangrijk was als de andere factoren.'

'Die veronderstelling was juist... Vertel eens, ken je hem?'

'Heel goed zelfs. Ik heb hem aangetrokken; ik volgde elke fase van zijn training. Ik heb hem aan het werk gezien. Hij is een prof.'

'Zo een heb ik nodig.'

'Dan is hij misschien uw man. Maar voor ik zijn naam noem, wil ik u graag een vraag stellen. Ik moet hem zelfs stellen, want hij zal mij ook gesteld worden.'

'Ik hoop dat ik hem kan beantwoorden.'

'Een vraag binnen de perken, niet over details.'

'Welke vraag?'

Pace liep naar Swanson toe. Hij leunde met zijn rug tegen de rand van zijn schrijftafel en sloeg zijn armen over elkaar. Dat was ook weer een militair signaal: *Ik ben wel je mindere, maar dit plaatst ons op voet van gelijkheid – op dit moment.*

'Ik zei dat de kandidaat waardevol is op zijn post. Dat is niet sterk genoeg uitgedrukt. Hij is onvervangbaar en van essentieel belang. Door hem van zijn post te verwijderen, brengen we een zeer gevoelige operatie in gevaar. We kùnnen het redden, maar de risico's zijn aanzienlijk. Wat ik moet weten is: rechtvaardigt de opdracht zijn overplaatsing?'

'Laat ik het zo mogen stellen, kolonel,' zei Swanson op vriendelijke, maar zeer besliste toon. 'Er is geen tweede opdracht met dezelfde prioriteit, met mogelijke uitzondering van het Project Manhattan. Ik neem aan dat je daarvan gehoord hebt.'
'Dat heb ik.' Pace ging rechtop staan. 'En zal het ministerie van oorlog – via uw bureau – die prioriteit bevestigen?'
'Dat gebeurt.'
'Dan hebt u hem hier, generaal.' Pace overhandigde Swanson het dossier. 'Hij is een van de besten die we hebben. Hij is onze man in Lissabon... Spaulding. Kapitein David Spaulding.'

26 december 1943
Ribadavia, Spanje

David raasde zuidwaarts op de motorfiets over de modderige weg langs de oever van de Minho. Het was de kortste weg naar de grens, net onder Ribadavia door. Over de grens zou hij afbuigen naar het westen naar een vliegveld bij Valença. Als het weer goed bleef en er een vliegtuig stond, zou de vlucht naar Lissabon nog twee uur duren. Valença verwachtte hem pas over twee dagen en alle vliegtuigen waren misschien in gebruik.

Zijn gespannenheid was even groot als de snelheid van de gierende, draaiende wielen onder hem. Alles was ook zo ongewoon; het was hem onverklaarbaar. Er was niemand in Lissabon die zulke orders kon geven als hij uit Ortegal gekregen had!

Wat was er gebeurd?

Hij had plotseling het gevoel, dat er een vitaal deel van zijn bestaan bedreigd werd. En toen verbaasde hij zich over zijn eigen reactie. Hij had geen liefde voor zijn tegenwoordige werk; hij schepte geen behagen in de talloze manipulaties en contramanipulaties. Hij had zelfs een hekel aan de meeste van zijn dagelijkse bezigheden en was ziek van de voortdurende angst en de eindeloze zeer riskante factoren, die bij elke beslissing overwogen moesten worden.

Maar hij onderkende wat hem zo dwars zat: hij was in zijn werk gegroeid. Hij was eeuwen geleden in Lissabon aangekomen, was er een nieuw leven begonnen en had zich dat eigen gemaakt. Op de een of andere manier vertegenwoordigde het alle gebouwen die hij wilde bouwen; alle tekeningen die hij wilde omzetten in beton en staal. Zijn werk kenmerkte zich door pijnlijke nauwkeurigheid en onomkeerbaarheid; de resultaten van elke dag bewezen het. Vaak herhaalde malen per dag. Zoals de honderden details van bouwspecificaties kwamen de gegevens bij hem binnen en hij paste alles aan elkaar en kwam met de werkelijkheid voor de dag.

En van die werkelijkheid waren anderen afhankelijk.

En nu wilde iemand hem weg hebben uit Lissabon! Weg uit Portugal en Spanje! Ging dat maar zo in een handomdraai? Hadden zijn rapporten bij één generaal de emmer doen overlopen? Was er een strategie omvergegooid omdat hij de waarheid rapporteerde over een verondersteld succesvolle operatie? Waren de hoge omes in Londen en Washington eindelijk zo geërgerd geraakt, dat ze een hinderlijke doorn wilden verwijderen? Het wàs mogelijk; men had hem vaak genoeg verteld, dat de mannen in de ondergrondse lokalen aan de Londense Tower Road meer dan eens in woede waren uitgebarsten over zijn beoordelingen. Hij wist dat het Bureau voor Strategische Oorlogvoering in Washington vond dat hij zich op hun terrein begaf en zelfs G-2, ogenschijnlijk zijn eigen dienst, had kritiek op zijn bemoeienis met de ontsnappingsteams.

Maar alle klachten werden overheerst door één taxatie: hij was goed. Hij had het beste netwerk in Europa gesmeed.

En dat was waarom David in de war was. En niet weinig verontrust om een reden die hij liever niet wilde toegeven: hij had schouderklopjes nodig.

Er waren geen indrukwekkende gebouwen, geen buitengewone tekeningen die in nog buitengewoner bouwwerken waren omgezet. Misschien zouden ze er nooit komen ook. Hij zou een ingenieur van middelbare leeftijd zijn tegen dat het afgelopen was. Een ingenieur van middelbare leeftijd die in geen jaren zijn vak had uitgeoefend, zelfs niet in het machtige leger van de Verenigde Staten, dat in zijn Korps Genie het grootste bouwbedrijf in de historie bezat.

Hij probeerde er niet aan te denken.

Hij stak de grens over bij Mendoso, waar de grenswachters hem kenden als een rijke, onverantwoordelijke balling die de risico's van de oorlog ontliep. Ze pakten zijn fooi aan en lieten hem passeren.

De vlucht van Valença naar het kleine vliegveldje bij Lissabon werd bemoeilijkt door zware regenbuien. Ze moesten twee tussenlandingen maken – bij Águeda en Pombal – voor ze het laatste traject konden afleggen. Er stond een auto van de ambassade op hem te wachten; de chauffeur, een cryptograaf die de naam Marshall droeg, was de enige op de ambassade die zijn werkelijke functie kende.

'Pestweer, hè?' zei de codespecialist, terwijl hij achter het stuur plaatsnam en David zijn bagage op de achterbank gooide. 'Ik benijd je niet in zo'n kist. Althans niet met dit weer.'

'Die brokkenpiloten vliegen zo laag, dat je uit het toestel zou kunnen springen. Ik knijp hem meer voor de boomtoppen.'

'Ik zou hem zonder meer knijpen.' Marshall startte en trok op naar het wrakke hek, dat de ingang van het vliegveld moest voorstellen. Op de weg deed hij de koplampen aan; het was nog geen zes uur, maar de donkere lucht maakte groot licht noodzakelijk. 'Ik dacht dat je me zou vleien door te vragen waarom een expert van mijn standing als chauffeur fungeert. Ik heb vanaf vier uur staan wachten. Vraag het me dan! Het wachten duurde allemachtig lang.'

Spaulding grinnikte. 'Jezus, Marsh, ik dacht dat je in een goed blaadje bij me probeerde te komen, zodat ik je op mijn volgende tocht naar het noorden zou meenemen. Of maakten ze me brigadegeneraal?'

'Ze maakten je wel iets, David,' zei Marshall ernstig. 'Ik heb de boodschap uit Washington zelf opgenomen. In de allergeheimste codes: alleen lezen, chef cryptograaf.'

'Ik ben erg gevleid,' zei Spaulding zacht, blij dat hij met iemand kon praten over het onzinnige nieuws van zijn overplaatsing. 'Waarover gaat het in vredesnaam?'

'Ik heb er natuurlijk geen idee van waar ze je voor nodig hebben, maar één conclusie kan ik met mijn klompen aanvoelen: ze willen je met spoed hebben. Ze hebben alles uitgeschakeld wat vertraging kan opleveren. De orders luidden, dat er een volledige lijst van je contacten moest worden opgesteld met alle details: redenen, data, hernieuwingen, valuta, routes, codes... alles. Niets mag weggelaten worden. Volgende order: waarschuw het hele netwerk, dat je uit de strategie afgevoerd bent.'

'Uit de...' Ongelovig herhaalde David de woorden. Uit de strategie was de term die zowel voor verraders als voor overplaatsingen gebruikt werd. De bijbetekenis was definitieve, volledige breuk. 'Dat is waanzin! Het is míjn netwerk.'

'Nu niet meer. Ze stuurden vanmorgen iemand uit Londen. Ik houd hem voor een Cubaan: hij is rijk ook. Studeerde voor de oorlog bouwkunde in Berlijn. Hij werd weggestopt in een kantoor om jouw dossiers te bestuderen. Hij is je vervanger... Het is maar dat je het weet.'

David keek strak naar de voorruit, die gestriemd werd door regenvlagen. Ze waren op de verharde weg die door de Alfama-wijk voerde met zijn kronkelende, hellende straten aan de voet van de kathedraal, het Moorse kasteel van Sao Jorge en het gotische Sé. De Amerikaanse ambassade was op de Baixa, voorbij de Terreiro do Paço. Dus was het echt afgelopen, dacht Spaulding. Ze stuurden hem weg. Een Cubaanse architect was nu de man in Lissabon. Het gevoel van beroving maakte zich weer van hem meester. Er werd zoveel afgepakt en onder zulke vreemde omstandigheden. Uit de strategie...

'Wie tekende die orders?'

'Dat is een deel van de waanzin. Het gebruik van de topcodes wijst op de allerhoogste bazen, niemand anders beschikt erover. Maar er was ook geen ondertekening. Jouw naam was de enige die in het bericht voorkwam.'

'Hoe luiden mijn instructies?'

'Je vertrekt morgen per vliegtuig. De vertrektijd wordt vanavond opgegeven. De kist maakt één tussenlanding. Op het Lajesvliegveld van Terceira op de Azoren. Daar krijg je je orders.'

12

26 december 1943
Washington D.C.

Swanson reikte naar het knopje van de intercom op zijn bureau en zei: 'Laat Mr. Kendall binnenkomen.' Hij stond op, maar bleef bij zijn stoel staan wachten tot de deur openging. Hij zou niet achter zijn bureau vandaan komen om de man te begroeten; hij zou hem zelfs niet symbolisch verwelkomen door een uitgestoken hand. Hij herinnerde zich dat Walter Kendall in het Sheraton vermeden had Craft en Oliver de hand te schudden. De handdruk zou niet gemist worden, maar het vermijden ervan zou misschien opvallen.

Kendall kwam binnen en de deur ging dicht. Swanson zag dat het uiterlijk van de accountant weinig veranderd was sinds de bespreking, die hij twee dagen tevoren vanuit de onzichtbare kamer had gadegeslagen. Kendall droeg hetzelfde kostuum en kennelijk hetzelfde gore overhemd. Joost mocht weten hoe zijn ondergoed er uitzag; het was geen aangename gedachte om bij stil te staan. Kendalls bovenlip was heel flauwtjes opgetrokken. Het was geen uitdrukking van woede of zelfs van minachting; het was gewoon de manier waarop de man ademhaalde: gelijktijdig door zijn mond en neusgaten. Zoals een dier zou ademen.

'Kom binnen, Mr. Kendall. Ga zitten.'

Zonder enig commentaar nam Kendall plaats. Even ontmoette zijn blik die van Swanson, maar ook maar even.

'U staat op mijn rooster van afspraken voor het ophelderen van een bepaalde extra-post op een contract met Meridian,' zei de generaal en ging meteen zitten. 'Niet om die te rechtvaardigen, maar alleen te specificeren. Als hun externe accountant kunt u dat doen.'

'Maar daarvoor ben ik niet hier, is 't wel?' Kendall tastte in zijn zak naar een verfrommeld pakje sigaretten. Hij kneep het mondstuk samen alvorens de sigaret op te steken. Swanson zag dat de nagels van de accountant onverzorgd, gescheurd en vies waren. De generaal begon in te zien – maar wilde er niet bij blijven stilstaan – dat Walter Kendall iets ziekelijks over zich had, en dat zijn uiterlijke voorkomen maar één van de manifestaties daarvan was.

'Nee, daarvoor bent u niet hier,' antwoordde hij kortaf. 'Ik wil de spelregels vaststellen, zodat geen van ons ze verkeerd begrijpt... zodat in de eerst plaats u ze niet verkeerd begrijpt.'

'Spelregels wijzen op een spel. Wat voor spel, generaal?'

'Misschien zou... "Schone Handen" er een passende naam voor zijn. Of eventueel "Bemiddeling in Buenos Aires". Dat klinkt u misschien veelzeggender in de oren.'

Kendall, die naar zijn sigaret had zitten staren, sloeg abrupt zijn ogen op naar de generaal. 'Oliver en Craft hadden dus haast. Ze moesten en zouden hun leermeester zijn vette kluif brengen. Ik dacht niet dat u die lustte.'

'Craft net zo min als Oliver is in contact geweest met mijn bureau – of met mij – in ruim een week. Niet meer nadat u naar Genève vertrok.'

Kendall dacht even na voor hij weer sprak. 'Dan zijn uw handen nu behoorlijk vuil... Ik vond het Sheraton al een beetje ongewoon voor Craft; hij is 'n Waldorf-type... U hebt het gesprek dus afgetapt. U liet de ezels in de val lopen.' Kendalls stem was schor, niet boos, niet schreeuwerig. 'Bedenkt u dan alleen maar hoe ik ertoe kwam tot wat ik deed. Hoe ik naar Genève ging. Dat hebt u dan ook op de band.'

'Wij voldeden aan een verzoek van het Bureau voor Oorlogsproduktie betreffende een zakelijke onderhandeling met een firma in Genève. Dat gebeurt vaak. Maar dikwijls volgen we het spoor als er reden is om aan te nemen dat het iets bedenkelijks is...'

'Geklets!'

Swanson ademde hoorbaar uit. 'Dat is een zinloze reactie. Ik heb geen zin om met u te argumenteren. Het bewijs is geleverd. Ik heb een... geluidsband die u linea recta naar de beul kan sturen of naar de elektrische stoel... en Oliver ook. Craft zou er misschien met levenslang afkomen. U stak de gek met zijn twijfel; u liet hem niet aan het woord komen... Maar het bewijs is geleverd!'

Kendall leunde voorover en drukte zijn sigaret uit in een asbak op het bureau van Swanson. In plotselinge angst keek hij de generaal aan; hij zocht naar iets. 'Maar u bent meer geïnteresseerd in Buenos Aires dan in de elektrische stoel. Zo is het toch, nietwaar?'

'Dat moet ik wel zijn. Hoezeer het me ook mag tegenstaan. Hoe walgelijk ik...'

'Zwam niet.' Kendall onderbrak hem scherp; hij was geen amateur waar het zulke discussies betrof. Hij wist wanneer hij zichzelf en zijn bijdragen moest laten gelden. 'Zoals u zei, het bewijs is geleverd. Ik geloof dat u met ons in dezelfde zwijnestal zit. Speel dus maar geen Jezus. Uw aureool stinkt.'

'Dat kan zijn. Maar vergeet u niet, dat ik de benen kan nemen naar een hele reeks andere zwijnestallen. Een groot en machtig ministerie van oorlog kan me binnen achtenveertig uur naar Burma of Sicilië brengen. Die kans hebt u niet. U zit hier vast – in de zwijnestal. Voor iedereen te kijk. En ik heb een geluidsband die u tot een bijzònder zwijn maakt. Dàt is het punt dat u zich goed voor ogen zult moeten houden. Ik hoop dat u dat doet.'

Kendall drukte het mondstuk van een tweede sigaret plat en stak het andere eind aan. De rook kringelde om zijn neusvleugels; hij wilde iets zeggen, maar hield zich in en keek de generaal aan met een mengeling van angst en vijandigheid in zijn ogen.

Swanson werd zich ervan bewust, dat hij opzettelijk Kendalls blik ontweek. De aanwezigheid van de man op dit moment erkennen betekende het verdrag erkennen. En toen drong het tot hem door wat het verdrag draaglijk zou maken. Dat was het antwoord, zíjn antwoord, of althans oppervlakkig. Hij was verrast, dat dit niet eerder in hem was opgekomen.

Walter Kendall moest uit de weg geruimd worden.

Zoals Erich Rhinemann uit de weg geruimd moest worden.

Als Buenos Aires de voltooiing naderde, zou Kendalls dood een vereiste zijn.

Dan zouden alle sporen naar de regering van de Verenigde Staten uitgewist zijn.

Even vroeg hij zich af, of de mannen in Berlijn het doorzicht zouden hebben voor zulke drastische beslissingen. Hij betwijfelde het.

Hij keek op naar de vieze – ziekelijke – accountant en beantwoordde diens starende blik. Generaal Alan Swanson was niet langer bang. Of vervuld van schuldgevoelens.

Hij was een soldaat te velde.

'Zullen we verdergaan, Mr. Kendall?'

De visie van de accountant op Buenos Aires was weldoordacht. Swanson raakte gefascineerd door Kendalls gevoel voor manoeuvres en tegenmanoeuvres. De man dacht als een rioolrat: instinctief, snuffelend naar de oorsprong van stank of licht, zijn kracht vindend in zijn achterdocht, in zijn voortdurend veranderende taxaties van zijn tegenstanders. Hij was werkelijk een dier: roofdier en vluchtende prooi.

De voornaamste zorgen van de Duitsers konden tot drie teruggebracht worden: de kwaliteit van de boort- en carbonado-diamanten, de te leveren hoeveelheid en ten slotte de methoden van vervoer naar Duitsland. Als deze factoren niet veilig gesteld konden worden, zouden er geen gyroscooptekeningen – geen geleidesysteem geleverd worden.

Kendall veronderstelde, dat de zendingen diamant door een groep deskundigen onderzocht zouden worden – niet door maar een of zelfs twee mannen.

Er zou dus wel een team van drie tot vijf mensen worden ingeschakeld; de benodigde tijd zou wel eens tot bijna een week kunnen uitlopen, afhankelijk van de verfijning van de gebruikte instrumenten. Die inlichting had hij van Koening in New York gekregen. Gedurende die tijd moesten gelijktijdige regelingen worden getroffen om een luchtvaartdeskundige in staat te stellen, de uit Peenemünde meegebrachte gyroscooptekeningen te beoordelen. Als de nazi's even voorzichtig waren als Kendall veronderstelde zouden de tekeningen stukje bij beetje worden overgelegd, afgestemd op het tijdschema dat het inspectieteam nodig achtte voor de keuring van de diamanten. De gyroscoopdeskundige zou ongetwijfeld de deeltekeningen slechts in volledige afzondering te zien krijgen, zonder kans om er fotokopieën of duplicaten van te maken voor het diamantteam klaar was met zijn werk.

Als beide partijen tevreden waren over het geleverde, zou er volgens Kendall nog wel een laatste dwangmaatregel achter de hand gehouden worden om een onbelemmerd vervoer naar de respectievelijke bestemmingen te garanderen. En het was logisch, dat dit 'wapen' voor beide partijen hetzelfde zou zijn: dreiging tot onthulling. Verraad van land en goede zaak. Straf: de dood.

Hetzelfde wapen waarmee de generaal hem, Walter Kendall, dreigde.

Wat was er verder nog?

Hield Kendall het voor mogelijk, de tekeningen te pakken te krijgen en daarna de zending diamanten te saboteren of terug te krijgen? Nee. Zolang het een burgerlijke transactie bleef niet. De dreiging tot onthulling was te veelomvattend; er was te veel bewijs van contact. Geen van beide crisistoestanden kon geloochend worden en er waren namen bekend. De smet van collaboratie kon mensen en maatschappijen ruïneren. Er konden gemakkelijk 'gewaarmerkte' geruchten verspreid worden.

En als de militairen zich erin mengden, zouden de burgers zich onmiddellijk terugtrekken – dan droegen zij niet langer de verantwoordelijkheid voor de levering.

Swanson moest dat weten; het was precies de toestand die hij gecreëerd had. Swanson wist het.

Waar zouden de diamanten geïnspecteerd worden? Wat was de geschiktste plek?

Kendalls antwoord was kort en bondig: elke plek die de ene partij gunstig leek, zou door de andere worden afgewezen. Hij meende dat de Duitsers dit goed hadden ingezien en dat ze om die reden Buenos Aires voorgesteld hadden. Het stond op de geluidsband. Luisterde Swanson soms niet goed?

De machthebbers in Argentinië waren ontegenzeggelijk, hoewel bedekt, pro-Duits, maar de afhankelijkheid van het land van de geallieerde leveringen woog zwaarder. De neutraliteit werd in wezen beheerst door de economische factoren. Daarom hadden beide partijen iets: de Duitsers zouden een goedgezinde omgeving aantreffen, maar de Amerikanen zouden voldoende invloed kunnen uitoefenen om die aanwezige welgezindheid te nivelleren, zonder die nochtans op te heffen.

Kendall had respect voor de mannen in Berlijn die zich op Buenos Aires concentreerden. Ze begrepen de noodzaak van evenwicht tussen de psychologische elementen, de noodzaak om iets op te geven en toch invloedssferen te behouden. Ze waren goed. Beide partijen zouden uiterst voorzichtig zijn; de omgeving eiste dat. Alles zou op de timing aankomen.

Swanson wist hoe de tekeningen overgebracht zouden worden door een reeks jachtvliegtuigen, die onder diplomatieke dekking naar de kustbases zouden vliegen. Die dekking zou zich uitstrekken tot het militaire terrein. Alleen híj zou van de operatie weten; niemand anders bij de strijdkrachten of zelfs in de regering zou ervan in kennis gesteld worden. Hij zou de regelingen treffen en ze op het juiste moment aan Kendall doorgeven. Voor wat voor vervoermiddel zouden de Duitsers kiezen, vroeg de generaal zich af.

'Zij hebben een veel moeilijker probleem. Dat weten ze, dus zullen ze waarschijnlijk een of andere waterdichte voorwaarde stellen. Ze zouden een gijzelaar kunnen verlangen, maar dat denk ik niet.'

'Waarom niet?'

'Wie hebben wij – onder de betrokkenen – die niet kwetsbaar is? Verdomme, als ik het was zou u de eerste zijn om te zeggen: "Schiet dat secreet dood!"' Weer ontmoette Kendalls blik even die van de generaal. 'Natuurlijk zult u nooit weten welke bepaalde voorzorgsmaatregelen ìk nam; er zouden heel wat uniformen ontaard vuil worden.'

Swanson aanvaardde Kendalls bedreiging voor wat die waard was. Hij wist ook dat hij ertegen op kon. Het zou goed overdacht moeten worden, maar die overwegingen konden later wel komen. Het zou geen onoverkomelijke horde zijn om Kendalls opruiming voor te bereiden. Eerst kwam de afzondering; daarna een uitgewerkt dossier...

'Laten we ons erin verdiepen hoe ze de boort en carbonado verwachten weg te krijgen. Het heeft geen zin dat we elkaar opjagen,' zei Swanson.

'Staan we daar nu boven?'

'Mij dunkt van wel.'

'Goed. Vergeet u het alleen niet,' zei Kendall.

'De diamanten zullen naar Buenos Aires verstuurd worden. Zijn daar voorbereidingen voor getroffen?'

'Daar wordt nu aan gewerkt. Levering over drie of drie en een halve week. Tenzij er gelazer komt in het zuidelijk deel van de Atlantische Oceaan. Wij verwachten van niet.'

'Het inspectieteam doet zijn werk in Buenos Aires. Wij sturen de technicus... wie wordt dat? Spinelli?'

'Nee. In ons beider belang hebben we hem uitgeschakeld. Maar dat weet u...'

'Ja. Wie dan?'

'Een zekere Lyons, Eugene Lyons. Ik zal u zijn antecedenten

bezorgen. U zult etter en bloed zweten als u ze leest maar als er een betere is dan Spinelli is hij het. Laten we geen risico's nemen. Hij is nu in New York.'

Swanson maakte een aantekening. 'Hoe staat het met het Duitse transport? Hebt u ideeën?'

'Een paar. Een neutraal vrachtvliegtuig noordwaarts naar Recife in Brazilië, de oceaan over naar Palmas of een of andere plaats in Guinea aan de Afrikaanse kust. Dan rechtdoor naar Lissabon en verder. Dat is de snelste route. Maar misschien durven ze de luchtcorridors niet aan.'

'U praat als een militair.'

'Als ik een karwei aanpak, doe ik het grondig.'

'Andere mogelijkheden?'

'Ik houd het erop, dat ze waarschijnlijk voor een duikboot zullen kiezen. Misschien twee, voor afleidingsdoeleinden. Duikboten zijn langzamer, maar het veiligste.'

'Ze komen de Argentijnse havens niet binnen. Onze zuidelijke patrouilles zouden ze uit zee blazen. Als ze binnenlopen, worden ze geïnterneerd. Die regels veranderen we niet.'

'U zult misschien moeten.'

'Onmogelijk. Er moet een andere manier zijn.'

'Misschien moet u die zoeken. Vergeet de schone handen niet.'

Swanson wendde zijn blik af. 'Hoe staat het met Rhinemann?'

'Hoe het met hem staat? Zijn terugkeer nadert. Met zoveel geld als hij heeft kan zelfs Hitler hem niet uitschakelen.'

'Ik vertrouw hem niet.'

'U zou een grote stommerd zijn als u dat deed. Maar het ergste wat hij kan doen is handelsconcessies – of geld – eisen van beide partijen. En wat zou dat? Hij levert wel. Waarom zou hij niet?'

'Ik geloof zeker dat hij leveren zal; dat is het enige waarvan ik overtuigd ben... En dat brengt me tot het belangrijkste punt van onze bespreking. Ik wil een mannetje hebben in Buenos Aires. Op de ambassade.'

Kendall liet Swansons mededeling bezinken voor hij antwoordde. Hij reikte naar de asbak en zette die op de leuning van zijn stoel. 'Een mannetje van u of een van ons? We hebben iemand nodig; wij dachten dat u hem door ons zou laten verzorgen.'

'U hebt verkeerd gedacht. Ik heb hem al uitgekozen.'

'Dat kan gevaarlijk zijn. Ik zeg u dat als gratis advies... omdat ik het al gezegd heb.'

'Als wij ons erin mengen, trekt het burgercontingent zich terug?'
Het was een vraag.
'Het zou logisch zijn...'
'Alleen als de man die ik stuur, van de diamanten àfweet. U dient ervoor te zorgen, dat dat niet gebeurt.' Het was een bevel.
'Zorgt u daar héél góed voor, Kendall. Uw leven hangt er vanaf.'
De accountant sloeg Swanson nauwlettend gade. 'Waarom?'
'Het is tienduizend kilometer van Buenos Aires naar de vliegtuigfabrieken van Meridian. Ik wens dat die reis zonder ongelukken verloopt. Ik wil dat die tekeningen door een deskundige worden overgebracht.'
'Loopt u dan niet het risico dat er uniformen bevuild worden, generaal?'
'Nee. Er zal de man verteld worden, dat Rhinemann een overeenkomst aanging voor die tekeningen uit Peenemünde. We zullen zeggen, dat Rhinemann er de Duitse ondergrondse in betrok. Terwille van ontsnappingswegen.'
'Zo lek als een mandje! Sinds wanneer werkt de ondergrondse voor geld? Waarom zouden ze het zo ver uit de buurt zoeken? Of met Rhinemann samenwerken?'
'Omdat zij hem nodig hebben en hij hen. Rhinemann werd als jood verbannen en dat was een vergissing. Hij stak Krupp naar de kroon. Heel velen bij de Duitse industrie zijn hem nog trouw, en hij heeft een kantoor in Bern... Dat wij klem zitten met de gyroscopen is geen geheim, dat weten we. Rhinemann zou gebruik kunnen maken van die kennis en in Bern contracten afsluiten.'
'Wat moet de ondergrondse er dan bij?'
'Daar heb ik mijn eigen redenen voor. Die gaan u niet aan.'
Swanson zei het kort, op afgebeten toon. Het kwam bij hem op – even maar – dat hij weer oververmoeid begon te raken. Daar moest hij voor oppassen; zijn kracht was gauw gebroken als hij moe was. En nu moest hij overtuigend zijn. Hij moest Kendall onvoorwaardelijk doen gehoorzamen. Het belangrijkste was om Spaulding binnen bereik van Erich Rhinemann te brengen. Rhinemann was het doelwit.
De brigadegeneraal nam de smerige kerel voor hem op. Het maakte hem misselijk, dat zo'n stuk menselijk afval op dat tijdstip zo onmisbaar was. Of was het zo, vroeg hij zich af, dat hij ertoe vernederd werd om zo'n man te gebruiken? Hem te ge-

bruiken en dan opdracht te geven tot zijn executie? Het bracht hun werelden dichter bij elkaar.

'Goed dan, Mr. Kendall, ik zal u tekst en uitleg geven... De man die ik uitkoos voor Buenos Aires is een van onze beste agenten bij de inlichtingendienst. Hij neemt die tekeningen mee. Maar ik wil niet de minste kans lopen, dat hij iets over de diamanten-transacties te weten komt. Een zelfstandig werkende Rhine-mann is verdacht; door de Duitse ondergrondse erin op te ne-men, is de transactie boven verdenking verheven.'

Swanson had zijn huiswerk goed geleerd: iedereen sprak over de ondergrondse bewegingen in Frankrijk en de Balkan, maar de Duitse ondergrondse had harder, doelmatiger en met meer offers gewerkt dan alle andere samen. De gewezen man in Lis-sabon zou dat weten. Het zou de opdracht in Buenos Aires aan-trekkelijk en legitiem maken.

'Een ogenblikje... gossiemijne! Wàcht eens even!' Kendalls on-aangename gelaatsuitdrukking veranderde abrupt. Het was als-of hij plotseling – met schoorvoetend enthousiasme – een goede kant had ontdekt aan iets dat Swanson gezegd had. 'Dat zou een goed argument kunnen zijn.'

'Wat bedoelt u met argument?'

'Precies dat. U zegt dat u het voor die agent wilt gebruiken. Dat de ondergrondse boven verdenking verheven is en al die larie meer... Laten we nog wat verder gaan. U hebt net de garantie toegelicht die we moeten geven.'

'Welke garantie?'

'Dat de zending Koening diamanten uit Buenos Aires wegkomt. Dat wordt hét grote knelpunt... Laat ik u een paar vragen mogen stellen. En geef me eerlijk antwoord.'

De rioolrat die hij is, dacht Swanson met een blik op de op-gewonden, haveloze cijfervreter. 'Ga uw gang.'

'Die ondergrondse heeft heel wat lui, erg belangrijke lui, Duits-land uitgesmokkeld. Ik denk dat iedereen dat wel weet.'

'Ze waren – ze zijn – erg effectief.'

'Hebben ze vertakkingen bij de Duitse marine?'

'Dat zal wel. De Centrale Geallieerde Inlichtingendienst zal dat wel precies weten...'

'Maar die wilt u er niet bijhalen. Of wel?'

'Uitgesloten.'

'Maar is het mogelijk?'

'Wat?'

'De Duitse maríne, verdomme! De duikbootvloot!' Kendall leunde voorover en zijn blik boorde zich in Swansons ogen. 'Ik neem aan van wel. Ik ben niet... niet in de eerste plaats iemand van de inlichtingendienst. De Duitse ondergrondse heeft een wijdvertakt netwerk. Ik neem aan, dat er contacten bestaan met de marineleiding.'

'Dan is het mogelijk.'

'Ja, àlles is mogelijk.' Swanson liet zijn stem dalen en logenstrafte zijn eigen woorden. 'Dit is mogelijk.'

Kendall leunde achterover in de stoel en drukte zijn sigaret uit. Hij vertoonde zijn onaantrekkelijke grijns en schudde zijn wijsvinger naar Swanson. 'Dan hebben we hier uw verhaal. Zo klaar als een klontje en ver boven elke vervloekte verdenking verheven... Terwijl wij die tekeningen aan het kopen zijn, blijkt er toevallig een Duitse duikboot rond te drijven, klaar om op te duiken en een – of desgewenst twee – heel belangrijke overlopers af te zetten. Met de complimenten van de ondergrondse. Kan een duikboot een betere reden hebben om in vijandelijke wateren boven te komen? Beveiligd tegen patrouilles. Er gaat alleen niemand vàn boord, maar in plaats daarvan komt er nieuwe lading áán boord.'

Swanson probeerde Kendalls snel uitgesproken plannen te verwerken. 'Dat zou complicaties geven...'

'Mis! Het staat op zichzelf. Het één heeft niets te maken met het ander. Trouwens, ik praat zo maar wat.'

Generaal Swanson wist wanneer hij een bekwamer man dan hijzelf op dit terrein had ontmoet. 'Het is mogelijk. Radiostilte; instructies van de Geallieerde Centrale.'

Kendall stond van zijn stoel op en sprak op gedempte toon. 'Details. Die werk ik wel uit... En u zult me betalen; reken maar dat u me betalen zult.'

13

Het eiland Terceira in de Azoren, 1340 kilometer pal westelijk
van Lissabon was een bekende stop voor de transatlantische piloten, die over de zuidelijke route naar de Verenigde Staten vlogen. Bij de daling hadden ze altijd het behaaglijke gevoel, dat
het weinige verkeer zou worden opgevangen door een efficiënte
gronddienst, waardoor ze weer snel konden opstijgen. Op het
vliegveld Lajes was het goed dienen; degenen die er gestationeerd waren wisten dat en werkten goed.

Daarom begreep de majoor, die het bevel voerde over het B-17
vracht- en passagiersvliegtuig met een zekere kapitein David
Spaulding als enige passagier, de vertraging niet. Het was al bij
de daling begonnen, op 4200 meter hoogte. De verkeerstoren
van Lajes had de aanvlieginstructies onderbroken en de piloot
bevolen te blijven rondcirkelen. De majoor had geprotesteerd;
naar zijn mening was het nergens voor nodig. De landingsbaan
was vrij. De radioman in de verkeerstoren was het met de majoor eens geweest, maar had gezegd dat hij alleen maar de tele-
fonische instructies herhaalde van het Amerikaanse hoofdkwartier in Ponta Delgada op het naburige eiland São Miguel.
Az-Am-HQ gaf de bevelen; kennelijk werd er iemand verwacht die het vliegtuig zou opwachten en die iemand was er nog
niet. De toren zou de majoor op de hoogte houden en... het was
maar een vraag, maar had de majoor soms belangrijke lading
bij zich?

Beslist niet. Hij had geen lading, alleen maar een zekere Spaulding, een militair attaché van de ambassade in Lissabon. Een
van die vervloekte diplomaten die alle recepties afliepen. Hij
maakte een gewone routinevlucht naar Norfolk en waarom kon
hij niet landen?

De toren zou de majoor op de hoogte houden.

De B-17 landde precies om 13.00 uur, na zevenentwintig minuten rondcirkelen.

David stond op uit het klapstoeltje, dat met klemmen aan de romp bevestigd was en strekte zijn ledematen. De piloot, een agressieve majoor die er in Spauldings ogen als een jaar of dertien uitzag, dook op uit de afgesloten cockpit en vertelde hem dat er een jeep klaarstond – of zou komen aanrijden – om de kapitein op te halen van de basis.

'Ik zou graag een behoorlijk vliegschema aanhouden,' zei de jonge piloot korzelig tegen zijn oudere mindere. 'Ik weet dat jullie diplomaten heel wat vriendjes op hoge posten hebben, maar we hebben nog een lange ruk voor ons. Denkt u daar alstublieft aan.'

'Ik zal proberen de tenniswedstrijd in drie sets uit te maken,' antwoordde David lusteloos.

'Ja, doe dat.' De majoor keerde zich om en liep naar het uiteinde van de cabine, waar een luchtmachtsergeant het vrachtluik had opengegooid dat als uitgang diende. Spaulding volgde hem, benieuwd wie hem buiten zou opwachten.

'Mijn naam is Ballantyne, kapitein,' zei de burger van middelbare leeftijd achter het stuur van de jeep en stak Spaulding de hand toe. 'Ik ben van 't Azoren-Amerikaanse Hoofdkwartier. Stapt u in, 't is maar een paar minuten. We gaan naar het huis van de MP-commandant, een paar honderd meter buiten het hek.'

David merkte dat de schildwachten bij het hek Ballantyne niet aanhielden, maar wenkten dat hij kon doorrijden. De burger draaide de weg op die langs het vliegveld liep en gaf gas. In minder tijd dan er nodig is om een sigaret op te steken, zwenkte de jeep de oprijlaan in van een Spaanse hacienda van één verdieping en reed langs het huis naar wat alleen maar beschreven kon worden als een misplaatste uitkijktoren.

'We zijn er. Komt u mee, kapitein,' zei Ballantyne met een gebaar naar de hordeur van de afgeschermde ruimte. 'Mijn medewerker Paul Hollander verwacht ons.'

Hollander was ook al een burger van middelbare leeftijd. Hij was bijna kaal en droeg een bril met een stalen montuur, die hem ouder deed lijken. Net als Ballantyne maakte hij een pientere indruk. Allebei klein en behoorlijk zelfbewust. Hollander glimlachte oprecht.

'Dat is een ongedacht genoegen, Spaulding. Zoals zovelen heb ik het werk van de man in Lissabon bewonderd.'

Ik met een hoofdletter, dacht David.

'Dank u. Ik zou graag weten waarom ik dat niet langer ben.'

'Daar kan ik geen antwoord op geven. Ballantyne ook niet, denk ik.'

'Misschien vonden ze, dat u een beetje rust verdiend had,' opperde Ballantyne. 'Lieve hemel, u hebt daar nou – hoe lang is het al? – drie jaar zonder onderbreking gezeten.'

'Bijna vier,' antwoordde David. 'En "onderbrekingen" waren er genoeg. Palm Beach haalt het niet bij de Costa Brava. Er is mij gezegd dat u – ik neem aan dat u het bent – mijn orders hebt... Ik wil niet ongeduldig lijken, maar een venijnige snotneus met de rang van majoor bestuurt het toestel. Híj is ongeduldig.'

'Zeg hem maar dat hij kan opvliegen,' lachte de man die Hollander heette. 'We hebben inderdaad uw orders en we hebben ook een verrassing voor u: u bent luitenant-kolonel. Laat de majoor maar in de houding springen.'

'Ik heb dus een rang overgeslagen.'

'Niet helemaal. U werd verleden jaar tot majoor bevorderd. Klaarblijkelijk had u in Lissabon niet veel behoefte aan een rang.'

'Of aan militaire contacten,' kwam Ballantyne tussenbeide.

'Geen van beide,' zei David. 'Ik werd althans niet ingelicht. In mijn verbeelding zag ik me al wachtlopen om latrines heen.'

'Weinig kans op.' Hollander ging in een van de vier tuinstoelen zitten en gebaarde David hetzelfde te doen. Het was zijn manier om aan te geven, dat hun gesprek minder kort zou duren dan David gedacht had. 'Als het nu de tijd zou zijn voor parades en onthullingen, zou u gehuldigd worden voor het front.'

'Dank u,' zei David en nam plaats. 'Dat is een hele zorg minder. Wat betekent dit dan allemaal?'

'Nogmaals: wij beschikken niet over antwoorden, alleen over instructies ex cathedra. Wij moeten u verschillende vragen stellen – en het antwoord op maar één ervan zou ons kunnen verbieden u uw orders te geven. Laten we dat eerst maar afdoen. U zult ongetwijfeld willen weten waar u heengaat.' Hollander toonde weer zijn oprechte lachje.

'Graag. Gaat u door.'

'Hebt u sinds uw ontheffing van uw taak in Lissabon contact gehad – al dan niet opzettelijk – met iemand van buiten de ambassade? Daarmee bedoel ik zelfs het meest onschuldige af-

scheid, een betaalde rekening in 'n restaurant of een winkel...
Kwam u toevallig een kennis tegen op het vliegveld of op weg er
naartoe?'

'Nee. En ik liet mijn bagage in diplomatieke kartons verzenden;
geen koffers, geen reisbagage.'

'U werkt grondig.'

'Daar heb ik reden toe. Natuurlijk had ik afspraken lopen voor
de week na mijn terugkeer uit het noorden...'

'Waarvandaan?' vroeg Hollander.

'Baskenland en Navarra. Contactpunten beneden de grens. Ik
bezocht vlak na mijn terugkeer altijd recepties, dan bleef de
continuïteit erin. Altijd maar een paar, genoeg om opgemerkt te
worden. Een deel van mijn camouflage. Deze week had ik er
twee: een lunch en een cocktail.'

'Wat gebeurt daarmee?' Ballantyne ging naast David zitten.

'Ik zei Marshall – dat is de cryptograaf die mijn orders opnam –
om ze allebei te bellen vlak voor mijn verwachte moment van
aankomst en te zeggen dat ik opgehouden ben. Meer niet.'

'Niet dat u níet zou komen?' Hollander leek gefascineerd.

'Nee. Alleen maar opgehouden. Dat paste goed bij de camouflage.'

'Ik geloof u op uw woord,' lachte Hollander. 'Uw antwoord was
bevestigend – en hoe! Lijkt New York u iets?'

'Zoals altijd: voor een klein poosje is het leuk.'

'Ik weet niet voor hoe lang, maar dat is uw standplaats. En zonder uniform, overste.'

'Ik heb in New York gewoond. Ik ken er veel mensen.'

'Uw nieuwe camouflage is de eenvoud zelve. U bent eervol ont-
slagen na een diensttijd in Italië. Om medische redenen, lichte
verwondingen.' Hollander haalde een envelop uit de binnenzak
van zijn colbert en gaf die aan David. 'Hier zit alles in. Doodeenvoudig; papieren... alles.'

'Prima,' zei David terwijl hij de envelop aannam. 'Ik ben een
afgezwaaide in New York. Tot zover uitstekend. U kon het zeker niet helemaal echt maken?'

'De papieren zijn eenvoudig. Ik zei niet: authentiek. Het spijt
me.'

'Mij ook. En wat gebeurt er daarna?'

'Iemand wil u erg graag hebben. U hebt een uitstekende baan
met een goed salaris. Bij de Meridian Vliegtuigfabrieken.'

'Meridian?'

'De ontwerpafdeling.'

'Ik dacht dat Meridian in het Midden-Westen zat, in Illinois of Michigan.'

'Er is een kantoor in New York. Of dat komt er nu.'

'Vliegtuigontwerpen, neem ik aan.'

'Dat zal wel.'

'Is het contraspionage?'

'Dat weten we niet,' antwoordde Ballantyne. 'We kregen niet meer details dan de namen van de twee mannen bij wie u zich moet melden.'

'Staan die in de brief?'

'Nee,' zei Hollander. 'U krijgt ze mondeling en vertrouwelijk. Niets zwart op wit voor u ter plaatse bent.'

'Jandorie, echt iets voor Ed Pace. Hij is gek op dit soort onzin.'

'Sorry, beste man. Het komt van hoger dan Pace.'

'Wat...? Ik dacht niet dat er iets hogers bestond, behalve misschien de Heilige Communie... Maar hoe rapporteert ú dan? En aan wie?'

'Per prioriteitskoerier rechtstreeks naar een adres in Washington. Geen ministerie, maar doorzending en prioriteit met fiat van de Velddivisie Fairfax.'

Spaulding floot zacht, bijna onhoorbaar. 'Hoe luiden die twee namen?'

'De eerste is Lyons, Eugene Lyons. Hij is een vliegtuigdeskundige. We moesten zeggen dat hij een beetje vreemd is, maar onvoorstelbaar geniaal.'

'Anders gezegd: laat de man stikken, maar aanvaard het genie.'

'Iets in die geest. Het zal u wel niet vreemd zijn,' zei Ballantyne.

'Nee,' antwoordde Spaulding. 'En de ander?'

'Een zekere Kendall.' Hollander sloeg zijn benen over elkaar. 'Niets over hem; hij is alleen maar een naam: Walter Kendall. Ik heb geen idee wat hij doet.'

David trok in zijn klapstoeltje de riem over zijn borst. De motoren van de B-17 draaiden op volle toeren en lieten de hele romp trillen. Hij keek rond zoals hij nog nooit eerder in een vliegtuig rondgekeken had en probeerde de spanten en platen te herleiden tot een soort denkbeeldige tekening. Als Hollanders omschrijving van zijn opdracht juist was – en waarom zou dat niet –

zou hij over een paar dagen vliegtuigtekeningen zitten te bestuderen.

Wat hij vreemd vond, waren de voorzorgsmaatregelen. Die waren in een woord onverklaarbaar en gingen ver boven zelfs abnormale veiligheidsmaatregelen uit. Hij had zich doodgewoon in Washington kunnen melden, een nieuwe opdracht krijgen en diepgaand geïnstrueerd worden. In plaats daarvan zou hij schijnbaar niet geïnstrueerd worden.

Waarom niet?

Moest hij willekeurige orders accepteren van twee mannen die hij nog nooit ontmoet had? Zonder de sanctie van bevestiging – of zelfs deelneming – van enige militaire gezaghebber? Wat voerde Ed Pace in vredesnaam uit?

Sorry... Het komt van hoger dan Pace.

Zo had Hollander het gezegd.

... met fiat van de Velddivisie Fairfax.

Alweer Hollander.

Het Witte Huis daargelaten was Fairfax zowat de hoogste instantie, bedacht David. Maar Fairfax was en bleef militair. En hij kreeg geen instructies van Fairfax, maar gewoon het 'fiat'.

Hollanders overige 'vragen' waren eigenlijk geen vragen geweest. Ze waren vragend ingeleid met woorden als: 'hebt u' en 'kunt u'. Maar het waren geen vragen, alleen maar verdere instructies.

'Hebt u vrienden bij een van de vliegtuigfabrieken? Op directieniveau?'

Hij wist het niet, absoluut niet. Hij was al zo verdraaid lang in het buitenland, dat hij niet wist of hij nog vrienden had. Punt uit.

Desondanks, had Hollander gezegd, moest hij al dergelijke 'vrienden' ontlopen – als ze al mochten bestaan. Hun namen doorgeven aan Walter Kendall, àls hij ze tegen het lijf liep.

'Kent u vrouwen in New York die in het openbare leven bekend zijn?'

Wat was dàt nou voor een vraag? Het idiootste dat hij ooit gehoord had! Wat bedoelde Hollander voor de drommel?

De kalende, gebrilde Az-Am agent had het kort toegelicht. In Davids dossier stond, dat hij indertijd bijverdiensten als hoorspelacteur had gehad. Dat betekende dat hij actrices kende.

En acteurs, vulde David aan. En wat dan nog?

Contacten met bekende actrices konden foto's in de kranten

opleveren, vervolgde Hollander. Of gissingen in roddelrubrieken, met vermelding van zijn naam. Ook dat moest vermeden worden.

David bedacht, dat hij verschillende meisjes kende – of gekend had – die na zijn vertrek carrière bij de film gemaakt hadden. Hij had zelfs een kortstondige affaire gehad met een actrice die nu een grote ster was bij Warner Bros. Schoorvoetend was hij het met Hollander eens; de agent had gelijk. Zulke contacten zouden vermeden moeten worden.

'Kunt u snel gegevens opnemen en in uw geheugen vastleggen die geen verband houden met industriële ontwerpen?'

Als hij over een sleutel van daarop betrekking hebbende tekens en factoren beschikte, luidde het antwoord waarschijnlijk bevestigend. Dan diende hij zich voor te bereiden – op welke manier dan ook – op vliegtuigontwerpen.

Dat, vond Spaulding, was vanzelfsprekend.

En dat, had Hollander gezegd, was alles wat hij zeggen kon.

De b-17 taxiede naar het westelijke einde van de startbaan van Lajes en draaide voor de opstijging. De onhebbelijke majoor had de brutaliteit gehad om bij het vrachtluik op zijn polshorloge te staan kijken toen Spaulding terugkwam. David was uit de jeep gestapt, had Ballantyne de hand geschud en had drie vingers tegen de majoor opgestoken.

'De arbiter raakte de tel kwijt in de derde set,' zei hij tegen de piloot. 'U weet hoe het gaat met die lui in streepjesbroeken.'

Het had de majoor niet geamuseerd.

Het vliegtuig meerderde vaart en de grond van de landingsbaan hamerde met toenemende kracht op het landingsgestel. Over een paar seconden zou de kist los zijn van de grond. David bukte zich om een Azoreaanse krant op te rapen die Hollander hem had meegegeven en die hij op de grond gelegd had toen hij zich vastsnoerde.

Plotseling gebeurde het. Een zo krachtige explosie, dat het klapstoeltje losschoot van zijn klemmen en tegen de rechterwand van het toestel gesmeten werd, de voorovergebogen David meesleurend.

En hoewel hij het nooit zou weten, zou hij zich nog vaak afvragen of die Azoreaanse krant zijn leven gered had.

Overal hing rook; het vliegtuig helde naar een kant over en sloeg zijwaarts om. Het geluid van verbuigend metaal vulde de cabine met een ononderbroken, aanhoudende gil; stalen ribben zwiepten omlaag van de bovenkant en zijwanden van de romp en scheurden, verbogen, los van hun bouten.

Een tweede explosie blies de bestuurderscabine weg; stralen bloed en brokjes vlees spetterden tegen de versplinterende, rondtollende wanden. Een stuk van een menselijke schedel met sporen van verschroeide haren onder de heldere, kleverige rode vloeistof boorde zich in Spauldings bovenarm. Door de rook heen zag David het heldere zonlicht door het voorstuk van het kantelende vliegtuig binnenstromen.

Het vliegtuig was doormidden gebroken!

Op slag wist David, dat hij maar één kans had om in leven te blijven. Voor de lange transatlantische vlucht waren de brandstoftanks boordevol getankt; over een paar seconden zouden ze ontploffen. Hij tastte naar de gesp bij zijn middel en rukte er uit alle macht aan. Hij zat muurvast; door de gierende val had de riem zich geplooid en de stof had zich opgepropt in de gesp. Hij rukte en draaide, de klem schoot los en hij was vrij.

Het vliegtuig – of wat ervan over was – begon een reeks donderende stuiptrekkingen, die de laatste poging betekenden om tot stilstand te komen op het voorbijschietende, oneffen terrein achter de landingsbaan. David kwakte achteruit en kroop zo snel hij kon naar de staart. Een keer was hij gedwongen stil te houden en met zijn gezicht in zijn armen op de vloer te duiken toen een afgescheurd brok metaal zijn rechter schouderblad binnendrong.

Het vrachtluik was opengeschoten; de luchtmachtsergeant hing half uit de stalen romp, dood, met een van zijn keel tot onder aan het borstbeen opengescheurde borstkas.

David schatte de afstand naar de grond zo goed als hij in zijn panische angst kon en wierp zich uit het toestel, waarbij hij zijn lichaam kronkelde om de val te breken en weg te kunnen rollen van het voortschietende staartstuk.

De aarde was hard en stenig, maar hij was vríj. Hij bleef om en om rollen en klauwde met zijn bebloede handen in de droge, harde grond tot de voorraad lucht in zijn longen uitgeput was. Hij lag op de grond en hoorde heel in de verte de gillende sirenes.

En toen de explosie die de lucht vervulde en de aarde deed schudden.

Radioberichten met de hoogste prioriteit flitsten heen en weer tussen de verkeerstoren van het vliegveld Lajes en Velddivisie Fairfax.

David Spaulding moest met het eerstvolgende toestel van Terceira naar Newfoundland overgevlogen worden, dat binnen een uur zou vertrekken. Op Newfoundland zou een jachtvliegtuig hem op de luchtmachtbasis opwachten en hem rechtstreeks overvliegen naar het Newyorkse vliegveld Mitchell. Gezien het feit, dat overste Spaulding geen ernstig lichamelijk letsel had opgelopen, bleven de aan hem verstrekte orders ongewijzigd.

De oorzaak van het ontploffen van de B-17 en de daardoor gevallen slachtoffers was ongetwijfeld sabotage. Door een in Lissabon of tijdens het tanken op Lajes geplaatste tijdbom. Onmiddellijk werd een diepgaand onderzoek ingesteld.

Hollander en Ballantyne waren bij David toen hij door de Britse legerarts onderzocht en behandeld werd. Met verband over de sneden in zijn rechterschouder en zijn handen en na reiniging van de wonden in zijn onderarm kwalificeerde David zichzelf als geschrokken, maar in staat om dienst te doen. De dokter vertrok na toediening van een intraveneuze injectie, die David de nodige rust zou geven op de resterende trajecten van zijn tocht naar New York.

'Ik weet zeker dat u wel een weekje verlof zult kunnen nemen,' zei Hollander. 'Goeie God, u bent goed af dat u nog in ons midden bent!'

'In léven bent, moeten we zeggen,' voegde Ballantyne eraan toe.

'Ben ik een doelwit?' vroeg Spaulding. 'Hield het verband met mij?'

'Fairfax denkt van niet,' antwoordde de kalende Hollander. 'Zij houden het op toevallige sabotage.'

Spaulding keek de Az-Am agent aan. Het kwam David voor dat Hollander aarzelde, alsof hij iets achter hield.

'Een merkwaardig toeval, nietwaar? Ik was de enige passagier.'

'Als de vijand een groot vliegtuig en een piloot kan uitschakelen, zal hij dat als meegenomen beschouwen. En de veiligheidsmaatregelen in Lissabon zíjn belabberd.'

'Waar ik gezeten heb niet. Over het algemeen niet.'

'Hier op Terceira dan misschien... Ik herhaal alleen maar wat Fairfax denkt.'

Er werd geklopt op de deur van de behandelkamer en Ballantyne deed open. Een eerste luitenant sprong in de houding en richtte zich beleefd tot David.

'Tijd om u klaar te maken, meneer. We kunnen over twintig minuten in de lucht zijn. Kan ik u ergens mee helpen?'

'Ik heb totaal niets, luitenant. Al wat ik had zit bij die troep verbrande rommel buiten.'

'Och natuurlijk. Het spijt me.'

'Onnodig. Beter dat dan ik... Ik ben zo bij u.' David keerde zich om naar Ballantyne en Hollander en schudde ze de hand.

Toen hij Hollander voor de laatste keer gedag zei, zag hij het in de ogen van de agent.

Hollander híeld iets achter.

De Britse marinecommandant opende de gazen deur van de uitkijktoren en stapte binnen. Paul Hollander stond op uit de tuinstoel.

'Hebt u het bij u?' vroeg hij de officier.

'Ja.' De commandant zette zijn diplomatentas op het smeedijzeren tafeltje en klapte de sloten open. Hij haalde er een envelop uit en gaf die aan de Amerikaan. 'Het fotolab deed goed werk. Goed belicht, voor- en achteraanzicht. Haast even goed als het originele exemplaar.'

Hollander draaide het touwtje om de klep van de envelop los en haalde er een foto uit. Het was een vergroting van een klein medaljon, een zespuntige ster.

Het was de Davidsster.

Midden op de voorkant stond een boekrol met een Hebreeuwse tekst. De achterkant vertoonde het basreliëf van een mes met een bliksemstraal door het lemmet.

'De Hebreeuwse letters zijn de naam van de profeet Haggai; hij is het symbool van een organisatie van joodse fanatiekelingen die vanuit Palestina werken. Ze noemen zich de Hagana. Hun taak, beweren ze, is wraakneming – voor tweeduizend jaar onrecht. We verwachten in de komende jaren heel wat last met ze; dat hebben ze helaas maar al te duidelijk gemaakt.'

'U zegt dat het aan de onderste hoofdstut van de achtercabine geklonken was.'

'Zodanig, dat het alleen door een directe explosie beschadigd kon worden. Uw vliegtuig werd door de Hagana opgeblazen.'

Naar de foto starend ging Hollander zitten. Hij keek op naar de

Britse commandant. 'Waarom? Wáárom in vredesnaam?'
'Daar weet ik geen antwoord op.'
'Fairfax ook niet. Ik geloof dat ze het niet eens willen erkennen.
Ze willen dat het begraven wordt.'

14

27 december 1943
Washington D.C.

Toen de zachte, kalmerende stem van de VHK-luitenante, die zijn secretaresse was, de woorden in zijn intercom sprak, wist Swanson dat het geen gewone mededeling was.
'Fairfax op de eerste lijn, generaal. Kolonel Pace. Hij zegt dat ik u moet storen.'

Sinds de aflevering van David Spauldings dossier had de commandant van Fairfax vrijwel niet meer persoonlijk gebeld. Hij had niet over zijn terughoudendheid gesproken, maar gaf mededelingen gewoon via ondergeschikten door. En aangezien die allemaal betrekking hadden op de maatregelen om Spaulding uit Portugal te laten komen, was het standpunt van Pace duidelijk: hij wilde wel bespoedigen, maar zijn medewerking niet persoonlijk bevestigen.

Edmund Pace was nog steeds niet tevreden met de duistere verklaring van 'topprioriteit' over zijn man in Lissabon. Hij zou eens gegeven orders uitvoeren.

'Generaal, er kwam een dringend radiobericht binnen van het vliegveld Lajes op Terceira,' zei Pace gejaagd.

'Wat heeft dat te betekenen? Wáárvandaan?'

'Van de Azoren. Het B-17 transportvliegtuig met Spaulding aan boord was gesaboteerd. Opgeblazen bij de start.'

'Tjeezis!'

'Mag ik u vragen hierheen te komen?'

'Is Spaulding dood?'

'De eerste berichten melden van niet, maar ik durf niets te garanderen. Alles is verward. Ik wilde wachten tot ik nadere bevestigingen had, maar dat kan ik niet meer. Een onverwachte ontwikkeling. Komt u alstublieft, generaal.'

'Ik ben al weg. Zorg voor inlichtingen over Spaulding.'

Swanson pakte de papieren van zijn bureau – de inlichtingen van Kendall – die gebundeld, in een blikken trommel gedaan en opgeborgen moesten worden in een opbergkast met een dubbel combinatieslot en een sleutel.

Als er ooit reden was voor absolute veiligheid, symboliseerden die papieren het wel.

Hij draaide de beide combinatieknoppen rond, draaide de sleutel om en dacht toen een ogenblik na of hij de procedure zou omkeren en de papieren zou meenemen... Nee, dat was onvoorzichtig. Ze lagen in de kast veiliger. Een aan de vloer vastgeklonken opbergkast was veiliger dan de binnenzak van een man die over straat liep en in auto's reed. Een opbergkast kon niet verongelukken en was niet onderhevig aan de zwakten van een vermoeide, 53-jarige brigadegeneraal.

Hij beantwoordde het saluut van de schildwacht bij de ingang en liep snel de trappen af naar de hoek. Zijn chauffeur wachtte al, gewaarschuwd door de VHK-secretaresse, wier efficiency haar onophoudelijke pogingen om meer voor hem te zijn dan een efficiënte secretaresse overtrof. Hij wist dat hij haar op een dag dat de druk al te groot werd, binnen zou roepen, de deur op slot zou doen en haar een punt zou zetten op de bruinleren bank.

Waarom dacht hij aan zijn secretaresse? Hij gaf geen cent om de VHK-luitenante, die de toegang tot zijn kantoor zo cerberusachtig beschermde.

Hij leunde achterover en zette zijn pet af. Hij wist waarom hij aan zijn secretaresse dacht: het was een tijdelijke ontspanning. Het verdrong zijn gedachten over de complicaties die al dan niet losgebarsten waren op een startbaan op de Azoren.

Verdomme! Het was niets voor hem, te moeten denken aan een wederopbouw van wat hij in elkaar gezet had. Terugkeren, reconstrueren, naar de juiste man zoeken, was onmogelijk. Het viel hem al moeilijk genoeg om de details door te nemen zoals ze nu bekend waren. De door de rioolrat verstrekte details.

Kendall.

Een enigma. Een afstotende legpuzzel die zelfs G-2 niet in elkaar had kunnen passen. Swanson had een routineonderzoek naar hem laten instellen op grond van het feit dat hij bekend was met de vliegtuigcontracten van Meridian; de jongens van de inlichtingendienst en Hoovers onmededeelzame maniakken hadden vrijwel uitsluitend namen en data kunnen verschaffen. Ze hadden opdracht gekregen geen personeel van Meridian te ondervragen of iemand die iets te maken had met ATCO of Packard, en deze opdracht had kennelijk hun taak vrijwel onuitvoerbaar gemaakt.

Kendall was zesenveertig, zwaar astmatisch en registeraccountant. Hij was ongehuwd, had weinig of geen vrienden en woonde twee straten van zijn kantoor, waarvan hij enig eigenaar was, in het hartje van Manhattan.

De persoonsbeoordelingen waren vrijwel eensluidend: Kendall was een onprettige, asociale individualist, die toevallig een briljant statisticus was.

Het dossier zou een triest verhaal hebben kunnen bevatten – over ouderlijke verwaarlozing, gebrek aan voorrechten en wat dies meer zij – maar het bevatte dat niet. Er was geen enkele aanwijzing voor armoede, geen melding van tekortkoming of ontbering die ook maar iets vergelijkbaar waren met het lot van miljoenen tijdens de crisisjaren.

Geen enkele dieper gaande melding overigens.

Een enigma, een raadsel.

Maar er was niets raadselachtigs aan Walter Kendalls 'details' voor Buenos Aires. Die waren zo helder als glas. Kendalls aanleg voor manipulaties was geprikkeld; deze uitdaging stimuleerde zijn al ontvonkte chicaneerinstincten. Het was alsof hij op het punt stond zijn laatste en grootste slag te slaan – inderdaad, dacht Swanson, was dat het geval.

De operatie was in drie afzonderlijke onderdelen gesplitst: de aankomst en inspectie van de zending diamant; de gelijktijdige analyse van de gyroscooptekeningen als die ook waren aangekomen en de overlading op de duikboot. De kisten boort en carbonado van de Koening mijnen zouden in het geheim worden bewaakt in een entrepot in het Darsena Norte-district van de Puerto Nuevo. De in het entrepot werkzame Duitsers zouden alleen aan Erich Rhinemann verslag uitbrengen.

De luchtvaartdeskundige Eugene Lyons zou ondergebracht worden in een bewaakt appartement in de wijk San Telmo, een stadsdeel dat enigszins vergelijkbaar was met Gramercy Park in New York – voornaam, besloten en ideaal voor surveillance. Met elke deellevering van tekeningen zou hij verslag uitbrengen aan Spaulding.

Spaulding zou vooruitreizen naar Buenos Aires en aan de ambassade verbonden worden onder een of ander voorwendsel dat Swanson aannemelijk mocht lijken. Zijn taak – althans Spauldings notie ervan – zou bestaan in het coördineren van de aankoop van de gyroscoopontwerpen en na gebleken authenticiteit machtiging geven tot betaling. Die machtiging zou plaatsvinden in de vorm van een naar Washington geseinde code, die zogenaamd een overmaking van gelden naar Rhinemann in Zwitserland regelde.

Spaulding zou daarna op een gezamenlijk overeengekomen vliegveld klaar staan voor vertrek uit Argentinië. Vergunning tot opstijging zou verleend worden zodra Rhinemann bericht ontving dat de 'betaling' binnen was.

In werkelijkheid zou het door Spaulding verzonden codebericht een teken zijn voor de Duitse duikboot om op een tevoren bepaalde plek in zee op te duiken voor een ontmoeting met een klein scheepje met de zending diamanten aan boord. Zee- en luchtpatrouilles zouden uit het gebied weggehouden worden en als er – wat onwaarschijnlijk was – nadere inlichtingen gevraagd zouden worden over die order, zou gebruik gemaakt worden van het verhaaltje van de overlopers naar de ondergrondse.

Nadat de overdracht op zee had plaatsgehad, zou de duikboot radiografische bevestiging sturen – Rhinemanns 'betaling'. De onderzeeër zou onderduiken voor de terugreis naar Duitsland. Daarna zou Spaulding kunnen vertrekken naar de Verenigde Staten.

Dit waren de beste beveiligingen die beide partijen konden verwachten. Kendall was ervan overtuigd, dat hij Erich Rhinemann voor deze procedure kon winnen. Hij en Rhinemann bezaten een zekere objectiviteit die de anderen misten.

Swanson betwistte de overeenkomst niet; het was een reden te meer voor Kendalls dood.

De accountant zou over een week naar Buenos Aires vliegen en definitieve regelingen met de Duitse balling treffen. Rhinemann zou te horen krijgen, dat Spaulding een ervaren koerier was, een bewaker van de excentrieke Eugene Lyons – een functie die ook Kendall wenselijk achtte. Maar iets anders was Spaulding niet. Hij had geen deel aan de diamanttransactie en wist niets van de duikboot. Hij zou de codes verzorgen die voor de overdracht nodig waren, maar er zelf nooit van weten. Op geen enkele manier zou hij er iets over vernemen.

Luchtdicht, gepantserd; aanvaardbaar.

Swanson had Kendalls 'details' steeds weer herlezen en kon er geen hiaat in ontdekken. De fretachtige accountant had een enorm gecompliceerde transactie gereduceerd tot een reeks simpele procedures en afzonderlijke stappen. In zekere zin had Kendall een spel van weergaloze misleiding bedacht. Voor elke stap bestond een controlepunt, voor elke zet een tegenzet. En Swanson zou er de laatste misleiding aan toevoegen: David Spaulding zou Erich Rhinemann doden.

Herkomst van de opdracht: instructies van de Centrale Geallieerde Inlichtingendienst. Uit hoofde van Rhinemanns inschakeling was hij te gevaarlijk voor de Duitse ondergrondse. De gewezen man in Lissabon was vrij in de keuze van zijn methode. Hij kon de moordenaars huren of zelf het vonnis voltrekken, al naar gelang de omstandigheden. Als het maar voltrokken werd.

Spaulding zou het begrijpen. De schaduwwereld van spionnen en dubbelspionnen was al verscheidene jaren zijn wereld geweest. Als zijn dossier geloofd mocht worden, zou David Spaulding de order aanvaarden voor wat die was: een logische, professionele oplossing. Als Spaulding nog leefde.

Verdomme, wat was er gebeurd? Waar was het gebeurd? Lapes of Lajes, een of ander godvergeten vliegveld op de Azoren. Sabotage. Opgeblazen bij de opstijging.

Wat betékende het verdomme?

De chauffeur boog van de hoofdweg af de binnenweg in. Ze waren nog een kwartier van het terrein van Fairfax verwijderd en Swanson merkte dat hij zijn onderlip tussen zijn tanden gezogen had. Hij had zelfs in het zachte weefsel gebeten, want hij proefde een druppeltje bloed.

'We hebben nadere inlichtingen,' zei kolonel Edmund Pace, die voor een ingelijste fotografische kaart stond. Het was een kaart van het eiland Terceira in de Azoren. 'Spaulding is gezond en wel. Wel in de war natuurlijk. Een paar sneden en builen, maar niets gebroken. Ik verzeker u dat het een wonder mag heten. De beide piloten en een bemanningslid zijn dood. De enige overlevenden zijn Spaulding en een boordschutter die het waarschijnlijk niet halen zal.'

'Is hij vervoerbaar? Spaulding?'

'Ja. Hollander en Ballantyne zijn bij hem. Ik nam aan dat u hem weg wilde hebben...'

'Jezus ja,' onderbrak Swanson.

'Ik gaf hem op voor een vliegtuig naar Newfoundland. Tenzij u anders beveelt, pikt een patrouillevliegtuig hem daar op en vliegt hem verder. Vliegveld Mitchell.'

'Wanneer kan hij aankomen?'

'Vanavond laat, als het weer meewerkt. Anders morgenochtend vroeg. Wil ik hem hierheen laten overvliegen?'

Swanson aarzelde. 'Nee... Laat hem op Mitchell grondig door een dokter onderzoeken. Maar houd hem in New York. Als hij een paar dagen rust nodig heeft, boek je een hotelkamer voor hem. Voor de rest blijft alles hetzelfde.'

'Wel...' Pace leek wat geërgerd over zijn meerdere. 'Iemand zal hem moeten opzoeken.'

'Waarom?'

'Zijn papieren. Al wat we klaargemaakt hadden, verdween met het vliegtuig. Dat is nu een hoopje as.'

'O ja, natuurlijk; daar dacht ik niet aan.' Swanson liep naar de stoel die voor de kale, eenvoudige schrijftafel van Pace stond en ging zitten.

De kolonel keek de generaal aan. Hij was kennelijk bezorgd over Swansons gebrek aan inzicht, zijn onvoldoende concentratie. 'We kunnen gemakkelijk nieuwe maken, dat is geen probleem.'

'Goed, doe dat. En laat iemand hem op Mitchell opwachten om ze hem te geven.'

'Best... Maar het is mogelijk, dat u op uw beslissing wilt terugkomen.' Pace liep naar zijn bureaustoel, maar bleef staan.

'Waarom? Waarvoor?'

'Waar het ook over gaat... De kist werd gesaboteerd, dat heb ik u verteld. Misschien herinnert u zich dat ik u vroeg hier te komen vanwege een onverwachte ontwikkeling.'

Swanson keek zijn ondergeschikte strak aan. 'Ik heb een zware week achter de rug. En ik heb jóu de zwaarte van dit project genoemd. Kom nou niet met die Fairfax spelletjes aan. Ik maak geen aanspraak op deskundigheid op jouw terrein. Ik vroeg alleen assistentie, ik beval die zo je wilt. Zeg alsjeblieft wat je bedoelt, maar zonder die hele inleiding.'

'Ik heb getracht u die assistentie te verlenen.' De toon van Pace was ijzig beleefd. 'Het is niet eenvoudig, generaal. En ik heb u twaalf uur tijd bezorgd om alternatieven te overwegen. Het vliegtuig werd opgeblazen door de Hagana.'

'De wàt?'

Pace vertelde van de joodse organisatie, die vanuit Palestina werkte en sloeg onderwijl Swanson oplettend gade.

'Dat is waanzinnig! Het slaat nergens op! Hoe weet je dat?'

'Het eerste wat een inspectieteam na sabotage doet, is de overblijfselen blussen en doorzoeken naar bewijsmateriaal dat door de hitte zou kunnen smelten of verbranden als er explosieven gebruikt worden. Het is een voorlopig en snel uitgevoerd onderzoek... Er bleek een Hagana-schildje aan het staartstuk geklonken te zijn. Ze eisten dus alle eer op.'

'Goeie genade! Wat heb je tegen die lui op de Azoren gezegd?'

'Ik won een dag voor u, generaal. Ik instrueerde Hollander, elk verband te bagatelliseren en voor Spaulding verborgen te houden. Om te zinspelen op een toevallige samenloop van omstandigheden als de kwestie uit de hand mocht lopen. De Hagana is onafhankelijk en fanatiek. De meeste zionistische organisaties willen er niets mee te maken hebben. Ze noemen het een troep wilden.'

'Hoe zou het uit de hand kunnen lopen?'

'U weet natuurlijk dat de Azoren onder Britse controle staan. Een oud verdrag met Portugal geeft ze het recht op militaire installaties.'

'Dat weet ik,' zei Swanson korzelig.

'De Britten vonden het schildje.'

'En wat zullen ze doen?'

'Erover nadenken. En uiteindelijk een rapport sturen aan de Centrale Geallieerden.'

'Maar jij weet het nú al.'

'Hollander is een bekwaam man. Hij bewijst gunsten en in ruil daarvoor worden hem gunsten bewezen.'

Swanson stond van zijn stoel op en liep er doelloos omheen. 'Wat denk je, Ed? Was het op Spaulding gemunt?' Hij keek de kolonel strak aan.

Aan de gelaatsuitdrukking van Pace merkte Swanson dat Pace zijn bezorgdheid begon te begrijpen. Niet zozeer over het project – dat was verboden terrein en daar legde hij zich bij neer – maar dat een mede-officier gedwongen was zich te begeven op een vlak waar hij asynchroon liep; op terrein dat hij niet had leren bedwingen. Op zulke momenten voelde een fatsoenlijk militair sympathie.

'Al wat ik u geven kan zijn vermoedens, heel vage, niet eens behoorlijke veronderstellingen... Het zou om Spaulding kunnen zijn. En zelfs als dat zo was, behoeft het niet noodzakelijkerwijs te betekenen, dat het verband houdt met úw project.'

'Wat dan?'

'Ik weet niet wat Spauldings activiteiten te velde geweest zijn. Niet precies. En de Hagana wemelt van de psychopaten – in alle soorten en maten. Ze zijn haast even rationeel als de eenheden van Julius Streicher. Misschien heeft Spaulding een Portugese of Spaanse jood moeten doden. Of er een moeten gebruiken in een "val". Meer heeft een Hagana-cel in een katholiek land niet nodig... Of het kan op een ander in het vliegtuig gemunt geweest zijn. Een officier of bemanningslid met een anti-zionistische bloedverwant, speciaal een jóódse anti-zionistische bloedverwant. Ik zou het moeten laten nagaan... Tenzij je ze door en door kent, krijg je geen hoogte van die jidden.'

Swanson zweeg een poosje. Toen hij het woord nam, erkende hij de opvatting van Pace. 'Dank je... Maar waarschijnlijk is het niet een van die redenen, hè? Ik bedoel Spaanse joden of een "val" of de oom van een of andere piloot... Het is om Spaulding.'

'Wéten doet u dat niet. Gissen kan, maar veronderstel niets.'

'Ik begrijp niet hóe.' Swanson ging weer zitten en dacht hardop. 'Alles bijeengenomen...' Zijn gedachten dreven af in stilzwijgen.

'Mag ik een suggestie opperen?' Pace nam plaats. Het was nu geen tijd om staande te praten tegen een ontdane meerdere.

'Heel graag,' zei Swanson met een blik van dankbaarheid op zijn onverzettelijke, zelfbewuste man van de inlichtingendienst.

'Ik ben niet op de hoogte van uw project en eerlijk gezegd wil ik dat niet zijn ook. Het is een zaak van het ministerie van oorlog en daar hoort het te blijven. Ik zei zojuist dat u alternatieven moest overwegen... misschien moet u dat. Maar alleen als u een direct verband ziet. Ik heb op u gelet en u zag het niet zitten.'

'Omdat er geen is.'

'U hebt niets te maken – en zelfs ìk zie niet in hoe, gezien wat ik weet van de peiling en Johannesburg – met de concentratiekampen? Auschwitz? Bergen-Belsen?'

'Zelfs niet in de verste verte.'

Pace leunde voorover, zijn ellebogen op de schrijftafel. 'Daar houdt de Hagana zich mee bezig. En met de "Spaanse joden" en "vallen". Neem nog geen nieuwe beslissingen, generaal. U zou ze overhaast nemen, zonder ondersteunende oorzaak.'

'Onderstéunend...' Swanson keek ongelovig. 'Er werd een vliegtuig opgeblazen! Er werden mannen gedood!'
'En iedereen kan een schildje op een staaf geklonken hebben. Het is best mogelijk dat u op de proef gesteld wordt.'
'Door wie?'
'Daar kan ik geen antwoord op geven. Waarschuw Spaulding: het zal hem merkwaardig voorkomen, want hij zat ìn dat vliegtuig. Maar laat mijn man op het vliegveld Mitchell hem mogen waarschuwen voor herhaling, zodat hij oppast... Hij heeft ginds gezeten, generaal. Hij zal op zichzelf weten te passen... En intussen zou ik u ook willen voorstellen, naar een vervanger uit te zien.'
'Een vervanger?'
'Voor Spaulding. Als er een herhaling komt, zou die succes kunnen hebben. Dan is hij afgevoerd.'
'Je bedoelt dat hij gedood zou worden.'
'Juist.'
'In wat voor wereld leven jullie eigenlijk?' vroeg Swanson zacht.
'In een gecompliceerde,' zei Pace.

15

29 december 1943
New York City

Spaulding keek naar het verkeer beneden hem vanuit het hotelraam dat uitzicht gaf over Fifth Avenue en Central Park. Het Montgomery was een van die kleine, elegante hotels, waar zijn ouders tijdens hun verblijven in New York gelogeerd hadden en opnieuw hier te zijn, gaf hem een prettig gevoel van nostalgie. De oude receptionist had verstolen een traan weggepinkt toen hij hem inschreef. Spaulding was vergeten – maar herinnerde het zich gelukkig al voor zijn handtekening droog was – dat de oude man jaren geleden met hem uit wandelen was gegaan in het park. Ruim een kwarteeuw geleden! Wandelingen in het park. Gouvernantes. In foyers wachtende chauffeurs, klaar om zijn ouders in een flits weg te brengen naar een trein, een concert of een repetitie. Muziekcritici. Directeuren van platenmaatschappijen. Eindeloze diners, waarop hij voor het naar bed gaan zijn 'opwachting' moest maken om op aandringen van zijn vader aan de een of andere gast te vertellen, wanneer Mozart zijn Veertigste gecomponeerd had; data en feiten die hij in zijn hoofd moest stampen en waar hij geen zier om gaf. Ruzies. Hysterische uitbarstingen om een ondermaatse dirigent of een slechte vertolking of een nog slechtere kritiek.
Boosheid.
En altijd de kalmerende, verzoenende figuur van Aaron Mandel, heel dikwijls vaderlijk tegen zijn bazige vader, terwijl zijn moeder zich terugtrok en klaarstond in een secundaire positie, die haar natuurlijke kracht logenstrafte.
En de rustige tijden. De zondagen – met uitzondering van concertzondagen – waarop zijn ouders zich plotseling zijn bestaan herinnerden en in één dag de aandacht probeerden goed te maken, die ze meenden te hebben overgelaten aan gouvernantes, chauffeurs en vriendelijke, beleefde hoteldirecties. Op die tijden, de rustige tijden, had hij de eerlijke, maar kunstmatige bemoeiingen van zijn vader aangevoeld en had hij hem willen vertellen dat alles goed was, dat hij zich niet te kort gedaan voelde.

Ze hoefden geen herfstdagen door te brengen met bezoeken aan dierentuinen en musea; de dierentuinen en musea in Europa waren trouwens toch veel mooier. Het was niet nodig dat ze hem 's zomers meenamen naar Coney Island of de stranden van New Jersey. Wat stelden die voor in vergelijking met het Lido of Costa del Santiago? Maar steeds als ze in Amerika waren, ontstond die ouderlijke drang om te passen in een kader met het etiket 'Een Amerikaanse Vader en Moeder'.

Triest, grappig, inconsequent en onmogelijk eigenlijk.

Om de een of andere verborgen reden was hij in later jaren nooit naar dit kleine, elegante hotel teruggegaan. Het was natuurlijk nauwelijks nodig geweest, maar hij had het kunnen proberen; de directie was zeer gesteld op de familie Spaulding. Nu leek het op de een of andere manier juist. Na de jaren van afwezigheid had hij behoefte aan een veilige basis in een vreemd land, althans veilig in zijn herinnering.

Spaulding liep van het raam naar het bed, waarop de piccolo zijn nieuwe koffer had gezet met de nieuwe burgerkleren die hij bij Rogers Peet gekocht had. Alles, ook de koffer. Pace was zo attent geweest om geld mee te geven aan de majoor, die hem duplicaten gebracht had van de op Terceira verloren gegane papieren. Voor het geld moest hij tekenen, niet voor de papieren; dat had hem geamuseerd.

De majoor die hem op het vliegveld Mitchell – op de landingsbaan – opgewacht had, had hem naar het ziekenzaaltje van de basis gebracht, waar een verveelde legerarts hem fit, maar 'op' verklaarde, professioneel de hechtingen afgekraakt had die de Britse dokter op de Azoren had aangebracht, zonder echter aanleiding te zien ze te vernieuwen en die David verder had aangeraden om de vier uur twee APC-tabletten in te nemen en rust te houden.

Opgepast, patiënt.

De majoor-koerier had het Fairfax-toontje aangeslagen en hem verteld, dat Velddivisie nog bezig was met de analyse van de sabotage op Lajes; die kon tegen hem gericht zijn wegens wandaden in Lissabon. Hij moest voorzichtig zijn en eventuele ongewone voorvallen onmiddellijk melden aan kolonel Pace in Fairfax. Verder diende Spaulding de naam te onthouden van brigade-generaal Alan Swanson van het ministerie van oorlog. Swanson was zijn opdrachtgever die over een dag of wat, hoogstens tien, contact met hem zou opnemen.

Waarom moest hij dan Pace bellen over eventuele 'voorvallen'? Waarom niet rechtstreeks contact opnemen met die Swanson? Die was immers de opdrachtgever?

Instructies van Pace, antwoordde de majoor – tot de generaal de leiding overnam; dat was het eenvoudigste.

Of nog meer verzwijgingen, dacht David, die zich de onbestemde blik herinnerde van Paul Hollander, de Az-Am agent op Terceira. Er was het een of ander aan de hand. De wisseling van opdrachtgever vond op een heel ongewone manier plaats. Van het ongetekende codebericht met topprioriteit af, dat in Lissabon was aangekomen, tot het buitengewone bevel: 'uit de strategie' toe. Vanaf de overhandiging van papieren midden op de oceaan door Az-Am agenten die gezegd hadden hem eerst te moeten ondervragen, tot de merkwaardige order toe dat hij zich zonder voorafgaande opheldering bij twee burgers in New York moest melden.

Het leek wel een langzame wals. Het was òf uiterst professioneel òf afschuwelijk amateuristisch; naar hij vermoedde een combinatie van beide. Het zou interessant zijn die generaal Swanson te leren kennen. Hij had nooit van hem gehoord.

Hij ging op het hotelbed liggen. Hij zou een uurtje gaan rusten, daarna douchen, scheren en voor het eerst in ruim drie jaar New York bij avond gaan bekijken. Zien welke uitwerking de oorlog gehad had op een avond in Manhattan; overdag was er weinig of niets van te merken aan wat hij gezien had – en dat waren alleen de affiches. Het zou niet gek zijn om vanavond een vrouw te hebben. Maar als het gebeurde moest het prettig zijn, zonder tegenstribbelen of gehaastheid. Een gelukkig toeval zou ideaal zijn; een prettig, echt prettig tussenspel. Anderzijds was hij niet van plan om het telefoonboek door te snuffelen om er een te creëren. Drie jaar en negen maanden waren verlopen sinds hij voor het laatst in New York City getelefoneerd had. In die tijd had hij geleerd om op zijn hoede te zijn voor veranderingen die zich binnen enkele dagen voltrokken, laat staan in drie jaar en negen maanden.

Met genoegen herinnerde hij zich hoe de nieuw aangekomenen op de ambassade in Lissabon het vaak hadden over de toeschietelijkheid van de vrouwen in het vaderland. Vooral in Washington en New York, waar de aantallen en het ontbreken van duurzame contacten kennismakingen voor één nacht in de hand werkten. Toen herinnerde hij zich, met een tikje geamuseerde berusting, dat diezelfde verslagen het meestal hadden over het onweerstaanbare magnetisme van een officiersuniform, vooral dat van kapitein of hoger.

Hij had in de afgelopen vier jaar precies drie keer een uniform gedragen: in het Mayflower Hotel met Ed Pace, op de dag van zijn aankomst in Portugal en op die van zijn vertrek uit Portugal. Nu had hij er niet eens een meer.

De telefoon ging en daar schrok hij van. Alleen Fairfax en, naar hij aannam, die generaal Swanson wisten waar hij was. Hij had het Montgomery opgebeld vanaf het vliegveld Mitchell en de kamer besproken; de majoor had hem gezegd drie dagen vrij te nemen. Hij had die rust nodig en niemand zou hem lastig vallen. En nu viel iemand hem lastig.

'Hallo?'

'*David!*' Het was een meisjesstem, diep en op de Plaza gecultiveerd. '*David Spaulding!*'

'Met wie spreek ik?' Even vroeg hij zich af, of zijn fantasieën van zoëven een trucje uithaalden met de werkelijkheid.

'*Leslie*, schat! Leslie *Jenner!* Goeie gunst, het moet bijna vijf jaar geleden zijn!'

Spauldings hersens werkten op volle toeren. Leslie Jenner behoorde tot zijn Newyorkse verleden, maar niet tot de radiowereld; ze was uit zijn studietijd. Afspraakjes onder de klok van het Biltmore; late feestjes in LaRue; de cotillons – waarvoor hij werd uitgenodigd, niet zozeer om zijn sociale status als wel om het feit, dat hij de zoon was van de concertzaal-Spauldings. Leslie betekende Miss Porter, Finch en de Junior League.

Alleen haar achternaam was veranderd. Ze was met 'n knul van Yale getrouwd. De naam herinnerde hij zich niet meer.

'Leslie, dat is... een allemachtige verrassing. Hoe wist je dat ik hier was?' Spaulding draaide er niet omheen.

'Hier in New York gebeurt niets waar ik niet van weet. Ik heb overal ogen en oren, schatje! Je reinste spionagenet.'

David Spaulding voelde het bloed wegstromen uit zijn gezicht; hij kon het grapje niet waarderen. 'Ik meen 't, Leslie... Omdat ik nog niemand gebeld heb. Zelfs Aaron niet. Hoe kwam je erachter?'

'Als je het per se weten moet: Cindy Bonner – vroeger Cindy

Tottle, maar ze is getrouwd met Paul Bonner – Cindy ging bij Rogers Peet een paar afgezaagde kerstcadeautjes ruilen en ze bezwoer bij hoog en bij laag, dat ze jou een kostuum zag passen. Nou, je kent Cindy! Die schrikt nergens voor terug...'

David kende Cindy niet. Hij herinnerde zich de naam niet eens, laat staan een gezicht. Terwijl hij daarover nadacht, ging Leslie voort:

'... en dus rende ze naar de dichtstbijzijnde telefoon en belde me op. Tenslotte waren we destijds groot nieuws!'

Als onder 'groot nieuws' een stel weekends in East Hampton tijdens de zomermaanden verstaan werd, waarbij hij met de dochter des huizes naar bed geweest was, dan moest David het ermee eens zijn. Maar hij was het níet eens met de definitie: het was een heel kortstondige en voorzichtige verhouding geweest en lang voor het society-huwelijk van het meisje.

'Laat je man dat maar niet horen...'

'Och God, arme sukkel. Ik heet Jenner, schatje, geen Hawkwood! Ik heb zelfs zijn naam niet gehouden. Ik zou wel gek geweest zijn.' Zo was het, dacht David. Ze was met een zekere Hawkwood getrouwd, Roger of Ralph of zoiets. Een rugbyspeler, of speelde hij tennis?

'Sorry, dat wist ik niet...'

'Richard en ik hebben er al ééuwen geleden een punt achter gezet. Het was een ramp. De smeerlap kon zijn handen nog niet van mijn beste vriendinnen afhouden. Hij zit nu in Londen, bij de luchtmacht, maar erg geheimzinnig, geloof ik. Ik denk dat de Engelse meisjes hun bekomst wel van hem zullen krijgen – die hebben hun buik vol van hem. Ik spreek uit ervaring.'

Het kriebelde even in Davids liezen. Leslie Jenner bood zich aan hem aan.

'Nou ja, het zijn bondgenoten,' zei Spaulding goedmoedig.

'Maar je hebt me nog niet verteld hoe je me hier gevonden hebt.'

'Dat kostte me precies vier telefoontjes, liefje. Ik probeerde de gebruikelijke hotels: het Commodore, het Biltmore en het Waldorf en toen bedacht ik dat je vader en moeder altijd in het Montgomery logeerden. Helemaal de Oude Wereld, schatje... Ik bedacht dat je dat wel eens gekozen kon hebben omdat een kamer reserveren tegenwoordig gewoon een wanhoop is.'

'Je zou een goeie detective zijn, Leslie.'

'Alleen wanneer het voorwerp van mijn naspeuringen de moeite

waard is, liefje... We hàdden het leuk samen.'
'Dat hadden we,' zei Spaulding, maar zijn gedachten waren bij
een heel ander onderwerp. 'En we mogen je dierbare herinne-
ringen niet verloren laten gaan. Samen dineren?'
'Als je het niet gevraagd had, was ik gaan gillen.'
'Zal ik je afhalen? Wat is je adres?'
Leslie aarzelde een fractie van een seconde. 'Laten we elkaar in
een restaurant treffen. Hier zouden we nooit wegkomen.'
Dat was inderdaad een uitnodiging.
David noemde een kleine gelegenheid in de 51ste Straat die hij
zich herinnerde. Grenzend aan het Park. 'Om half acht? Acht
uur?'
'Half acht is prima, maar niet dáár, schatje. Het ding is al jaren
dicht. Waarom gaan we niet naar de Gallery? Die is op de 46ste
Straat. Ik reserveer wel, ze kennen me.'
'Prima.'
'Arme sukkel, je bent zó lang weggeweest. Je weet niets meer. Ik
neem je wel op sleeptouw.'
'Heel graag. Tot half acht dan.'
'Was het maar vast zover. Ik zal niet huilen, dat beloof ik.'
Spaulding legde de hoorn op de haak; hij was verbijsterd – in
verschillende opzichten. Om te beginnen belde een meisje geen
vroegere minnaar na bijna vier jaar oorlog op zonder te vragen –
zeker in deze tijd – waar hij geweest was, hoe het met hem was
en op zijn minst naar de duur van zijn verblijf in de stad. Het was
onnatuurlijk; de nieuwsgierigheid ontbrak in deze tijden bar-
stensvol nieuwsgierigheid.
Er was nog iets erg verontrustends.
De laatste keer dat zijn ouders in het Montgomery gelogeerd
hadden, was in 1934 geweest. Nadien was hij er niet terugge-
weest. Hij had het meisje in 1936 leren kennen, in oktober 1936
in New Haven op de studentenfuif van Yale. Hij herinnerde het
zich nog duidelijk.
Leslie Jenner kon onmogelijk van het Montgomery Hotel weten. Niet in verband met zijn ouders.
Ze loog.

16

29 december 1943
New York City

De Gallery was precies zoals David zich had voorgesteld: een massa donkerrood fluweel, rijk besprenkeld met palmen in verschillende soorten en grootten, die de zachtgele lichtkransen weerkaatsten van de tientallen wandarmaturen, die hoog genoeg boven de tafeltjes gemonteerd waren om de menu's onleesbaar te maken. De clientèle was al even voorspelbaar: jong, rijk, bewust onverschillig; een mengeling van gefronste wenkbrauwen, onoprechte lachjes en blinkend witte tanden. De stemmen verhieven zich of werden gedempt, woorden vloeiden in elkaar over in gepolijste dictie.

Leslie Jenner was er al toen hij aankwam. Vlak voor de vestiaire wierp ze zich in zijn armen; ze hield hem zonder te spreken verscheidene minuten omklemd – of het leken Spaulding minuten; in elk geval veel te lang. Toen ze haar hoofd oprichtte, hadden de tranen beekjes gevormd op haar wangen. De tranen waren echt, maar er was iets – was het de gespannenheid van haar volle lippen, de ogen zelf? – iets kunstmatigs aan het meisje. Of lag het aan hem? Aan de jarenlange afwezigheid van plaatsen als de Gallery en meisjes als Leslie Jenner.

In alle andere opzichten was ze precies zoals hij zich haar herinnerde. Ouder misschien en beslist sensueler – het onmiskenbare stempel van ervaring. Haar donkerblonde haar was nu iets lichter bruin, haar grote bruine ogen accentueerden onopvallend haar aangeboren uitdagende verschijning, haar gezicht was iets gegroefd, maar nog als gebeeldhouwd en aristocratisch. En hij voelde haar lichaam tegen het zijne; de herinneringen werden erdoor verscherpt. Soepel, sterk en met volle borsten; een lichaam met de klemtoon op sex. Door en voor de sex geschapen.

'God, God, God! O David!' Ze drukte haar lippen tegen zijn oor.

Ze liepen naar hun tafeltje; ze hield zijn hand stevig vast, liet die alleen even los om een sigaret op te steken en pakte hem toen weer terug. Ze praatten snel. Hij was er niet zeker van dat ze luisterde, maar ze knikte onophoudelijk en kon haar ogen niet van hem afhouden. Hij herhaalde de hoofdpunten van zijn camouflageverhaal: Italië, lichte verwondingen; hij kreeg groot verlof om te gaan werken bij een basisindustrie waar hij zich nuttiger kon maken dan bij de gewapende macht. Hij wist niet zeker hoelang hij in New York zou blijven. (Op dat punt was hij eerlijk, bedacht hij. Hij had er geen idee van hoelang hij in de stad zou blijven; hij wou dat hij het wist.) Hij was blij haar weer te zien.

Het diner was een voorspel voor het bed. Ze wisten het allebei; geen van beiden probeerden ze de opwinding te verbergen van een hernieuwde beleving van de heerlijkste van alle belevenissen: jeugdig geslachtsverkeer dat stiekem genoten werd en ouderlijke verwijten te boven ging. Dat intenser genoten werd omdat het verboden en gevaarlijk was.

'Jouw appartement?' vroeg hij.

'Nee, liefje. Dat deel ik met mijn tante, een jongere zuster van mijn moeder. Het is tegenwoordig erg chic om een appartement te delen, erg vaderlandslievend.'

De kracht van het argument ontging David. 'Mijn kamer dan,' zei hij op vaste toon.

'David?' Leslie drukte zijn hand en pauzeerde even voor ze verderging. 'Die oude familieverzorgers die het Montgomery leiden, kennen heel veel mensen uit onze kring. De Allcotts bijvoorbeeld hebben er een suite, en de Dewhursts ook... Ik heb een sleutel van Peggy Websters huis in de Village. Herinner je je Peggy nog? Je was op hun bruiloft. Jack Webster? Jack ken je wel. Hij is bij de marine; ze is hem in San Diego gaan opzoeken. Laten we naar Peggy's huis gaan.'

Spaulding nam het meisje scherp op. Hij was haar vreemde gedrag aan de telefoon niet vergeten en haar leugen over het oude hotel en zijn ouders. Toch was het mogelijk, dat zijn verbeelding hem parten speelde – de jaren in Lissabon maakten iemand voorzichtig. Misschien waren er verklaringen voor, herinneringshiaten van zijn kant; maar op het moment was hij even nieuwsgierig als hij geprikkeld was.

Hij was erg nieuwsgierig. En erg geprikkeld.

'Bij Peggy thuis,' zei hij.

Als er nog een andere bedoeling was dan de seksuele, ontging die hem.

Toen ze hun jassen uitgetrokken hadden, ging Leslie in de keuken de cocktails klaarmaken, terwijl David kranten in de open haard propte en daarmee het aanmaakhout aanstak.

Vanuit de keukendeur keek Leslie toe hoe hij de houtblokken arrangeerde om een goed trekgat te krijgen. Ze had hun borrels in de hand en glimlachte. 'Overmorgen is het Oudejaarsavond. Laten wij erop vooruitlopen en dit de onze noemen. Onze Oudejaarsavond. De eerste van vele, hoop ik.'

'Van vele,' antwoordde hij, terwijl hij opstond en naar haar toeliep. Hij nam allebei de glazen, niet alleen het ene dat ze hem aanreikte. 'Ik zet ze daar wel neer.' Hij zette ze op het bijzettafeltje voor de tweezitsbank die bij de haard stond. Snel keerde hij zich om en keek naar haar ogen. Ze keek helemaal niet naar de glazen. Of naar de plaats waar hij ze had neergezet.

In plaats daarvan liep ze naar de haard en trok haar blouse uit. Ze liet hem op de vloer vallen en keerde zich om. Haar grote borsten werden geaccentueerd door een strakke, doorschijnende beha met fijne stikseltjes op de punt van de cup.

'Doe je overhemd uit, David.'

Hij deed het en kwam naar haar toe. Ze huiverde even van zijn verbonden wonden en bevoelde ze voorzichtig met haar vingers. Ze drukte zich tegen hem aan, haar buik tegen zijn dijen en bewoog zich geroutineerd heen en weer. Hij reikte naar haar rug en maakte de gesp van haar beha los; ze trok zich even samen toen hij die afdeed, maar boog toen wat achterover en drukte haar borsten omhoog tegen zijn lichaam. Hij omvatte haar linkerborst met zijn rechterhand; zij stapte iets opzij, reikte omlaag en maakte zijn broek los.

'De borrels kunnen wel wachten, David. Het is Oudejaarsavond. De onze althans.'

Haar borst nog steeds vasthoudend, drukte hij zijn lippen op haar ogen en oren. Ze voelde hem en kreunde zacht.

'Hier, David,' zei ze. 'Gewoon hier op de grond.' Ze zonk op haar knieën neer en trok haar rok op tot boven haar dijen, zodat de zoom van haar kousen zichtbaar werd.

Hij vlijde zich naast haar neer en ze zoenden elkaar.

'Ik herinner het me,' zei hij met een lief lachje. 'De eerste keer; het schuurtje bij het botenhuis. Op de grond. Ik weet het nog.'

'Daar was ik eigenlijk benieuwd naar. Ik heb het nooit vergeten.'

Het was pas kwart voor twee 's nachts toen hij haar naar huis bracht. Ze hadden twee maal met elkaar gevreeën, een flinke portie opgedronken van de uitstekende whisky van Jack en Peggy Webster en voornamelijk gepraat over de 'goeie ouwe tijd'. Leslie had geen geheimen wat betreft haar huwelijk. Richard Hawkwood, haar gewezen echtgenoot, was gewoon geen man voor een permanente verhouding. Hij was een seksuele veelvraat zolang er sex voor het grijpen was; verder was hij niet veel. Hij was ook een mislukkeling – voor zover zijn familie dat toeliet – in het zakenleven. Hawkwood was een man die was opgegroeid om vijftig mille per jaar te kunnen verteren, met de kans om er zestig van te maken.

De oorlog was volgens haar speciaal uitgebroken voor mannen als Richard. Ze konden erin uitblinken, zoals haar gewezen man gedaan had. Hij moest maar ergens 'brandend neerstorten' en schitterend van het toneel verdwijnen in plaats van terug te keren naar de frustraties van een tekortschietend burgerleven. Spaulding noemde dat wreed; zij beweerde dat ze nog kies was. En ze lachten en vrijden. De hele avond bleef David op zijn hoede, wachtend tot ze iets zou zeggen, onthullen of iets ongewoons zou vragen. Iets dat opheldering kon geven – al was het niets anders – over de redenen voor haar eerdere leugens hoe ze hem gevonden had. Er kwam niets.

Hij vroeg het haar nog eens, met voorgewend ongeloof over het feit dat zij zich zijn ouders en het Montgomery zou herinneren. Ze hield vast aan haar onfeilbare geheugen, met de enkele toevoeging dat 'de liefde iedere speurtocht grondiger maakt'.

Ze loog weer, dat wist hij. Wat tussen hen bestond, was geen liefde. Ze verliet hem in de taxi en wilde niet dat hij boven kwam. Haar tante zou slapen; het was beter zo.

Morgen zouden ze elkaar weer zien. In het huis van de Websters. Om tien uur 's avonds; zij had een afspraak voor een diner waar zij bijtijds weg zou gaan. En ze zou haar afspraak voor de echte Oudejaarsdag laten schieten. Dan hadden ze de hele dag voor zichzelf.

Terwijl de concierge haar binnenliet en de taxi optrok in de richting van Fifth Avenue schoot het hem voor het eerst te binnen dat Fairfax hem overmorgen aan zijn nieuwe taak bij de Meridian Vliegtuigfabrieken wilde laten beginnen. Op Oudejaarsdag. Hij verwachtte, dat het een halve dag zou zijn.

Het was vreemd. Oudejaarsdag. Kerstmis.

Hij had zelfs niet aan Kerstmis gedacht. Hij had de cadeautjes voor zijn ouders naar Santiago gestuurd, maar dat had hij al voor zijn tocht naar het noordelijke gebied gedaan. Naar Baskenland en Navarra.

Kerstmis had geen betekenis. De kerstmannen die hun bellen lieten rinkelen op de Newyorkse straten, de versierde etalages – het zei hem allemaal niets.

Het maakte hem triest. Hij had altijd genoten van de feestdagen. David betaalde de taxi, groette de nachtportier van het Montgomery en nam de lift naar zijn etage. Hij stapte uit en liep naar zijn deur. Automatisch, omdat zijn ogen moe waren, wipte hij met zijn vinger het 'Niet Storen'-plaatje onder het sleutelgat om.

Hij voelde het hout en keek omlaag, zichzelf bijlichtend met zijn aansteker.

De controledraad was weg.

Zijn tweede natuur en de instructies van Fairfax om op zijn hoede te zijn hadden hem ertoe gebracht zijn hotelkamer te 'bedraden'.

Met onzichtbaar dunne draadjes bruine en zwarte zijde, die bij beschadiging of verdwijning een indringer verrieden.

Hij had geen wapen bij zich en wist niet of er nog steeds iemand binnen was.

Hij keerde terug naar de lift en drukte op de knop. Hij vroeg de liftbediende of die een loper had; zijn deur ging niet open. De man had er geen en hij werd naar de lobby verwezen.

De nachtportier kon van dienst zijn. Hij beval de liftbediende waar te nemen aan de receptie, terwijl hij Mr. Spaulding te hulp kwam met zijn slot.

Terwijl de twee mannen de lift uit en de gang op liepen, hoorde Spaulding duidelijk een deurknop omdraaien, die zachtjes maar onmiskenbaar op slot werd gedaan. Snel speurde hij in beide richtingen de gang af om de herkomst van het geluid te localiseren.

Niets dan gesloten hoteldeuren.

De receptionist had geen moeite met het openen van de deur.

Hij had meer moeite om te begrijpen, waarom Spauldings arm om zijn schouder werd geslagen en hem meetrok de eenpersoonskamer in. David keek snel om zich heen. De badkamer- en kastdeuren stonden nog precies zo open als hij ze achtergelaten had. Andere plaatsen om zich te verstoppen waren er niet. Hij liet de receptionist los en gaf hem vijf dollar fooi.

'Dank u wel. Ik schaam me een beetje; zeker omdat ik te veel gedronken heb.'

'Tot uw dienst. Dank u wel, meneer.' De man vertrok en trok de deur achter zich in het slot.

Vlug begon David zijn dradencontrole. In de hangkast: uithangend uit het midden van het borstzakje van zijn colbert.

Geen draad.

Het schrijfbureau: ingeschoven in de eerste en derde lade. Beide draden waren van plaats veranderd. De eerste lag in de la bovenop een zakdoek; de tweede zat tussen een paar overhemden. Het bed: een draad dwars over de sprei, aansluitend aan het patroon. Verdwenen. Nergens te vinden.

Hij ging naar zijn koffer op een kofferrek bij het raam. Hij hurkte neer en inspecteerde het rechter slot; de draad was in het metalen oog geklemd onder de kleine scharnier. Als de koffer geopend werd, moest de draad breken.

Hij was gebroken, de helft hing er nog maar.

Het inwendige van de koffer herbergde een enkele draad aan de achterkant, die op drie vingers-breedte van de linkerkant over de elastieken riem lag.

De draad was weg.

David stond op. Hij liep naar het tafeltje naast het bed en pakte de telefoongids van de aflegplank. Uitstellen had geen zin; zijn enige voordeel lag in het verrassingselement. Zijn kamer was deskundig doorzocht; hij had er niet achter mogen komen.

Hij zou het nummer van Leslie Jenner opzoeken, terugkeren naar haar huis en een telefooncel zoeken in de buurt van de deur – met een beetje geluk in het zicht ervan. Dan zou hij haar opbellen, een of ander totaal ongelooflijk verhaal ophangen en zeggen, dat hij haar moest spreken. Zonder vermelding van de doorzochte kamer of van zijn verdenkingen die bewaarheid werden. Hij zou haar volkomen overrompelen en goed luisteren naar haar reactie. Als ze toestemde in een ontmoeting, prima. Zo niet, dan zou hij desnoods de hele nacht haar flat in de gaten houden.

Leslie Jenner kon iets vertellen en hij zou erachter komen wat dat was. De man in Lissabon had geen drie jaar in de noordelijke provincies doorgebracht zonder ervaring op te doen.

Op het huisnummer van het flatcomplex woonde geen Jenner. In Manhattan waren zes Jenners aangesloten.

Een voor een liet hij de nummers door het hotel bellen en een voor een – in verschillende stadia van slaap en woede – gaven ze hetzelfde antwoord.

Geen Leslie Jenner. Onbekend.

Spaulding hing op. Hij had op het bed gezeten, maar stond nu op en liep de kamer rond.

Hij kon naar het flatcomplex gaan en inlichtingen vragen bij de conciërge. Het appartement zou op naam van de tante kunnen staan, maar plausibel was het niet. Leslie Jenner zou haar naam en nummer in de beroepengids laten opnemen als ze kon; voor haar was de telefoon een middel van bestaan, geen comfortartikel. En als hij naar het gebouw ging en vragen stelde, zou hij ongegronde nieuwsgierigheid ten toon spreiden. Daartoe was hij niet bereid.

Wie was dat vrouwtje bij Rogers Peet? Die ene, die kerstcadeautjes omruilde. Cynthia? Cindy...? Cindy. Cindy Tuttle... Tottle. Maar geen Tottle meer... Bonner. Getrouwd met Paul Bonner en ze ruilde 'afgezaagde kerstcadeautjes voor Paul'.

Hij liep naar het bed en pakte de telefoongids.

Paul Bonner stond erin: 480 Park Avenue. Het adres was aannemelijk. Hij gaf de hotelcentrale het nummer op.

De stem van een meer slapende dan wakende jonge vrouw antwoordde.

'Ja...? Hallo?'

'Mrs. Bonner?'

'Ja. Wat is er? U spreekt met Mrs. Bonner.'

'Ik ben David Spaulding. U zag me vanmiddag bij Rogers Peet; u ruilde kerstcadeautjes voor uw man en ik kocht een kostuum... Neem me niet kwalijk dat ik u stoor, maar het is erg dringend. Ik heb gedineerd met Leslie... Leslie Jenner; u belde haar op. Ik kom net van haar appartement; we maakten een afspraak voor morgen en nu merk ik dat ik waarschijnlijk verhinderd zal zijn. Het is dom, maar ik vergat haar telefoonnummer te noteren en ik kan haar niet in de gids vinden. Ik vroeg me af...'

'Mr Spaulding.' Ze onderbrak hem op scherpe toon, nu zonder

enige slaapdronkenheid. 'Als dit een grap is, vind ik hem wel èrg misplaatst. Uw naam is me inderdaad bekend... Ik heb u vanmiddag níet gezien en ik ruilde geen... Ik was niet bij Rogers Peet. Mijn man is vier maanden geleden gesneuveld. Op Sicilië... Ik heb Leslie Jenner... of Hawkwood meen ik... in meer dan een jaar niet gesproken. Ze verhuisde naar Californië, naar Pasadena, geloof ik... Wij zijn niet met elkaar in contact geweest. En het is ook niet waarschijnlijk dat zoiets gebeuren zal.'

David hoorde de korte klik van de verbroken verbinding.

17

31 december 1943
New York City

Het was oudejaarsmorgen.

De eerste dag van zijn 'dienstverband' bij de Meridian Vliegtuigfabrieken, Afdeling Ontwerpen.

Het grootste deel van de vorige dag was hij op zijn hotelkamer gebleven en alleen even kort uitgegaan om te lunchen en lectuur te kopen. Hij had op zijn kamer gedineerd en tenslotte een doelloze taxi genomen naar Greenwich Village, waar hij wist dat hij om tien uur geen Leslie Jenner zou aantreffen.

Hij was om twee redenen binnengebleven. De eerste was een bevestiging van de diagnose van de dokter op het vliegveld Mitchell: hij was uitgeput. De tweede was even belangrijk. Fairfax deed nasporingen naar Leslie Jenner-Hawkwood, Cindy Tottle-Bonner, en een marineofficier Jack of John Webster, wiens vrouw zich heel toevallig in Californië bevond. David wilde die gegevens hebben voor hij verdere stappen ondernam en Ed Pace had beloofd zo grondig te werken als in 48 uur maar mogelijk was.

Spaulding was vooral getroffen geweest door Cindy Bonners woorden over Leslie Jenner.

Ze verhuisde naar Californië, naar Pasadena, geloof ik...

Een telefoontje met de huisbewaarder van het appartement in Greenwich Village bracht de bevestiging, dat de Websters daar inderdaad woonden; de man was bij de marine en de vrouw was ergens in Californië bij hem op bezoek. De huisbewaarder moest de post vasthouden.

Ergens in Californië.

Ze verhuisde naar Californië...

Bestond er verband tussen? Of was het alleen maar toeval?

Spaulding keek op zijn horloge. Het was acht uur. Oudejaarsmorgen. Morgen zou het 1944 zijn.

Maar déze morgen moest hij zich melden bij ene Walter Kendall en ene Eugene Lyons in het tijdelijke kantoor van Meridian op de 38ste Straat.

Waarom zou een van de grootste vliegtuigfabrieken van de Verenigde Staten 'tijdelijke' kantoren hebben?

De telefoon ging. David nam de hoorn op.

'Spaulding?'

'Hallo, Ed.'

'Ik heb opgesnord wat ik kon. Er zit niet het minste verband in. Om te beginnen is er niets te vinden van een scheiding van de Hawkwoods. En hij zít in Engeland, bij de Achtste Luchtvloot, maar niks bijzonders. Hij is piloot bij het Tiende Commando Bommenwerpers in Surrey.'

'En zij woont in Californië?'

'Anderhalf jaar geleden vertrok ze uit New York en trok in bij een tante in Pasadena. Een heel rijke tante, getrouwd met ene Goldsmith; een bankier – een vooraanstaande figuur, sjieke clubs. Voor zover we hoorden – en dat is fragmentarisch – bevalt het haar best in Californië.'

'Prima. En die Webster?'

'Alles klopt, hij is artillerieofficier op de Saratoga, die voor reparaties San Diego is binnengelopen. Het schip moet over twee weken weer uitvaren en de datum blijft gehandhaafd. Tot dan toe zijn er massa's verloven van 48 of 72 uur, maar geen lange. De vrouw Margaret voegde zich een paar dagen geleden bij haar luitenantje. Ze logeert in het Greenwich Hotel.'

'Iets over de Bonners?'

'Alleen wat jij weet en dat hij een bona fide held was. Posthuum de Zilveren Ster, infanterie. Gedood op een verkenningspatrouille op zoek naar een hinderlaag. Invasie op Sicilië.'

'En dat is alles?'

'Dat is alles. Ze schijnen elkaar allemaal te kennen, maar ik kan geen schakel vinden met jouw opdracht.'

'Maar jij bent de opdrachtgever niet, Ed. Je zei dat je niet wist wat de opdracht was.'

'Klopt. Maar met de stukjes waar ik wèl van weet kan ik niets vinden.'

'Mijn kamer is doorzocht. Daarin vergis ik me niet.'

'Misschien diefstal. Een rijke soldaat in een rijk hotel, terug van een lange reis. Misschien heeft iemand gedacht dat je veel achterstallige soldij of ontslaggeld bij je had.'

'Dat betwijfel ik. Het was te professioneel.'

'Er schuimen heel wat profs rond in die hotels. Ze wachten tot

iemand uitgaat om te pimpelen en...'
Spaulding viel hem in de rede. 'Ik wil iets laten nazoeken.'
'Wat?'
'Dat vrouwtje Bonner zei dat het "niet waarschijnlijk" was dat
ze contact zou krijgen met Leslie Jenner en dat meende ze. Een
merkwaardige uitlating, nietwaar? Ik zou graag weten waarom
ze dat zei.'
'Ga je gang. Het was jouw hotelkamer, niet de mijne... Weet je
wat ik denk? En ik hèb erover gedacht; ik moest wel.'
'Wat dan?'
'Dat stelletje in New York speelt een vlug spelletje muziek in
bed. Je hebt er wel niet over uitgeweid maar is het niet logisch
dat die dame een paar dagen in New York was, dat ze je misschien zelf zag of iemand kende die je gezien had en dacht: waarom niet? Verdorie, ze is op de terugweg naar Californië; waarschijnlijk ziet ze je nooit weer...'
'Nee, dat is níet logisch. Ze deed te ingewikkeld en dat hoefde
niet. Ze hield me van mijn hotel vandaan.'
'Nou ja, jij hebt ginds gezeten...'
'En hoe! 't Is merkwaardig, weet je. Volgens jouw majoor op
Mitchell denk je, dat dat geval op de Azoren tegen mij gericht
was...'
'Misschíen, zei ik,' bracht Pace in het midden.
'En ik geloofde van niet. Maar nu ben ik overtuigd, dat het gis-
teravond wel om mij ging en nu geloof jij het niet. Misschien
worden we allebei moe.'
'Misschien maak ik me ook bezorgd om jouw opdrachtgever.
Die Swanson is erg zenuwachtig; hij is op vreemd terrein. Ik
geloof niet, dat hij nog veel complicaties verwerken kan.'
'Dan bezorgen we ze hem niet. Nu niet. Ik weet wel wanneer ik
het wèl moet doen.'

Spaulding nam de onverzorgde accountant op terwijl deze de
operatie in Buenos Aires uiteenzette. Hij had nog nooit iemand
zoals Walter Kendall ontmoet. De man was absoluut vies. Zijn
lichaamsgeur werd maar gedeeltelijk gecamoufleerd door forse
doses parfum. De boord van zijn overhemd was vuil, zijn kostuum niet geperst en David zag gefascineerd, hoe de man gelijktijdig door zijn mond en zijn neus ademhaalde. De agent op Terceira had gezegd, dat Eugene Lyons 'een beetje vreemd' was; als

deze Kendall 'normaal' was, was hij benieuwd naar de vliegtuigdeskundige.

Het werk in Buenos Aires leek vrij eenvoudig, en veel minder
gecompliceerd dan het merendeel van zijn werk in Lissabon.
Het leek zelfs zo eenvoudig, dat hij kwaad werd bij de gedachte,
dat hij hiervoor uit Lissabon was weggehaald. Als iemand hem
een paar weken geleden ingelicht had, had hij Washington heel
wat planning, en waarschijnlijk geld, kunnen besparen.

Hij had met de Duitse ondergrondse te maken gehad sinds de
tijd dat die organisatie haar diverse afdelingen had geconsoli-
deerd en een effectieve macht geworden was. Als deze Erich
Rhinemann in staat was de tekeningen te kopen en ze weg te
krijgen uit Peenemünde, had hij – de man in Lissabon – ze het
land uit gekregen.

Waarschijnlijk met meer zekerheid dan door ze uit Noordzee- of
Kanaalhavens weg te smokkelen. Die havens waren hermetisch
afgesloten en er werd verbeten gepatrouilleerd. Als dat niet het
geval geweest was, was veel van zijn eigen werk onnodig geweest. Het enige werkelijk merkwaardige aspect van de operatie was dat Rhinemann de hand kon leggen op tekeningen – op
íets – dat met Peenemünde verband hield. Dat was ongewoon.
Peenemünde was een in de aarde begraven betonnen en stalen
kluis. Met het ingewikkeldste systeem van veiligheidsmaatregelen en controles dat ooit ergens was opgesteld. Het zou gemakkelijker zijn om er een man uit weg te krijgen – om een x-aantal
verzonnen redenen – dan er één enkel vel papier vandaan te
halen.

Bovendien hield Peenemünde zijn laboratoria van elkaar gescheiden, waarbij de vitale fasen gecoördineerd werden door
een handjevol elitemedewerkers onder toezicht van de Gestapo. In termen van Buenos Aires betekende dit, dat Erich Rhinemann in staat was om 1° de verschillende chefs van laboratoria
in systematische volgorde te bereiken en om te kopen; 2° de
Gestapo te omzeilen of om te kopen (onmogelijk); of 3° de medewerking te verkrijgen van het handjevol geleerden dat toegang had tot verschillende laboratoria.

Op grond van Davids ervaring schakelde hij de laatste twee mogelijkheden uit: er was te veel risico van verraad. Rhinemann
moest zich geconcentreerd hebben op de laboratoriumchefs;
dat was al gevaarlijk genoeg, maar beter te doen.

Terwijl Kendall doorpraatte, besloot David zijn conclusies voor zich te houden. Hij zou een aantal vragen stellen, waarvan hij er een of twee werkelijk beantwoord wilde hebben, maar hij zou op dit moment nog niet met Walter Kendall in nauwer contact treden. Dat was een gemakkelijk besluit. Kendall was een van de onaangenaamste mensen die hij ooit ontmoet had.

'Is er een bepaalde reden waarom de tekeningen in gedeelten worden geleverd?' vroeg Spaulding.

'Misschien gebeurt het niet. Maar Rhinemann smokkelt ze deel voor deel weg. Iedereen heeft een schema, dat vindt hij veiliger. Op grond van zijn voorspellingen rekenen we op een week.'

'Dat klinkt logisch... En die Lyons kan zien of ze echt zijn?'

'Een knappere dan hij is er niet. Ik ga over een paar minuten naar hem toe, maar een paar dingen moet u weten. Eenmaal in Argentinië is hij uw eigendom.'

'Dat klinkt onheilspellend.'

'U kunt hem wel aan. U krijgt hulp... Waar het om gaat is, dat u de codeberichten verzendt nadat hij die tekeningen heeft goedgekeurd en dat Rhinemann dan pas zijn geld krijgt. Niet eerder.'

'Dat begrijp ik niet. Waarom zo ingewikkeld? Als ze akkoord zijn, waarom krijgt hij dan niet in Buenos Aires betaald?'

'Hij wil dat geld niet op een Argentijnse bank.'

'Het moet een fors bedrag zijn.'

'Dat is het.'

'Is het, bij het weinige dat ik over die Rhinemann weet, niet ongewoon dat hij met de Duitse ondergrondse samenwerkt?'

'Hij is een jood.'

'Vertel dat niet aan afgezwaaiden uit Auschwitz. Die zullen u niet geloven.'

'Oorlog maakt betrekkingen noodzakelijk. Kijk maar naar ons. Wij werken met de Rooien samen. Precies hetzelfde: gemeenschappelijke doelstellingen, vergeet de meningsverschillen.'

'In dit geval is dat nogal koelbloedig.'

'Dat is hun probleem, niet het onze.'

'Daar ga ik niet verder op in... Nog één voor de hand liggende vraag. Ik ben op weg naar de ambassade in Buenos Aires. Waarom dan dit oponthoud in New York? Was het niet eenvoudiger om van Lissabon direct naar Argentinië te gaan?'

'Een beslissing van het laatste ogenblik, denk ik. Vervelend, hè?'

'Het had soepeler gekund. Sta ik op een transferlijst?'
'Een wat?'
'Een transferlijst van de diplomatieke dienst. Buitenlandse Zaken. Militair attaché.'
'Weet ik niet. Waarom?'
'Ik wil graag weten of het algemeen bekend is dat ik weg ben uit Lissabon. Of dat het algemeen bekend zou kunnen zijn. Ik dacht niet dat dat de bedoeling was.'
'Dan is 't niet bekend. Waarom?'
'Om mijn houding te kunnen bepalen, meer niet.'
'We dachten dat u een paar dagen moest hebben om u in de materie in te werken. Lyons leren kennen en mij, het schema doornemen. Waar het ons om gaat en zulk soort dingen.'
'Erg attent.' David zag de vragende blik op Kendalls gezicht.
'Nee, dat meen ik eerlijk. We krijgen zo vaak praktijkproblemen voorgezet met te weinig achtergrondinformatie. Ik heb me er zelf ook aan bezondigd... Zijn dit eervol ontslag en de gevechten in Italië mijn dekmantel voor mijn activiteiten in Lissabon? Of alleen voor New York?'
'Ik neem aan van wel.' Kendall, die op de rand van zijn bureau gezeten had, stond op en liep naar zijn stoel.
'Hoever moet ik het doorzetten?'
'Wat doorzetten?' Kendall vermeed naar David te kijken, die zich naar voren boog op de zitbank.
'Die camouflage. Op de papieren staat Vijfde Leger – dat is generaal Clark; 34ste divisie, 112de bataljon, enzovoort. Moet ik me erin verdiepen? Ik weet niet zo veel van het Italiaanse front. Ik schijn getroffen te zijn in de buurt van Salerno; zijn er details bekend?'
'Dat zijn legerzaken. Voor wat mij betreft bent u een dag of vijf, zes hier, daarna komt u bij Swanson en die stuurt u door naar Buenos Aires.'
'Goed, dan wacht ik op generaal Swanson.' David voelde, dat het geen zin had G-2 procedures met Kendall door te nemen... Deels een professional, deels een amateur. De langzame wals.
'Tot uw vertrek brengt u de tijd die u nodig denkt te hebben bij Lyons door. Op zijn kantoor.'
'Uitstekend. Ik zou graag met hem kennismaken.' David stond op.
'Blijf zitten; hij is er vandaag niet. Vandaag is er niemand anders

dan de receptioniste. Tot één uur. Het is Oudjaar.' Kendall plofte in zijn stoel en viste een sigaret op die hij plat kneep. 'Ik moet u over Lyons vertellen.'
'Uitstekend.' David keerde terug naar de zitbank.
'Hij is een dronkaard. Heeft vier jaar in de bak gezeten, in een strafgevangenis. Hij kan nauwelijks praten, want zijn keel is verbrand door pure alcohol... Maar bovendien is hij de knapste kop op het gebied van aerofysica.'
Spaulding staarde Kendall verscheidene ogenblikken aan zonder te antwoorden. Toen hij eindelijk sprak, deed hij geen moeite zijn geschoktheid te verbergen. 'Dat is een nogal tegenstrijdige aanbeveling, nietwaar?'
'Ik zei dat hij knap is.'
'Net als de helft van de krankzinnigen in Bellevue. Kan hij iets prestéren? Aangezien hij mijn "eigendom" zal zijn – zoals u het uitdrukte – zou ik graag willen weten waar u me mee opscheept. En waarom, en dat niet als apropos.'
'Hij is de beste.'
'Dat beantwoordt mijn vraag niet. Of vragen.'
'U bent militair. U aanvaardt orders.'
'Ik geef ze ook. Begint u niet op die toer.'
'Best... U zult mogen vragen, veronderstel ik.'
'Dat zou ik denken.'
'Eugene Lyons schreef hèt handboek over fysische aerodynamica; hij was de jongste gewone hoogleraar aan de Technische Hogeschool van Massachusetts. Misschien was hij te jong; hij ging snel bergafwaarts. Een mislukt huwelijk, veel drank en veel schulden; de schulden gaven de doorslag, zoals meestal. Dat en te veel hersens waar niemand voor wilde betalen.'
'Wat deed hij?'
'Hij kreeg de kolder in zijn kop; een orgie van een volle week. Toen hij wakker werd in een hotelkamer aan de buitenkant van Boston was de griet die hij bij zich had dood. Hij had haar doodgeslagen... Het was een hoertje, dus dat kon niemand erg veel schelen, maar hij had het toch maar gedaan. Het werd onopzettelijke doodslag genoemd en de TH zorgde voor een goeie advocaat. Hij kreeg vier jaar, kwam vrij en niemand wou hem nog aannemen of met hem te maken hebben... Dat was in 1936. Hij gaf het op en sloot zich aan bij een bende straatschenders. Hij werd er een actief lid van.' Kendall zweeg even en grijnsde.

David was verontrust door de grijns van de accountant; het verhaal had niets grappigs. 'Kennelijk bleef hij niet bij ze.' Dat was al wat hij wist te bedenken.
'Bijna drie jaar lang. Hij verbrandde zijn keel ergens op Houston Street.'
'Heel triest.'
'Het beste dat hem kon overkomen. In het ziekenhuis namen ze zijn geschiedenis op en een dokter raakte geïnteresseerd. Hij werd overgeheveld naar de Burgerwacht, werd aardig gerehabiliteerd en door de op handen zijnde oorlog kreeg hij defensiewerk.'
'Dan heeft hij het nu dus goed.' Spaulding zei het als een positieve uitspraak. Ook nu weer wist hij niets anders te bedenken.
'Zo'n type man verander je niet in een handomdraai. Zelfs niet in een paar jaar... Hij heeft zijn perioden van zwakte en vervalt dan weer aan de drank. Sinds hij aan geheime stukken werkt, heeft hij persoonlijke bewakers. Hier in New York bijvoorbeeld heeft hij een kamer in het St. Lucas Ziekenhuis. Hij wordt opgehaald en weggebracht als een dronkaard van standing. In Californië bergt Lockheed hem op in een tuinhuis, dag en nacht bewaakt door verplegers, als hij niet in de fabriek is. Hij heeft het aardig goed.'
'Hij moet waardevol zijn. Dat geeft een hoop moeilijkheden.'
'Ik zei u al,' interrumpeerde Kendall, 'hij is de beste. Er moet alleen op hem gepast worden.'
'Wat gebeurt er als hij alleen is? Ik heb alcoholisten gekend; ze weten soms heel listig weg te glippen.'
'Dat is geen probleem. Drank krijgt hij – wanneer hij die hebben wil; daar is hij listig genoeg voor. Maar hij gaat niet uit zichzelf de straat op. Hij wil niet onder de mensen zijn, als u begrijpt wat ik bedoel.'
'Eerlijk gezegd niet goed.'
'Hij kan niet praten. Hij komt niet verder dan een schor gefluister; vergeet niet dat hij zijn strot verbrandde. Hij mijdt de mensen... en dat is prima. Als hij niet drinkt – wat meestal het geval is – leest hij en werkt hij. Hij kan dagen achtereen broodnuchter in een laboratorium doorbrengen en geen stap buiten de deur zetten. Dat is mooi.'
'Hoe onderhoudt hij zich met anderen? Op het lab? Bij een vergadering?'

'Papier en potlood, wat gefluister, zijn handen. Meestal met papier en potlood. Het zijn allemaal getallen, vergelijkingen en diagrammen. Dat is zijn taal.'

'Zijn hele taalgebruik?'

'Precies... Als u een gesprek met hem wilt gaan voeren, zet dat dan maar uit uw hoofd. Hij heeft met niemand een gesprek gevoerd in tien jaar.'

18

31 december 1943
New York City

Spaulding liep haastig Madison Avenue af naar de noordooste-
lijke hoek van Altmans warenhuis. Het sneeuwde licht en taxi's
snorden langs de weinige voetgangers die halverwege de straat
stonden te wenken. De beste vrachtjes stonden bij de ingang van
het warenhuis te wachten, beladen met de laatste inkopen voor
Oudejaarsavond. Mensen die op Oudejaarsmiddag bij Altman
gingen winkelen waren uitgelezen passagiers. Waarom dan benzine verspillen aan mindere klanten?

David merkte dat hij gehaaster liep dan nodig was; hij ging nergens heen, niet naar een bepaalde plaats waar zijn aanwezigheid
op een bepaalde tijd vereist werd; hij verwijderde zich zo snel hij
kon van Walter Kendall.

Kendall had zijn verslag over Eugene Lyons beëindigd met de
mededeling dat 'twee witjassen' de geleerde zouden vergezellen
naar Buenos Aires. Er zou geen drank zijn voor de stomme kluizenaar met zijn verbrande strot; de verplegers hadden altijd
'paardemiddelen' bij zich. Zonder drank zou Eugene Lyons zijn
uren zoek brengen met de problemen van het werk. Waarom
ook niet? Iets anders deed hij niet. Geen gesprekken, peinsde
David.

David sloeg Kendalls aanbod om te lunchen af onder het voorwendsel van een bezoek aan kennissen. Hij had ze tenslotte in
ruim drie jaar niet gezien... Op 2 januari zou hij op kantoor zijn.
De waarheid was dat Spaulding weg wilde van de man. En dan
was er nog een reden: Leslie Jenner-Hawkwood.

Waar hij beginnen moest, wist hij niet, maar hij moest gauw beginnen. Hij had ruwweg een week om achter het verhaal van die
ongelooflijke avond twee dagen geleden te komen. Tot het begin zou ook een zekere weduwe Bonner behoren, dat stond voor
hem vast.

Misschien kon Aaron Mandel hem helpen.

Hij haalde een dollarbiljet uit zijn zak en liep naar de portier van
het warenhuis. In minder dan een minuut was er een taxi.

De rit naar de stad werd gemaakt onder een begeleidende spraakwaterval van de kant van de chauffeur, die over vrijwel alles een mening scheen te hebben. David vond de man vervelend; hij wou nadenken en dat viel niet mee. En toen opeens was hij hem dankbaar.

'Ik wou de oudejaarsdrukte opzoeken, zoals je op de Plaza vindt, snapt u? Met al die manifestaties voor de oorlogsslachtoffers krijg je daar dikke fooien. Maar moeder de vrouw wilde niet. Je komt maar thuis, zei ze, drinkt een glaasje wijn en bidt God dat onze jongen het jaar doorkomt. Nou moet ik wel. Als er iets zou gebeuren, zou ik het toeschrijven aan de fooien die ik op Oudejaarsavond kreeg. Allemaal bijgeloof! Verdorie, het joch is typist in Fort Dix.'

David had het voor de hand liggende vergeten. Of nee, niet vergeten; hij had alleen de mogelijkheden niet overwogen omdat ze geen verband hielden met hem. Of hij met die mogelijkheden. Hij was in New York. Op Oudejaarsavond. En dat betekende party's, dansfeesten, liefdadigheidsbals en een eindeloze schakering van op de oorlog geënte manifestaties in tientallen balzalen en legio particuliere huizen.

Mrs. Paul Bonner zou op een van die plekken op een van die party's zijn. Het was vier maanden geleden dat haar man gesneuveld was. Gezien de omstandigheden en de tijden had ze lang genoeg gerouwd. Vriendinnen – vrouwen zoals Leslie Jenner, maar natuurlijk Leslie Jenner niet – zouden haar dat duidelijk maken. Het was de gedragslijn van de uitgaande wereld in Manhattan. En alles bij elkaar genomen was het niet onverstandig.

Het zou niet al te moeilijk te ontdekken zijn waar ze heenging. En als hij haar vond, zou hij anderen vinden... het was een uitgangspunt.

Hij gaf de chauffeur een fooi en liep snel de lobby van het Montgomery binnen.

'O, Mr. Spaulding!' De stem van de oude receptionist weergalmde in het marmeren hokje. 'Er is een boodschap voor u.'

Hij liep naar de balie. 'Dank u wel.' Hij vouwde het papiertje open.

Mr. Fairfax belde op. Zo spoedig mogelijk terugbellen svp.

Ed Pace wilde hem spreken.

De draad onder het slot van de deur was intact. Hij ging zijn kamer binnen en liep meteen naar de telefoon.

'We kregen iets binnen over dat vrouwtje Hawkwood,' zei Pace. 'Ik dacht dat je het wel zou willen weten.'

'Wat is het?' Waarom begon Pace toch altijd een gesprek op die manier? Verwachtte hij soms als antwoord: nee, ik wil niets weten en een verbreking van de verbinding?

'Het past precies in mijn beoordeling van de vorige keer. Je antenne heeft overuren gemaakt.'

'Verdorie, Ed, je kunt een medaille van me krijgen wanneer je maar wilt. Wat is het precies?'

'Ze is van de lichte brigade. Ze heeft een uitgebreide klantenkring in Los Angeles en omgeving. Discreet, maar druk bezet. Een sjieke hoer, als ik je niet beledig.'

'Je beledigt me niet. Wat zijn je bronnen?'

'Om te beginnen verscheidene medeofficieren, marine en luchtmacht. Verder wat filmlui, acteurs en studiodirecteuren. En de hoge pieten uit de industrie: Lockheed en Sperry Rand. Ze is niet de meest geziene gast op de Santa Monica Jachtclub.'

'Iets dat op G-2 wijst?'

'Het eerste waar we naar zochten. Niets. Geen ingewijd personeel in haar bed. Alleen hooggeplaatsten, zowel militairen als burgers. En ze is in New York. Volgens omzichtige inlichtingen ging ze met Kerstmis naar haar ouders.'

'In het telefoonboek staan geen Jenners die ooit van haar gehoord hebben.'

'In Bernardsville, New Jersey?'

'Nee,' zei David mat. 'In Manhattan. Je zei New York.'

'Probeer Bernardsville eens als je haar wilt hebben. Maar kom niet met onkostennota's; je bent niet op koeriersdienst in de noordelijke provincies.'

'Nee, Bernardsville is jachtgebied.'

'Wat?'

'Een heel sjieke streek. Renstallen en glaasjes op de valreep... Bedankt, Ed, je hebt me een massa werk bespaard.'

'Tot je dienst. Er is niets anders gebeurd dan dat het verbindingscentrum van de Geallieerde Inlichtingendienst de problemen van je geslachtsverkeer heeft opgelost. We proberen het onze employés naar de zin te maken.'

'Als alles achter de rug is, hernieuw ik mijn dienstverband. Nogmaals bedankt.'

'Dave?'

'Ja?'

'Ik ben niet ingewijd over deze klus van Swanson, dus geef geen details, maar wat is jouw indruk?'

'Ik mag hangen als ik begrijp waarom je níet bent ingewijd. Het is een eenvoudige aankoop, die behandeld wordt door een paar halve garen – althans een... of nee, twee, waar ik van weet. De ene die ik ontmoet heb is een meesterbrein. Ik krijg de indruk, dat ze de zaak wat ingewikkeld gemaakt hebben, maar dat komt omdat ze er niet vertrouwd mee zijn... Wij hadden het beter gedaan.'

'Heb je Swanson al ontmoet?'

'Nog niet. Na de feestdagen, is me gezegd. Wij mogen voor de drommel het kerstverlof van de generaal niet in de war sturen. De school begint pas weer in de eerste week van januari.'

Pace lachte aan de andere kant van de lijn. 'Gelukkig Nieuwjaar, Dave.'

'Van hetzelfde, Ed. En bedankt.'

Spaulding legde de hoorn weer op de haak. Hij keek op zijn horloge; het was kwart over een. Hij zou wel ergens een legerauto kunnen optrommelen, dacht hij, of een auto lenen van Aaron Mandel. Bernardsville lag zowat een uur buiten New York, even ten westen van de Oranges, als hij het zich goed herinnerde. Het was misschien het beste om Leslie Jenner bij verrassing te overvallen en haar geen kans te geven om te ontsnappen. Maar anderzijds, gezien de mogelijkheid die hij had overwogen voor hij Pace belde, was Leslie waarschijnlijk in New York en maakte ze zich klaar voor de Oudejaarsavond die ze hem beloofd had. Ergens, op de een of andere plaats. In een appartement, in een herenhuis of op een hotelkamer zoals de zijne.

Spaulding vroeg zich even af of Pace misschien gelijk had. Was hij op zoek naar Leslie om heel andere redenen dan zijn verdenkingen? De leugens, de doorzochte kamer... Het was mogelijk. Waarom niet? Maar een rit heen en weer van drie uur naar New Jersey zou hem niet dichter bij een van beide doelen brengen, het nasporende of het Freudiaanse. Als ze er niet was.

Hij vroeg de telefoniste van het Montgomery het nummer voor hem op te zoeken van de Jenners in Bernardsville, New Jersey. Hij wilde geen gesprek, alleen het nummer. En het adres. Toen belde hij Aaron Mandel.

Hij had het gesprek zo lang mogelijk uitgesteld; Aaron zou overvloeien van tranen en vragen en aanbiedingen van alles wat er in Manhattan te vinden was onder de zon en de maan. Ed Pace had hem verteld dat hij de oude impresario vier jaar geleden geïnterviewd had alvorens David te benaderen voor Lissabon; dus kon hij waarschijnlijk lange uitweidingen over zijn werk vermijden.

En Aaron zou hem misschien kunnen helpen in geval hij de speciale hulp van de oude man nodig mocht hebben. Mandels contacten in New York waren vrijwel onuitputtelijk. David zou meer weten na terugkeer uit Bernardsville en het zou fatsoenlijker zijn om het beleefdheidsgesprek met Aaron gevoerd te hebben voor hij gunsten vroeg.

Spaulding dacht eerst, dat de oude man een hartaanval kreeg aan de telefoon. Aarons stem verstikte en verried zijn geschoktheid, zijn bezorgdheid... en zijn liefde. De vragen kwamen sneller dan David ze kon beantwoorden: naar zijn moeder, zijn vader en zijn eigen welzijn.

Mandel vroeg niet naar zijn werk, maar was ook niet te overtuigen dat David zo gezond was als hij beweerde. Aaron stond op een ontmoeting, zo niet vanavond dan zeker morgen.

David stemde toe. Morgen, laat in de ochtend. Ze zouden samen een glaasje drinken, misschien een kleinigheid nuttigen en samen het nieuwe jaar verwelkomen.

'God zij geprezen. Je maakt het goed. Kom je morgen?'

'Dat beloof ik,' zei David.

'En je hebt nog nooit een belofte aan mij gebroken.'

'Dat doe ik niet. Morgen. En Aaron...'

'Ja?'

'Het kan zijn dat ik vanavond iemand moet hebben. Ik weet niet zeker waar ik moet zoeken, maar waarschijnlijk in de betere kringen. Hoe zijn je connecties op Park Avenue?'

De oude man grinnikte op de bedekte, opgeruimde, lichtelijk arrogante manier die David zich zo goed herinnerde. 'Ik ben de enige jood met een tora-rol in St. John the Divine. Iedereen moet een artiest hebben – voor niks natuurlijk. Rode Kruis, Groene Kruis, debutantes voor de verbanddienst, dansfeesten voor geridderden met duur klinkende namen. Je kunt het zo gek niet bedenken of Mandel wordt er voorgespannen. Ik heb drie coloratuursopranen, twee pianisten en vijf baritons van Broadway die vanavond optreden voor "onze jongens". Allemaal in de duurste buurt van East Side.'

'Misschien bel ik zo dadelijk terug. Ben je dan nog op kantoor?'

'Waar anders? Soldaten en impressario's, wanneer zijn die vrij?'

'Je bent nog niks veranderd.'

'Het belangrijkste is dat je gezond bent...'

David had nauwelijks de hoorn neergelegd of de telefoon ging weer.

'Ik heb het telefoonnummer en het adres van de abonnee in Bernardsville, Mr. Spaulding.'

'Mag ik die even noteren?'

De telefoniste gaf hem de gegevens en hij noteerde ze op het altijd aanwezige postpapier naast de telefoon.

'Zal ik het gesprek aanvragen, meneer?'

David aarzelde even en zei toen: 'Ja, graag. Ik blijf aan de lijn. Vraagt u naar Mrs. Hawkwood.'

'Mrs. Hawkwood, uitstekend. Maar ik kan u wel terugbellen als ik de abonnee heb.'

'Ik wil liever meeluisteren...' David betrapte zich net te laat. Het was een kleine fout, maar niet opgemerkt door de telefoniste. Ze hernam op veelzeggende toon: 'Jawel, Mr. Spaulding. Als er iemand anders antwoordt dan Mrs. Hawkwood, moet ik het gesprek zeker beëindigen?'

'Dan waarschuw ik wel.'

De telefoniste, die zich nu betrokken voelde in een samenzwering tegen de huwelijkstrouw, speelde haar rol met voortvarende doelmatigheid. Ze belde de interlokale telefoniste en enkele seconden later hoorde hij een telefoon overgaan in Bernardsville, New Jersey. Een vrouwenstem antwoordde, niet die van Leslie.

'Mag ik Mrs. Hawkwood?'

'Mrs...' De stem aan de andere kant van de lijn scheen te aarzelen. 'Mrs. Hawkwood. Interlokaal gesprek,' zei de hoteltelefoniste alsof ze van het telefoonkantoor was en een persoonlijke oproep moest doorverbinden.

'Mrs. Hawkwood is er niet, juffrouw.'

'Hoe laat verwacht u haar?'

'Hoe laat? Ze wordt helemaal niet verwacht. Althans niet dat ik weet...'

Niet van haar stuk gebracht onderbrak de telefoniste van het

Montgomery haar beleefd: 'Weet u een nummer waar Mrs. Hawkwood bereikbaar is?'

'Gunst...' De stem in Bernardsville klonk nu verbijsterd. 'Ik veronderstel in Californië...'

David wist dat het tijd was om tussenbeide te komen. 'Ik neem het gesprek wel over, juffrouw.'

'Uitstekend, meneer.' Er klonk een klikgeluid ten bewijze dat de centrale uitgeschakeld werd van het gesprek.

'Mrs. Jenner?'

'Ja, met Mrs. Jenner,' antwoordde Bernardsville, kennelijk opgelucht door de meer vertrouwde naam.

'Ik ben David Spaulding. Ik ben een ouwe vriend van Leslie en...' Verdomme! Hij was de voornaam van haar man vergeten!

'... van kapitein Hawkwood. Ik kreeg dit nummer...'

'Nee maar, David Spáulding! Hoe gaat het ermee? Je spreekt met Madge Jenner, mallerd! Goeie hemel, het moet al acht of tien jaar geleden zijn. Hoe maken je vader en moeder het? Ik hoor dat ze in Londen wonen. Geweldig dapper!'

Potdomme! dacht Spaulding. Het zou nooit bij hem opgekomen zijn dat Leslies moeder zich twee maanden in East Hampton zou herinneren van bijna tien jaar geleden. 'Ze maken het uitstekend, Mrs. Jenner... Het spijt me dat ik u lastig val...'

'Jij kunt ons nooit lastigvallen, beste jongen. Wij zijn hier alleen maar een stel ouwe stalknechts. James heeft een extra jockeypak laten komen; niemand wil nog paarden houden... Dacht je dat Leslie hier was?'

'Ja, dat had ik gehoord.'

'Het spijt me dat ze er niet is. Eerlijk gezegd horen we nog maar zelden van haar. Ze verhuisde naar Californië, weet je.'

'Ja, naar haar tante.'

'Een halve tante. Mijn stiefzuster; wij konden het samen nooit erg best vinden. Ze trouwde met een jood. Hij noemt zich Goldsmith – maar dat is natuurlijk Goldberg of Goldstein geweest. We zijn ervan overtuigd dat hij een zwarthandelaar en een profiteur is, als je me begrijpt.'

'O ja? Ik snap het... Dus Leslie is niet overgekomen om u met Kerstmis op te zoeken?'

'Lieve deugd, nee! Er kon nog maar amper een kaart af...'

Hij kreeg zin om Ed Pace in Fairfax op te bellen en het hoofd van de Inlichtingendienst te vertellen dat Californië G-2 in Bernardsville een niet had getrokken. Maar dat had geen zin. Leslie Hawkwood was in New York.

En hij moest weten waarom.

Hij belde Mandel nog een keer en gaf hem twee namen op: die van Leslie en die van Cindy Tottle-Bonner, weduwe van de oorlogsheld Paul Bonner. Zonder het uitdrukkelijk te zeggen liet hij doorschemeren, dat zijn belangstelling meer beroepsmatig dan persoonlijk was. Mandel stelde geen vragen; hij ging aan het werk.

Spaulding bedacht, dat hij Cindy Bonner gemakkelijk kon opbellen, excuses aanbieden en haar te spreken vragen. Maar hij kon niet het risico lopen dat ze hem afwees en bezien in het licht van zijn onbehouwen telefoontje twee nachten geleden, zou ze dat waarschijnlijk doen. De tijd ontbrak gewoon. Hij moest haar spreken en maar vertrouwen op het persoonlijke contact.

En zelfs dan zou ze hem misschien niets wijzer kunnen maken. Maar er waren bepaalde instincten die men ontwikkelde en begon te onderkennen. Ondersteboven, verward, irratoneel... Atavistisch.

Twintig minuten verliepen; het was kwart voor drie. Zijn telefoon rinkelde.

'David?'

'Jawel, Aaron.'

'Nul komma nul over die mevrouw Hawkwood. Iedereen zegt, dat ze naar Californië vertrokken is en niemand heeft een woord van haar gehoord... Wat Mrs. Paul Bonner betreft: die is vanavond op een besloten feestje in de 62ste Straat, bij Warfield op nummer 212.'

'Bedankt. Dan wacht ik daar buiten en overval haar, met mijn meest galante manieren.'

'Niet nodig. Je hebt een uitnodiging. Van de vrouw des huizes persoonlijk. Ze heet Andrea en vindt het heerlijk om de gemobiliseerde zoon van de beroemde je-weet-wel te mogen ontvangen. Ze heeft in februari een sopraan nodig, maar dat is mijn zorg.'

19

31 december 1943
New York City

De vaste clientèle van de Gallery had en bloc verhuisd kunnen zijn naar het statige huis van de Warfields in de 62ste Straat. David werd gemakkelijk in de kring opgenomen. Het kleine gouden insigne op zijn revers bewees zijn diensten; hij werd gemakkelijker aanvaard en was ook gemakkelijker bereikbaar. Er was een overvloedig koud buffet en dito dranken, en het kleine negercombo dat jazzmuziek speelde, was beter dan goed. En hij vond Cindy Bonner in een hoek zitten wachten tot haar begeleider – een luitenant uit het leger – terug zou komen van de bar. Ze was klein en tenger, had roodachtig haar en een heel lichte, bijna bleke teint. Ze had een mooi postuur, een slank lichaam en was heel duur en heel ingetogen gekleed. Ze had iets peinzends, hoewel niet droevigs over zich. Niet het beeld van de weduwe van een held, niets heldhaftigs. Gewoon een rijk meisje. 'Ik moet u mijn oprechte excuses aanbieden,' zei hij tegen haar. 'Ik hoop dat u ze zult willen aanvaarden.' 'Ik kan me niet indenken waarvoor. Ik geloof niet dat we kennis gemaakt hebben.' Ze glimlachte half vragend, alsof zijn persoon een herinnering bij haar opriep die ze niet kon thuisbrengen. Spaulding zag haar blik en begreep het. Het was zijn stem. De stem waarmee hij indertijd een massa geld verdiend had. 'Mijn naam is Spaulding. David...' 'U belde gisternacht op,' onderbrak zij hem met fonkelende ogen. 'Kerstcadeautjes voor Paul. Leslie...' 'Daarom bied ik mijn excuses aan. Het was een afschuwelijk misverstand. Vergeeft u mij alstublieft. Het is niet het soort grapjes dat ik opzettelijk maak; ik was even kwaad als u.' Hij zei het rustig en hield haar blik vast met de zijne. Het was genoeg; ze knipperde met de ogen in een poging hem te begrijpen. Haar woede zakte weg. Ze wierp een korte blik op het goudkleurige adelaartje in het knoopsgat van zijn revers, het kleine insigne dat zo ongeveer alles kon betekenen. 'Ik denk dat ik u geloven kan.'

'Dat moet u. Het was misselijk; ik maak geen misselijke grappen.'

De luitenant keerde terug met twee glazen. Hij was dronken en vechtlustig. Cindy stelde hen aan elkaar voor; de luitenant begroette de burger voor hem nauwelijks. Hij wilde dansen; Cindy wilde het niet. De abrupt ontstane spanning dreigde zich toe te spitsen.

Met een spoor van melancholie in zijn stem zei David: 'Ik heb samen met Mrs. Bonners echtgenoot gediend. Ik zou haar graag een paar minuten spreken. Ik moet zo weer weg; mijn vrouw wacht in de stad op me.'

De combinatie van feiten – geruststellingen – bracht de dronken luitenant van zijn stuk en vertederde hem tegelijk. Er werd een beroep gedaan op zijn ridderlijkheid; hij maakte een dronken buiging en liep terug naar de bar.

'Knap gedaan,' zei Cindy. 'Als er werkelijk een Mrs. Spaulding in de stad zit, zou het me niet verbazen. U zei dat u met Leslie uit was; dus staat ze quitte.'

David keek het jonge vrouwtje aan. *Vertrouw op de instincten die zich ontwikkelden*, dacht hij. 'Er is geen Mrs. Spaulding. Maar er was eergisteren wel een Mrs. Hawkwood. Ik veronderstel dat u niet erg dol op haar bent.'

'Zij en mijn man hadden wat, netjes uitgedrukt, "een verhouding" genoemd wordt. Een langdurige. Sommigen zeggen dat ik haar dwong naar Californië te verhuizen.'

'Dan zou ik graag de voor de hand liggende vraag stellen. Gezien de omstandigheden vraag ik me af waarom ze uw naam noemde en toen verdween? Ze wist dat ik zou proberen u te bereiken.'

'U gebruikte de term "misselijk". Zij is misselijk; meer dan dat: ze is ziek.'

'Of ze probeerde me iets te laten weten.'

David verliet de Warfields kort voor het nieuwe jaar aanbrak. Op de hoek van Lexington Avenue boog hij zuidwaarts af. Er zat niets anders op dan te wandelen, na te denken en te proberen aan elkaar te passen wat hij gehoord had; een logisch patroon te ontdekken.

Het lukte hem niet. Cindy Bonner was een verbitterde weduwe: de dood van haar man op het slagveld ontnam haar elke kans om zich op Leslie te wreken. Volgens haar zeggen wilde ze alleen maar vergeten. Maar ze was diep gekwetst geweest. Leslie en Paul Bonner hadden meer dan 'een verhouding' gehad. Ze hadden – opnieuw volgens Cindy – het stadium bereikt, waarin de Bonners allebei een eis tot echtscheiding hadden ingediend. Maar een confrontatie tussen beide vrouwen werd geen bevestiging van Bonners verhaal; Leslie Jenner-Hawkwood was níet van zins van haar man te scheiden. Het was onsmakelijke, onaangename society-viezigheid; het 'spelletje muziek in bed' van Ed Pace.

Maar waarom zou Leslie Cindy's naam genoemd hebben? Het was niet alleen provocerend en smakeloos, maar ook doelloos.

Toen hij de 52ste Straat overstak, was het precies middernacht. Een paar claxons van passerende auto's loeiden. In de verte hoorde hij torenklokken en fluiten; uit bars klonken de schrille kreten van lawaaimakers en een kakofonie van gebrul. Drie matrozen in vuile uniformen stonden heel luid en heel vals te zingen, tot vermaak van de voorbijgangers.

Hij sloeg rechtsaf naar de rij cafés tussen Madison en Fifth Avenue. Hij overwoog, binnen te stappen bij Shor of Club 21... voor een minuut of tien. Lang genoeg tot het feestrumoer een beetje bedaard was.

'Gelukkig Nieuwjaar, kolonel Spaulding.'

De stem klonk scherp en kwam uit een duister portaal.

'Wat?' David bleef staan en tuurde in de schaduw. Onbeweeglijk stond daar een grote man in een lichtgrijze regenjas, wiens gezicht schuil ging onder de rand van zijn hoed. 'Wat zei u?'

'Ik wenste u Gelukkig Nieuwjaar,' zei de man. 'Ik hoef wel niet te zeggen, dat ik u gevolgd ben. Ik haalde u verscheidene minuten geleden in.'

De stem had een accent, maar David kon het niet thuis brengen. Het was het Engels van een Britse kostschool, maar de oorsprong lag ergens in Midden-Europa. Misschien op de Balkan.

'Ik vind dat een erg ongewone mededeling en... dat hoef ik wel niet te zeggen... een erg hinderlijke.' Spaulding bleef staan waar hij stond; hij had geen wapen bij zich en hij vroeg zich af of de daar in het portiek verscholen man mogelijk wel gewapend was. Hij kon het niet vaststellen. 'Wat wilt u?'

'Om te beginnen, u welkom thuis heten. U bent lang weggeweest.'

'Dank u... En als u 't me permitteert...'

'Ik permitteer het niet! Beweeg u niet, kolonel! Blijf daar staan alsof u met een ouwe vriend staat te praten. Geen stap achteruit; ik heb een colt op uw borst gericht.'

Verscheidene voetgangers liepen langs de rand van het trottoir om David heen. Een echtpaar kwam tien meter rechts van het donkere portiek uit een deur; ze hadden haast en liepen snel tussen David en de grote man met het onzichtbare pistool door. Even bekroop David de verleiding het echtpaar te benutten, maar twee overwegingen weerhielden hem ervan. De eerste was het ernstige gevaar voor het echtpaar; de tweede het feit, dat de man met de revolver iets te zeggen had. Als die hem had willen neerschieten, zou hij het inmiddels gedaan hebben.

'Ik blijf stokstijf staan... Wat is er?'

'Doe twee stappen naar voren. Twéé, niet meer.'

David deed het. Hij kon het gezicht nu beter onderscheiden, maar niet duidelijk. Het was een smal gezicht, scherp en gegroefd. De ogen lagen diep in de kassen weggezonken. Vermoeide ogen. De matte glans van de loop van het pistool was het duidelijkste voorwerp dat David kon onderscheiden. De blik van de man dwaalde steeds naar links, achter Spaulding. Hij keek naar iemand uit. Hij stond te wachten.

'Ziezo, twee stappen. Nu kan niemand tussen ons door lopen...'

'Verwacht u iemand?'

'Ik had al gehoord dat agent no. 1 in Lissabon veel zelfbeheersing bezat. Dat klopt wel. Ja, ik sta te wachten; ik word zo dadelijk opgepikt.'

'Moet ik met u mee?'

'Dat zal niet nodig zijn. Ik breng alleen maar een boodschap over... Dat incident op Lajes. Betreurenswaardig, het werk van dwepers. Maar aanvaard het als een waarschuwing. Diepe verbittering is niet altijd te bedwingen, dat zult u ongetwijfeld weten. Fairfax behoorde het te weten. Fairfax zal het weten, voor deze eerste dag van het nieuwe jaar om is. Misschien nu al... Daar is mijn auto. Ga iets naar rechts, voor u naar links.' David deed het en de man liep naar de stoeprand, het pistool onder zijn jas verborgen. 'Pas op voor ons, kolonel. Geen onderhandelingen met Franz Altmüller. Die zijn afgelopen!'

'Ik weet niet waarover u het hebt. Ik kèn geen Altmüller!'

'Afgelopen! Neem de les van Fairfax ter harte!'

Een donkerbruine personenauto met vol licht trok op langs het trottoir. De wagen stopte, de achterdeur werd opengegooid en de man holde over het trottoir tussen de voetgangers door en stapte in. De wagen reed snel weg.

David holde naar de stoeprand. Het minste wat hij doen kon was het kenteken opnemen.

Er was er geen. Achter ontbrak het nummerbord.

In plaats daarvan staarde een gezicht hem aan door de langwerpige achterruit. De schok benam hem de adem. Een fractie van een seconde vroeg hij zich af of zijn ogen, zijn zintuigen hem parten speelden en of zijn verbeelding hem terugvoerde naar Lissabon.

Hij ging de auto achterna, hollend over straat, auto's en die vervloekte oudejaarsvierders ontwijkend.

De bruine sedan boog op Madison Avenue noordwaarts af en snorde weg. Buiten adem bleef hij midden op straat staan.

Het gezicht voor de achterruit was van een man met wie hij had samengewerkt bij de meeste geheime operaties in Portugal en Spanje. Dat van Marshall. De chef cryptograaf in Lissabon.

De taxichauffer ging in op Davids uitdaging om hem in minder dan vijf minuten naar het Montgomery te brengen. Het werden er zeven, maar gezien de drukte op Fifth Avenue gaf Spaulding hem vijf dollar en rende de lobby binnen.

Er waren geen boodschappen.

Hij had zijn deurslot niet bedraad; een bewuste nalatigheid, dacht hij. Als hij, naast het kamermeisje, nog een andere blanco uitnodiging had kunnen aanbieden aan degenen die twee avonden tevoren zijn kamer doorzocht hadden, zou hij het gedaan hebben. Een herhaling zou tot zorgeloosheid kunnen leiden en iets van identiteiten onthullen.

Hij gooide zijn jas uit en liep naar zijn linnenkast, waarin hij een fles whisky had. Er stonden twee schone glazen op een zilveren presenteerblad naast de drank. Hij zou er de nodige seconden van nemen om zich een borrel in te schenken alvorens Fairfax te bellen.

'Een heel gelukkig Nieuwjaar,' zei hij langzaam, terwijl hij het glas naar zijn lippen bracht.

Hij liep naar het bed, nam de hoorn van de haak en gaf de telefoniste het nummer in Virginia op. De lijnen naar het district Washington waren overbelast; het zou wel een poosje duren voor het gesprek doorkwam.

Wat bedoelde de man in vredesnaam? *Neem de les van Fairfax ter harte.* Waar had hij het over? Wie was Altmüller? Hoe was de voornaam ook weer...? Franz. Franz Altmüller.

Wie was dat?

Dus het incident op het vliegveld Lajes was op hem gemunt geweest. Waarvóór in 's hemelsnaam?

En Marshall. Het wàs Marshall tegen die achterruit. Hij had zich niet vergist.

'Hoofdkwartier Velddivisie' werd er monotoon gemeld uit de staat Virginia, district Fairfax.

'Kolonel Edmund Pace alstublieft.'

Er volgde een korte pauze aan het andere eind van de lijn. Davids oren vingen een zwakke luchtstroom op die hem maar al te goed bekend was.

Het was een telefoonaftapper, meestal aangesloten op een bandrecorder.

'Wie vraagt er naar kolonel Pace?'

Nu was het Davids beurt om te aarzelen. Hij dacht, dat hij vroeger misschien dat aftapgeluid niet had opgevangen. Het was altijd mogelijk en Fairfax was nu eenmaal... nou ja, Fairfax.

'Spaulding. Luitenant-kolonel David Spaulding.'

'Mag ik de kolonel een boodschap doorgeven? Hij is in conferentie.'

'Nee, dat mag u niet. U mag en kunt me de kolonel geven.'

'Het spijt me, overste.' De aarzeling van Fairfax was nu opvallend. 'Als u uw telefoonnummer wilt opgeven...'

'Luister eens, soldaat, mijn naam is Spaulding. Mijn klassificatie is vier-nul en dit is een vier-nul ijlgesprek. Als die nummers jou niks zeggen, vraag het dan aan dat secreet dat mee zit te luisteren. Dit is uiterst dringend. Verbind me met kolonel Pace!'

Er klonk een duidelijke dubbele klik in de hoorn. Er kwam een diepe, harde stem door de lijn.

'En hier met overste Barden, overste Spaulding. Ik ben ook vier-nul en alle vier-nullen passeren dit secreet hier. Ik ben niet in de stemming voor gepronk met rangen. Wat moet je?'

'Ik apprecieer uw rechtstreekse benadering, overste,' zei David, ondanks zijn haast glimlachend. 'Verbind me door met Ed. Het is werkelijk een prioriteit. Het betreft Fairfax.'

'Ik kan u niet doorverbinden, overste. We hebben geen aftaplijnen en ik probeer niet geestig te zijn. Ed Pace is dood. Hij werd een uur geleden door het hoofd geschoten. Een of andere ellendeling vermoordde hem hier op het terrein.'

20

Het was halfvijf in de ochtend toen de legerauto met Spaulding erin de ingang van Fairfax bereikte.

De wachtposten waren gewaarschuwd. Spaulding, in burger en zonder machtigingspapieren, werd vergeleken met zijn archief-foto en doorgewuifd. Bijna had David gevraagd de foto te mogen zien; naar zijn beste weten was die vier jaar oud. Eenmaal binnen het hek draaide de auto linksaf en reed naar het zuidelijke deel van het enorme terrein. Na de grindweg zowat een 800 meter gevolgd te zijn langs rijen golfijzeren hangars, stopte de auto voor een kazerneachtig gebouw. Het was het administratiegebouw van Fairfax.

Twee korporaals bewaakten de deur. De sergeant-chauffeur stapte uit en wenkte de korporaals, Spaulding door te laten. Hij stond al voor hen.

David werd in een kantoor op de eerste verdieping gelaten. Daarbinnen waren twee mannen: overste Ira Barden en een zekere doctor McCleod, een kapitein. Barden was een korte, gezette man met de bouw van een rugbyspeler en kortgeknipt zwart haar. McCleod was gekromd en mager en droeg een bril – het prototype van de bedachtzame academicus.

Barden besteedde een minimum aan tijd aan persoonlijke kennismaking. Direct na het voorstellen kwam hij ter zake.

'We hebben alle patrouilles verdubbeld en overal langs de afrasteringen met k-9's bewapende schildwachten neergezet. Ik denk niet dat er iemand uit kan. We weten alleen niet, of er misschien voordien iemand weggekomen is.'

'Hoe is het gebeurd?'

'Pace had een stuk of wat gasten voor de oudejaarsavond. Om precies te zijn twaalf. Vier uit zijn eigen barak, drie van het Archief en de rest van de Administratie. Heel bescheiden... maar we zijn hier ook in Fairfax. Voorzover we kunnen nagaan, ging hij om ongeveer twintig minuten na middernacht zijn achterdeur uit. Waarschijnlijk om wat troep weg te brengen, misschien

alleen maar om een luchtje te scheppen. Hij kwam niet terug...
Een schildwacht verderop kwam naar de deur en zei dat hij een
schot gehoord had. Niemand anders had iets gehoord. Althans
niet binnen.'
'Dat is vreemd. Deze kwartieren zijn niet bepaald geluiddicht.'
'Iemand had de grammofoon harder gezet.'
'Ik dacht dat het een bescheiden feestje was.'
Barden keek Spaulding strak aan. Er was geen woede in zijn
blik; het was zijn manier om zijn ernstige bezorgdheid te uiten.
'Die platenspeler heeft niet langer dan dertig seconden hard ge-
speeld. Het gebruikte geweer – en de ballistiek bevestigt dat –
was een trainingswapen, kaliber 0.22.'
'Een scherp gekraak, harder niet,' zei David.
'Precies. De grammofoon was een signaal.'
'Binnen. Op het feest,' voegde Spaulding eraan toe.
'Ja... Dr. McCleod is onze psychiater. We hebben de dossiers
doorgenomen van iedereen die binnen was...'
'Psychiater?' David was verbaasd. Het was een veiligheidspro-
bleem, niet een medisch.
'Ed was een stugkop, dat weet je even goed als ik. Hij heeft jou
opgeleid... Ik nam jouw stukken door, Lissabon. Jij bent met
hetzelfde sop overgoten. We gaan de anderen nog na.'
'Luister eens,' interrumpeerde de dokter, 'jullie willen praten en
ik moet dossiers nalopen. Ik bel je vanmorgen wel, Ira, later op
de ochtend. Het was me aangenaam, Spaulding. Ik wou dat de
kennismaking anders verlopen was.'
'Dat wou ik ook,' zei Spaulding en schudde de man de hand.
De psychiater nam de twaalf dossiers van de lessenaar van de
kolonel en vertrok.
De deur ging dicht. Barden wees Spaulding een stoel. David
ging zitten en wreef in zijn ogen. 'Wat een jaarwisseling, hè?' zei
Barden.
'Ik heb leukere meegemaakt,' antwoordde Spaulding.
'Wil je jouw ervaringen doornemen?'
'Ik geloof niet dat het zin heeft. Ik werd aangehouden; ik heb je
verteld wat er gezegd werd. Ed Pace was klaarblijkelijk "de les
van Fairfax". Het houdt verband met een brigade-generaal
Swanson op het ministerie van oorlog.'
'Ik ben bang van niet.'
'Het moet wel.'

'Onmogelijk. Pace was niet betrokken bij deze MvO-kwestie. Zijn enige relatie was, dat hij jou moest recruteren; een gewone overplaatsing.'

David herinnerde zich de woorden van Ed Pace: *Ik ben niet ingewijd... wat is jouw indruk? Heb je Swanson al ontmoet?* Hij keek Barden aan. 'Dan denkt iemand dat hij het was. Hetzelfde motief. Het hangt samen met de sabotage op Lajes. Op de Azoren.'

'Hoe dan?'

'Die ellendeling op de 52ste Straat zei het! Vijf uur geleden... Pace is dood; dat geeft je onder deze omstandigheden een zekere vrijheid. Ik wil alle vier-nul dossiers van Ed nagaan. Alles wat verband houdt met mijn overplaatsing.'

'Dat heb ik al gedaan. Na jouw telefoontje had wachten op een inspecteur-generaal geen zin. Ed was zo ongeveer mijn beste vriend...'

'En?'

'Er zijn geen dossiers. Er is niks.'

'Er móet iets zijn. Er moet een bericht zijn voor Lissabon. Voor míj.'

'Dat is er. Er staat alleen maar: overdragen aan MvO. Geen namen. Alleen een woord. Een enkel woord: "Tortugas".'

'En de papieren die jullie klaarmaakten? Het ontslag, de medische verklaring; Vijfde Leger, 112de bataljon? Italië... Zulke papieren worden niet zonder een Fairfax dossier klaargemaakt!'

'Ik hoor er nu voor het eerst van. Er is niets over in Eds brandkast.'

'Een majoor – ik meen dat hij Winston heette – ontving me op het vliegveld Mitchell. Ik kwam met een vliegtuig van de kustpatrouille van Newfoundland. Hij bracht me die papieren.'

'Hij bracht je een verzegelde envelop en mondelinge instructies. Meer wist hij niet.'

'Tjezis! Waar is de zogenaamde doeltreffendheid van Fairfax gebleven?'

'Dat mag je mij vertellen. En als je toch bezig bent, wie vermoordde Ed Pace?'

David keek op naar Barden. Het woord 'moord' was nog niet in hem opgekomen. Je pleegde geen moord; je doodde, dat wel, maar dat bracht het werk mee. Maar moord? Toch wàs dit moord.

'Dat kan ik je ook niet vertellen. Maar wel, waar je kunt beginnen te vragen.'

'Graag.'

'Roep Lissabon op. Zoek uit wat er met de cryptograaf Marshall gebeurd is.'

1 januari 1944
Washington D.C.

Het nieuws van de moord op Pace bereikte Alan Swanson indirect; het effect was verlammend.

Hij was in Arlington geweest op een intiem oudejaarsdinertje bij de chef-staf Militaire Bevoorrading toen het telefoontje kwam. Het was een dringend bericht voor een andere gast, een luitenant-generaal van de Verbonden Chefs van Staven. Swanson had bij de deur van de bibliotheek gestaan toen de man te voorschijn kwam, lijkbleek, met ongeloof in zijn stem.

'Mijn God,' had hij tegen niemand in het bijzonder gezegd. 'Iemand heeft Pace in Fairfax neergeschoten. Hij is dood.'

De weinige gasten in Arlington behoorden tot de hoogste militaire kringen; er was geen reden om het nieuws te verbergen; vroeg of laat zouden ze het allemaal te horen krijgen.

Swansons eerste hysterische gedachten betroffen Buenos Aires. *Bestond er enig mogelijk verband?*

Hij luisterde naar de beheerste, maar hoog gegrepen gissingen van de brigade-, luitenant- en andere generaals. Hij ving de woorden... infiltrators, huurmoordenaars, dubbelspionnen op. Hij was stomverbaasd van de wilde theorieën – die weloverwogen geuit werden – dat er een van de geheime agenten van Pace achter de moord moest zitten. Ergens was er een overloper omgekocht voor terugkeer naar Fairfax; ergens was er in de keten van de Inlichtingendienst een zwakke schakel die zich had laten omkopen.

Pace was niet alleen maar een kei van een medewerker van de Inlichtingendienst, hij was een van de besten bij de Centrale Geallieerde. Zelfs zozeer dat hij twee maal verzocht had, zijn generaalsster wel officieel te registreren, maar niet te laten dragen ter bescherming van zijn geringe profiel.

Maar het profiel was niet gering genoeg. Een buitengewoon

man als Pace moest een buitengewone prijs op zijn hoofd hebben staan, van Shanghai tot Bern. Gezien de strenge veiligheidsvoorzieningen van Fairfax moest de moordaanslag al maanden geleden op touw gezet zijn. Opgesteld als een project op lange termijn, dat intern uitgevoerd moest worden. Op een andere manier kon het niet verwezenlijkt zijn. Er waren momenteel ruim vijfhonderd man op het terrein, met inbegrip van een roulerende groep spionage-eenheden in opleiding – afkomstig uit een groot aantal landen. Geen enkel veiligheidssysteem kon onder deze omstandigheden volkomen waterdicht zijn. Er hoefde maar één man tussen de mazen door te glippen.

Maanden geleden op touw gezet... een overloper die naar Fairfax teruggekeerd was... een dubbelspion... een zwakke schakel bij de Inlichtingendienst aan wie een fortuin betaald was. Van Bern tot Shanghai.

Een project op lange termijn!

Dat waren de woorden, zinnen en meningen die Swanson duidelijk hoorde omdat hij ze wilde horen.

Ze namen het motief voor Buenos Aires weg. De dood van Pace had niets te maken met Buenos Aires, omdat het element tijd het onmogelijk maakte.

De Rhinemann ruil was amper drie weken geleden bedacht; het was ondenkbaar dat de moord op Pace er verband mee hield. Als dat zo was, zou het betekenen, dat hijzelf het zwijgen verbroken had.

Niemand anders ter wereld wist van de bijdrage van Pace. En zelfs Pace had maar bitter weinig geweten.

Alleen fragmenten.

Alle achtergrondgegevens over de man in Lissabon waren uit de kluis van Pace verwijderd. Alleen de overdracht aan het ministerie van oorlog was er gebleven.

Een fragment.

Toen dacht Alan Swanson aan iets en hij verwonderde zich over zijn eigen neiging om af te dwalen. In zekere zin was het beklemmend, dat het uit de uithoeken van zijn geest naar buiten kon komen. Na de dood van Edmund Pace kon zelfs Fairfax de gebeurtenissen, die naar Buenos Aires leidden, niet aaneenschakelen. De regering van de Verenigde Staten was nog een stap verder weg komen te staan.

Alsof hij onbewust steun zocht, zei hij hardop tegen het kleine groepje van zijn gelijken, dat hij nog kort geleden contact gehad had met Fairfax, en wel met Pace zelf, over een bijkomstige fiatteringskwestie. Het was wel iets onbetekenends, maar hij hoopte van harte... Hij kreeg onmiddellijk bijval. De luitenant-generaal van de staf, twee brigade-generaals en een driesterren genraal verkondigden allemaal, dat zij ook gebruik gemaakt hadden van Pace.

Dikwijls zelfs. Kennelijk vaker dan hij.

'Je kon een hoop tijd sparen door rechtstreeks naar Ed te gaan,' zei de stafofficier. 'Hij bespaarde omwegen en stuurde je meteen het fiat.'

Een stap verder weg.

Terruggekeerd in zijn appartement in Washington, voelde Swanson zijn twijfels weer oprijzen. Twijfels en tevens kansen. De moord op Pace was potentieel een probleem door de schokgolven die eruit zouden voortkomen. Er zou een groot onderzoek ingesteld worden, in alle richtingen gezocht. Anderzijds zou de nadruk op Fairfax komen te liggen. Het zou de Centrale Geallieerde Inlichtingendienst volledig bezighouden. Althans voor een poosje. Hij moest nu zijn zetten doen. Walter Kendall moest naar Buenos Aires gaan en de onderhandelingen met Rhinemann afronden.

De geleidesystemen uit Peenemünde. Alleen de tekeningen waren belangrijk.

Maar eerst vanavond en vanmorgen. David Spaulding. Het werd tijd om de gewezen man in Lissabon zijn opdracht te verstrekken.

Swanson nam de telefoon op. Zijn hand beefde.

Het schuldgevoel werd ondraaglijk.

1 januari 1944
Fairfax, Virginia

'Marshall sneuvelde een aantal kilometers van het plaatsje Valdero. In Baskenland. Het was een hinderlaag.'

'Dat is kolder! Marshall ging nooit naar het noorden. Hij was niet opgeleid en had niet geweten wat te doen!' David was opgestaan uit zijn stoel en richtte zich fel tegen Barden.

'De regels veranderen. Jij bent niet meer de man in Lissabon... Hij ging en werd gedood.'

209

'Bron?'
'De ambassadeur zelf.'
'En zíjn bron?'
'Waarschijnlijk jouw normale kanalen. Hij zei dat hij bevesti-
ging had. Er was een identificatie mee teruggebracht.'
'Waardeloos!'
'Wat wou jij dan? Een lichaam?'
'Het zal je verbazen, Barden, maar een hand of een vinger zijn
niet uitgesloten. Dat noem ik identificatie... Waren er foto's?
Close ups van wonden, van de ogen? Zelfs daarmee kan ge-
knoeid worden.'
'Hij repte er niet over. Wat zit jou in vredesnaam dwars? *Dit is
bevestigd.*'
'Werkelijk?' David keek Barden strak aan.
'Lieve hemel, Spaulding! Wat is in vredesnaam "Tortugas"? Als
dat Ed zijn dood was, wil ik het weten! En reken maar dat ik
erachter zal komen! Ik geef geen lor om cryptografen uit Lissa-
bon!'
De telefoon op Bardens bureau rinkelde; de kolonel keek er
even naar en richtte toen zijn blik weer op Spaulding.
'Neem hem op,' zei David. 'Een van die gesprekken zal met de
Verliezendienst moeten zijn. Pace heeft een gezin... Had.'
'Maak mijn leven niet gecompliceerder dan je al gedaan hebt.'
Barden liep naar zijn bureau. 'Ed zou vrijdag kort verlof krijgen.
Ik wacht met bellen – tot morgen... Hallo?' De overste luisterde
verscheidene seconden en keek toen Spaulding aan. 'Het is de
afluistertelefonist in New York die jou moet dekken. Die gene-
raal Swanson probeert je te bereiken. Hij heeft hem nu aan de
lijn. Wil je dat hij de ouwe baas doorverbindt?'
David herinnerde zich de beoordeling, die Pace van de nerveuze
generaal gegeven had. 'Moet je hem vertellen dat ik hier ben?'
'Welnee.'
'Verbind hem dan maar door.'
Barden liep achter het bureau vandaan toen Spaulding de telefoon overnam en het zinnetje 'Jawel generaal' een paar maal
herhaalde. Tenslotte legde hij de hoorn neer. 'Swanson wil dat ik
vanmorgen op zijn kantoor kom.'
'En ik wil weten waarom ze jou uit Lissabon wegsleurden,' zei
Barden.
David ging in de stoel zitten zonder meteen te antwoorden.

Toen hij begon te praten, probeerde hij zijn stem geen militaire of opdringerige klank te geven. 'Ik weet niet zeker of het iets te maken heeft met... iets. Ik wil geen verstoppertje spelen en anderzijds moet ik in zekere zin wel. Maar ik wil een paar gaatjes open houden. Noem het instinct of wat je wilt... ik weet het niet... Er is een zekere Altmüller, Franz Altmüller... Wie dat is of waar hij is, is me totaal onbekend. Duitser, Zwitser, ik weet het niet... Zoek uit wat je kunt op vier-nul niveau. Bel me in het Montgomery Hotel in New York. Ik ben daar minstens nog tot het eind van deze week. Daarna ga ik naar Buenos Aires.'
'Dat zal ik, als jij de sluier oplicht en me vertelt wat er in vredesnaam gaande is.'
'Dat zou je niet aanstaan. Want als ik dat doe en als er verband bestaat, zou het betekenen dat Fairfax open codelijnen heeft in Berlijn.'

1 januari 1944
New York City

Het passagiersvliegtuig begon aan de daling naar het vliegveld La Guardia. David keek op zijn horloge. Het was even over twaalven. Het was allemaal in twaalf uur tijds gebeurd: Cindy Bonner, de vreemdeling op de 52ste Straat, Marshall, de moord op Pace, Barden, het bericht uit Valdero... en ten slotte de vervelende bespreking met de amateuristische opdrachtgever brigade-generaal Alan Swanson van het ministerie van oorlog. Twaalf uur.
Hij had in bijna achtenveertig uur niet geslapen. Hij had slaap nodig om enig perspectief te ontdekken, om het duistere patroon te begrijpen. Niet het duidelijke.
Erich Rhinemann moest gedood worden.
Natuurlijk moest hij gedood worden. Het enige verrassende voor David was de gewichtigdoenerige manier waarop de generaal de order gegeven had. Die vereiste geen toelichting of verontschuldiging. En die verklaarde – eindelijk – zijn overplaatsing uit Lissabon. Die vulde het gapende gat van het waaróm. Hij was geen gyroscoopdeskundige; het was niet logisch geweest. Maar nu wel. Ze hadden een goeie aan hem; Pace had een uiterst professionele keus gemaakt. Het was een taak waarvoor

hij geschikt was – en bovendien kon hij als tolk optreden tussen de stomme gyroscoopexpert Eugene Lyons en Rhinemanns blauwdrukkenner.

Dàt beeld was duidelijk; het luchtte hem op het in focus te zien komen.

Wat hem dwars zat was het onscherpe beeld dat niet in focus kwam. Marshall, de cryptograaf van de ambassade, die hem vijf dagen geleden had opgehaald op een doorweekt vliegveld buiten Lissabon. De man die naar hem had gekeken door de achterruit van een auto op de 52ste Straat; de man, die gedood heette te zijn in een hinderlaag in de noordelijke provincie, waar hij nooit heen geweest was. En nooit heen zou gaan.

Leslie Jenner-Hawkwood. De vindingrijke gewezen minnares, die gelogen had en hem weggehouden had van zijn hotelkamer, die onbezonnen gekomen was met de persoon van Cindy Bonner en het verhaal van omgeruilde kerstcadeautjes voor een dode echtgenoot, die zij van Cindy had afgetroggeld. Leslie was niet gek. Ze vertelde hem iets.

Maar wat?

En Pace. De arme droogstoppel van een Ed Pace, die geveld was in het kamp met de hoogste mate van veiligheidsbewustzijn in de Verenigde Staten.

De les van Fairfax, die met ongelooflijke nauwkeurigheid – bijna op de minuut precies – voorspeld was door een grote man met droevige ogen in een donker portiek op de 52ste Straat.

Dàt – die personen waren de figuren op het onscherpe beeld.

David was grof geweest tegen de brigade-generaal. Hij had – uiteraard beroepshalve – de precieze datum willen weten, waarop de beslissing genomen was Erich Rhinemann uit de weg te ruimen. Wie had die beslissing genomen? Hoe was het bevel overgebracht? Kende de generaal een cryptograaf die Marshall heette? Had Pace die naam ooit genoemd? Had íemand die ooit genoemd? En een zekere Altmüller. Franz Altmüller. Zei die naam iets?

De antwoorden brachten hem niet verder. En het stond vast dat Swanson niet loog. Hij was niet doorkneed genoeg om zich eruit te draaien.

De namen Marshall en Altmüller kende hij niet. De beslissing voor de terechtstelling van Rhinemann was in een paar uur genomen. Ed Pace kon er absoluut niets van weten; hij was niet geraadpleegd, evenmin als wie ook in Fairfax. Het was een besluit, dat uit het Witte Huis zelf afkomstig was; niemand in Fairfax of Lissabon kon erin gekend zijn. Voor David was dat ontbreken van ingewijden de belangrijkste factor. Het betekende eenvoudigweg, dat het hele onduidelijke beeld niets met Erich Rhinemann te maken had. En, voorzover hij kon vaststellen, geen verband hield met Buenos Aires. David nam snel het besluit, de nerveuze generaal niet in vertrouwen te nemen. Pace had gelijk gehad: de man was niet opgewassen tegen nog meer complicaties. Hijzelf zou via Fairfax werken, opdrachtgever of niet.

Het vliegtuig landde; David liep naar de passagiersuitgang en zocht naar bordjes met de aanduiding 'Taxi's'. Hij liep door de dubbele deuren naar buiten en hoorde de kruiers de diverse bestemmingen van halfvolle taxi's afroepen. Het was vreemd, maar de gedeelde taxi's waren voor hem de enige aanwijzing, dat men op het vliegveld La Guardia wist dat er ergens oorlog was.

Tegelijkertijd besefte hij de dwaasheid van zijn gedachten. En het aanmatigende ervan.

Een soldaat zonder benen werd in een taxi geholpen. Kruiers en burgers waren ontroerd en behulpzaam.

De soldaat was dronken. Wat er van hem over was, was stuurloos.

Spaulding deelde een taxi met drie anderen en ze praatten over weinig anders dan de laatste berichten uit Italië. David besloot zich niet aan zijn dekmantel te houden voor het geval de onvermijdelijke vragen kwamen. Hij had geen zin om over een of ander geheimzinnig gevecht bij Salerno te praten. Maar de vragen kwamen niet. En toen zag hij waarom.

De man naast hem was blind. De man ging verzitten en de middagzon deed iets glinsteren in zijn knoopsgat. Het was een kleine metalen replica van een ridderorde: de Zuid-Pacific.

David bedacht weer dat hij vreselijk moe was. Hij was zowat de meest onachtzame agent die ooit een taak had opgekregen, dacht hij.

Op Fifth Avenue stapte hij uit de taxi, drie straten ten noorden van het Montgomery. Hij had meer betaald dan hij moest; hij hoopte dat de beide anderen het overige ten goede zouden laten komen aan de blinde veteraan, wiens kleren hemelsbreed verschilden van Leslie Jenners Rogers Peet.

Leslie Jenner... Hawkwood.

Een zekere cryptograaf Marshall.

Het onscherpe beeld.

Hij moest het allemaal van zich afzetten. Hij moest slapen, vergeten en alles laten bezinken voor hij er weer aan dacht. Morgenochtend zou hij Eugene Lyons ontmoeten en beginnen... opnieuw. Hij moest voorbereid zijn op de man, die zijn keel met pure alcohol verschroeid had en in tien jaar geen gesprek gevoerd had.

De lift hield stil op de zesde etage. Zijn kamer was op de zevende. Hij wou er juist de liftbediende op attent maken, toen hij merkte dat de deuren niet open gingen.

In plaats daarvan keerde de liftbediende zich om. Zijn hand omklemde een Smith & Wesson revolver met korte loop. Hij reikte omlaag naar de bedieningshandle en drukte die naar links, waarop de gesloten kooi schokte en tussen twee verdiepingen halt hield.

'Zo gaan de lichten in de lobby uit, overste Spaulding. Misschien horen we zoemers, maar voor noodgevallen is er een tweede lift. We zullen niet gestoord worden.'

Hetzelfde accent, dacht David. Engels vernisje, Midden-Europa.

'Daar ben ik blij om. Het is zo allejezus lang geleden.'

'Ik vind u niet geestig.'

'Ik jou ook niet... uiteraard.'

'U was naar Fairfax in Virginia. Prettige reis gehad?'

'Je hebt een uitzonderlijk verbindingskanaal.' Spaulding wilde niet alleen tijd winnen door te praten. Hij en Ira Barden hadden de nodige voorzorgsmaatregelen genomen. Zelfs al had de telefooncentrale van het Montgomery alles doorgegeven wat hij gezegd had, dan nog was er geen aanwijzing, dat hij naar Virginia gevlogen was. De reserveringen waren vanuit telefooncellen gemaakt en de vlucht van het vliegveld Mitchell naar Andrews had hij onder een aangenomen naam als bemanningslid meegemaakt. Zelfs het telefoonnummer in Manhattan, dat hij aan de balie van het Montgomery had opgegeven, betrof een adres dat onder voortdurende surveillance stond. En op het terrein van Fairfax kende alleen de veiligheidscontroledienst zijn naam; maar vier of hooguit vijf mensen hadden hem gezien.

'Wij beschikken over betrouwbare inlichtingenbronnen... Hebt u nu uit de eerste hand de les van Fairfax vernomen?'

'Ik heb vernomen dat er een goed man vermoord werd. Ik denk dat zijn vrouw en kinderen intussen zijn ingelicht.'

'In oorlog bestaat geen moord, overste. U gebruikt dat woord verkeerd. En spreekt u niet tegen ons...'

Een zoemer onderbrak de man. Een kort, beleefd belletje.

'Wie zijn "ons"?' vroeg David.

'Dat hoort u te zijner tijd wel, als u meewerkt. Als u niet meewerkt, maakt het geen verschil: dan wordt u gedood... Wij uiten geen loze dreigementen. Getuige Fairfax.'

De zoemer ging weer. Dit maal langer en niet bepaald beleefd.

'Hoe weet ik of ik samenwerk? Waar gaat het om?'

'Wij moeten de precieze ligging van Tortugas weten.'

Spauldings hersenen raasden terug tot die ochtend om vijf uur. In Fairfax. Ira Barden had gezegd, dat de naam 'Tortugas' het enige woord was ter toelichting van zijn overplaatsingsopdracht. Geen andere gegevens, niets anders dan het woord 'Tortugas'. En dat had begraven gelegen in de 'kluizen' van Pace. Opbergkasten achter stalen deuren, die alleen toegankelijk waren voor de hoogstgeplaatsten bij de Inlichtingendienst.

'Tortugas behoort tot een eilandengroep voor de kust van Florida. Het wordt meestal Dry Tortugas genoemd. Het staat op iedere kaart.'

Weer de zoemer. Nu herhaald, met korte, vinnige stoten.

'Wees niet zo dwaas, overste.'

'Ik ben niks. Ik weet niet waarover je kletst.'

De man keek Spaulding strak aan. David zag dat hij zich onzeker voelde en zijn woede probeerde te bedwingen. De zoemer ging nu ononderbroken en zowel boven als beneden hen klonken stemmen. 'Ik wil u liever niet doden, maar ik moet wel. *Waar is Tortugas?*'

Opeens schreeuwde een luide mannenstem op de zesde etage, niet meer dan drie meter van de liftkooi: 'Hij is hier! Hij zit klem! Mankeren jullie iets daarbinnen?'

De man knipperde met zijn ogen, het schreeuwen had hem zenuwachtig gemaakt. Dat was het moment waar David op gewacht had. Bliksemsnel schoot zijn rechterhand diagonaal uit, klemde zich als een bankschroef om de onderarm van de man en timmerde die tegen de metalen deur. Hij wierp zijn lichaam tegen de borstkas van de man en stootte zijn knie omhoog in één enkele, vernietigende stoot in de lies. De man gilde in doodsangst. Spaulding omklemde de vooruitgestoken keel en rukte aan de aderen om de strot. Hij beukte de man nog tweemaal in de lies, tot de pijn zo snijdend was dat er geen gegil meer uit de keel kon komen, maar alleen nog een zacht, jammerend gesteun. Het lichaam werd slap, de revolver viel op de vloer en de man zakte onderuit tegen de wand.

Spaulding schopte het wapen weg en greep met beide handen de man bij de nek beet, terwijl hij het hoofd heen en weer schudde tegen bewusteloosheid.

'Nu zul je het míj vertellen, ellendeling! Wat is Tortugas?'

Het geschreeuw buiten de liftkoker was nu oorverdovend. Door het gegil van de gehavende liftbediende was er een kakofonie van hysterische kreten losgebarsten. Er werd geroepen om de hoteldirectie. Om de politie.

De man keek naar David en tranen van ondraaglijke pijn stroomden uit zijn ogen. 'Waarom dood je me niet, zwijn,' zei hij tussen krampachtige ademstoten door, '... je hebt het al eerder geprobeerd.'

David was verstomd. Hij had de man zelfs nooit gezien. In het noordelijke gebied? Baskenland? Navarra?

Tijd om na te denken was er niet.

'Wat is "Tortugas"?'

'Altmüller, zwijn. Dat zwijn Altmüller...' De man verloor het bewustzijn.

Weer die naam.

Altmüller.

Spaulding liet het bewusteloze lichaam liggen en pakte de controlehandle van de lift. Hij zwaaide hem door naar uiterst links voor de grootst mogelijke snelheid. Het Montgomery telde tien verdiepingen; het bedieningspaneel gaf aan, dat de knoppen op de eerste, derde en zesde verdieping ingedrukt waren. Als hij de tiende etage kon bereiken voor de hysterische stemmen hem de trap op volgden, was het misschien mogelijk dat hij uit de lift kon komen en de gang doorrennen naar een van de hoeken, om zich dan weer snel onder het publiek te mengen dat zich ongetwijfeld rondom de open liftdeuren zou verzamelen.

Rondom de bewusteloze man op de vloer.

Het móest mogelijk zijn. Het was nu geen moment voor hem

waarop hij met de Newyorkse politie te maken mocht krijgen.

De man werd op een baar weggedragen; de vragen waren maar kort. *Nee, hij kende de liftbediende niet. De man had hem tien of twaalf minuten geleden op zijn eigen etage afgezet. Hij was op zijn kamer geweest en naar buiten gekomen toen hij al dat geschreeuw hoorde. Net als ieder ander.*   ö
Waar ging het heen met New York?
David bereikte zijn kamer op de zevende etage, deed de deur op slot en keek naar het bed. God, hij was doodop! Maar zijn hersens hielden niet op als een razende te werken.
Hij zou alles uitstellen tot hij wat gerust had, op twee punten na. Die moest hij nu overwegen. Hij kon ze niet uitstellen tot na het slapen, want de telefoon zou kunnen gaan of iemand zou naar zijn hotelkamer kunnen komen. En hij moest vooraf zijn besluiten nemen. Voorbereid zijn.
Het eerste punt was, dat Fairfax niet langer als bron bruikbaar was. Het was lek, geïnfiltreerd. Hij moest zonder Fairfax werken, hetgeen ongeveer hetzelfde was als een invalide te vertellen, dat hij het maar zonder krukken moest doen.
Anderzijds was hij geen invalide.
Het tweede punt was een man die Altmüller heette. Hij móest een man opsporen die Franz Altmüller heette; erachter komen wie hij was en wat hij betekende voor het onscherpe beeld.
David ging op het bed liggen; hij had zelfs de fut niet meer om zijn kleren uit te trekken, niet eens om zijn schoenen uit te doen. Hij tilde zijn arm op om zijn ogen te beschermen tegen de stralen van de middagzon, die door de ramen van zijn kamer naar binnen vielen. De middagzon van de eerste dag van het nieuwe jaar 1944.
Opeens deed hij zijn ogen open in de donkere leegte van de tweed mouw. Er was nog een derde punt. Onverbrekelijk verbonden met de man die Altmüller heette.
Wat betekende in vredesnaam 'Tortugas'?

21

2 januari 1944
New York City

Eugene Lyons zat aan een tekentafel in het kale kantoor. Hij was in hemdsmouwen. Overal op tafels lagen tekeningen. De tegen de witte muren weerkaatsende ochtendzon gaf het vertrek het steriele aanzien van een kamer in een ziekenhuis. En het gezicht en het lichaam van Eugene Lyons droegen er niet toe bij om dergelijke gedachten te logenstraffen. David was Kendall door de deur gevolgd, bang voor de komende kennismaking. Hij had liever niets van Lyons geweten. De geleerde keerde zich om op de kruk. Hij behoorde tot de magerste mensen die Spaulding ooit gezien had. De botten werden omhuld, niet beschermd, door het vlees. Overal op de handen, armen, hals en slapen waren lichtblauwe aderen te zien. De huid was niet oud, maar versleten. De ogen lagen diep in de kassen, maar waren beslist niet dof óf mat; ze waren alert en op hun eigen manier doordringend. Zijn gladde, grijze haar was voortijdig dun geworden; zijn leeftijd was op geen twintig jaar nauwkeurig te schatten.
Maar de man scheen één specifieke eigenschap te vertonen: ongeïnteresseerdheid. Hij gaf blijk dat hij zijn bezoekers opmerkte en wist klaarblijkelijk wie David was, maar deed geen poging om zijn concentratie op iets anders te richten.
Kendall forceerde de doorbraak. 'Eugene, dit is Spaulding. Wijs hem waar hij beginnen moet.'
En met die woorden maakte Kendall rechtsomkeert en ging de deur uit, die hij achter zich sloot.
David stond aan de andere kant van het vertrek. Hij deed de nodige passen naar Lyons toe en stak zijn hand uit. Hij wist precies wat hij zou gaan zeggen.
'Het is me een eer met u kennis te maken, Dr. Lyons. Ik ben geen expert op uw gebied, maar ik hoorde van uw werk bij het Instituut voor Technologie van Massachusetts. Ik tref het, dat u uw kennis gaat uitstallen, al is het ook maar voor een klein poosje.'

Er blonk een lichte, kortstondige flikkering van belangstelling in de ogen. David had gegokt op een eenvoudige begroeting die de uitgemergelde geleerde verschillende dingen onthulde, waaronder het belangrijke feit dat David op de hoogte was van Lyons' droevige tragedie in Boston – en dus ongetwijfeld ook van de rest van zijn levensverhaal – en dat hij er niet door werd afgeschrikt.

Lyons' handdruk was slap; de ongeïnteresseerdheid keerde snel terug. Ongeïnteresseerdheid, niet noodzakelijkerwijs onbeleefdheid. Een grensgeval.

'Ik weet dat we weinig tijd hebben en ik ben een beginneling wat gyroscopen betreft,' zei Spaulding. Hij liet de hand los en ging opzij van de tekentafel staan. 'Maar er is mij gezegd, dat ik weinig meer hoef te weten dan de basisbegrippen en dat ik in het Duits de termen en formules moet kunnen overzetten die u voor me opstelt.'

David beklemtoonde – door een heel lichte stemverheffing – de woorden *overzetten... die u voor me opstelt*. Hij sloeg Lyons gade om te zien of er enige reactie kwam op zijn openlijke uiting van bekendheid met het spraakprobleem van de geleerde. Hij meende een klein spoor van opluchting te bespeuren.

Lyons keek naar hem op. De dunne lippen persten zich iets tegen de tanden; de mondhoeken verbreedden zich een ogenblik en de geleerde knikte. Er blonk zelfs een nauwelijks waarneembare glans van dankbaarheid in de diepliggende ogen. Hij stond op van zijn kruk en liep naar de dichtstbijzijnde tafel, waar diverse boeken op de tekeningen lagen. Hij nam het bovenste exemplaar eraf en gaf dat aan Spaulding. Op de omslag stond de titel *Schema's: Inertie en Precessie*.

David wist dat het wel terecht zou komen.

Het was over zessen.

Kendall was weggegaan; de receptionist had klokslag vijf gesloten en David gevraagd de deuren op slot te doen indien hij als laatste wegging. Zo niet, dan moest hij een van de anderen waarschuwen. Die 'anderen' waren Eugene Lyons en zijn twee verplegers.

Spaulding sprak hen – de verplegers – heel kort in de receptie. Ze heetten Hal en Johnny. Het waren allebei forse kerels; de praatzieke was Hal en de leider was Johnny, een ex-marinier.

'De ouwe knaap gedraagt zich keurig,' zei Hal. 'Geen centje pijn vandaag.'

'Het wordt tijd om hem terug te brengen naar St. Luke,' zei Johnny. 'Ze worden woedend als hij te laat komt voor het avondeten.'

Samen gingen de beide mannen Lyons' kantoor binnen en haalden hem weg. Ze waren beleefd, maar onvermurwbaar tegenover de afgeleefde geleerde. Eugene Lyons keek Spaulding onverschillig aan, haalde zijn schouders op en liep zwijgend met zijn twee bewakers de deur uit.

David wachtte tot hij het gezoem van de lift op het portaal hoorde. Toen legde hij het werk over 'Schema's', dat de geleerde hem ter bestudering gegeven had, op het bureau van de receptionist en liep naar het kantoor van Walter Kendall, dat hij al kende. De deur was op slot en dat vond hij vreemd. Kendall was op weg naar Buenos Aires en zou misschien in weken niet terugkomen. Spaulding haalde een klein instrument uit zijn zak en knielde voor de deur. Op het eerste gezicht leek het voorwerp in Davids hand op een duur zilveren zakmes van het soort, dat dikwijls te vinden is aan het eind van een dure sleutelhanger, vooral in exclusieve herensociëteiten. Dat was het niet. Het was een loper van een slotenmaker, gemaakt om die indruk te wekken. Hij was bij de Londense Munt gemaakt en was een cadeau van een collega van MI-5 in Lissabon.

David draaide er een kleine cilinder met een platte punt uit en stak die in het slot. In minder dan dertig seconden hoorde hij de juiste klikjes en deed de deur open. Hij ging naar binnen en liet de deur op een kier staan.

Kendalls kantoor bevatte geen opbergkasten, geen wandkasten, geen boekenplanken of enige andere bergruimten dan de bureauladen. David draaide de leeslamp aan, die op de rand van de onderlegger stond, en trok de middelste bovenla open.

Hij moest een hartelijke lach onderdrukken. Omringd door een vreemdsoortig assortiment paperclips, tandenstokers, omslagmappen en aantekenblaadjes lagen twee pornoblaadjes. Hoewel ze vol vieze vingerafdrukken zaten, waren ze allebei van vrij recente datum.

Vrolijk kerstfeest, Walter Kendall, dacht David een beetje triest.

De zijladen waren leeg, er lag althans niets belangwekkends in.

In de onderste la lagen verfrommelde gele velletjes aanteken-papier, onbetekenende prullen die bekrast waren met een hard potlood dat door het papier heen was gegaan.

Hij wou juist opstaan en weggaan toen hij besloot de onsamen-hangende krabbels op het verfrommelde papier nog eens nader te bekijken. Er was verder niets; Kendall had zijn kantoor uit gewoonte en niet uit noodzaak op slot gedaan. En misschien ook weer uit gewoonte had hij de gele velletjes niet in een prul-lenmand gegooid, die alleen maar de inhoud van geledigde as-bakken bevatte, maar ze in een la gestopt. Uit het gezicht.

David wist dat hij op iets gokte. Hij had geen keus; hij wist niet zeker wat hij zocht, als hij al iets zocht.

Hij spreidde twee blaadjes op de onderlegger uit en streek ze glad.

Niets.

Nou ja, toch iets. Contouren van vrouwenborsten en geslachts-delen. Allerlei cirkels, pijlen en schetsen: een paradijs voor een psychoanalist.

Hij pakte nog een blaadje en streek het glad. Nog meer cirkels, pijlen en borsten. En aan de ene kant kinderlijk getekende om-trekken van wolken – dik en donker; diagonale krabbels die regen of een massa dunne bliksemstralen konden voorstellen.

Niets.

Nog een blad.

Het trof Davids oog. Onderop het besmeurde gele blad, nauwe-lijks herkenbaar tussen kriskras neergepote potloodkrabbels, stonden de omtrekken van een groot hakenkruis. Hij bekeek het opmerkzaam. Op de rechtse armen van het hakenkruis ston-den cirkels, cirkels die zich herhaalden alsof de tekenaar de lus-sen van een ouderwetse schrijfoefening had overgetrokken. En uit die lussen kwamen onmiskenbare initialen te voorschijn. *JD*. En dan *Job D., J. Diet...* De letters verschenen aan het uiteinde van elke ovale lijn. En achter de laatste letters van elk veld ston-den zorgvuldig getekende ???
???

David vouwde het papier zorgvuldig op en stak het in zijn zak. Er waren nog twee blaadjes over, dus haalde hij die tegelijk uit de la. Het linkse blad bevatte alleen maar één grote, niet te ont-cijferen krabbel – ook weer cirkelvormig, maar nu dreigend – en zonder betekenis. Maar op het andere blad, ook weer bijna onderaan stonden een reeks krullerige halen, die uitgelegd konden worden als J's en D's en overeenkwamen met de vorm van de letters achter de armen van het hakenkruis op het tweede blad. En naast de laatste D stond een vreemde horizontale obelisk, met de punt naar rechts. Er stonden lijnen op de zijkant die aan groeven deden denken... Misschien het ballistisch patroon van een kogel. Daaronder links, op de volgende regel van het blad, stonden dezelfde ovale lussen die aan het schrijfvoorbeeld deden denken. Maar hier waren ze zwaarder getekend en harder in het gele papier gekrast.

Opeens besefte David waar hij naar keek.

Walter Kendall had onbewust een obscene karikatuur van een stijve penis en testikels neergekrabbeld.

Gelukkig Nieuwjaar, Mr. Kendall, dacht Spaulding.

Hij stopte het papier zorgvuldig bij het andere in zijn zak, legde de andere terug en deed de la dicht. Hij deed de lamp uit, liep naar de open deur, keerde zich om om te zien of hij alles had achtergelaten zoals het was en kwam in de kamer van de receptionist. Hij trok Kendalls deur dicht en overwoog even of hij hem weer op slot zou doen.

Hij vond het nodeloze tijdverspilling. Het slot was oud en eenvoudig; schoonmaakpersoneel in vrijwel elk gebouw in New York zou een loper hebben en het was moeilijker om de tuimelaars vast te zetten dan ze los te maken. Laat maar waaien.

Een half uur later bedacht hij – in een ogenblik van nabeschouwing – dat dit besluit waarschijnlijk zijn leven gered had. De zestig of negentig of misschien honderd seconden dat hij zijn vertrek vervroegde maakten hem van een doelwit tot een waarnemer.

Hij deed de Rogers Peet overjas aan, deed de lichten uit en liep de gang in naar de lift. Het was tegen zevenen, daags na Nieuwjaar, en het gebouw was vrijwel verlaten. Er was maar een enkele lift in gebruik die zijn verdieping gepasseerd was en op een van de hogere etages scheen te blijven wachten. Hij was juist van plan om maar de trap te nemen – de kantoorlokalen lagen op de tweede verdieping en de trap was misschien vlugger – toen hij verschillende personen snel de trap op hoorde komen. Het geluid van de voetstappen was onlogisch. De lift was nog maar enkele seconden geleden in de hal geweest; waarom zouden twee – meer dan twee? – personen om zeven uur 's avonds de trap op komen rennen? Er kon een dozijn logische verklaringen voor zijn, maar zijn instincten brachten hem tot het overwegen van onlogische verklaringen.

Geluidloos holde hij naar het andere eind van de korte overloop, waar een dwarsgang naar andere kantoorlokalen aan de zuidkant van het gebouw voerde. Hij ging de hoek van de gang om en drukte zich stijf tegen de muur. Sinds de overval in de lift van het Montgomery Hotel droeg hij een wapen – een kleine Berretta revolver – aan een riem op zijn borst, onder zijn kleren. Hij deed zijn overjas los en maakte de knoopjes van zijn colbert en overhemd los. Als het nodig mocht zijn, kon hij de revolver zo grijpen.

Waarschijnlijk zou het niet nodig zijn, dacht hij, toen hij de voetstappen hoorde verdwijnen.

Maar toen drong het tot hem door, dat ze níet verdwenen waren, ze waren verzwakt, vertraagd tot een normaal tempo – een zachte, voorzichtige loop. En toen hoorde hij de stemmen: fluisterend, onherkenbaar. Ze kwamen om de hoek van de muur vandaan, vlak bij het onopvallende kantoor van Meridian en nog geen tien meter van hem vandaan.

Hij schoof zijn gezicht behoedzaam naar de scherpe hoek van de betonnen muur en reikte tegelijk met zijn rechterhand onder zijn overhemd naar de kolf van de Berretta.

Twee mannen stonden met hun rug naar hem toe en met hun gezicht naar het donkere glas van de kantoordeur zonder naambordje. De kleinste van de twee drukte zijn gezicht tegen de ruit en hield zijn handen tegen zijn slapen om het licht uit de gang te weren. Hij trok zich terug, keek zijn maat aan en schudde ontkennend het hoofd.

De grootste van de twee draaide zich iets om, genoeg voor Spaulding om hem te herkennen.

Het was de vreemdeling uit het terugspringende, donkere portiek op de 52ste Straat. De grote man met de droevige ogen, die in gebroken Engels-van-de-Balkan zo vriendelijk sprak en die hem onder schot gehouden had met een zware, machtige revolver.

De man voelde in de linkerzak van zijn overjas en gaf zijn vriend een sleutel. Met zijn rechterhand haalde hij een pistool uit de holster. Het was een zwaar legerpistool, kaliber 0.45. David wist dat het wapen op korte afstand iemand aan flarden kon schieten en van de aardbodem kon wegvagen. De man knikte en zei zachtjes, maar duidelijk:

'Hij moet er zijn. Hij is niet weggegaan. Ik moet hem hebben.'

Bij die woorden stak de kleinste de sleutel in het slot en morrelde aan de deur. Langzaam ging die open. Samen stapten de beide mannen naar binnen.

Precies op dat moment klonk het geluid van het openschuivende hek van de lift en het gerinkel van de metalen staven galmde door de gang. David kon de twee mannen in het halfduistere receptionistenkamertje zien verstijven, naar de open deur lopen en die sluiten.

'Allemachtig!' klonk het woedend uit de mond van de liftbediende, terwijl hij het hek met een bons dichtsmeet.

David wist dat het moment van actie gekomen was. Binnen enkele seconden zou het tot een van de mannen in het verlaten kantoor van Meridian doordringen, dat de lift op de tweede etage had stilgehouden omdat iemand op de knop gedrukt had. Iemand die zich niet vertoond had, iemand die ze niet op de trap tegengekomen waren. Iemand die nog op de tweede etage was. Hij schoot de hoek van de muur om en rende de gang door naar de trap. Hij keek niet om en deed geen moeite zijn voetstappen te dempen – het zou ten koste van zijn snelheid gegaan zijn. Zijn enige zorg was, die trappen af en het gebouw uit te komen. Hij sprong de rechte trap af naar de overloop halverwege de volgende etage en nam de bocht.

En toen bleef hij staan.

Beneden hem, tegen de trapleuning geleund, stond de derde man. David wist dat hij een paar minuten geleden meer dan twee paar voetstappen de trap op had horen komen. De man schrok op; zijn ogen spalkten zich open in geschokte herkenning en zijn rechterhand schoot naar zijn jaszak. Niemand hoefde Spaulding te vertellen wat de man wilde grijpen.

David sprong naar beneden, pal op de man af, die hij midden in zijn sprong te pakken kreeg en zijn handen klauwden naar de keel en de rechterarm van de man. Hij greep het nekvel onder het linkeroor en rukte er zo hard aan, dat hij het hoofd van de man tegen de betonnen muur bonsde. Davids zwaardere lichaam botste tegen de borst van de schildwacht en hij draaide de rechterarm bijna uit de kom.

De man zakte schreeuwend in elkaar; zijn schedel was gebarsten en het bloed stroomde uit de plek waar zijn hoofd de muur geraakt had.

David hoorde een deur opengooien en mannen rennen. Boven hem natuurlijk, een etage hoger.

Hij bevrijdde zijn benen van het bewusteloze lichaam en rende de resterende trappen af naar de hal. De lift had enkele ogenblikken geleden zijn lading passagiers uitgelaten; de laatsten gingen juist de hoofdingang uit. Als sommigen de langgerekte kreet van de aangevallen man op het trapportaal erboven al gehoord mochten hebben, lieten ze er niets van blijken.

David schoot tussen de achterblijvers en wrong zich door de dubbele deuren naar buiten. Hij sloeg linksaf en holde zo hard hij kon weg.

In Baskenland had hij ook wel eens een kilometer of drie gelopen – even ver als deze veertig stratenblokken langs – maar hier was het oneindig veel onaangenamer.

Hij had verscheidene besluiten genomen. De moeilijkheid was alleen hoe hij ze kon uitvoeren.

Hij kon niet in New York blijven; niet zonder risico's te lopen, duidelijk onaanvaardbare risico's. En hij moest meteen naar Buenos Aires, voor een van zijn achtervolgers hier in New York wist dat hij vertrokken was.

Want achtervolgen deden ze hem; dat was wel duidelijk.

Naar het Montgomery terugkeren stond gelijk met zelfmoord. En ook om de volgende morgen naar de kantoren van Meridian te gaan. Hij kon dat allebei telefonisch afhandelen. Hij zou het hotel zeggen, dat hij plotseling naar Pennsylvania overgeplaatst was; zou de directie zo goed willen zijn, zijn spullen in te pakken en te bewaren? Hij kwam nog wel afrekenen...

Kendall was onderweg naar Argentinië. Het kwam er dus niet op aan wat hij het kantoor van Meridian vertelde.

Opeens dacht hij aan Eugene Lyons.

Hij was een beetje bedroefd om Lyons. Niet om de man (natuurlijk wèl om de man, bedacht hij zich snel, maar niet om 's mans bezoeking), maar om het feit dat hij vóór Buenos Aires weinig kans zou hebben om een gevoel van verstandhouding op te wekken. Lyons zou zijn plotselinge afwezigheid als de zoveelste afstoting in een lange rij kunnen opvatten. En de geleerde zou zijn hulp in Buenos Aires misschien echt nodig hebben, zeker voor de vertaling van het Duits. David besloot dat hij de door Lyons gekozen boeken moest hebben; hij moest een zo gedegen mogelijke kennis van Lyons' taalgebruik hebben als mogelijk was. En toen zag David in, waarheen zijn gedachten hem voerden. In de komende uren zouden de veiligste plaatsen in New York de kantoren van Meridian en het St. Luke ziekenhuis zijn. Na een bezoek aan die twee gebouwen zou hij naar het vliegveld Mitchell gaan en brigade-generaal Swanson bellen.

Het antwoord op het beklemmende raadsel van de afgelopen zeven dagen – van de Azoren tot een trappenhuis op de 38ste Straat en alles wat daartussen lag – was in Buenos Aires te vinden.

Swanson wist het niet en kon niet helpen; Fairfax was geïnfiltreerd en kon niet ingelicht worden. En dàt zei hèm iets.

Hij stond alleen. Bij zo'n dilemma moest iemand kiezen uit twee mogelijkheden: hij kon zich terugtrekken uit de strategie, of graven naar identiteiten en de tipgevers ontmaskeren.

Het eerste zou hem ontzegd worden. Die generaal Swanson was bezeten van de kwestie met die gyroscoop-ontwerpen. En van Rhinemann. Terugtrekken uit de strategie was er niet bij.

Dat liet alleen de tweede mogelijkheid over: de identiteit van de mannen achter de schermen van het raadsel opsporen.

Een gevoel beving hem, een gevoel dat hij in jaren niet gekend had: de angst om plotseling tekort te schieten. Hij stond tegenover een buitengewoon probleem, waarvoor geen passende – of ingewikkelde – oplossing in het noordelijke gebied te vinden was. Geen ontrafeling als gevolg van zetten en tegenzetten volgens de strategie die hij zich in Baskenland en Navarra eigen gemaakt had.

Hij voerde plotseling een andere oorlog. Een waarmee hij niet vertrouwd was, een die hem aan zichzelf deed twijfelen.

Hij zag een onbezette taxi met een zwak brandend lampje in de kap, alsof de wagen zich schaamde voor het ontbreken van passagiers. Hij keek op naar het straatnaambordje: hij was op Sheridan Square, hetgeen de gedempte jazzmuziek verklaarde die uit souterrains opsteeg en drukke zijstraten overspoelde. De Village maakte zich klaar voor een nieuwe avond.

Hij stak zijn hand op naar de taxi, maar de chauffeur zag hem niet. Hij begon te rennen toen de taxi doorreed naar het stoplicht op de straathoek. Plotseling merkte hij, dat iemand van de overkant van het plein ook op de lege taxi toerende; die man was er dichterbij dan Spaulding en gebaarde met zijn rechterhand.

Het werd voor David van het grootste belang dat hij de taxi het eerst bereikte. Hij vermeerderde vaart en holde de straat op, voetgangers ontwijkend en even tegengehouden door twee auto's die bumper aan bumper stonden. Hij legde zijn ene hand op een motorkap en de andere op een achterbak en sprong over de auto's naar het midden van de straat om de ren naar zijn doel voort te zetten.

Zijn doel.

Hij bereikte de taxi niet meer dan een halve seconde na de andere man.

Verdomme! Dat kwam door de belemmering van de twee auto's! Belemmering.

Hij greep het portier en belette de andere man het te openen.

De man keek op naar Spauldings gezicht en Spauldings ogen.

'Tjezis, kerel, ik wacht wel op een andere,' zei de man snel.

David was in de war. Wat bezielde hem in vredesnaam?

Zijn twijfels? Die vervloekte twijfels.

'O pardon, neem me niet kwalijk.' Met een verontschuldigende glimlach mompelde hij de woorden. 'Neemt u hem maar. Ik heb niet zo'n haast... Nogmaals excuus.'

Hij keerde zich om en stak snel de straat over om zich in de drukte van Sheridan Square te mengen.

Hij had de taxi kunnen hebben. Dat was het belangrijkste.

Verdorie, de tredmolen stond ook nooit stil.

Deel 2

22

1944
Buenos Aires, Argentinië

De Pan American Clipper vertrok om 8 uur 's morgens van Tampa in Florida met tussenlandingen volgens de dienstregeling in Caracas, Sao Luiz de Maranhão, Bahia en Rio de Janeiro, om dan aan de laatste 1946 kilometer naar Buenos Aires te beginnen. David stond op de passagierslijst als Mr. Donald Scanlan uit Cincinnati, Ohio; beroep: mijnbouwkundige. Het was alleen voor deze vliegreis zijn pseudoniem. 'Donald Scanlan' zou na de landing van de Clipper op Aeroparque in Buenos Aires ophouden te bestaan. De initialen waren gelijk aan de zijne om de eenvoudige reden, dat een aandenken met een monogram erop of een haastig gekrabbelde paraaf zo gemakkelijk vergeten werd. Vooral als iemand bezorgd was, of moe... of bang.

Swanson was bijna in paniek geraakt toen David hem opbelde vanaf het vliegveld Mitchell in New York. Als opdrachtgever was Swanson ongeveer even besluitvaardig als een verbouwereerde jachthond. Iedere afwijking van Kendalls schema – of eigenlijk van Kendalls instructies – was hem een gruwel. En Kendall vertrok pas de volgende ochtend naar Buenos Aires.

David had geen ingewikkelde uiteenzettingen aan de generaal verspild. Voor wat hem aanging waren er drie aanslagen op zijn leven gepleegd – zo konden ze althans worden opgevat – en als de generaal in Buenos Aires van zijn 'diensten' gebruik wilde maken, kon hij er beter naar toe gaan zolang hij nog compleet in elkaar zat en kon functioneren.

Hielden de aanslagen – de moordaanslagen – verband met Buenos Aires? Swanson had de vraag gesteld op een manier, alsof hij bang was de naam van de Argentijnse stad te noemen.

David was eerlijk: hij kon het niet zeggen. Het antwoord lag in Buenos Aires. Het was verstandig om rekening te houden met de mogelijkheid, maar niet om ervan uit te gaan.

'Dat zei Pace ook,' had Swanson geantwoord. 'Overweeg, veronderstel niet.'

'Ed had op zulke punten meestal gelijk.'

'Hij zei dat je tijdens je detachering in Lissabon vaak in onover-zichtelijke toestanden te velde betrokken geweest was.'
'Dat klopt, maar ik betwijfel of Ed de bijzonderheden kende. Maar hij had gelijk met wat hij u probeerde te vertellen. Er zijn heel wat mensen in Portugal en Spanje die me liever dood zien dan levend. Dat denken ze althans. Ze weten niets zeker. Stan-daardmethode, generaal.'
Aan de andere kant van de lijn was een lange pauze geweest. Ten slotte had Swanson de woorden uitgesproken. 'Je moet be-grijpen, Spaulding, dat we je misschien moeten vervangen.'
'Natuurlijk. Dat kunt u desgewenst nu al doen.' David had ge-meend wat hij zei. Hij wilde dolgraag terug naar Lissabon. Terug naar het noordelijke gebied. Naar Valdero. Om uit te zoeken wat er met de cryptograaf Marshall gebeurd was.
'Nee... Nee, alles is al te ver op streek. De tekeningen. Die zijn het belangrijkste. Verder doet niets ertoe.'
De rest van het gesprek betrof de details van de reis. Ameri-kaans en Argentijns geld, de aanschaf van de nodige kleding en bagage. Logistieken die buiten het werkterrein van de generaal vielen en die David op zich nam. Het laatste bevel – of verzoek – werd niet uitgesproken door de generaal, maar door Spaulding. Fairfax mocht niet worden ingelicht over zijn verblijfplaats. Nie-mand trouwens, behalve de ambassade in Buenos Aires; maar doe al het mogelijke om Fairfax onkundig te houden.
Waarom? Dacht Spaulding misschien...
'Er is een lek in Fairfax, generaal. Geeft u dat door aan de gewel-ven van het Witte Huis.'
'Dat is onmogelijk!'
'Vertelt u dat maar aan de weduwe van Ed Pace.'
David keek uit het vliegtuigraampje. De piloot had de passa-giers enkele ogenblikken geleden verteld, dat ze over het grote Mirim kustmeer in Uruguay vlogen. Ze zouden spoedig boven Montevideo zijn, veertig minuten van Buenos Aires.
Buenos Aires. Het onscherpe beeld, de onduidelijke figuren van Leslie Jenner-Hawkwood, van de cryptograaf Marshall, van een zekere Franz Altmüller; van onbekende maar goed ingelichte mannen op de 52ste en de 38ste Straat – in een portiek, in een gebouw na kantoortijd, op een trap. Een man in een lift die zo weinig angst had om te sterven. Een vijand die enorme moed tentoonspreidde... of verkeerd gerichte ijver. Een maniak.

Het antwoord op het raadsel lag in Buenos Aires, op minder dan een uur afstand. De stad lag nog geen uur ver weg, het antwoord veel verder. Maar niet langer dan drie weken, als zijn instinct hem niet bedroog. Omstreeks de tijd dat de gyroscooptekeningen werden afgeleverd.

Hij zou langzaam beginnen, zoals hij altijd deed met een nieuwe opdracht. Eerst proberen te versmelten met de omgeving, op te gaan in zijn camouflage; onbevangen en gemakkelijk te zijn in de omgang. Het zou niet moeilijk zijn. Zijn camouflage was gewoon een verlengstuk van die in Lissabon: de rijke, drietalige attaché wiens opleiding, ouders en vooroorlogse contacten in de sjieke centra van Europa hem tot begerenswaardig sociaal gezelschap maakten op ieder ambassadeursdiner. Hij was een aantrekkelijke toevoeging aan de delicate wereld van een neutrale hoofdstad; en als er mensen waren die dachten dat iemand ergens geld en invloed gebruikt had om hem een dergelijke taak zonder gevechtshandelingen te bezorgen, dan deden ze dat maar. Het zou nadrukkelijk, maar niet heftig, ontkend worden; daar was verschil tussen.

Het 'verlengstuk' naar Buenos Aires was direct en verschafte hem de klassificatie 'strikt geheim'. Hij trad op als verbindingsman tussen bankierskringen in New York en Londen en de Duitse balling Erich Rhinemann. Washington ging natuurlijk akkoord; de naoorlogse financiering van wederopbouw en industrialisatie zou een internationale kwestie worden. Rhinemann kon niet genegeerd worden, niet in de deftige marmeren hallen van Bern en Genève.

Davids gedachten keerden terug naar het boek op zijn schoot. Het was het tweede van zes delen die Eugene Lyons voor hem had uitgekozen.

'Donald Scanlan' passeerde zonder moeite de douane op het vliegveld Aeroparque. Zelfs de verbindingsman van de ambassade, die alle Amerikanen opving, scheen geen erg te hebben in zijn identiteit.

Met zijn ene enkele koffer in de hand liep David naar de taxistandplaats en bleef op het cementen platform naar de chauffeurs staan kijken die naast hun wagens stonden. Hij was nog niet klaar om de naam Spaulding weer aan te nemen of om zich direct naar de ambassade te laten brengen. Hij wilde zich ervan overtuigen, dat 'Donald Scanlan' was aanvaard voor wat hij was – een mijnbouwkundige, meer niet – en dat er geen ongewone belangstelling voor zo iemand bestond. Want als dat zo was, zou het op David Spaulding wijzen, de volleerde medewerker van de Militaire Inlichtingendienst Fairfax en Lissabon.

Hij koos een welgedane, vriendelijke chauffeur in de vierde taxi van voren. De ervoor staande taxichauffeurs protesteerden, maar David deed of hij ze niet begreep. 'Donald Scanlan' verstond misschien een mondjevol Spaans, maar zeker niet de krachttermen waarvan de teleurgestelde chauffeurs zich bedienden die zich een vrachtje zagen ontgaan.

Hij maakte het zich gemakkelijk in de taxi en gaf de gedienstige chauffeur instructies. Hij vertelde de man, dat hij bijna een uur de tijd had voor hij zou worden opgehaald – zonder te zeggen waar – en vroeg of de chauffeur hem iets van de stad kon laten zien. Het ritje had een tweeledig doel: hij kon zo gaan zitten dat hij voortdurend op eventuele achtervolgers kon letten en hij zou de belangrijkste punten van de stad leren kennen.

Diep onder de indruk van Davids beschaafde schoolboeken-Spaans mat de chauffeur zich de rol van toeristengids aan en reed de slingerwegen van het vliegveld af naar de uitgang van het grote Parque 3 de Febrero, waarin het vliegveld lag.

Een halfuur later had David een dozijn blaadjes volgekrabbeld met aantekeningen. De stad leek een stukje Europa in het zuidelijk werelddeel. Het was een merkwaardige mengelmoes van Parijs, Rome en Midden-Spanje. De straten waren geen gewone stadsverkeerswegen, maar brede, kleurige boulevards. De Avenida 9 de Julio kon een Via Veneto of Saint-Germain-des-Prés in het groot zijn. De cafés, kwistig voorzien van markiezen in vrolijke kleuren en groen in honderden plantenbakken, waren druk beklant met zomermiddagbezoekers. Het feit dat het in Argentinië zomer was, werd David extra duidelijk door de transpiratie in zijn hals en op het front van zijn overhemd. De chauffeur bevestigde, dat het een ongewoon warme dag was, ruim 25 °C.

David verzocht om hem – onder andere – de wijk San Telmo te laten zien. De taxichauffeur knikte waarderend, alsof hij de rijke Amerikaan juist getaxeerd had. Al gauw begreep Spaulding waarom. San Telmo was zoals Kendall gezegd had: elegante, besloten, prachtig onderhouden oude huizen en statige appartementen met smeedijzeren balustrades en een uitbundige bloemenpracht langs de smetteloze straten.

Lyons zou het prettig hebben.

Van San Telmo keerde de chauffeur haastig terug naar de binnenstad en begon een tocht langs de oevers van de Rio de la Plata.

De Plaza de Mayo met de Cabildo, de Casa Rosada, de Calle Rivadavia. Davids agenda raakte vol namen; dit waren de straten, pleinen en plekken die hij snel in zich zou opnemen.

La Boca. De havenwijk ten zuiden van de dokken; dit was geen plaats voor toeristen, zei de chauffeur.

De Calle Florida. Hier waren de mooiste winkels van heel Zuid-Amerika. De chauffeur kon zijn Amerikaan bij verschillende winkeleigenaars brengen die hij persoonlijk kende en waar het uitzonderlijk goed winkelen was.

Jammer, daar was geen tijd voor. Maar David noteerde in zijn agenda, dat de Calle Florida alleen in het midden toegankelijk was voor verkeer.

Vervolgens snorde de chauffeur de Avenida Santa Fé af naar het Palermo. Er was geen mooiere plek in Buenos Aires dan het Palermo.

Wat David meer interesseerde dan de schoonheid was het reusachtige park – of eigenlijk een reeks afzonderlijke parken; en het kalme, uitgestrekte kunstmatige meer. De enkele hectaren grote plantentuin en het enorme dierentuincomplex met rijen kooien en gebouwen.

Mooi, ja. Veilige ontmoetingspunten, nog veel meer. Het Palermo kon goed van pas komen.

Er was een uur verstreken en auto's hadden de taxi niet gevolgd. 'Donald Scanlan' had niet onder surveillance gestaan, nu kon David Spaulding zich vertonen.

Heel rustig.

Hij beval de chauffeur hem af te zetten bij de taxistandplaats aan de ingang van de dierentuin. Daar zou hij zijn relatie ontmoeten. De chauffeur keek beteuterd. Had hij dan geen hotel? Geen onderkomen?

Spaulding antwoordde niet; hij vroeg alleen de kosten en rekende snel af. Meer vragen waren niet gewenst.

David bracht een kwartier in de dierentuin door en genoot er werkelijk van. Hij kocht een ijsje van een ijscoman en slenterde langs de kooien met zijdeaapjes en orang-oetans – waarbij hij opvallende gelijkenissen opmerkte met vrienden en vijanden – en toen hij zich op zijn gemak voelde (zoals alleen een man in actieve dienst zich op zijn gemak kan voelen), liep hij de dierentuin uit naar de taxistandplaats.

Hij wachtte nogmaals vijf minuten tot moeders en gouvernantes met kinderen in de gereedstaande taxi's gestapt waren. Toen was hij aan de beurt.

'Naar de Amerikaanse ambassade, por favor.'

Ambassadeur Henderson Granville kon een half uur voor de nieuwe attaché uittrekken. Op andere dagen zouden ze rustig en langdurig kunnen babbelen, maar de zondagen waren een gekkenhuis. De rest van Buenos Aires was misschien naar de kerk of naar het sportveld, maar het corps diplomatique was aan het werk. Hij moest naar nog twee gardenparty's – er moest getelefoneerd worden over de vertrek- en aankomsttijden van de Duitse en Japanse gasten en zíjn aankomst- en vertrektijden moesten daarop worden afgestemd. En na het tweede saaie geval had hij een diner op de Braziliaanse ambassade. Daar werden geen Duitsers of Japanners verwacht. Brazilië stond op het punt van een openlijke breuk.

'De Italianen, ziet u,' zei Granville met een glimlach, 'tellen niet langer mee. Ze hebben eigenlijk nooit meegeteld, hier niet. Ze besteden het grootste deel van hun tijd met ons lastig te vallen in restaurants of met telefoontjes uit openbare telefooncellen om te vertellen hoe Mussolini het land geruïneerd heeft.'

'Niet veel anders dan in Lissabon.'

'Waarschijnlijk zijn zij de enige prettige overeenkomst... Ik zal u niet vervelen met een langdradig verslag van de onlusten die we hier hebben meegemaakt, maar een vlugge schets – met het juiste accent – zal uw inzicht vergemakkelijken. Ik neem aan dat u het nieuws gevolgd hebt.'

'Ik had er niet veel tijd voor. Ik vertrok pas vorige week uit Lissabon. Ik weet dat de regering-Castillo omvergeworpen werd.'

'Verleden juni. Onvermijdelijk... Ramón Castillo was de onmogelijkste president die Argentinië ooit gehad heeft, en het hééft een stelletje hansworsten gekend! De economie was rampzalig: landbouw en nijverheid kwamen nagenoeg tot stilstand; zijn kabinet deed geen enkele moeite om het hiaat op de rundvlees-markt te vullen dat door de Britse oorlogsinspanning ontstond, hoewel de meesten dachten dat het afgelopen was met John Bull. Hij verdiende om eruit gegooid te worden... Maar jammer genoeg, wat door de voordeur binnenkwam – of, juister gezegd, in het gelid de Calle Rivadavia opmarcheerde – maakt ons het leven weinig aangenamer.'

'Dat is de militaire raad, nietwaar? De junta?'

Granville gebaarde met zijn slanke handen en de fijnbesneden trekken van zijn ouder wordende, aristocratische gezicht ver-trokken zich tot een sardonische grimas. 'De Grupo de Oficiales Unidos! Het onaangenaamste stelletje paraderende opportu-nisten dat u maar tegen kunt komen... waar dan ook, neem ik aan. U weet natuurlijk dat het hele leger door officieren van de Wehrmacht werd opgeleid. Voeg bij dat vrolijke uitgangspunt het heetgebakerde Zuidamerikaanse temperament, de econo-mische chaos, een opgelegde maar niet aanvaarde neutraliteit en wat krijg je dan? Een zwevend politiek apparaat zonder con-troles of evenwicht. Een door en door corrupte politiestaat.'

'Wat houdt de neutraliteit in stand?'

'Voornamelijk het onderlinge geharrewar. De GOU – de gebrui-kelijke afkorting hier – telt meer partijen dan de Reichstag van 1929 en allemaal zijn ze belust op machtsposities. En dan is er natuurlijk de angst voor een Amerikaanse zee- en luchtvloot vlak voor de deur, bij wijze van spreken... De GOU heeft de laat-ste vijf maanden niets anders gedaan dan zijn standpunten her-zien. De kolonels beginnen te twijfelen aan het duizendjarig rijk van hun mentors en ze zijn bijzonder onder de indruk van onze bevoorradings- en produktielijnen.'

'Dat mag wel ook. Wij...'

'En dan is er nog een aspect,' onderbrak Granville nadenkend. 'Er is hier een kleine, schatrijke joodse gemeenschap. Uw Erich Rhinemann bijvoorbeeld. De GOU is niet genegen om de op-lossingen van Julius Streicher openlijk te propageren... Er werd al joods geld gebruikt om kredietkanalen open te houden, die door Castillo zo goed als kapotgemaakt waren. De kolonels, zo-als de meeste militairen, zijn bang voor financiële manipulaties. Maar er valt in deze oorlog veel geld te verdienen en de kolonels zijn van plan om het te verdienen... Schets ik een begrijpelijk beeld?'

'Een ingewikkeld beeld.'

'Dat neem ik aan... We volgen hier een stelregel die behoorlijk bruikbaar is. De vriend van vandaag zal waarschijnlijk morgen op de loonlijst van de As staan en omgekeerd kan de Berlijnse koerier van gisteren volgende week te koop zijn. Houd uw opties open en uw opinies voor u. En toon in het openbaar iets meer flexibiliteit dan op een andere post zou worden goedgekeurd. Het wordt toegelaten.'

'En verwacht?' vroeg David.

'Allebei.'

David stak een sigaret op. Hij wilde van onderwerp veranderen; de oude Granville was een van die van nature belerende ambassadeurs, die de hele dag konden doorzagen over de finesses van hun post zolang er maar iemand luisterde. Dergelijke mannen waren gewoonlijk de beste diplomaten, maar niet altijd de meest gewenste verbindingsmensen in tijden dat het op praktisch handelen aankwam. Toch was Henderson Granville een goed man; zijn bezorgdheid glansde in zijn ogen en het was oprechte bezorgdheid.

'Ik neem aan dat Washington het doel van mijn aanwezigheid hier heeft omschreven.'

'Ja. Ik wou dat ik kon zeggen dat ik het ermee eens was. Dat betreft niet u; u hebt uw instructies. En ik veronderstel dat de internationale geldhandel nog bestaan zal lang nadat Herr Hitler zijn laatste gebral heeft uitgeschreeuwd... Misschien ben ik niet beter dan de GOU. Geldzaken kunnen hoogst onsmakelijk zijn.'

'Deze vooral, als ik het goed begrijp.'

'Nogmaals ja. Erich Rhinemann waait met alle winden mee. Hij is machtig, vergis u niet, maar volkomen gewetenloos, met het gedrag van een orkaan. Ontegenzeggelijk de minst eerbare man die ik ooit ontmoet heb. Ik vind het misdadig dat zijn kapitalen hem voor Londen en New York aanvaardbaar maken.'

'Misschien is noodzakelijk een toepasselijker term.'

'Dat zal beslist de redenering wel zijn.'

'Het is althans de mijne.'

'Natuurlijk. Vergeef een oude man zijn verouderde opvattingen over noodzakelijkheid. Maar wij hebben geen meningsverschil. U hebt een taak. Wat kan ik voor u doen? Maar heel weinig, naar ik meende te begrijpen.'

'Inderdaad heel weinig, mijnheer. U hoeft me alleen maar te laten opnemen op de sterktelijst van de ambassade en ik ben met elk soort kantoorruimte tevreden zolang die maar een deur en een telefoon heeft. En ik zou graag kennis maken met uw cryptograaf. Ik zal codeberichten te verzenden hebben.'

'Op mijn woord, dat klinkt onheilspellend,' zei Granville en glimlachte zonder vermaakt te zijn.

'Routineberichten, mijnheer. Bevestigingen aan Washington; een eenvoudig ja of nee.'

'Uitstekend. Onze chef cryptograaf heet Ballard. 'n Fijne kerel; hij spreekt zeven of acht talen en is onovertroffen op het gebied van gezelschapsspelletjes. U zult zo dadelijk met hem kennis maken. En wat verder?'

'Een appartement als het kan...'

'Dat weten we,' onderbrak Granville vriendelijk, met een haastige blik op de klok aan de wand. 'Mrs. Cameron heeft er een gevonden, waarvan ze dacht dat het wel naar uw zin zou zijn... Washington gaf ons uiteraard geen aanwijzingen over de duur van uw verblijf. Daarom huurde Mrs. Cameron het voor drie maanden.'

'Veel te lang, maar dat regel ik wel... Dat is ongeveer alles, excellentie. Ik weet dat u haast hebt.'

'Helaas wel.'

David stond op uit zijn stoel, evenals Granville. 'Nog één ding, mijnheer. Heeft die Ballard een sterktelijst? Ik zou graag vertrouwd raken met de namen.'

'Zoveel zijn het er niet,' zei Granville met een tikje afkeuring in zijn stem, terwijl hij zijn blik op David richtte. 'Normaliter zult u met acht of tien mensen in aanraking komen. En ik verzeker u, dat wij onze eigen veiligheidsmaatregelen treffen.'

David aanvaardde het verwijt. 'Daar ging het mij niet om, mijnheer. Ik wil gewoon zelf graag vertrouwd raken met de namen.'

'Ja, natuurlijk.' Granville kwam achter zijn bureau vandaan en begeleidde David naar de deur. 'Maakt u even een babbeltje met mijn secretaresse. Ik ga Ballard halen; die zal u rondleiden.'

'Dank u wel, mijnheer.' Spaulding stak Granville de hand toe en pas toen viel het hem op hoe groot de man wel was.

'Ziet u,' zei de ambassadeur toen hij Davids hand losliet, 'ik had u een vraag willen stellen, maar het antwoord zal tot een volgende keer moeten wachten. Ik ben al te laat.'

'Welke vraag was dat?'

'Ik vroeg me af, waarom de mensen van Wall Street en het Strand ú stuurden. Ik kan me niet voorstellen, dat er in New York of Londen een tekort is aan ervaren bankiers.'

'Dat is er waarschijnlijk ook niet. Maar ik ben alleen maar een verbindingsman die berichten overbrengt; inlichtingen die geheim moeten blijven, denk ik. Ik heb op dat gebied ervaring opgedaan... in een neutraal land.'

Granville glimlachte opnieuw en opnieuw was het geen blijk van geamuseerdheid. 'O juist. Ik wist ook wel dat er een reden voor moest zijn.'

23

Ballard had twee eigenschappen met de meeste cryptografen gemeen, dacht David. Hij was een oppervlakkig cynicus en een onuitputtelijke inlichtingenbron. Eigenschappen, naar David geloofde, die ontstonden door het jarenlang ontcijferen van andermans geheimen, waarbij de overgrote meerderheid onbelangrijk blijkt te zijn. Bovendien was hij gezegend met de voornaam Robert; op zichzelf geen bezwaar, maar gevolgd door Ballard onveranderlijk leidend tot de afkorting Bobby. Bobby Ballard. Het deed denken aan een of andere playboy uit de jaren '20 of aan de naam op een pak havermout.

Hij was geen van beide. Hij was een talenkenner met een mathematisch brein en een bos rood haar op een gespierd lichaam van middelmatige grootte: een gezellige kerel.

'Dat was ons tehuis,' zei Ballard. 'U hebt de werkvertrekken gezien: groot, onregelmatig, barok en allemachtig heet in deze tijd van het jaar. Ik hoop dat u zo verstandig bent om voor een eigen appartement te zorgen.'

'Hebt u er dan geen? Woont u híer?'

'Dat is gemakkelijker. Mijn toestellen zijn erg onattent, ze gonzen bij tij en bij ontij. Het is beter dan van San Telmo hierheen te jakkeren. Het is niet slecht; we blijven meestal uit elkaars buurt.'

'Oh? Zijn jullie met velen hier?'

'Nee. De anderen rouleren. Meestal zijn het er zes. In de twee vleugels, de oostelijke en de zuidelijke. Granville heeft de kamer op het noorden. Behalve hij zijn Jean Cameron en ik de enige vaste bewoners. U zult Jean morgen wel ontmoeten, tenzij we haar tegenkomen als ze met de ouwe baas weggaat. Ze gaat meestal met hem mee naar de diplocepties.'

'De wàt?'

'Diplocepties. Een bedenksel van de ouwe baas... een samentrekking. Het verbaast me, dat hij het tegenover u niet gebruikte. Hij is er wat trots op. Een diploceptie is een saaie diplomatieke receptie.'

Ze waren in een grote, lege ontvangkamer en Ballard deed een paar openslaande deuren open, die naar een klein balkon leidden. In de verte was de Rio de la Plata te zien en de kaden van

Puerto Nuevo, de belangrijkste binnenhaven van Buenos Aires.
'Mooi uitzicht, hè?'
'Dat is het zeker.' David voegde zich bij de cryptograaf op het balkon. 'Zijn die Jean Cameron en de ambassadeur... Ik bedoel, zijn ze...?'
'Jean en de ouwe baas?' Ballard lachte schaterend en goedmoedig.
'God nee...! Nu ik erover nadenk, begrijp ik niet waarom ik het komisch vind. Ik denk dat heel wat mensen het denken. En dàt is komisch.'
'Waarom?'
'Tragi-komisch moet ik misschien zeggen,' ging Ballard zonder onderbreking voort. 'De ouwe baas en de familie Cameron behoren tot de oudste en aanzienlijkste geslachten van Maryland. Jachtclubs aan de Oostkust, mooie blazers, 's morgens tennissen – u weet wel: diplomatenterrein. Jeans familie behoorde er ook toe. Ze trouwde met die Cameron, die ze al kende vanaf de tijd dat ze vadertje en moedertje speelden in een eigengebouwd tentje. Een adellijke romance... jeugdliefde. Ze trouwden; de oorlog brak uit en hij ruilde zijn wetboeken voor een vliegkampschip – piloot bij de marinevliegdienst. Hij sneuvelde in de Golf van Leyte. Dat was vorig jaar. Ze werd een klein beetje gek; misschien zelfs meer dan een klein beetje.'
'En dus liet de... Granville haar hier komen?'
'Precies.'
'Een goeie therapie, voor wie zich dat kan permitteren.'
'Waarschijnlijk zou ze het daarmee eens zijn.' Ballard liep terug naar de ontvangkamer en Spaulding volgde. 'Maar de meeste mensen zullen je vertellen, dat zij de kosten van de behandeling betaalt. Ze werkt verdraaid hard en ze weet wat ze doet. En ze heeft belabberde werktijden, vooral met de diplocepties.'
'Waar is Mrs. Granville?'
'Geen idee. Ze scheidde tien, vijftien jaar geleden van hem.'
'Toch vind ik het knap als je het voor elkaar krijgt.' David dacht terloops aan honderdduizenden andere vrouwen, wier mannen gesneuveld waren en die elke dag met herinneringen leefden. Hij zette die gedachten van zich af; het was zijn zaak niet.
'Overigens, ze is deskundig.'
'Wat?' David bekeek een hoekpilaster in rococostijl zonder werkelijk te luisteren.

'Jean heeft hier als kind – met onderbrekingen – vier jaar gewoond. Haar vader was bij de diplomatieke dienst. Hij zou nu
waarschijnlijk ambassadeur geweest zijn, als hij erin gebleven
was... Kom, dan laat ik u het kantoor zien dat Granville voor u
bestemd heeft. De werkster zal het inmiddels wel schoonge-
maakt hebben,' zei Ballard glimlachend.
'U paste een afleidingsmanoeuvre toe,' lachte David en volgde
de cryptograaf een andere gang in.
'Ik moest wel. U hebt een kamer achterin het gebouw. Zo ver
achterin, dat hij als berghok gebruikt werd, denk ik.'
'Ik maakte kennelijk indruk op Granville.'
'Dat deed u zeker. Hij krijgt geen hoogte van u... En ik? Ik probeer het maar niet.' Ballard sloeg linksaf, weer een andere
dwarsgang in. 'Dit is de zuidelijke vleugel. Kantoren gelijkvloers en op de eerste verdieping; niet veel, op elke etage drie.
Het dak is ideaal voor een zonnebad, als u daarvan houdt.'
'Dat hangt van het gezelschap af.'
De beide mannen kwamen bij een brede trap en wilden daarna
links afslaan, toen van het portaal erboven een vrouwenstem
klonk.
'Ben jij dat, Bobby?'
'Dat is Jean,' zei Ballard. 'Ja,' riep hij naar boven. 'Ik heb Spaulding bij me. Kom even beneden kennis maken met de nieuwe
recruut met zoveel invloed, dat hij direct een eigen appartement
krijgt.'
'Wacht maar eens tot hij het appartement gezien heeft!'
Bij de hoek van de trapleuning werd Jean Cameron zichtbaar.
Ze was een middelmatig grote vrouw, slank van postuur en gekleed in een lange cocktailjurk, die zowel kleurig als eenvoudig
van snit was. Haar volle, lichtblonde haardos hing losjes af tot op
de schouders. Haar gezicht was een combinatie van sprekende
gelaatstrekken, die een zacht geheel vormden: grote, helder-
blauwe ogen, een smalle scherpgerande neus en iets gevulde
lippen met iets van een glimlach. Haar bijzonder gave huid was
gebronsd door de Argentijnse zon.
David zag dat Ballard hem stond op te nemen in afwachting van
zijn reactie op de knappe verschijning van de jonge vrouw. Ballards gelaatsuitdrukking was vermakelijk sardonisch en Spaulding begreep de boodschap: Ballard was naar de bron geweest
en had die leeg bevonden – voor degenen die iets anders zoeken

dan een paar druppels fris water. Ballard was nu een vriend van haar; hij wist dat hij niet hoefde te proberen iets anders te zijn. Jean Cameron scheen in de war dat zij op de trap werd geïntroduceerd. Ze kwam snel naar beneden en haar mond verbreedde zich tot een van de oprechtste glimlachjes die David in jaren gezien had. Oprecht en volkomen ontbloot van bijbedoelingen.

'Welkom,' zei ze, terwijl ze haar hand uitstak. 'Ik ben dolblij dat ik de kans heb om mijn excuses aan te bieden voor u naar dat huis gaat. U zou van gedachten kunnen veranderen en hals over kop hierheen terugkomen.'

'Is het zo erg?' David zag, dat Jean van dichtbij niet zo jong was als ze op de trap geleken had. Ze was over de dertig, dik erover. En ze scheen zich bewust van zijn blikken, hoewel zijn bewondering – of het ontbreken daarvan – haar koud scheen te laten.

'O, voor een kort verblijf gaat het best. Op die basis krijg je niets anders. Niet als je Amerikaan bent. Maar het is klein.'

Haar handdruk was stevig, bijna mannelijk, vond Spaulding. 'Ik dank u voor uw moeite. Het spijt me dat ik die veroorzaakte.'

'Niemand hier had iets anders voor u kunnen krijgen dan een hotel,' zei Ballard en raakte de schouder van de jonge vrouw aan; een beschermend gebaar? vroeg David zich af. 'De porteños vertrouwen Moeder Cameron. Ons anderen niet.'

'Porteños,' zei Jean in antwoord op Spauldings vragende blik, 'zijn de inwoners van BA...'

'En – niet voorzeggen – BA is een afkorting van Montevideo,' hernam David.

'Aha, ze stuurden ons een píentere,' zei Ballard.

'U went er wel aan,' ging Jean voort. 'De hele Engelse en Amerikaanse kolonie noemt het BA. Montevideo natuurlijk,' voegde ze er glimlachend aan toe. 'We zien het zo vaak op rapporten, dat we het automatisch doen.'

'Mis,' viel Ballard haar in de rede. 'De klinkervolgorde in Buenos Aires ligt Engelstaligen niet.'

'Dat is ook iets wat u tijdens uw verblijf zult ondervinden, Mr. Spaulding,' zei Jean Cameron, met een tedere blik op Ballard. 'Geef geen mening weg als Bobby in de buurt is. Hij heeft de hebbelijkheid om tegen te spreken.'

'Beslist niet,' antwoordde de cryptograaf. 'Ik ben alleen genoeg begaan met mijn medegevangenen om ze te willen voorlichten.

Ik bereid ze voor op het leven buiten de muren als ze op ere-woord worden vrijgelaten.'

'Ik heb een tijdelijke verlofpas en als ik niet maak dat ik op het kantoor van de ambassadeur kom, begint hij weer over dat ver-hipte adresseersysteem. Nogmaals welkom, Mr. Spaulding.'

'Ik heet David.'

'En mijn naam is Jean. Tot ziens,' zei het meisje en liep op een holletje de gang uit. Ze riep Ballard nog toe: 'Bobby? Heb jij het adres en de sleutel? Van... Davids appartement?'

'Jawel. Word maar onbehoorlijk dronken, ik regel alles wel.'

Jean Cameron verdween door een deur aan de rechterkant.

'Ze is erg aantrekkelijk,' zei Spaulding, 'en jullie tweeën zijn goede vrienden. Ik moet mijn excuses maken dat...'

'Nee, dat moet u niet,' onderbrak Ballard. 'Niks te excuseren. U vormde u een snel oordeel op grond van op zichzelf staande feiten. Ik zou hetzelfde gedaan en gedacht hebben. Niet dat u van gedachten veranderd bent; daar is eigenlijk geen reden toe.'

'Ze heeft gelijk. U spreekt tegen... voor u weet wat u tegen-spreekt; en dan gaat u in op uw tegenspraak. Als u doorgaat, zult u waarschijnlijk uw laatste stelling in gevaar brengen.'

'Zal ik u eens wat zeggen? Daar kan ik het mee eens zijn. Is dat niet ontstellend?'

'Jullie cryptografen zijn een apart slag,' zei David grinnikend en volgde Ballard langs de trap en een smalle gang in.

'We gaan even snel rondkijken in uw Siberische ballingsoord en dan vertrekken we naar uw andere cel. Die is op de Córdoba en hier zijn we op de Corrientes. Het is een minuut of tien hier-vandaan.'

David bedankte Bobby Ballard nogmaals en sloot de deur van het appartement. Hij had uitputting van de reis voorgewend, voorafgegaan door te veel verwelkomingen in New York – en God wist dat dat de waarheid was – en wilde Ballard later een keer met hem gaan dineren?

Eindelijk alleen, inspecteerde hij het appartement; het was he-lemaal zo slecht nog niet. Het was klein: een slaapkamer, een zitkeuken en een badkamer. Maar het had een pluspunt, dat Jean Cameron niet genoemd had. De kamers lagen gelijkvloers en aan de achterkant was een kleine bakstenen patio, omringd door een hoge betonnen muur die bijna schuil ging achter wingerds en hangplanten in enorme bloempotten die op de muur stonden. In het midden van de binnenplaats stond een knoestige fruitboom met hem onbekende vruchten en om de stam heen drie gevlochten stoelen die betere dagen gekend hadden, maar er bijzonder gemakkelijk uitzagen. Voor wat hem betrof bepaalde dat pluspunt het woongenot.

Ballard had hem erop attent gemaakt, dat zijn deel van de Avenida Córdoba juist over de grens van de zakenwijk lag, de 'benedenstad' van Buenos Aires. Zogenaamd een woonwijk, maar dicht genoeg bij winkels en restaurants om het een nieuweling gemakkelijk te maken. David nam de telefoon van de haak; na lang wachten kwam de kiestoon. Hij legde de hoorn neer en liep het kamertje door naar de koelkast, een Amerikaanse van Sears Roebuck. Hij deed hem open en glimlachte. Het vrouwtje Cameron had gezorgd – of laten zorgen – voor de noodzakelijkste dingen: melk, boter, brood, eieren en koffie. Tot zijn genoegen zag hij twee flessen wijn: een Orfila tinto en een Colón blanco. Hij sloot de ijskast en liep terug naar de slaapkamer.

Hij pakte zijn koffer uit, waarbij ook een fles Schotse whisky, en bedacht dat hij de volgende dag kleren moest kopen. Ballard had aangeboden, mee te gaan naar een herenmodezaak op de Calle Florida – als zijn vervloekte toestellen niet 'gonsden'. Hij legde de boeken van Eugene Lyons op het nachtkastje. Twee ervan had hij doorgewerkt; hij begon zich vertrouwd te voelen met de taal van de aerofysicus. Hij zou vergelijkend materiaal in het Duits nodig hebben om zich echt zeker te voelen. Hij zou morgen de boekwinkels in de Duitse wijk eens afstropen; hij zocht geen bepaalde titels, alleen genoeg materiaal om de termen te begrijpen. Het was maar een bijkomstig deel van zijn opdracht, dat begreep hij wel.

Opeens dacht David aan Walter Kendall. Kendall was inmiddels in Buenos Aires of zou er over enkele uren aankomen. De accountant had de Verenigde Staten ongeveer tegelijk met hem verlaten, maar Kendall maakte een meer directe vlucht uit New York, met minder tussenlandingen.

Hij vroeg zich af of hij naar het vliegveld zou gaan om Kendall op te sporen. Als die nog niet aangekomen was, kon hij hem opwachten; was hij er al, dan was het een kleinigheid om de hotels langs te gaan – volgens Ballard waren er maar drie of vier goede.

Anderzijds was het geen aanlokkelijk vooruitzicht om meer tijd met de manipulerende accountant door te brengen dan absoluut noodzakelijk was. Kendall zou kwaad zijn dat hij hem in Buenos Aires aantrof voor hij Swanson er opdracht toe gegeven had. Ongetwijfeld zou Kendall meer uitleg willen hebben dan David bereid was te geven en waarschijnlijk woedende telegrammen sturen naar een toch al uiterst gespannen brigade-generaal.

Het bood geen voordelen Walter Kendall op te sporen voor Kendall hem verwachtte te treffen. Alleen nadelen.

Hij had andere dingen te doen: het beeld dat niet in focus kwam. Die speurtocht kon hij veel beter alleen beginnen.

Met de whisky in zijn hand liep David terug naar de zitkamer – die tevens keuken was – en haalde wat ijsblokjes uit de koelkast. Hij schonk zichzelf een borrel in en keek naar de openslaande deuren die toegang gaven tot zijn miniatuurpatio. Hij zou een rustig schemeruurtje gaan doorbrengen in het zomerkoeltje van Buenos Aires in januari.

De zon vocht om achter de stad onder te gaan; de laatste oranje stralen filterden door het dichte gebladerte van de ongeïdentificeerde vruchtboom. Daaronder strekte David zijn benen uit en leunde achterover in de tuinstoel met zijn bekleding van gevlochten touw. Hij realiseerde zich dat, als hij zijn ogen wat langer gesloten hield, ze de eerste uren niet weer open zouden gaan. Daar moest hij voor oppassen; zijn lange ervaring te velde had hem geleerd, iets te eten voor hij ging slapen.

Eten had al lang zijn aantrekkelijkheid voor hem verloren – het was alleen maar een noodzakelijkheid om zijn energie op peil te houden. Hij vroeg zich af of de aantrekkelijkheid ooit terug zou komen, of zoveel wat hij had opgegeven ooit terug zou keren. Lissabon had qua eten, onderdak en comfort waarschijnlijk het meeste te bieden van alle hoofdsteden, met uitzondering van New York, op beide continenten. En nu was hij in een derde werelddeel, in een stad die prat ging op onvermengde luxe.

Maar eigenlijk was hij hier te velde – net zo te velde als hij in het noorden van Spanje was. Net zo te velde als in Baskenland of Navarra, in de ijskoude nachten in de Galicische heuvels of de van zweet bezwangerde stilte in ravijnen, wachtend op patrouilles – wachtend om te doden.

Zo veel. Zo anders.

Hij richtte zijn hoofd op, nam een lange teug uit zijn glas en liet zijn nek terugbuigen met de vorm van de stoel. Een vogeltje, verstoord door zijn aanwezigheid, ging luidruchtig te keer in het midden van de boom. David moest eraan denken, hoe hij in het noordelijke gebied naar zulke vogeltjes luisterde. Ze boodschapten de nadering van onzichtbare mannen en gingen vaak over in een ander ritme, dat hij begon te herkennen – of dacht te herkennen – als een weergave van het aantal onzichtbare naderende verkenners.

Toen drong het tot David door dat het snaterende vogeltje niet om hem zo te keer ging. Het wipte omhoog, nog steeds zijn schrille, korte kreet uitstotend, maar nu sneller en snijdender. Er was iemand anders.

Door halfgesloten oogleden keek hij speurend omhoog, voorbij het gebladerte. Hij deed het zonder zijn lichaam of zijn hoofd ook maar iets te bewegen, alsof hij op het punt van inslapen was. Het gebouw had vier verdiepingen en een dak, dat zacht glooiend scheen te zijn en gedekt was met alledaagse terracotta dakpannen van een bruinrozige kleur. De ramen van de kamers boven hem stonden grotendeels open om de zuchtjes wind van de Rio de la Plata op te vangen. Hij hoorde flarden van een gedempt gesprek, maar niets dreigends, geen luide trillingen. Volgens Ballard hield Buenos Aires om deze tijd siësta; een heel verschil met de namiddag in Rome of de lunchtijd in Parijs. Naar de maatstaf van de rest van de wereld werd er in BA erg laat gedineerd. Tien uur, half elf en zelfs middernacht was niet onmogelijk.

De krijsende vogel werd niet gehinderd door de bewoners van de diverse appartementen, maar toch bleef zijn snerpende gekras doorgaan.

En toen zag David waarom.

Op het dak, gecamoufleerd maar niet onzichtbaar gemaakt door de takken van de vruchtboom, zag hij de contouren van twee mannen. Ze zaten gehurkt en tuurden naar beneden, naar hem, daar was hij van overtuigd.

Spaulding bekeek de groei van de grootste zijtak en liet zijn hoofd iets opzij rollen, alsof de langverwachte slaap hem overviel. Zijn hoofd rustte uitgeput op de rechterschouder en zijn ontspannen hand hield het glas nog maar nauwelijks vast, een paar millimeter boven het bakstenen straatje.

Het hielp; zo kon hij beter zien, maar niet goed. Maar wel genoeg om het scherpe, strakke silhouet van een geweerloop te onderscheiden en de reflectie van de oranje zonnestralen op het zwarte staal. Het geweer bevond zich in ruststand onder de arm van de man rechts. Er werd geen enkele beweging gemaakt om het te richten of aan te leggen; het bleef onbeweeglijk onder zijn arm.

Dat maakte het eigenlijk onheilspellender, dacht Spaulding. Alsof het in handen was van een trefzekere bewaker op een wachttoren, die de zekerheid had dat zijn gevangene onmogelijk over de afrastering kon springen omdat hij ruim tevoren tijd had om aan te leggen en te vuren.

David zette zijn spelletje van misleiding voort. Hij hief zijn hand iets op en liet zijn glas vallen. Het glasgerinkel 'maakte hem wakker'; hij schudde de voorgewende slaap uit zijn lichaam en wreef zijn ogen uit, waarbij hij zijn hoofd onopvallend oprichtte.

De mannen op het dak hadden zich teruggetrokken. Er zouden geen schoten vallen. Geen op hem gerichte schoten.

Hij raapte een paar glasscherven op, stond op uit de stoel en liep zijn kamer binnen op de manier van een vermoeid man die zich ergert over zijn eigen zorgeloosheid. Langzaam, met nauwelijks beheerste geprikkeldheid.

Zodra hij over de drempel en van het dak af onzichtbaar was, gooide hij de glasscherven in een prullenmand en liep haastig de slaapkamer binnen. Hij trok de bovenste la van het bureau open, schoof een paar zakdoeken opzij en pakte zijn revolver.

Hij stopte het wapen tussen zijn riem en pakte zijn colbertje uit de stoel waarin hij het eerder had neergegooid. Hij trok het aan en overtuigde zich ervan dat het de revolver verborg.

Hij liep de zitkamer door naar zijn huisdeur en deed die zachtjes open.

De trap liep langs de linkermuur en David verwenste inwendig de architect van dit bepaalde gebouw op de Avenida Córdoba – en de overvloed van timmerhout in Argentinië. De trap was van hout en de glanzende boenwas kon het feit niet verbergen, dat de treden oud waren en waarschijnlijk kraakten als de hel.

Hij sloot zijn huisdeur, liep naar de trap en zette zijn voet op de eerste trede.

Die kraakte even duidelijk als de vloer van een antiekwinkel.

Hij moest vier trappen op, waarvan de eerste drie onbelangrijk waren. Hij beklom de trap met twee treden tegelijk en ontdekte dat hij het minste geluid maakte als hij dicht tegen de muur bleef.

Zestig seconden later stond hij voor een gesloten deur met een bordje – in afschuwelijke Castiliaanse krulletters:

El Techo.

Het dak.

De deur was oud, net als de trap. De hitte en het vocht van tientallen jaren hadden het hout bij de scharnieren doen uitzetten en de deur klemde vreselijk.

Natuurlijk zou die ook overduidelijk zijn komst melden als hij hem zachtjes opende.

Er zat niets anders op: hij haalde zijn revolver te voorschijn en deed een stap achteruit op de kleine overloop. Hij beoordeelde de deurstijlen en de betonnen muur die de oude houten deur omvatten, haalde diep adem, pakte de deurknop, rukte de deur open en sprong diagonaal naar de rechtermuur met zijn rug tegen het beton.

Verbluft draaiden de beide mannen zich om. Ze stonden tien meter van David vandaan bij de rand van het hellende dak. De man met het geweer aarzelde en lichtte het wapen tot taillehoogte op, klaar om te vuren. Spaulding had zijn revolver recht op de borst van de man gericht. Maar de man met het geweer zag er niet uit als iemand die op het punt staat op een doelwit te vuren; zijn aarzeling was opzettelijk en niet het gevolg van paniek of besluiteloosheid.

De tweede man schreeuwde in het Spaans en David herkende het dialect als Zuidspaans, niet Argentijns. '*Por favor, señor!*'

Spaulding antwoordde in het Engels om te horen of ze hem al dan niet verstonden. 'Laat dat geweer zakken. *Meteen*!'

De eerste man deed het en hield het vast bij de kolf. 'U vergist u,' zei hij in haperend Engels. 'Er waren... hoe heet dat, *ladrones*... dieven in de buurt.'

David liep over de metalen bovendorpel het dak op, zijn pistool op de beide mannen gericht. 'Je bent niet erg overtuigend. *Se dan corte, amigos*. Jullie komen niet uit Buenos Aires.'

'Er zijn heel veel mensen in deze buurt, die net als wij ontheemd zijn, señor. Dit is een gemeenschap van... niet-inboorlingen,' zei de tweede man.

'Willen jullie beweren, dat jullie hier niet om mij zaten? Dat

jullie me niet in de gaten hielden?'
'Het was toevallig, dat verzeker ik u,' zei de man met het geweer.
'*Es la verdad*,' voegde de ander eraan toe. 'De afgelopen week is
er in twee *habitaciones* ingebroken. De politie helpt niet; wij
zijn... *extranjeros*, vreemdelingen voor ze. Wij beschermen onszelf.'
Spaulding nam de mannen nauwkeurig op. Geen van beider gelaatsuitdrukking verried enige onzekerheid of leugenachtig-
heid. Geen wezenlijke angst.
'Ik ben van de Amerikaanse ambassade,' zei David kortaf. Geen
van de twee mannen reageerde. 'Laat uw persoonsbewijzen
zien.'
'*Qué cosa?*' De man met het geweer.
'Papieren. Jullie namen... *Certificados.*'
'*Por cierto; en seguida.*' De tweede man tastte in zijn broekzak
en Spaulding hief zijn revolver waarschuwend iets op.
De man aarzelde en gaf nu blijk van angst. 'Alleen maar een
registro, señor. Die moeten we allemaal hebben... Alstublieft. In
mijn *cartera.*'
David stak zijn linkerhand uit en de tweede man gaf hem een
goedkope leren portefeuille. Met iets van spijt klapte hij hem
open. De beide *extranjeros* hadden iets hulpeloos over zich; hij
had die uitdrukking duizenden keren gezien. Franco's falangis-
ten waren experts in het opwekken ervan.
Hij wierp een snelle blik op het cellofaanvenster van de portefeuille; het was gebarsten van ouderdom.
Plotseling trof de loop van het geweer zijn rechterpols met volle
kracht; de pijn was ondraaglijk. Toen werd zijn hand deskundig
naar binnen en omlaag gedraaid; hij kon niet anders dan het
wapen loslaten en proberen het weg te schoppen het dak op.
Vasthouden zou een gebroken pols betekend hebben.
Terwijl hij het losliet, werd zijn linkerarm – ook weer vakkundig
– in een houdgreep op zijn rug omhooggedrukt. Hij liet zijn voet
uitschieten naar de ongewapende *extranjero* die zijn hand omklemd had. Hij trof hem in de maagstreek en terwijl de man
vooroverklapte, verplaatste David zijn lichaamsgewicht en
trapte nogmaals, wat de man op het hellende dak deed neerval-
len.
David viel in de stootrichting van de houdgreep – achterover –
en terwijl de eerste man de houding pareerde, schoot Spauldings

rechterelleboog achterwaarts en trof de man in de lies. Zijn arm werd losgelaten toen de *extranjero* zijn evenwicht probeerde te herkrijgen.

Hij was niet vlug genoeg; Spaulding zwaaide naar links en trof de keel van de man met zijn knie. Het geweer kletterde op de dakpannen en rolde omlaag. De man zakte ineen en het bloed druppelde uit zijn mond op de plaats waar zijn tanden de lip doorboord hadden.

Spaulding hoorde het geluid achter zich en keerde zich om.

Hij was te laat. De tweede *extranjero* overviel hem en David hoorde hoe zijn eigen revolver door de lucht zoefde en op zijn schedel terechtkwam.

Alles was zwart. Een leegte.

'Ze beschreven het juiste standpunt, maar de verkeerde stadswijk,' zei Ballard. Hij zat in de kamer tegenover David, die een ijszak tegen zijn hoofd hield. 'De *extranjeros* zitten vooral in het westelijke deel van La Boca. De criminaliteit is er enorm hoog en de *policía* patrouilleert liever in de parken dan in die wijk. En de Grupo – de GOU – voelt niets voor *extranjeros*.'

'Aan jou heb ik niets,' zei Spaulding en draaide de ijszak rond over zijn achterhoofd.

'Ze waren er niet op uit om je te doden. Ze hadden je naar beneden kunnen gooien of je op de dakrand kunnen laten liggen; tien tegen een dat je erover gerold en vier etages omlaaggeploft was.'

'Ik wist dat ze niet van plan waren me te doden...'

'Hoe wist je dat?'

'Ze hadden het voordien gemakkelijk kunnen doen. Ik denk dat ze wachtten tot ik zou uitgaan. Ik had mijn koffer uitgepakt; dan hadden ze het appartement voor zichzelf gehad.'

'Waarvoor?'

'Om mijn spullen te doorzoeken. Dat hebben ze al eens gedaan.'

'Wie?'

'Ik mag hangen als ik het weet.'

'Aan "wie" heb je dus niets?'

'Sorry... Vertel me eens, Bobby, wie wisten er precies van mijn aankomst? Hoe werd die geregeld?'

'Eerste vraag: drie mensen. Ik natuurlijk; ik zit aan de radio. Vanzelfsprekend Granville. En Jean Cameron; de ouwe baas vroeg haar voor een appartement te zorgen... maar dat weet je.

Vraag twee: strikt vertrouwelijk. Vergeet niet, dat je orders 's avonds doorkwamen. Uit Washington. Jean zat met Granville te schaken in zijn kamer toen ik hem de Chinees bracht...'

'De wat?' onderbrak David.

'De scramble, een speciaal codebericht. Washington liet je dossier in code via de spraakverdraaier doorseinen. Dat betekent, dat alleen ikzelf of mijn eerste assistent het kunnen vertalen en het aan de ambassadeur moeten doorgeven.'

'Begrepen. En toen?'

'Niks. Althans niks dat je nog niet weet.'

'Vertel het me toch maar.'

Ballard ademde langdurig uit door zijn getuite lippen. 'Nou, wij drieën waren alleen. Verdorie, ik had het codebericht gelezen en de instructies wat betreft het appartement waren duidelijk. Dus vond Granville – klaarblijkelijk – dat Jean de meest geschikte persoon was om er een op te snorren. Hij vertelde haar dat je kwam en vroeg haar te doen, wat ze in zo'n kort tijdsbestek doen kon.' Ballard keek de kamer rond en nam de patio op. 'Ze bracht het er niet slecht van af.'

'Dan is het dat: ze hebben een netwerk dat de hele stad bestrijkt; niks ongewoons. Ze houden vacante woonruimte in de gaten: appartementen, pensions; hotels zijn het gemakkelijkst.'

'Ik kan je niet goed volgen,' zei Ballard, die het wel probeerde.

'We kunnen zo glad zijn als een aal, Bobby, maar er zijn een paar elementaire dingen die we niet kunnen veranderen: we kunnen niet buiten een plek om te slapen en een bad te nemen.'

'Dàt kan ik volgen, maar het is hier niet van toepassing. Vanaf morgen ben je geen geheim meer, tot dan toe wel. Washington meldde, dat je op jezelf overkwam; we wisten niet precies wanneer of hoe... Jean huurde dit appartement niet voor jóu. Niet op jóuw naam.'

'O nee?' David was veel verontruster dan zijn gezicht verried. De twee *extranjeros* moesten vóór zijn aankomst op het dak geweest zijn. Of uiterlijk enkele minuten daarna. 'Hoe huurde ze het dan? Wiens naam gebruikte ze? Ik had geen schuiladres nodig en we hebben er geen gevraagd.'

'Ik dacht dat ìk te vlug wat zei! Zondag is zondag en maandag is maandag. Zondag kennen we je nog niet; maandag wel. Zo wilde Washington het. Ze wilden geen kennisgeving vooraf van je aankomst en als jíj verkoos uit het gezicht te blijven, moesten we ons daarnaar schikken. Granville zal je ongetwijfeld vragen wat je morgen doen wilt... Hoe Jean deze woning huurde? Haar kennende, heeft ze waarschijnlijk laten doorschemeren dat de ambassadeur er een vriendinnetje op na hield of iets dergelijks. De *porteños* zijn op dat punt erg *simpático*; het Parijs van Zuid-Amerika en zo... Wat ik zeker weet is, dat ze jouw naam niet gebruikt zal hebben. Of een of andere doorzichtige schuilnaam. Eerder gebruikt ze haar eigen naam.'

'Goeie genade,' verzuchtte Spaulding, terwijl hij de ijszak wegnam en zijn achterhoofd bevoelde. Hij bekeek zijn vingers. Er zaten vegen bloed op.

'Ik hoop dat je niet de held gaat uithangen met die wond. Je moet ermee naar een dokter.'

'Niks held.' David glimlachte. 'Ik moet trouwens toch een paar hechtingen laten verwijderen. Vanavond meteen maar, als je dat zou kunnen regelen.'

'Dat kan ik regelen. Waar kreeg je die sneden?'

'Ik had een ongeluk op de Azoren.'

'Verdorie, jij reist heel wat af, zeg.'

'Iets dat op me voorligt ook.'

24

'Mrs. Cameron is hier op mijn verzoek, Spaulding. Kom binnen. Ik heb met Ballard en met de dokter gesproken. Hechtingen verwijderd en nieuwe aangebracht; u zult u wel een speldenkussen moeten voelen.'

Granville zat achter zijn statige bureau en leunde behaaglijk achterover in zijn stoel met hoge rugleuning. Jean Cameron zat op de bank tegen de linkermuur en een van de stoelen voor het bureau was kennelijk voor David bedoeld. Hij besloot te wachten met te gaan zitten tot Granville het zei. Hij bleef staan; hij wist niet of hij de ambassadeur sympathiek moest vinden. Het hem toegewezen kantoor lag inderdaad erg achteraf en had als berghok gediend.

'Het is niets ernstigs, mijnheer. Anders zou ik het wel zeggen.' Spaulding knikte naar Jean en zag haar bezorgdheid. Of althans dat meende hij in haar ogen te lezen.

'U zou dwaas zijn als u het niet deed. De dokter zegt, dat de klap uw hoofd gelukkig tussen twee concussiegebieden trof. Anders zou u er slecht aan toe geweest zijn.'

'Hij werd door een deskundige toegebracht.'

'O juist... Onze dokter had niet veel lof voor de hechtingen die hij verwijderde.'

'Dat is een algemeen medisch oordeel. Ze bewezen hun diensten; mijn schouder is weer prima. Hij deed er een pleister op.'

'Jaja... Gaat u zitten, ga zitten.'

David nam plaats. 'Dank u, mijnheer.'

'Ik hoor, dat uw twee aanvallers van gisteravond *provincianos* waren. Geen *porteños*.'

David glimlachte overwonnen en wendde zich tot Jean Cameron. '*Porteños* is me duidelijk geworden; ik neem aan dat *provincianos* betekent wat het woord zegt. Plattelanders? Van buiten de steden.'

'Ja,' zei de jonge vrouw zachtjes. 'Van buiten dé stad. BA.'

'Twee totaal verschillende culturen,' vervolgde Granville. 'De *provincianos* zijn vijandig gezind, en terecht. Ze worden ernstig uitgebuit en de haatgevoelens laaien op. De GOU heeft niets gedaan om er verbetering in te brengen en mobiliseert de *pro-*

vincianos alleen voor de laagste rangen.'

'Maar de *provincianos* zijn geboren Argentijnen, nietwaar?'

'Inderdaad. En van hun standpunt bekeken zijn ze zuiverder dan de inwoners van Buenos Aires, de *porteños*. Minder Italiaans en Duits bloed, om nog maar niet te spreken van het Portugese, joodse en Balkan-bloed. Er zijn immigratiegolven geweest, ziet u...'

'Maar, excellentie,' onderbrak David, in de hoop een nieuwe analyse van de belerende diplomaat te stuiten, 'dit waren geen provincianos. Ze noemden zich *extranjeros*. Ontheemden, meende ik te begrijpen.'

'*Extranjero* is een tamelijk sarcastisch woord. Omgekeerde morbiditeit. Een Indiaan uit een reservaat zou het bij ons in Washington kunnen gebruiken. Een vreemdeling in zijn eigen geboorteland, begrijpt u?'

'Deze mannen kwamen niet uit Argentinië,' zei David rustig, aan de vraag voorbijgaand. 'Hun uitspraak was duidelijk buitenlands.'

'O ja? Bent u een deskundige?'

'Op dit gebied wel.'

'O juist.' Granville leunde voorover. 'Schrijft u de aanval toe aan ambassade-aangelegenheden? Geallieerde aangelegenheden?'

'Dat weet ik niet zeker. Naar mijn mening was ik het doelwit. Ik ben benieuwd hoe ze wisten dat ik hier was.'

Jean Cameron nam het woord. 'Ik heb alles nagegaan wat ik gezegd heb, David.' Ze pauzeerde een ogenblik: de ambassadeur had opgekeken toen ze Spaulding bij de voornaam noemde. 'Jouw appartement was het vierde dat ik bekeek. Ik begon 's morgens om tien uur en kwam er omstreeks twee uur. Ik huurde het meteen. Ik beken eerlijk, dat de patio de doorslag bij me gaf.'

David lachte tegen haar.

'Ik ging naar een woningbureau in Viamonte. De eigenaar heet Geraldo Baldez; wij kennen hem allemaal. Hij is een partizaan en moet niets van Duitsers hebben. Ik vertelde hem, dat ik het appartement wilde huren voor een van onze inwonende medewerkers die de beperkingen van de ambassade hinderlijk vond. Hij begon te lachen en zei, dat het dan beslist voor Bobby moest zijn. Ik heb hem niet tegengesproken.'

'Maar het was maar voor korte tijd,' zei David.

'Ik gebruikte dat als excuus voor het geval het appartement je niet zou bevallen. Het is de gebruikelijke driemaandsclausule.'

'Waarom zou Bobby – of iemand anders – niet zelf op woonruimte kunnen afgaan?'

'Om allerlei redenen. Ook gebruikelijk... hier.' Jean glimlachte; een beetje van haar stuk gebracht, dacht David. 'Ik ken de stad het beste; ik heb hier jaren gewoond. En dan is er nog de bijkomstigheid van de onkostenvergoeding; ik kan nogal goed marchanderen. En mannen als Bobby hebben dringend werk. Mijn werktijd is flexibeler; ik heb de tijd.'

'Mrs. Cameron is te bescheiden, Spaulding. Ze is werkelijk een enorme aanwinst voor onze kleine gemeenschap.'

'Daar twijfel ik niet aan, mijnheer... Je denkt dus niet dat iemand met reden kon vermoeden dat je een woning zocht voor een nieuw aankomend attaché?'

'Absoluut niet. Het ging allemaal zo... luchtigjes weg, als je begrijpt wat ik bedoel.'

'En de eigenaar van het pand?' vroeg David.

'Die heb ik niet eens gezien. De meeste panden zijn eigendom van welgestelden, die in de wijken Telmo of Palermo wonen. Alles loopt via makelaars en woningbureaus.'

David wendde zich tot Granville. 'Zijn er nog telefoontjes voor me geweest? Of boodschappen.'

'Nee, niet dat ik weet en weten zou ik het zeker. Dan hadden we wel contact met u opgenomen.'

'Een zekere Kendall...'

'Kendall?' onderbrak de ambassadeur. 'Die naam ken ik. Kendall... Juist, Kendall.' Granville snuffelde wat papieren op zijn bureau door. 'Hier. Gisteravond kwam er een Walter Kendall aan, met de vlucht van halfelf. Hij logeert in het Alvear; dicht bij het park van Palermo. Een goed, oud hotel.' Granville keek Spaulding plotseling aan. 'Hij staat genoteerd als een industrieel econoom. Nogal een allesomvattende betiteling, nietwaar? Kan hij de bankier zijn waar ik het gisteren over had?'

'Hij zal bepaalde regelingen treffen met betrekking tot mijn instructies.' David verborg zijn weerzin niet om op de kwestie Walter Kendall in te gaan. Anderzijds merkte hij dat hij Jean Cameron instinctief een bewijs van opheldering leverde. 'Mijn voornaamste taak hier is, als verbindingsman op te treden tussen financiers in New York en Londen en bankbelangen hier in

Buenos... BA.' David glimlachte; naar hij hoopte even oprecht als Jean. 'Ik vind het een beetje dwaas. Ik weet het verschil niet eens tussen een debet- en een creditpost. Maar Washington wees mij aan. De ambassadeur is bang dat ik te onervaren ben.' Spaulding keek snel Granville aan om de ouwe baas eraan te herinneren, dat 'bankbelangen' de identiteitsbegrenzing was. De naam Erich Rhinemann moest ongenoemd blijven.

'Dat was ik, dat geef ik toe... Maar dat doet niets ter zake. Wat wilt u aan het gebeurde van gistermiddag doen? Ik denk dat we officieel aangifte moeten doen bij de politie. Niet dat het iets helpen zal.'

David bleef enkele ogenblikken zwijgen en probeerde het voor en tegen van Granvilles voorstel tegen elkaar af te wegen. 'Zou er iets over in de kranten komen?'

'Heel weinig, denk ik,' antwoordde Jean.

'Attachés hebben meestal geld,' zei Granville. 'Sommigen zijn beroofd. Het zal een poging tot beroving genoemd worden. Waarschijnlijk was het dat.'

'Maar de Grupo houdt niet van zulk nieuws. Het past niet in het kader van de kolonels, en zij controleren de pers.' Jean dacht hardop en keek David aan. 'Ze zullen het bagatelliseren.'

'En als we geen klacht indienen – aannemende dat het geen beroving was – erkennen we, dat we in een andere richting denken. En daartoe ben ik niet bereid,' zei Spaulding.

'Dan wordt er vanmorgen in elk geval officieel aangifte gedaan. Zou u een rapport van het incident willen opstellen en het ondertekenen?' Klaarblijkelijk wilde Granville de bespreking beëindigen. 'En eerlijk gezegd, Spaulding, tenzij ik volkomen onkundig ben, geloof ik dat het werkelijk een poging was om een pas aangekomen rijke Amerikaan te beroven. Ik hoor dat de taxichauffeurs van het vliegveld een waar dievencarnaval organiseren. *Extranjeros* zouden volkomen logische deelnemers zijn.'

David stond op; hij was blij dat Jean hetzelfde deed. 'Dat wil ik aannemen, excellentie. De jaren in Lissabon maakten me overmatig... bezorgd. Ik pas me wel aan.'

'Dat neem ik aan. Stelt u vooral het rapport op.'

'Jawel, mijnheer.'

'Ik zorg wel voor een stenotypiste,' zei Jean. 'Tweetalig.'

'Niet nodig; ik dicteer het wel in het Spaans.'

'Dat vergat ik.' Jean glimlachte. 'Bobby zei, dat ze ons een pientere stuurden.'

David dacht, dat het met die eerste lunch begon. Later vertelde ze hem, dat het nog eerder was, maar hij geloofde haar niet. Ze beweerde dat het was, toen hij gezegd had, dat BA een afkorting was van Montevideo; dat was larie, onzin.

Wat geen onzin was – en ze ervoeren het allebei, zonder te proberen het onder woorden te brengen – was de totale ontspanning, die ze in elkaars gezelschap voelden. Daarmee was het gezegd. Het was een heerlijke intimiteit; hun zwijgen was nooit pijnlijk, hun lach ongedwongen en voortkomend uit gedeeld plezier, niet als een gedwongen reactie.

Het was opvallend. En des te meer, meende David, omdat ze het geen van beiden verwachtten of zochten. Ze hadden allebei voldoende en gegronde redenen om geen andere dan oppervlakkige of weinig diepere relaties aan te knopen. Hij was geen blijver, maar een man die alleen maar hoopte dat hij het zou overleven om dan ergens anders met een helder hoofd en onderdrukte herinneringen opnieuw te kunnen beginnen. Dat was belangrijk voor hem. En hij wist, dat zij nog steeds zo diep rouwde om een man. Zij kon niet anders dan met ondraaglijke schuldgevoelens het beeld, het lichaam en de geest van die man van zich af zetten. Gedeeltelijk vertelde ze hem zelf waarom. Haar man was niet het toonbeeld geweest van de onverschrokken bommenwerperpiloot dat de marinevoorlichtingsdienst zo dikwijls schilderde. Hij was ontzettend angstig geweest – niet voor zichzelf – maar om anderen van het leven te beroven. Als het niet om de blaam geweest was, waarvan hij wist dat die zijn vrouw en zijn familie in Maryland treffen zou, dan zou Cameron zich op gewetensbezwaren beroepen hebben. Maar waarom piloot?

Cameron had al vanaf zijn jongensjaren gevlogen. Het leek een vanzelfsprekendheid en hij meende dat zijn ervaring in het burgerleven hem misschien een aanstelling tot vlieginstructeur kon opleveren. Hij voelde niets voor een militaire rechtbank; te veel van zijn medeadvocaten hadden zich daarvoor aangemeld en waren bij de infanterie of op het dek van een slagschip terechtgekomen. Het leger had genoeg juristen; het moest piloten hebben.

David meende te begrijpen, waarom Jean hem zoveel over haar

overleden echtgenoot vertelde. Er waren twee redenen voor. De eerste was dat ze, door het openlijk te doen, zich aanpaste aan wat zij voelde dat zich tussen hen voltrok en zich ermee verzoende. De tweede was minder duidelijk, maar niet minder belangrijk. Jean Cameron haatte de oorlog; ze haatte het offer dat zij had moeten brengen. Daarvan wilde ze hem doordringen.

Want, besefte David, haar instinct vertelde haar dat hij sterk bij de oorlog betrokken was. En zij wilde geen deel hebben aan die betrokkenheid; dat was ze Camerons nagedachtenis schuldig.

Ze waren gaan lunchen in een restaurant dat uitzag op de Riachuelo bij de kaden van Darsena Sud. Zij had het voorgesteld – het restaurant en de lunch. Ze zag dat hij nog uitgeput was; het beetje slaap dat hij genoten had, was voortdurend onderbroken door pijnaanvallen. Ze had gezegd dat hij eerst een rustige, versterkende lunch nodig had, dan naar huis en naar bed moest gaan en een hele dag moest uitrusten.

Het was niet haar bedoeling geweest met hem mee te gaan.

Het was niet zijn bedoeling geweest dat zij mee zou gaan.

'Ballard is een aardige kerel,' zei Spaulding en schonk een glas witte Colón in.

'Bobby is een snoes,' stemde zij in. 'Hij is een innemend mens.'

'Hij is erg dol op je.'

'En ik op hem... Hetgeen waar jij op doelt is volkomen neutraal en het spijt me, dat ik de opwindender melodie verstoor. Is melodie het juiste woord? Granville vertelde me wie je ouders zijn. Ik ben diep onder de indruk.'

'Ik heb na mijn achtste jaar geen muziek meer willen lezen. Maar "melodie" is uitstekend. Het kwam zo in me op.'

'Bobby heeft me uiterst professioneel benaderd, met enorme charme en opgewektheid. Een beter meisje zou erop ingegaan zijn. Hij had alle reden om boos te zijn... Ik verlangde naar zijn gezelschap, maar gaf er heel weinig voor terug.'

'Hij aanvaardde je voorwaarden,' zei David bekrachtigend.

'Ik zei toch dat hij innemend is.'

'Er zijn hier ongetwijfeld tien anderen...'

'Plus het marinedetachement,' wierp Jean ertussen en salueerde schattig, maar erg onmilitair. 'Vergeet die niet.'

'Honderdtien mannen dan. Jij bent Deanna Durbin.'

'Onwaarschijnlijk. De mariniers rouleren op de Federal Marine

Force-basis zuidelijk van La Boca; de staf – die snaken zonder vrouwen en kinders – lijdt aan het ambassade-syndroom.'
'Wat is dat?'
'Streberitis... Ellebogenwerk. Hij schijnt er als enige geen last van te hebben.'
'Ik weet niet of ik het wel of niet heb. Ik weet niet wat het is.'
'En dat vertelt me iets over jou, nietwaar?'
'Wat dan wel?'
'Jij bent geen eerzuchtige ambtenaar van Buitenlandse Zaken. Het itis-syndroom gaat omzichtig te werk en is er altijd op bedacht dat iedere meerdere – vooral de ambassadeur – blij is met zijn vele en veelvuldige diensten.' Jean grijnsde als een jonge boxer, met vooruitgestoken kin en samengetrokken wenkbrauwen, zodat de woorden bespottelijk klonken. Spaulding barstte in lachen uit; het meisje had de diplomatieke blik en spreekwijze vernietigend precies nagebootst. 'Verdorie, ik moest jou voor de radio brengen.' Hij lachte weer. 'Zoals jij het syndroom beschreef! Ik zie het voor me!'
'Maar jij bent er niet door aangetast.' Jean hield op met haar imitatie en keek hem in de ogen. 'Ik observeerde je bij Granville; je was maar net beleefd. Je was niet uit op een hoge kwalificatie, is 't wel?' Hij beantwoordde haar blik. 'Nee, dat was ik niet... Om een antwoord te geven op de vraag die zo luid om je mooie hoofdje ratelt dat het ervan trilt: ik ben geen carrièrebeluste diplomatieke ambtenaar. Het is uitsluitend mijn oorlogsloopbaan. Ik werk vanuit de ambassades aan allerlei verwante opdrachten om diverse verwante redenen. Ik spreek vier talen en vanwege die ouders, waar jij zo onder de indruk van bent, heb ik wat eufemistisch genoemd wordt "toegang" tot belangrijke personen in regerings- en handelskringen en wat dies meer zij. En omdat ik geen volslagen idioot ben, geef ik vaak vertrouwelijke inlichtingen door aan ondernemingen in verschillende landen. De bedrijvigheid op de markt houdt niet op door een ongerief als een oorlog... Dat is mijn bijdrage. Ik ben er niet erg trots op, maar zo heb ik het meegekregen.'
Ze toonde haar oprechte glimlach en reikte naar zijn hand. 'Ik geloof, dat jij je werk, wat het ook is, verstandig en goed verricht. Dat kunnen niet veel mensen van zichzelf zeggen. En God weet dat je het niet voor het kiezen hebt.'
'"Wat deed u in de oorlog, pappie" "...Wel, jongen",' probeerde

David zijn eigen karikatuur, '"ik trok van de ene plaats naar de andere en adviseerde vrienden bij de Chase Manhattan Bank duur te verkopen en goedkoop te kopen en een flinke winst binnen te halen."' Hij hield haar hand in de zijne.

'En werd aangevallen op Argentijnse daken en... en waaraan dankte je die sneden in je schouderblad?'

'Het vrachtvliegtuig waar ik in zat, maakte op de Azoren een rotlanding. Ik denk dat de piloot en de hele bemanning lazarus waren.'

'Zie je nou wel? Je leidt een even gevaarlijk leven als welke frontsoldaat ook. Als ik die zoon tegenkom waar jij tegen praat, zal ik hem dat zeggen.'

Hun ogen waren op elkaar gericht en Jean trok verlegen haar hand terug. Maar het belangrijkste voor Spaulding was dat ze hem geloofde. Ze aanvaardde zonder meer zijn toelichting op zijn camouflage. Het kwam hem voor dat hij zich zowel erg opgelucht als erg ellendig voelde. Het schonk hem geen beroepstrots dat hij haar met succes kon voorliegen.

'Nu weet je dus hoe ik vrij bleef van het streberitis-syndroom. Ik begrijp nog steeds niet waarom het van belang is. Verdorie, met honderdtien mannen en mariniers...'

'De mariniers tellen niet mee. Die hebben bijkomstige interesses hier in La Boca.'

'De staf dan – die snaken zonder "vrouwen en kinders" – dat zullen toch niet allemaal elleboogwerkers zijn?'

'Dat zijn ze wel en ik ben er blij om. Ze willen allemaal vroeg of laat graag ambassadeur in Londen worden.'

'Die hersengymnastiek kan ik niet volgen.'

'Ik wilde alleen horen of Bobby je ingelicht had. Dat heeft hij niet. Ik zei al dat hij innemend was... Hij gaf me de kans om het je zelf te vertellen.'

'Wat te vertellen?'

'Mijn man was de stiefzoon van Henderson Granville.'

Kort na vieren verlieten ze het restaurant en wandelden over de kaden van de Darsena Sud met hun zilte zeelucht. Het kwam David voor, dat Jean genoot zoals ze in lang niet gedaan had. Dat het deels kwam door hun spontane onderlinge intimiteit was hem duidelijk, maar het was meer. Alsof een heerlijke bevrijding over haar gekomen was.

Haar lieftalligheid was meteen bij die eerste ogenblikken op de trap al gebleken, maar nu hij terugdacht aan die korte introductie wist hij wat het verschil was. Jean Cameron was verbluffend geweest, opgewekt... de verpersoonlijking van een warme verwelkoming. Maar er was nog iets anders geweest: een onbevangenheid die voortkwam uit zelfbeheersing. Volledige beheersing. Een patina van autoriteit, dat niets te maken had met haar status bij de ambassade of enig ander privilege als gevolg van haar huwelijk met de stiefzoon van de ambassadeur. Het kwam uitsluitend voort uit haar eigen beslissingen, haar eigen houding.

Hij had dat onbevangen gezag de hele morgen waargenomen – toen ze hem voorstelde aan verschillende employés op de ambassade; toen ze haar secretaresse aanwijzingen gaf; toen ze haar telefoon opnam en snelle instructies gaf.

Zelfs het stille spelletje met Bobby Ballard speelde ze standvastig, met zelfverzekerde kennis van haar eigen speeltrant. Ballard kon haar goedmoedig toeroepen 'onbehoorlijk dronken' te worden, want het was totaal onvoorstelbaar dat ze het ooit zover zou laten komen.

Jean hield haar eigen teugels strak.

Die teugels werden nu gevierd.

Gisteren had hij haar nauwkeurig opgenomen en haar leeftijd ontdekt: en het had haar koud gelaten – ze was niet ijdel. Nu, terwijl ze gearmd over de kaden liepen, was ze zich prettig bewust van de bewonderende blikken die de tientallen haven*bocamos* haar toewierpen. Spaulding wist dat zij hoopte dat hij die blikken ook opmerkte.

'Kijk eens, David,' zei ze opgewonden. 'Die boten varen pardoes op elkaar in.'

Een paar honderd meter verder op het water voeren twee treilers in ramkoers op elkaar af. Beide stoomfluiten doorsneden de lucht met agressieve waarschuwingen en beide bemanningen stonden aan bakboord- en stuurboordreling tegen elkaar te schreeuwen.

'De rechtse zal uitwijken.'

Dat deed hij ook. Op het allerlaatste moment, onder een stortvloed van verwensingen en gebaren.

'Hoe wist je dat?' vroeg ze.

'De gewone voorrangsregel; de eigenaar zou voor de averij moeten opdraaien. Maar er is wel een kans dat zo dadelijk op een van deze kaden een flinke, vrolijke ruzie komt.'

'Laten we daar maar niet op wachten. Jij hebt al meer dan je portie gehad.'

Ze liepen van de haven weg de nauwe straatjes van La Boca in, waar het wemelde van kleine visstalletjes, dikke kooplui met bloederige voorschoten voor en schreeuwende klanten. De vangst van de middag was binnen en de dagtaak op het water verricht. Nu kwam het verkopen, het drinken en het steeds opnieuw vertellen van de tegenslagen van de afgelopen twaalf uur.

Ze kwamen op een klein pleintje, dat om een onverklaarbare reden Plaza Ocho Calle heette; maar er was geen achtste straat en geen plaza dat die naam waard was. Een taxi kwam aarzelend op een hoek tot stilstand, liet zijn passagiers uit, en trok weer op, gehinderd door voetgangers die zich aan zulke voertuigen niets gelegen lieten liggen. David keek Jean aan en ze knikte glimlachend. Hij riep de chauffeur aan.

In de taxi gaf hij zijn eigen adres op. Iets anders kwam niet in hem op.

Verscheidene minuten reden ze zonder te spreken door, hun schouders tegen elkaar en haar hand onder zijn arm.

'Waar denk je aan?' vroeg David, die de afwezige maar gelukkige uitdrukking op haar gezicht opmerkte.

'O, aan hoe ik je me voorstelde toen Henderson dat scramblebericht las... Ja, ik noem hem bij zijn voornaam; dat heb ik altijd al gedaan.'

'Ik kan me niet voorstellen dat iemand, zelfs de president niet, hem Henderson zal noemen.'

'Je kent hem niet. Onder dat voorname jasje schuilt een beminnelijke Henderson.'

'Hoe had je je mij voorgesteld?'

'Heel anders.'

'Anders dan wat?'

'Dan je bent... Ik dacht dat je erg klein zou zijn. Een attaché die David Spaulding heet, een soort financieel genie is en die besprekingen gaat voeren met de banken en de kolonels, is klein, minstens vijftig en in het bezit van nog maar heel weinig haar. Bovendien draagt hij een bril – geen lorgnet – en hij heeft een smalle neus. Waarschijnlijk heeft hij ook een allergie – hij niest frequent en snuit voortdurend zijn neus. En hij praat in korte, afgebeten zinnen, erg precies en heel onaangenaam.'

'Hij zit ook secretaressen achterna, vergeet dat niet.'
'Mijn David Spaulding zit geen secretaressen achterna. Hij leest gore boeken.'
David voelde een innerlijke steek. Voeg er een onverzorgd uiterlijk bij, een vuile zakdoek en vervang de bril door een lorgnet – die af en toe gedragen wordt – en Jean beschreef Walter Kendall.
'Jouw Spaulding is een onaangename kerel.'
'De nieuwe niet,' zei ze en klemde zijn arm steviger vast.
De taxi reed de parkeerhaven voor de ingang op de Cordoba in. Jean Cameron aarzelde en keek even naar de hoofddeur van het pand. Zachtjes, zonder nadruk, zei David: 'Zal ik je naar de ambassade brengen?'
Ze keerde zich naar hem toe. 'Nee.'
David rekende af en ze gingen naar binnen.
De controledraad stak onzichtbaar uit de deurknop, dat voelde hij. Hij stak de sleutel in het slot en schoof haar instinctief maar zachtjes opzij toen hij de deur opendeed. Het appartement was nog net zoals hij het die ochtend had achtergelaten; hij wist dat ze zijn opluchting voelde. Hij hield de deur voor haar open. Jean ging naar binnen en keek om zich heen.
'Zo erg slecht is het toch niet, hè?' zei ze.
'Bescheiden maar huiselijk.' Hij liet de deur open en vroeg haar met een glimlach, een gebaar – zonder woorden – te blijven waar ze was. Hij liep snel naar de badkamer, keerde terug en ging door de openslaande deuren naar zijn miniatuurpatio met de hoge muren. Hij keek omhoog en speurde de ramen en het dak af. Van onder de takken van de vruchtboom lachte hij weer naar haar. Ze begreep het, sloot de deur en kwam bij hem buiten.
'Dat deed u heel deskundig, meneer Spaulding.'
'Naar de aloude traditie van uiterste lafheid, mevrouw Cameron.'
Hij bemerkte zijn fout meteen toen hij hem maakte. Dit was het moment niet om haar mans naam te gebruiken. En toch scheen ze er op een zijdelingse manier dankbaar voor te zijn. Ze deed een paar stappen en ging vlak voor hem staan.
'Mevrouw Cameron dankt je.'
Hij stak zijn handen uit en omvatte haar taille. Langzaam, aarzelend, hief ze haar handen op tot zijn schouders; haar handen

omsloten zijn gezicht en ze keek hem diep in de ogen.

Hij verroerde zich niet. De beslissing, de eerste stap, moest van haar kant komen; dat begreep hij.

Ze drukte haar lippen op de zijne. De aanraking was zacht en heerlijk en bedoeld voor aardse engelen. En toen begon ze te trillen met een bijna onbedwingbaar gevoel van drang. Haar lippen gingen uiteen en ze drukte haar lichaam met buitengewone kracht tegen het zijne, terwijl ze haar armen om zijn hals klemde.

Ze trok haar lippen weg en begroef haar gezicht tegen zijn borst, hem in wilde bezitsdrang vasthoudend.

'Zeg helemaal niets,' fluisterde ze. *Neem bezit van me.*'

Hij tilde haar zwijgend op en droeg haar naar de slaapkamer. Ze hield haar gezicht tegen zijn borst gedrukt, alsof ze bang was om het licht of zelfs hem te zien. Hij legde haar voorzichtig op het bed neer en sloot de deur.

Enkele ogenblikken later waren ze naakt en trok hij de dekens over hen heen. Het was een vochtige, zalige duisternis. Een heerlijke intimiteit.

'Ik wou iets zeggen,' zei ze en streek met haar vinger over zijn lippen; haar hoofd boven het zijne en haar borsten onschuldig op zijn borst. Ze glimlachte haar oprechte glimlach.

'Ik weet het. Je wilt die andere Spaulding hebben. De kleine met een bril op.' Hij kuste haar vingers.

'Die verdween bij een soortement explosie.'

'Je gebruikt beeldende taal, jongedame.'

'Niet zo erg jong... Daar wou ik het over hebben.'

'Een pensioen. Je wilt een uitkering van Sociale Zaken. Ik zal zien wat ik doen kan.'

'Wees nou eens ernstig, malle jongen.'

'Niet zo erg mal...'

'Het schept geen verplichtingen, David,' onderbrak ze hem. 'Ik wou je zeggen dat... ik weet niet hoe ik het anders moet zeggen: alles gebeurde zo plotseling.'

'Alles verliep zo natuurlijk. Toelichtingen overbodig.'

'Niet allemaal. Ik verwachtte niet hier te zullen zijn.'

'Ik verwachtte niet dat het anders zou zijn. Ik hoopte dat het zó wel zou gaan, dat geef ik toe... Ik stuurde het er niet op aan, dat deden we geen van beiden.'

'Ik weet het niet, ik misschien wel. Ik geloof, toen ik je gisteren zag, dat ik ergens in mijn achterhoofd een beslissing nam. Klinkt dat onbeschaamd uit mijn mond?'
'Als je die beslissing nam, nam je hem veel te laat.'
'Ja, daar kun je gelijk in hebben.' Ze ging weer liggen en trok het laken over zich heen. 'Ik ben erg zelfzuchtig geweest. Verwend en zelfzuchtig en ik gedroeg me heel slecht.'
'Omdat je niet met iedereen geslapen hebt?' Het was zijn beurt om zich om te rollen en haar gezicht aan te raken. Hij kuste haar op haar nu wijdopen ogen, waarvan de donkerblauwe spikkels nog blauwer en donkerder werden door de stralen van de late middagzon, die door de jaloezieën stroomden. Ze glimlachte; haar gave witte tanden glinsterden van het vocht in haar mond en haar lippen krulden zich in die kromming van oprechte humor.
'Gek is dat; ik ben zeker onvaderlandslievend. Ik weerhield mijn charmes om ze aan een non-combattant te schenken.'
'De Westgenoten zouden het er niet mee eens geweest zijn. Daar gingen de strijders voor, heb ik altijd geleerd.'
'Laten we het ze niet vertellen.' Ze strekte haar handen uit naar zijn gezicht. 'O, David, David, David.'

25

'Ik hoop dat ik u niet wakker maakte. Ik zou u niet lastig gevallen zijn, maar ik dacht dat u het zo gewild zou hebben.'
De stem van ambassadeur Granville klonk vriendelijker door de telefoon dan David verwacht had. Terwijl hij antwoordde, keek hij op zijn horloge. Het was drie minuten over tien in de ochtend.
'O...? Nee, mijnheer. Ik wou juist opstaan. Het spijt me dat ik me versliep.'
Er lag een briefje bij de telefoon. Het was van Jean.
'Je vriend heeft contact met ons opgenomen.'
'Vriend?' David vouwde het briefje open. *Lieve schat – je sliep zo heerlijk, dat ik het niet over mijn hart kon verkrijgen je te storen. Ik nam een taxi. Tot morgenochtend. Op de Bastille. De uit het regiment gestoten phoenix.* David glimlachte en herinnerde zich haar glimlach.
'... de details zijn beslist niet bekrachtigd.' Granville had iets gezegd en hij had niet geluisterd.
'Het spijt me, excellentie. Er mankeert vast iets aan de verbinding; uw stem zakt steeds weg.' Alle telefoons aan de overkant van de oceaan, in welk land ook, waren temperamentvolle toestellen. Een onbetwistbaar feit.
'Of het is iets anders,' zei Granville geïrriteerd, kennelijk zinspelend op een afgetapte lijn. 'Komt u even bij me als u op kantoor bent.'
'Jawel, mijnheer. Ik kom meteen.'
Hij nam Jeans briefje op en herlas het.
Ze had gisteren gezegd, dat hij haar leven ingewikkeld maakte. Maar er waren geen verplichtingen, dat had ze ook gezegd.
Maar wat was in vredesnaam een verplichting? Hij wilde niet gissen. Hij wilde niet nadenken over de vreselijke ontdekking – de spontane, heerlijke intimiteit die ze allebei ervaren hadden. Het was er de tijd niet voor...
Maar het te loochenen zou verwerping zijn van een buitengewone realiteit. Hij was erop getraind om zich naar de realiteit te richten.
Hij wilde er niet over nadenken.

Zijn 'vriend' had contact opgenomen met de ambassade. Walter Kendall.

Dat was een andere realiteit. Die kon niet wachten.

Nijdig drukte hij zijn sigaret uit en keek hoe zijn vingers de peuk in de metalen asbak stampten.

Waarom was hij nijdig?

Ook daarover wilde hij niet speculeren. Hij had een taak. Hij hoopte dat hij er de toewijding voor bezat.

'Jean zei, dat u het maar amper tot na het eten kon volhouden. U had een lange nachtrust nodig; ik moet zeggen dat u er beter uitziet.' De ambassadeur kwam ter begroeting achter zijn bureau vandaan toen David het grote, statige kantoor binnenkwam. David was enigszins van zijn stuk gebracht. De oude diplomaat was werkelijk toeschietelijk en toonde een bezorgdheid, die zijn onverbloemde afkeuring van twee dagen geleden logenstrafte. Of kwam het doordat hij de naam Jean gebruikte in plaats van het terughoudende Mrs. Cameron?

'Ze was erg vriendelijk. Zonder haar hulp had ik geen behoorlijk restaurant gevonden.'

'Dat neem ik aan... Ik zal u niet ophouden, u zult aan de slag moeten met die Kendall.'

'Hij had contact opgenomen, zei u...'

'Sinds gisteravond, of vanmorgen heel vroeg om precies te zijn. Hij logeert in het Alvear en is kennelijk erg opgewonden, volgens de telefoniste. Vanmorgen om halfdrie bulderde hij, dat hij moest weten waar u was. Natuurlijk verstrekten wij die inlichting niet.'

'Daar ben ik u dankbaar voor. Zoals u zei, ik had de nachtrust nodig en Kendall zou dat verhinderd hebben. Hebt u zijn telefoonnummer? Of zal ik het in het telefoonboek opzoeken?'

'Nee, ik heb het hier.' Granville liep naar zijn bureau en pakte een aantekenblaadje. David volgde hem en nam het aan uit de uitgestoken hand van de ambassadeur.

'Dank u, mijnheer. Ik maak er meteen werk van.' Hij keerde zich om en liep naar de deur, maar Granvilles stem hield hem tegen.

'Spaulding?'

'Jawel, mijnheer?'

'Mrs. Cameron wil u vast graag even zien. Om uw herstel te

verifiëren, neem ik aan. Haar kantoor is in de zuidelijke vleugel. Vanaf de ingang de eerste deur rechts. Weet u waar dat is?'

'Ik vind het wel, mijnheer.'

'Daar twijfel ik niet aan. Ik zie u later nog wel.'

David ging de zware barokdeur uit en sloot die achter zich. Verbeeldde hij het zich of hechtte Granville schoorvoetend zijn goedkeuring aan zijn en Jeans plotselinge... verbintenis? De woorden waren instemmend, de intonatie was tegenstribbelend.

Hij liep de verbindingsgang door naar de zuidelijke vleugel en kwam bij haar deur. Haar naam stond op een koperen plaatje links van de stijl. Hij had het gisteren niet opgemerkt.

Mrs. Andrew Cameron.

Dus hij had Andrew geheten. Spaulding had zijn voornaam niet gevraagd en zijzelf had hem niet genoemd.

Toen hij naar het koperen naamplaatje keek, overviel hem een vreemde gewaarwording. Hij verafschuwde Andrew Cameron, zowel diens leven als diens dood.

De deur stond open en hij stapte naar binnen. Jeans secretaresse was kennelijk een Argentijnse. Een *porteña*. Haar lange zwarte haar was van achteren in een knot opgenomen en haar trekken waren Zuidamerikaans.

'Ik zou graag Mrs. Cameron spreken. Ik ben David Spaulding.'

'Loopt u maar door. Ze verwacht u.' David liep naar de deur en draaide de knop om.

Hij verraste haar, dacht hij. Ze stond voor het raam uit te kijken over het gazon met een blad papier in de hand en haar bril omhooggeschoven over haar voorhoofd tot de inplanting van haar lichtblonde haar.

Verschrikt zette ze haar bril af en bleef onbeweeglijk staan. Langzaam, alsof ze hem eerst wilde opnemen, brak een glimlach door. Hij voelde zich beangst. Even zelfs meer dan beangst. Maar toen begon ze te praten en de plotselinge angst viel van hem af om plaats te maken voor diep gevoelde opluchting.

'Toen ik vanmorgen wakker werd, wilde ik je pakken. Je was er niet en ik had wel kunnen huilen.'

Vlug liep hij op haar toe en ze omhelsden elkaar. Geen van beiden zei iets. De stilte, de omhelzing en de heerlijke intimiteit keerden terug.

'Granville leek zojuist wel een huwelijksbemiddelaar,' zei hij tenslotte, terwijl hij haar bij de schouders vasthield en in haar blauwgespikkelde ogen keek, waar zo'n intelligente humor uit sprak.

'Ik zei je toch dat hij lief is. Je wou me niet geloven.'

'Je had míj niet verteld dat we gedineerd hadden. Of dat ik het maar amper kon volhouden.'

'Ik hoopte dat jij je zou verspreken; dat je hem meer te denken zou geven.'

'Ik begrijp hem niet. Of jou misschien niet.'

'Henderson zit met een probleem – met mij. Hij weet niet goed hoe hij het – of mij – moet aanpakken. Hij is meer dan beschermend omdat ik hem heb doen denken dat ik die bescherming nodig had. Dat had ik ook; het was gemakkelijker. Maar een man die in de loop der jaren drie echtgenotes en minstens tweemaal zo veel maîtresses gehad heeft, is geen Victoriaan... En hij weet, dat jij hier niet lang blijft. Om het in zijn bewoordingen te zeggen: schets ik een begrijpelijk beeld?'

'Dat neem ik aan,' zei David op Granvilles geaffecteerde manier.

'Dat is niet aardig,' lachte Jean. 'Waarschijnlijk kun je zijn goedkeuring niet wegdragen en dat maakt zijn onuitgesproken aanvaarding uiterst moeilijk voor hem.'

David liet haar los. 'Ik weet drommels goed dat ik zijn goedkeuring niet wegdraag... Ik moet een paar telefoontjes plegen, de stad in en iemand ontmoeten...'

'Zo maar iemand?'

'Een bekoorlijke schoonheid, die me zal voorstellen aan reeksen andere bekoorlijke schoonheden. En onder ons gezegd en gezwegen, ik kan hem niet uitstaan. Maar ik moet naar hem toe. Wil je met me dineren?'

'Ja, ik ga met je dineren. Ik was niet anders van plan. Je had geen keus.'

'Je hebt gelijk; je bent onbeschaamd.'

'Dat heb ik duidelijk laten blijken. Jij doorbrak mijn leefregels; ik herrijs uit mijn eigen persoonlijke ashoop... De lucht is prettig.'

'Dat kon niet uitblijven... Ik was hier.' Hij wist niet goed waarom hij het zei, maar hij kon het niet inhouden.

Walter Kendall ijsbeerde door de hotelkamer of het een kooi

was. Op de bank sloeg Spaulding hem gade en probeerde te bepalen aan wat voor dier Kendall hem deed denken; er kwamen er verscheidene in aanmerking, maar niet een huisdier.

'Luister eens even góed,' zei Kendall. 'Dit is geen militaire operatie. Jij kríjgt orders, je geeft ze niet.'

'Pardon, ik geloof dat u me verkeerd begrijpt.' David kwam in de verleiding om Kendall op dezelfde woedende toon te antwoorden, maar hij zag er vanaf.

'Ik begreep niks verkeerd! Je vertelde Swanson dat je iets van gedonder had in New York. Dat is jouw probleem, niet het onze.'

'Dat kunt u niet met zekerheid zeggen.'

'En of ik dat kan! Je probeerde dat Swanson wijs te maken en die trapte erin. Je had òns erin kunnen luizen!'

'Een ogenblikje.' Spaulding vond, dat hij terecht kon protesteren – binnen de grenzen die hij bij zichzelf voor Kendall bepaald had. 'Ik zei Swanson, dat naar mijn mening het "gedonder" in New York verband kon houden met Buenos Aires. Ik zei niet dat het zo wàs, maar dat het zo kon zijn.'

'Dat is onmogelijk!'

'Hoe kunt u daar voor de donder zo zeker van zijn?'

'Omdat ik het ben.' Kendall was niet alleen opgewonden, dacht David, maar ook ongeduldig. 'Dit is een zakelijke aangelegenheid. De transactie is afgesloten. Niemand probeert die tegen te houden. Ons tegen te houden.'

'De oorlog eindigt niet omdat er een transactie afgesloten is. Als het Duitse oppercommando er lucht van kreeg, zouden ze Buenos Aires opblazen om het tegen te houden.'

'Ja... maar dat is onmogelijk.'

'Wéét u dat?'

'We weten het... Dus breng die stommeling van een Swanson niet in de war. Ik zal open kaart spelen. Dit is zuiver een financiële aangelegenheid. We hadden het zonder hulp van Washington ook afgekund, maar het ministerie stond erop – Swanson stond erop – dat er een van hun mannetjes bij zou zijn. Best, dat ben jij. Je kunt van nut zijn; jij kunt de papieren eruit krijgen en je spreekt de talen. Maar dat is àlles wat je te doen hebt. Vestig de aandacht niet op jezelf. We willen niemand van streek maken.'

Met tegenzin begon David de subtiele duidelijkheid te doorzien van de manipulatie van brigade-generaal Swanson. Swanson had hem in een handige positie gemanoeuvreerd. De moord op Erich Rhinemann – of hij die nu zelf pleegde of er iemand voor huurde – zou volkomen onverwacht komen. Swanson was allesbehalve de 'stommeling' waarvoor Kendall hem hield. Of wat David gedacht had.

Swanson was zenuwachtig. Een beginneling. Maar hij was allemachtig goed.

'Goed dan. Mijn excuses,' zei Spaulding met een schijn van oprechtheid die hij niet voelde. 'Misschien was het gebeuren in New York overtrokken. Ik ontken niet, dat ik me vijanden in Portugal gemaakt had... Ik vertrok in het geheim, weet u.'

'Wat?'

'In New York kan men onmogelijk weten, dat ik de stad verliet.'

'Weet je dat zeker?'

'Even zeker als u weet, dat niemand uw transactie tegenhoudt.'

'Goed... Nou, alles is klaar. Ik heb een tijdschema.'

'Hebt u Rhinemann gesproken?'

'Gisteren. De hele dag.'

'Hoe zit het met Lyons?' vroeg David.

'Swanson zet hem eind van de week op het vliegtuig. Met zijn kindermeisjes. Rhinemann denkt dat de tekeningen zondag of maandag zullen aankomen.'

'In gedeelten of allemaal tegelijk?'

'Waarschijnlijk in twee zendingen. Hij weet het niet zeker. Het doet er ook niet toe; dinsdag zijn ze compleet hier. Dat garandeerde hij.'

'Dan schieten we op. U schatte drie weken.' David voelde pijn in zijn maag. Hij wist dat die geen verband hield met Walter Kendall of Eugene Lyons of tekeningen voor substratosferische gyroscopen. Het kwam door Jean Cameron en het simpele feit dat hij maar een week bij haar zou zijn.

Het verontrustte hem erg en hij stond – kort maar – stil bij de betekenis van die verontrusting.

Maar toen wist hij, dat hij zichzelf geen gunst kon bewijzen; de twee grootheden, de twee werelden, moesten gescheiden blijven.

'Rhinemann heeft de zaak goed onder controle,' zei Kendall en er klonk niet weinig respect in zijn stem. 'Ik ben onder de indruk van zijn methoden. Bijzonder nauwkeurig.'

'Als u dat denkt, hebt u mij niet nodig.' David probeerde een paar seconden tijd te winnen om het gesprek in een andere richting te sturen. Zijn opmerking was zuiver retorisch.

'Dat hebben we ook niet; dat zei ik al. Maar het gaat om een smak geld en omdat het ministerie van oorlog – langs welke weg dan ook – een flinke portie van de rekening betaalt, wil Swanson gedekt zijn. Dat kan ik hem niet kwalijk nemen. Zaken zijn zaken.'

Spaulding zag zijn kans. 'Laten we dan de kwestie van de codes bekijken. Ik heb mijn drie dagen hier niet verlummeld. Ik heb 'n soortement vriendschap gesloten met de ambassade cryp.'

'De wat?'

'De chef cryptograaf. Hij zal de codes naar Washington verzenden; de machtiging tot betaling.'

'O... dat ja.' Kendall kneep een sigaret plat om die in zijn mond te steken. Codes en cryptografen interesseerden hem maar half, dacht David. Die waren het omhulsel, de noodzakelijke details die aan anderen werden overgelaten. Of was het toneelspel? vroeg Spaulding zich af.

Hij zou het gauw genoeg weten.

'Zoals u al zei, gaat het om een heleboel geld. Daarom hebben we besloten, een spraakvervormer te gebruiken en om de twaalf uur van code te veranderen. We stellen vanavond het codeschema op en sturen het morgen per diplomatieke koerier naar Washington. De kernspoel kan vijftien letters bevatten... Natuurlijk zal "Tortugas" het sleutelwoord zijn.'

David nam de haveloze accountant nauwkeurig op.

Er kwam geen enkele reactie.

'Oké... Ja, oké.' Kendall ging in een leunstoel zitten. Zijn gedachten schenen bij iets anders te zijn.

'Daar gaat u toch mee akkoord?'

'Allicht. Waarom niet? Speel alle spelletjes die je wilt. Al wat mij een drol kan schelen is dat Genève de bevestiging seint en dat jij hier wegkomt.'

'Ja, maar ik dacht dat het bericht de... codefactor moest bevatten.'

'Wat zwam je in vredesnaam?'

'"Tortugas". Moet het niet "Tortugas" zijn?'

'Waarom? Wat is "Tortugas"?'

De man acteerde niet, dat wist David zeker. 'Misschien heb ik het mis. Ik dacht dat "Tortugas" een deel was van de machtigingscode.'

'Allemachtig! Jij en Swanson ook! Jullie allemaal. Militaire genieën! Jezus! Als het niet klinkt als Dan Dunn of Geheim Agent nummer zoveel, is het niet echt genoeg, hè? Hoor eens hier. Als Lyons je vertelt, dat alles in orde is, geef je dat door. Dan rijd je naar het vliegveld... Mendarro, een klein veld is dat... en Rhinemanns mensen zullen je vertellen wanneer je vertrekken kunt. Is dat je duidelijk?'

'Ja, dat is me duidelijk,' zei Spaulding. Maar hij wist het niet zeker.

Buiten wandelde David doelloos door de straten van Buenos Aires. Hij kwam bij het grote park van de Plaza San Martin met zijn fonteinen en zijn rijen witte grindpaden in hun rustige wanorde.

Hij ging op een bank zitten en probeerde de ondefinieerbare stukjes van de steeds ingewikkelder legpuzzel te plaatsen.

Walter Kendall had niet gelogen. 'Tortugas' zei hem niets.

Toch had een man in een lift in New York City zijn leven gewaagd om iets over 'Tortugas' te weten te komen.

Ira Barden in Fairfax had hem verteld, dat er maar één enkel woord bij zijn overplaatsingsorder in de kluis van Ed Pace stond: 'Tortugas'.

Misschien was er een voor de hand liggend antwoord. De dood van Ed Pace maakte zeker weten onmogelijk, maar de waarschijnlijkheid was goed bestaanbaar.

Berlijn had hoogte gekregen van de Peenemünde transactie – te laat om de diefstal van de tekeningen te voorkomen – en stelde nu alles in het werk om de verkoop te beletten. En niet alleen te beletten, maar zo mogelijk iedere betrokkene erbij op te sporen. En het hele netwerk van Rhinemann in de val te lokken.

Als dit de verklaring was – en welke andere plausibele verklaring was er? – dan was de codenaam 'Tortugas' van Pace door een infiltrant in Fairfax naar Berlijn doorgespeeld. Dat er een ernstig lek in het veiligheidssysteem van Fairfax bestond, was duidelijk; de moord op Pace was er het bewijs van.

Zijn eigen rol kon door Berlijn gemakkelijk worden vastgesteld, dacht David. De man in Lissabon, die plotseling overgeplaatst was naar Buenos Aires. De expert, die in honderden spionagezaken zijn deskundigheid bewezen had, wiens netwerk veruit het efficiëntste was in heel Zuid-Europa, liet zijn eigen schepping niet in de steek dan wanneer zijn deskundigheid ergens anders van vitaal belang geacht werd. Hij had al lang als vaststaand aangenomen, dat Berlijn hem meer dan verdacht. In zekere zin was dat zijn bescherming; hij had beslist niet bij elke worp van de dobbelstenen gewonnen. Als de vijand hem doodde, zou een ander zijn plaats innemen en de vijand zou opnieuw moeten beginnen. Hij was een bekend artikel en aanvaard als een bestaande duivel.

Spaulding overdacht nauwkeurig en minutieus wat hij zou doen als hij de vijand was. Welke stappen zou hij nemen op dit specifieke moment?

Paniek of vergissing daargelaten zou de vijand hem niet doden. Nog niet. Omdat hij zelf de aflevering van de tekeningen niet kon verhinderen. Maar wel kon hij zijn tegenspelers naar het tijdstip en de plaats van overdracht brengen.

Waar ligt Tortugas?

De desperate... hysterische man in de lift van het Montgomery had de vraag uitgeschreeuwd en verkoos liever te sterven dan zijn opdrachtgevers te noemen. De nazi's zwelgden in zulk fanatisme. Anderen ook, om andere redenen.

Hij, Spaulding, zou daarom onder *äusserste Überwachung* geplaatst zijn, onder wachterdichte bewaking door teams van drie of vier mannen, vierentwintig uur per dag. Dat zou de aanwerving van extraterritoriaal personeel op de Berlijnse loonlijst verklaren. Van agenten, die – voor geld – al jaren buiten de grenzen van Duitsland werkten en gewerkt hadden. Hun taal of spraak kon verschillen; het waren werkers in het diepste geheim, die zich ongehinderd in neutrale hoofdsteden konden bewegen omdat zij niet in de dossiers over de Gestapo, Gehlen of de Nachrichtendienst voorkwamen.

In de Balkan en het Midden-Oosten was zulk personeel te huur. Het waren dure krachten; ze behoorden tot de besten. Hun enige toewijding was aan het pond sterling en de Amerikaanse dollar.

Naast deze permanente bewaking zou Berlijn al het mogelijke doen om hem te beletten een eigen netwerk in Buenos Aires op te zetten. Dat zou dus infiltratie in de Amerikaanse ambassade betekenen. Berlijn zou die mogelijkheid niet over het hoofd zien. Er zou heel wat geld geboden worden.

Wie was er omkoopbaar op de ambassade?

Een poging tot omkoping van een te hooggeplaatst persoon kon als een boemerang werken en hem, Spaulding, gevaarlijke inlichtingen toespelen... Iemand die niet te hoog stond op de ladder; iemand die zich toegang kon verschaffen tot deuren en sloten en gepantserde bureauladen. En codes... Een gezantschapssecretaris van gewoon niveau. Een man die waarschijnlijk nooit ambassadeur in Londen zou worden en die zich tevreden zou stellen met een ander soort zekerheid voor de toekomst. Die te koop was voor een zeer hoge prijs.

Iemand op de ambassade zou Spauldings vijand zijn.

Ten slotte zou Berlijn bevel geven hem te doden. Samen met talloze anderen natuurlijk. Hem te doden op het moment van aflevering, nadat de *äusserste Überwachung* alles had uitgevist wat maar uit te vissen was.

David stond op van de bank van groengeverfde latten en rekte zich uit. Het viel hem op hoe mooi het park van de Plaza San Martin was. Hij liep over het gras naar de rand van een vijver, waarvan het donkere water het silhouet van de omringende bomen als een zwarte spiegel weerkaatste. Twee witte zwanen roeiden langs in albasten onkunde. Een klein meisje zat gehurkt bij een rotsblok op de smalle walkant en plukte de kroonblaadjes van een gele bloem.

Hij was voldaan dat hij de directe alternatieven van zijn tegenstanders diepgaand had geanalyseerd. Hun alternatieven en mogelijke manieren van actie. Zijn gevoel was in de kern positief – niet zodanig dat hij enthousiast was, maar alleen niet negatief ingesteld.

Hij moest nu zijn eigen contrastrategie ontwikkelen. Hij moest profijt trekken van de lessen die hij in de loop der jaren in Lissabon geleerd had. Maar hij had maar zo bitter weinig tijd. En gezien dat feit besefte hij, dat één enkele misstap fataal zou kunnen zijn.

Nonchalant – maar zeker niet met nonchalante gevoelens – keek hij rond naar de vele wandelaars op de paden en op het gras, naar de roeiers en hun passagiers in de bootjes op de kleine, donkere vijver. Wie van hen was zijn vijand?

Wie waren degenen die hem gadesloegen en trachtten te doorgronden wat hij dacht?

Hij zou ze in de eerstkomende dagen moeten vinden – minstens een of twee van hen.

Dat was de genesis van zijn contrastrategie.

Isoleren en breken.

David stak een sigaret op en liep het miniatuurbruggetje over. Hij kwam op gang. Jager en opgejaagde waren nu één. Er trok een lichte prikkeling door zijn hele lichaam, door zijn handen, armen en benen: er was spanning in zijn spieren, alertheid. Hij herkende het gevoel. Hij was weer terug in het noordelijke gebied.

En in dat oerwoud was hij thuis. Hij was de beste die er was. En daar was het dat hij zijn architectonische monumenten bouwde, zijn massieve gebouwen van beton en staal. In zijn geest.

Het was alles wat hij soms had.

26

Hij keek op zijn horloge. Het was halfzes; Jean had gezegd dat ze omstreeks zes uur op zijn appartement zou zijn. Hij had bijna twee uur gelopen en was nu op de hoek van de Viamonte, nog een heel eind van zijn appartement. Hij stak de straat over en liep naar een krantenstalletje onder de markies van een winkel en kocht een krant. Hij keek vluchtig naar de voorpagina en constateerde geamuseerd dat het oorlogsnieuws – voor zover het was opgenomen – naar het onderste deel van de pagina was verwezen en omringd was door verslagen van de laatste weldaden, die de Grupo de Oficiales aan Argentinië bewezen had. Het viel hem op dat de naam van een bepaalde kolonel, ene Juan Peron, in drie verschillende onderkoppen werd genoemd. Hij vouwde de krant op onder zijn arm en omdat het tot hem doordrong dat hij afwezig had staan peinzen, keek hij nog eens op zijn horloge.

Het was geen opzettelijke beweging van Davids kant. Dat wil zeggen, dat hij zich niet berekend abrupt omdraaide; hij draaide zich alleen om omdat de invalshoek van de zonnestralen op zijn polshorloge weerkaatste en onwillekeurig wendde hij zich naar rechts, zodat zijn schaduw op zijn uitgestrekte linkerarm viel.

Maar zijn aandacht werd onmiddellijk van zijn horloge afgeleid. Uit zijn ooghoek zag hij een plotselinge, frappante opening in het voetgangersverkeer op het trottoir. Tien meter verderop aan de overkant hadden twee mannen zich plotseling omgekeerd en waren tegen aankomende voetgangers gebotst, waarna ze zich onder het aanbieden van excuses in de verkeersstroom op het trottoir mengden.

De man links was niet snel genoeg geweest; of hij was te zorgeloos – mogelijk te onervaren – om zijn schouders onmerkbaar op te trekken en daardoor in de menigte te versmelten.

Hij bleef rechtop staan en David herkende hem.

Het was een van de beide mannen van het dak van zijn appartement. Van zijn metgezel was David niet zeker, maar wel van die man. Hij liep zelfs iets hinkend en David herinnerde zich de aframmeling die hij de man gegeven had.

Hij werd dus gevolgd, en dat was goed.

Zijn uitgangspunt was minder ver weg dan hij gedacht had.

Hij liep een paar meter door naar een vrij grote groep mensen die de hoek van de Córdoba naderde. Hij werkte zich tussen armen en benen en pakjes door en stapte een kleine bijouterie-zaak binnen met bonte, goedkope snuisterijen. In de zaak was een groepje kantoormeisjes bezig met het uitzoeken van een cadeautje voor een vertrekkende collega. Spaulding glimlachte tegen de verveelde eigenaar en beduidde dat hij wel kon wachten en geen haast had. De winkelier maakte een gebaar van hulpeloosheid.

Spaulding ging bij de etalage staan en hield zijn lichaam verborgen voor buitenstaanders achter de lijst van de deur.

Nog geen minuut later zag hij de twee mannen weer. Ze liepen nog steeds aan de overkant van de straat en David kon ze alleen door incidentele openingen in de stroom voetgangers volgen. De beide mannen voerden een verhit gesprek en de tweede man ergerde zich duidelijk aan zijn hinkende metgezel. Allebei probeerden ze over de hoofden van de omringende lichamen heen te kijken door op hun tenen te gaan staan en dom, amateuristisch in het rond te kijken.

David vermoedde, dat ze op de hoek rechtsaf zouden slaan om dan oostwaarts de Córdoba op te lopen in de richting van zijn appartement. Dat deden ze en ondanks protesten van de eigenaar van de bijouteriewinkel liep Spaulding snel naar buiten en repte zich over de Avenida Callao, waarbij hij telkens opzij moest springen voor passerende auto's en boze chauffeurs. Hij moest de overkant bereiken en uit het gezichtsveld van de beide mannen blijven. Oversteekplaatsen of trottoirbanden kon hij niet gebruiken; het was te voor de hand liggend, te logisch dat de mannen zouden omkijken, zoals mannen deden wanneer ze iemand probeerden te ontdekken die ze uit het oog verloren hadden.

David wist nu hoe hij te werk moest gaan. Hij moest de beide mannen van elkaar scheiden en de half kreupele pakken. Hem te pakken nemen en antwoorden uit hem loswringen.

Als ze een beetje ervaring hadden, overwoog hij, zouden ze bij zijn appartement uit elkaar gaan, waarbij de ene voorzichtig naar binnen zou gaan om aan het sleutelgat te luisteren of de gezochte aanwezig was, terwijl de ander buiten zou blijven, ver genoeg van de ingang om onopgemerkt te blijven. En het nuchtere verstand zou eisen, dat de voor David onbekende man het pand zou binnengaan. Spaulding trok zijn jasje uit en hield de krant voor zich – niet open, maar opgevouwen; niet opvallend, maar min of meer onverschillig, alsof hij de betekenis van een onduidelijk geformuleerde kop in zich op nam – en liep met de stroom mee naar het noordelijke deel van de Córdoba. Hij sloeg rechtsaf en liep in een stevig, regelmatig tempo oostwaarts, zoveel mogelijk links op het trottoir blijvend als hij maar kon.

Hij was nu niet meer dan twee zijstraten van zijn appartement verwijderd. Hij kon de beide mannen onderscheiden; bij tijd en wijle kéken ze om, maar aan hun kant van de straat.

Amateurs waren het. Als hij les gaf in schaduwen, zouden ze afgewezen worden van zijn cursus.

De mannen naderden het appartement en concentreerden zich geheel op de ingang. David wist dat het nu zijn moment van handelen was. Eigenlijk het enige riskante moment: de paar seconden waarop een van beiden zich zou kunnen omdraaien en hem op een paar meter afstand op het trottoir zou zien. Maar het was een noodzakelijke gok. Hij moest voorbij de ingang van het gebouw komen. Daarop berustte zijn hinderlaag.

Een flink stukje voor hem uit liep een *porteña* huismoeder van middelbare leeftijd, beladen met boodschappen, in kennelijke haast om gauw thuis te zijn. Spaulding haalde haar in en zonder zijn pas te vertragen. Toen hij naast haar liep, begon hij vragen te stellen in zijn beste en elegantste Castiliaans, waarin hij onder andere uitlegde, dat hij zich niet in de straat vergist had en dat hij te laat was. Zijn hoofd was afgewend van de straat.

Voor wie op hen mocht letten, leken de huisvrouw en de man in hemdsmouwen met zijn jasje over de ene arm en een krant onder de andere op twee kennissen, die zich naar een gezamenlijke bestemming haastten.

Twintig meter voorbij de ingang verliet Spaulding de glimlachende *porteña* en schoot een overwelfde poort in. Hij drukte zich tegen de muur en keek om over de straat. De twee mannen stonden bij de trottoirrand en gingen uit elkaar zoals hij verwacht had. De onbekende man ging het gebouw binnen; de trekkebenende man keek naar links en rechts, naar oprijdende auto's en stak toen de Córdoba over naar de noordkant. Davids kant.

Spaulding wist dat de hinkende gestalte hem over enkele seconden zou passeren. Dat was weer logica, nuchter verstand. De man zou oostwaarts blijven doorlopen – en niet van richting veranderen – over de gevolgde route. Hij zou de wacht betrekken op een punt, vanwaar hij uit westelijke richting naderende bezoekers van het appartement in het oog kon houden. De richting waaruit David moest komen.

De man zag hem niet voor David hem aanraakte, zijn linkerarm bij de elleboog omklemde en in horizontale richting drukte, terwijl hij de hand van de man omlaag perste, zodat een lichte druk van Davids kant een folterende pijn in het omgebogen polsgewricht zou veroorzaken.

'U breekt mijn arm. U bréékt hem!' zei de dodelijk geschrokken man en verhaastte zijn tred om de druk te verlichten.

'Blijf naast me lopen of ik doe het.' David zei het rustig, beleefd zelfs. Ze kwamen op de hoek van de Avenida Paraná en Spaulding sloeg linksaf, de man met zich meetrekkend. Er was een brede, inspringende ingang van een oud kantoorgebouw – van het type dat nog maar weinig kantoren bezaten. David zwaaide de man in het rond, maar hield de arm omklemd en smeet zijn slachtoffer in de verste hoek tegen de houten wand. Hij liet de arm los en de man greep naar zijn verrekte pols. Van dat moment maakte Spaulding gebruik om het jasje van de man los te knopen en diens armen omlaag te persen. Hij nam hem een zware revolver af, die de man in een holster op zijn linkerheup had. Het was een Lüger. Nog geen jaar geleden uitgereikt.

David stak het wapen in zijn eigen gordel en drukte zijn onderarm dwars tegen 's mans keel, waardoor deze met zijn achterhoofd tegen de wand sloeg terwijl David zijn jaszakken doorzocht. In de binnenzak vond hij een grote, rechthoekige Europese portefeuille. Hij klapte hem open, trok zijn onderarm terug van de keel van de man en drukte zijn linkerschouder tegen de borstkas, zodat hij de man ongenadig hard tegen de wand kwakte. Met beide handen haalde David legitimatiepapieren te voorschijn.

Een Duits rijbewijs; een *Ausweis* voor gebruik van de Autobahn; distributiekaarten met handtekeningen van Oberführers, waarmee de houder gemachtigd werd ze in het hele Reich te gebruiken – een voorrecht dat alleen aan de hoogste regeringsambtenaren werd verleend.

En toen vond hij het.

Een persoonsbewijs met opgeplakte foto; voor de ministeries van Voorlichting, Bewapening, Luchtvaart en Bevoorrading. *Gestapo.*

'Je bent de allerstomste recruut die Himmler heeft afgeleverd,' zei David uit volle overtuiging en stak de portefeuille in zijn achterzak. 'Je moet familie hebben... *Was ist "Tortugas"?*' Spaulding fluisterde kortaangebonden en onverwachts. Hij haalde zijn schouder weg van de borst van de man en stootte twee uitgestoken knokkels met zo'n kracht in het borstbeen van de nazi, dat de door de stoot bijna verlamde Duitser begon te hoesten. '*Wer ist Altmüller? Was wissen Sie über Marshall?*' David bleef met zijn knokkels op 's mans ribben hameren, zodat er voortdurende schokgolven van pijn door de ribbenkast van de Gestapo-agent trokken. '*Sprechen Sie! Sofort!*'

'*Nein! Ich weiss nichts!*' antwoordde de man tussen het hoesten door. '*Nein!*'

Spaulding hoorde het weer. Beslist geen *Berlijns*; zelfs geen bijgeschaafd *Beiers.* Iets anders.

Wat was het?

'*Noch mal! Sprechen Sie!*'

En toen deed de man iets heel ongewoons. Van pijn en angst hield hij op Duits te spreken. Hij sprak Engels. 'Ik heb de inlichtingen niet die u verlangt. Ik volg bevelen op... anders niet.'

David deed een stap naar links zodat hij de nazi onttrok aan de nieuwsgierige blikken van passerende voetgangers. Maar de deur lag diep weg en in de schaduw; niemand bleef staan. De beide mannen konden kennissen van elkaar zijn en misschien een beetje aangeschoten.

Spaulding balde zijn rechtervuist, hield zijn linkerelleboog tegen de wand en klemde zijn linkerhand over de mond van de Duitser. Hij gaf zich steun tegen de houten latten en liet zijn vuist met zoveel kracht in de maagstreek van de man terechtkomen, dat de agent vooroverklapte en alleen overeind bleef door Davids hand, die hem nu in de kuif vastgreep.

'Ik kan hiermee doorgaan tot ik je van binnen murw geslagen heb. En als ik klaar ben, smijt ik je in een taxi en laat je met een toelichtend briefje bij de Duitse ambassade afleveren. Dan krijg je er van twee kanten van langs... En vertel me nou wat ik weten wil!' David bracht zijn beide knokkels omhoog naar de keel van de man en stootte twee keer toe.

'Hou op... *Mein Gott!* Hou op!'

'Waarom gil je niet? Je kunt schreeuwen zo hard als je wilt... Natuurlijk moet ik je dan wel in slaap brengen en je door je eigen mensen laten vinden. Zonder geloofsbrieven uiteraard... Vooruit dan, gil maar!' Weer stootte David de man in de maag. 'Vooruit, vertel op. Wat is "Tortugas"? Wie is Altmüller? Hoe palmden jullie de cryptograaf Marshall in?'

'Ik zweer het u, ik weet niks!'

David gaf hem weer een stomp. De man zakte in elkaar. Spaulding hees hem overeind tegen de wand en ondersteunde hem, of verborg hem eigenlijk. De Gestapo-agent deed zijn ogen open, die onbeheerst en wazig ronddraaiden.

'Ik geef je vijf seconden. Dan ruk ik je je keel uit.'

'Nee...! Genade! Altmüller... Bewapening... Peenemünde...'

'Wat is er met Peenemünde?'

'De instrumenten... "Tortugas".'

'Wat betékent dat!?' David hield de man zijn knokkels voor. De herinnering aan de pijn deed de Duitser ijzen. 'Wat is "Tortugas"?'

Opeens flikkerden de ogen van de Duitser op in een poging de blik te fixeren. Spaulding zag dat de man over zijn schouder heenkeek. Het was geen trucje; daarvoor was de nazi te ver heen.

En toen voelde David iemands aanwezigheid achter zich. Het was een onfeilbaar gevoel dat zich in de afgelopen jaren ontwikkeld had en dat hem nooit bedroog.

Hij draaide zich om.

Uit de felle Argentijnse zon kwam de andere helft van het surveillanceteam de donkere poort inlopen, de man die zijn appartement was binnengegaan. Hij was van Spauldings postuur, groot en gespierd.

Het schelle licht en de aanstormende man deden David terugwijken. Hij liet de Duitser los en wilde naar de tegenoverliggende muur springen.

Hij kon het niet!

In een laatste krachtsinspanning hield de Gestapo-agent zijn armen vast!

Hield zijn armen vast, sloeg zijn handen om Davids borst en ging met zijn volle gewicht aan hem hangen!

David schopte naar de aanvallende man, gooide zijn ellebogen achteruit en wierp de Duitser terug tegen de wand.

Het was te laat en David wist het.

Hij zag de grote hand met de uitgespreide vingers op zijn gezicht afschieten. Het was alsof er een spookfilm vertraagd voor zijn ogen werd afgedraaid. Hij voelde hoe de vingers zich in zijn huid boorden en realiseerde zich nog dat zijn hoofd met enorme kracht tegen de muur geslagen werd.

Gewaarwordingen van duiken, botsen en rondtollen vergezelden de schok van pijn boven zijn nek.

Hij schudde zijn hoofd; het eerste wat tot hem doordrong was de stank. Overal om hem heen, om er misselijk van te worden.

Hij lag in de inspringende poort, in dronkemanshouding tegen de wand geleund. Hij was drijfnat over zijn hele gezicht en zijn overhemd en het kruis van zijn broek waren doorweekt.

Het was goedkope whisky. Heel goedkope, en heel kwistig uitgegoten.

Zijn overhemd was van de boord af opengescheurd; zijn ene schoen en sok waren uitgetrokken. Zijn riem was los en zijn voorsluiting stond half open.

Hij was het toonbeeld van een dronkelap.

Hij ging rechtop zitten en bracht zijn voorkomen zo goed mogelijk in orde. Hij keek op zijn horloge.

Of waar zijn horloge gezeten had; het was weg.

Zijn portefeuille ook, en zijn geld. En al wat hij verder in zijn zakken gehad had.

Hij stond op. De zon was onder en de avondschemering viel in; er waren nu niet veel mensen meer op de Avenida Paraná.

Hij was benieuwd hoe laat het was. Er kon niet veel meer dan een uur verstreken zijn, dacht hij.

Hij vroeg zich af of Jean nog op hem zou zitten wachten.

Ze kleedde hem uit, legde een ijscompres op zijn achterhoofd en stond erop, dat hij een lange, hete douche zou nemen.

Toen hij uit de badkamer kwam, schonk ze een borrel voor hem in en kwam naast hem zitten op de kleine divan.

'Henderson zal eisen, dat je op de ambassade komt wonen; dat weet je toch, hè?'

'Onmogelijk.'

'le kunt je niet elke dag laten aframmelen. En kom me niet aan met het verhaaltje dat het dieven waren. Dat wou er bij jóu niet in, toen zowel Henderson als Bobby je dat over die mannen op het dak aan het verstand probeerden te brengen.'

'Dat was iets anders. Lieve help, Jean, ik ben volledig uitgeschud.' David zei het op ernstige toon. Het was belangrijk voor hem dat ze hem nu geloofde. Het was ook best mogelijk dat hij haar voortaan zou moeten ontlopen. Dat zou ook belangrijk kunnen zijn. En erg pijnlijk.

'Niemand berooft een ander om hem daarna kletsnat te gooien met whisky!'

'Als het erom gaat, voldoende tijd te winnen om uit de voeten te komen, doen ze dat wèl. Het is geen nieuwe methode. Tegen de tijd dat het slachtoffer de politie ervan heeft weten te overtuigen dat hij broodnuchter is, zijn de boeven al tientallen kilometers ver weg.'

'Ik geloof je niet. Ik denk zelfs, dat je dat niet eens van me verwacht.' Ze ging rechtop zitten en keek hem aan.

'Dat verwacht ik wèl, want het is de waarheid. Geen enkele kerel gooit zijn portefeuille, zijn geld en zijn horloge weg om een aardig vrouwtje te overtuigen van de steekhoudendheid van een leugen. Kom nou, Jean! Ik heb erge dorst en mijn hoofd doet nog steeds pijn.'

Ze haalde de schouders op, kennelijk in de overtuiging dat argumenteren zinloos was.

'Je whisky is bijna op. Ik zal een fles voor je halen. Er is een drankzaak op de hoek van de Talcahuano. 't Is niet ver...'

'Nee,' onderbrak hij haar en hij dacht aan de man met de grote handen die het pand was binnengegaan. 'Ik ga. Leen me alleen wat geld.'

'Dan gaan we samen,' hernam ze.

'Toe... zou je alsjeblieft hier willen wachten? Er kan opgebeld worden en de man moet weten dat ik zo terug ben.'

'Welke man?'

'Een zekere Kendall.'

Zodra hij buiten was, vroeg hij de eerste de beste voorbijganger naar de dichtstbijzijnde telefooncel. Die was verscheidene straten verderop, in een kiosk op Rodriguez Peña.

David holde zo hard hij kon.

De hotelbediende haalde Kendall uit de eetzaal. Toen hij aan de telefoon kwam, praatte bij met zijn mond nog vol. Spaulding haalde de man voor zijn geest, de neergekrabbelde obsceniteiten en de dierlijke ademhaling. Hij beheerste zich. Walter Kendall was ziek.

'Lyons komt over drie dagen,' zei Kendall. 'Met zijn witjassen. Ik heb onderdak voor hem gevonden in die San Telmo-wijk. Een rustig appartement in een stille straat. Ik heb het adres aan Swanson geseind. Die geeft het door aan de bewakers en zij brengen hem onder. Ze zullen contact met je opnemen.'

'Ik dacht dat ik voor zijn onderdak zou zorgen.'

'Jij zou de zaak ingewikkeld gemaakt hebben,' onderbrak Kendall hem. 'En zeik nou niet, ze bellen je wel. Of anders ik. Ik ben hier nog wel een poosje.'

'Dat doet me plezier... Want de Gestapo blijft ook nog een poosje.'

'Wàt?'

'Ik zei: de Gestapo ook. Je dacht lichtelijk verkeerd, Kendall. Er wòrdt geprobeerd je tegen te houden. En dat verbaast me niks.'

'Je bent hartstikke belazerd.'

'Dat ben ik niet.'

'Wat is er dan gebeurd?'

David vertelde het hem en voor het eerst in zijn korte periode van samenwerking met de accountant bespeurde hij angst bij de man.

'Er zat een lek in Rhinemanns netwerk. Dat betekent niet, dat de tekeningen hier niet zullen aankomen, maar wel dat we op obstakels zullen stuiten – als Rhinemann zo goed is als jij zegt. Naar mijn mening is Berlijn erachter gekomen, dat de tekeningen gestolen zijn. Het weet ook, dat ze door- of overgestuurd worden of weet ik veel hoe Rhinemann ze uit Europa smokkelt. Het Oberkommando heeft lucht gekregen van de transactie. De Reichsführers zullen het niet rondbazuinen; ze zullen proberen ze te onderscheppen. Met zo weinig mogelijk gedruis. Maar je kunt er donder op zeggen, dat er een hele zwik executies in Peenemünde geweest is.'

'Het is waanzinnig...' Kendall praatte nauwelijks hoorbaar. En toen mompelde hij iets, maar David kon niet verstaan wat.

'Wat zei je?'

'Het adres daar in Telmo. Van Lyons. Het zijn drie kamers. De achteringang.' Kendall bleef zachtjes, bijna onverstaanbaar praten. De man was de paniek nabij, dacht Spaulding. 'Ik kan je amper verstaan, Kendall... Beheers je een beetje. Het wordt tijd, dat ik me aan Rhinemann ga voorstellen, vind je niet?'

'Dat adres in Telmo is Terrazza Verde nummer 15... het is heel rustig gelegen.'

'Wie is de contactpersoon voor Rhinemann?'

'De wat?'

'Rhinemanns contactpersoon.'

'Weet ik niet...'

'Verdomme Kendall, je hebt vijf uur met hem zitten confereren!'

'Je hoort nog van me.'

David hoorde de klik. Hij was stomverbaasd. Kendall had opgehangen. Hij overwoog om nog eens te bellen, maar gezien Kendalls gespannenheid zou dat de zaken misschien alleen maar verergeren.

Vervloekte amateurs! Wat verwachtten ze eigenlijk? Dat Albert Speer persoonlijk contact zou opnemen met Washington en de luchtmacht een stel tekeningen zou lenen omdat hij gehoord had dat ze in de knoop zaten?

Jezusnogantoe!

Woedend liep David de telefooncel en de kiosk uit, de straat op. Waar was hij, verdomme? O ja, de whisky. De slijterij was op de Talcahuano, had Jean gezegd. Vier straten terug. Hij keek op zijn horloge en natuurlijk had hij geen horloge.

Verdomme.

'Het spijt me dat ik zo lang wegbleef. Ik was in de war: ik liep een paar straten ver de verkeerde kant uit.' David zette de whisky en het sodawater op het aanrecht. Jean zat op de bank; iets zat haar dwars, dacht hij. 'Is het telefoontje gekomen?'

'Niet het ene dat je verwachtte,' zei Jean zacht. 'Iemand anders belde. Hij zou morgen terugbellen, zei hij.'

'O ja? Noemde hij zijn naam?'

'Dat deed hij.' Toen ze antwoordde, ving David de vragende angst in haar stem op. 'Het was Heinrich Stoltz.'

'Stoltz? Die ken ik niet.'

'Je zou hem moeten kennen. Hij is de eerste secretaris op de Duitse ambassade... David, wat doe je eigenlijk?'

27

'Pardon, señor. Mister Kendall is gisteravond vertrokken. Volgens het register om half elf.'
'Liet hij een ander adres of telefoonnummer hier in Buenos Aires achter?'
'Nee, señor. Ik vermoed dat hij terugkeerde naar de Verenigde Staten. Om middernacht vertrok er een toestel van Pan American.'
'Dank u.' David legde de hoorn neer en zocht naar zijn sigaretten.
Het was ongelooflijk! Kendall had bij de eerste de beste moeilijkheid de benen genomen.
Waarom?
De telefoon ging en bracht David aan het schrikken.
'Hallo?'
'Herr Spaulding?'
'Daar spreekt u mee.'
'Heinrich Stoltz. Ik belde gisteravond, maar u was uit.'
'Dat hoorde ik... Ik vernam, dat u aan de Duitse ambassade verbonden bent. Ik zal u wel niet hoeven te zeggen dat ik uw manier van contact zoeken onorthodox vind. En niet weinig afstotend.'
'Kom nou, Herr Spaulding. De man uit Lissabon? Vindt díe iets onorthodox?' Stoltz lachte zachtjes, maar niet beledigend.
'Ik ben attaché en speciaal belast met handelstransacties. Meer niet. Als u iets over me weet, weet u dat beslist ook. Ik ben al laat en dus...'
'Toe,' onderbrak Stoltz. 'Ik bel uit een publieke telefooncel. Dat zal ú toch zeker iets moeten zeggen.'
Dat deed het natuurlijk.
'Ik behandel niets telefonisch.'
'Uw lijn is niet afgetapt. Ik heb het grondig nagegaan.'
'Als u een gesprek wenst, kunt u me een tijdstip en een adres opgeven... Ergens in de binnenstad. Waar publiek komt, geen afgelegen gebouwen.'
'Het restaurant Casa Langosta del Mar, een eind noordelijk van het Parque Lezama. Het ligt afzijdig, niet afgelegen. Daar zijn

vergaderzaaltjes. Gordijnen, geen deuren; geen mogelijkheid tot opsluiting. Alleen beslotenheid.'

'Hoe laat?'

'Half een.'

'Rookt u?' vroeg David scherp.

'Ja.'

'Houd een pakje Amerikaanse sigaretten in uw linkerhand van-af het moment dat u uitstapt; aan de ene kant het zilverpapier weggescheurd en twee sigaretten eruit.'

'Totaal overbodig. Ik weet wie u bent. Ik herken u wel.'

'Dat is mijn zaak niet. Ik ken u niet.' David hing abrupt op. Zoals bij al zulke ontmoetingen zou hij vroegtijdig ter plaatse zijn, zo mogelijk door een dienstingang naar binnen gaan, het gunstig-ste plekje opzoeken dat hij vinden kon om de aankomst van zijn contactpersoon te kunnen gadeslaan. De sigaretten waren al-leen maar een psychologisch instrument; de contactpersoon werd uit zijn evenwicht gebracht door de wetenschap dat hij een herkenbaar doelwit was. Een schietschijf. Een herkenbare con-tactpersoon zou niet gauw moeilijkheden veroorzaken. En als hij moeilijkheden van zins was, zou hij niet komen opdagen.

Jean Cameron liep de gang door naar de metalen trap die naar de kelders leidde.

Naar de 'Gewelven'.

De 'Gewelven' – een hatelijke betiteling die door diplomatiek personeel over de hele wereld gebruikt werd – waren de onder-grondse vertrekken met archiefkasten vol dossiers over vrijwel ie-dereen, bekend of onbekend, vriend of vijand, die ook maar enig contact met een ambassade had. Die dossiers bevatten uitgebreide rapporten en contrarapporten over al het ambassadepersoneel, staat van dienst, beoordelingen van het ministerie en wat dies meer zij. Niets werd weggelaten als er achter te komen was.

Er waren twee handtekeningen nodig om toegang te krijgen tot de 'Gewelven': die van de ambassadeur en die van de ambassa-deraad die de gegevens verlangde.

Het was een bepaling, waar in spoed- of noodgevallen soms van afgeweken werd. De wachtcommandant van de marine liet zich meestal wel overtuigen, dat een aan hem persoonlijk bekende attaché soms onmiddellijke inlichtingen móest hebben; de wacht noteerde in dat geval zowel de naam van het ambassadelid als die van het verlangde dossier in het wachtrapport en bleef erbij staan als het dossier gelicht werd. Als er repercussies uit voortvloeiden, waren die voor rekening van het ambassadelid. Ze waren er nooit. Overtredingen van deze aard leverden gegarandeerd een overplaatsing op naar een afgelegen negorij. Het wachtrapport werd dagelijks verzegeld naar de ambassadeur persoonlijk gezonden.

Jean maakte zelden gebruik van haar nauwe verwantschap met Henderson Granville in ambassade-aangelegenheden. Er bestond ook maar zelden aanleiding toe en wanneer dat al het geval was, ging het altijd om een onbelangrijke kwestie.

Die was ditmaal niet onbelangrijk. En ze was vast van plan haar status als familielid én als gezien staflid uit te buiten. Granville was gaan lunchen en zou de eerste uren niet terugkomen. Ze had zich voorgenomen de wacht te vertellen, dat haar 'schoonvader, de ambassadeur', haar verzocht had, een discreet onderzoek in te stellen naar een pas overgeplaatste medewerker. Spaulding, David.

Als Henderson haar op het matje zou roepen, zou ze hem de waarheid vertellen. Ze voelde zich erg, *heel erg* betrokken bij de raadselachtige Mr. Spaulding en als Henderson dat niet doorzag, was hij een aartsstommeling.

De wachtcommandant was een jonge luitenant-ter-zee van de FMF basis ten zuiden van La Boca. Het personeel van de basis droeg op weg naar de ambassade door de stad burgerkleding; het verdrag dat de kleine, beperkte marinebasis toestond, liet geen geüniformeerden buiten de terreinen toe. Die beperkingen maakten de jonge officieren gevoelig voor de ambtenaarlijke, nietszeggende rollen, die ze noodgedwongen spelen moesten. Dus was het begrijpelijk dat het luitenantje, toen de schoondochter van de ambassadeur hem bij name noemde en vertrouwelijk sprak over een discrete aangelegenheid, zonder enige vragen aan haar verzoek voldeed.

Jean staarde naar Davids dossier. Het was ontstellend. Het leek op geen enkel dossier dat ze ooit gezien had. Er was geen staat van dienst; er waren geen gegevens van Buitenlandse Zaken, geen rapporten, geen beoordelingen, geen opgaven van vroeger beklede posten. Er was maar een enkele bladzijde.

Daarop stonden zijn signalement, geslacht, lengte, gewicht, haarkleur en uiterlijke kentekenen.

Onder die beknopte gegevens stond met drie regels tussenruimte het volgende:

Ministerie van oorlog. Overplaatsing. Clandestiene Operaties. Financiën. Tortugas.

Verder niets.
Gevonden wat u zocht, Mrs. Cameron?' vroeg de luitenant bij het ijzeren traliehek.
'Ja... Dank u wel.' Jean schoof het dunne mapje weer terug op zijn plaats, glimlachte tegen de marineman en vertrok.
Langzaam liep ze de trap op. Ze aanvaardde het feit dat David betrokken was bij een geheime opdracht – ze aanvaardde het maar haatte het ook; ze walgde van de geheimzinnigheid en het duidelijke gevaar. Maar ze had zich er bewust op voorbereid; ze had het ergste verwacht en ook geconstateerd. Ze wist niet zeker of ze haar wetenschap verdragen kon, maar ze wilde het proberen. Als ze er niet tegen bestand was, zou ze de weinige ogenblikken van zelfzuchtig genot die ze krijgen kon, uitbuiten en David Spaulding laten gaan. Dat had ze zich voorgenomen... eigenlijk onbewust. Ze wilde niet nog meer pijn lijden.
Er kwam nog iets bij. Het was maar een vage schaduw in een halfverlicht vertrek, maar hij streek steeds weer over haar ogen.
Het was dat ene woord.
'Tortugas.'
Ze had het nog een keer gezien. Kort geleden, een paar dagen nog maar.
Het was haar opgevallen, omdat ze gedacht had aan Dry Tortugas... en de paar keer dat ze er met Andrew heengezeild was vanaf de Keys.
Wanneer ook weer? Ja... Ja, ze wist het weer.
Het had in een heel droge alinea gestaan over een regionaal verkenningsrapport dat op het bureau van Henderson Granville lag. Ze had het op een ochtend met een nogal afwezige geest gelezen... nog maar een paar dagen geleden. Regionale verkenningsrapporten bestonden uit korte, afgehakte zinnen zonder kleur of smaak. Geschreven door mensen zonder verbeeldingskracht, die zich alleen bezighielden met korte beschrijvingen, met gegevens.
Het had La Boca betroffen.

Iets over de kapitein van een treiler... met lading. Lading met als opgegeven bestemming Tortugas. Een schending van territoriale grenzen; genoemde bestemming was herroepen als zijnde een kennelijke vergissing van de kapitein van de treiler. Toch had er op de connossementen Tortugas gestaan. En David Spauldings opgegeven taak – geheime taak – droeg het codewoord 'Tortugas'. En Heinrich Stoltz van de Duitse ambassade had David opgebeld. En Jean Cameron was opeens bang.

Spaulding was ervan overtuigd, dat Stoltz alleen was. Hij wenkte de Duitser hem te volgen naar achter in het restaurant, naar het afgeschermde vertrekje, dat David een halfuur tevoren bij de gerant gereserveerd had.

Stoltz kwam binnen met het pakje sigaretten in zijn linkerhand. Spaulding liep om de ronde tafel heen en ging met zijn gezicht naar het gordijn zitten.

'Neem plaats,' zei David met een gebaar naar de stoel tegenover zich. Stoltz glimlachte bij de gedachte, dat hij met de rug naar de ingang zou zitten.

'De man uit Lissabon is een voorzichtig mens.' De Duitser trok de stoel achteruit en ging zitten, terwijl hij de sigaretten op de tafel legde. 'Ik kan u verzekeren, dat ik niet gewapend ben.'

'Prima. Ik ben het wel.'

'U bent té voorzichtig. De kolonels kijken schuins naar belligerenten, die in hun neutrale stad wapens dragen. Dat had uw ambassade u moeten vertellen.'

'Ik hoor ook, dat ze Amerikanen gauwer arresteren dan jullie soort.' Stoltz haalde de schouders op. 'Waarom ook niet? Wij hebben ze tenslotte opgeleid. Jullie kopen alleen maar hun rundvlees.'

'Apropos, we lunchen niet samen. Ik heb de kelner betaald voor het tafeltje.'

'Dat is jammer. De langosta... de kreeft is hier uitstekend. Een borrel misschien?'

'Geen drank. Alleen een gesprek.'

Op matte toon nam Stoltz het woord. 'Ik moet u welkom heten in Buenos Aires. Namens Erich Rhinemann.'

David staarde de man aan. 'Moet ú dat doen?'

'Ja, ik ben zijn contactpersoon.'

'Interessant.'

'Zo is Erich Rhinemann. Hij betaalt voor bewezen diensten.'

'Ik wil bewijzen hebben.'

'Uiteraard. Van Rhinemann persoonlijk... Is dat aanvaardbaar?'

Spaulding knikte. 'Wanneer? Waar?'

'Dat kom ik juist bespreken. Rhinemann is al even voorzichtig als de man uit Lissabon.'

'Ik was verbonden aan het corps diplomatique in Portugal. Probeert u niet er meer van te maken dan dat.'

'Helaas moet ik naar waarheid vertellen, dat Herr Rhinemann nogal verbolgen is, dat de mensen in Washington het nodig achtten, u als contactpersoon te zenden. Uw aanwezigheid in Buenos Aires zou de aandacht kunnen trekken.'

David reikte naar de sigaretten die Stoltz op tafel gelegd had. Hij stak er een op... De Duitser had natuurlijk gelijk; Rhinemann had gelijk. De enige nadelige kant aan de keuze van hem was dat de vijand mogelijk van zijn activiteiten in Lissabon wist. Hij twijfelde er niet aan of Ed Pace had dat aspect overwogen en het opzij gezet terwille van de veel belangrijker positieve kanten. Desondanks was het geen onderwerp dat met Heinrich Stoltz besproken hoefde te worden. De Duitse attaché was een nog onzekere factor.

'Ik heb er geen idee van waar u op doelt. Ik ben in Buenos Aires voor het overbrengen van voorlopige aanbevelingen van Newyorkse en Londense financiële kringen met betrekking tot naoorlogse wederopbouwplannen. Wij gelóven in onze overwinning, ziet u. Bij dergelijke projecten mag Rhinemann niet over het hoofd gezien worden.'

'De man uit Lissabon is erg professioneel.'

'Ik wou dat u ophield met die onzin...'

'En overtuigend is hij ook,' wierp Stoltz tussenbeide. 'Camouflage is een van uw sterkste punten. Het geeft meer portuur dan die van lafhartige Amerikaanse fatjes... Zelfs Herr Kendall is die mening toegedaan.'

David wachtte even met zijn antwoord. Stoltz maakte zich gereed om zijn bewijs te leveren. 'Beschrijft u Kendall,' zei David rustig.

'Met weinig woorden?'

'Dat doet er niet toe.'

Stoltz lachte ingehouden. 'Ik maak liefst zo min mogelijk woorden aan hem vuil. Hij is een hoogst onaantrekkelijke tweevoeter. Hij moet wel bijzonder knap zijn op het gebied van cijfers; om een andere reden met hem in dezelfde kamer te blijven, is onmogelijk.'

'Bent u met hem in een kamer geweest?'

'Urenlang, helaas. Met Rhinemann... En kunnen we nu praten?'

'Ga uw gang.'

'Uw deskundige Lyons komt overmogen hier aan. We kunnen alles heel snel afwikkelen. De tekeningen worden in één partij geleverd, niet in twee, zoals Kendall denkt.'

'Denkt hij dat?'

'Het werd hem verteld.'

'Waarom?'

'Omdat tot gisteravond laat Herr Rhinemann het ook dacht. Ikzelf hoorde vanmorgen pas van de verandering.'

'Waarom belde u me gisteravond dan?'

'Instructies van Kendall.'

'Verklaart u dat alstublieft.'

'Is dat nodig? Het een staat los van het ander. Herr Kendall belde míj op. Hij had kennelijk juist met u gesproken. Hij zei, dat hij plotseling naar Washington teruggeroepen was en dat ik direct contact met u moest zoeken om een breuk in de communicatie te vermijden. Hij was onvermurwbaar.'

'Zei Kendall waarom hij terugging naar de Verenigde Staten?'

'Nee. En ik vond het niet nodig om ernaar te vragen. Zijn werk hier is klaar. Hij gaat ons niet aan. U bent de man met de codes, niet hij.'

David drukte zijn sigaret uit en staarde naar het tafelkleed.

'Welke plaats neemt u in op de ambassade?'

Stoltz glimlachte. 'De derde... of vierde van boven misschien. Maar ik dien in de eerste plaats Rhinemanns belangen. Dat is u ongetwijfeld duidelijk.'

'Bij mijn gesprek met Rhinemann zal ik het zeker weten, nietwaar?' David keek op naar de Duitser. 'Waarom is er Gestapo hier in Buenos Aires?'

'Die is er niet... Nou ja, er is een man; eigenlijk niet meer dan een klerk. Zoals iedere Gestapo beschouwt hij zichzelf als de persoonlijke woordvoerder van het Reich en hij overlaadt de koeriers – die overigens met ons samenwerken. Hij is, zoals jullie plegen te zeggen, een uilskuiken. Verder is er geen.'

'Weet u dat zeker?'

'Absoluut. Ik zou het nog eerder weten dan de ambassadeur, dat kan ik u verzekeren. Dit spelletje is totaal onnodig, Herr Spaulding.'

'Regelt u die afspraak met Rhinemann liever... dat is níet onnodig.'

'Dat is het zeker niet. En daarmee komen we weer op de zorgen van Herr Rhinemann. Waarom is de man uit Lissabon in Buenos Aires?'

'Omdat hij wel moet. U zei het al. Ik ben voorzichtig, ervaren en ik heb de codes.'

'Maar waarom ú? Uw overplaatsing uit Lissabon was een kostbare zaak. Ik spreek als vijand en als objectieve neutrale, als verbondene met Rhinemann. Is er geen bijkomende overweging waar wij ons niet bewust van zijn?'

'Als die er is, weet ik er evenmin iets van,' antwoordde Spaulding en neutraliseerde de onderzoekende blik van Stoltz met een soortgelijke van hemzelf. 'En omdat we open kaart spelen, wil ik die tekeningen geverifieerd hebben, die codes verzenden voor uw vervloekte geld en als de bliksem van hier vertrekken. Omdat een groot deel van dat geld door de regering verstrekt wordt, vindt Washington schijnbaar, dat ik de meest geschikte ben om erop toe te zien dat we niet bedrogen worden.'

Beide mannen zwegen gedurende enige tijd. Toen nam Stoltz het woord.

'Ik geloof u. Jullie Amerikanen zijn altijd bang dat jullie bedrogen worden, nietwaar?'

'Laten we ons tot Rhinemann bepalen. Ik wens een onmiddellijke ontmoeting. Ik zal niet tevreden zijn over de deugdelijkheid van Kendalls regelingen voor ik het van Rhinemann hoor. En ik stel geen codeschema met Washington op voor ik tevredengesteld ben.'

'Is er dan geen schema?'

'Dat komt er pas na mijn ontmoeting met Rhinemann.'

Stoltz haalde diep adem. 'U bent wat je noemt grondig. U krijgt Rhinemann te spreken... Het zal na donker moeten zijn, met tweemaal een verwisseling van auto, bij hem thuis. Hij kan het risico niet lopen dat iemand u samen ziet. Vindt u die voorzorgen hinderlijk?'

'In het minst niet. Zonder de codes wordt er geen geld over-

gemaakt in Zwitserland. Ik verwacht, dat Herr Rhinemann zeer gastvrij zal zijn.'
'Daar twijfel ik niet aan... Goed dan, daarmee is onze bespreking rond. U hoort vanavond nader. Bent u thuis te bereiken?' 'Zo niet, dan licht ik de telefoniste van de ambassade in.'
'*Dann auf Wiedersehen, Herr Spaulding.*' Stoltz stond op en knikte diplomatiek met zijn hoofd. '*Heute abend.*'
'*Heute abend,*' antwoordde David toen de Duitser het gordijn opzij schoof en het vertrekje verliet. David zag dat Stoltz de sigaretten op tafel had laten liggen; een kleine attentie of een kleine belediging. Hij nam er een uit het pakje en kneep die op dezelfde manier plat als hij Kendall had zien doen – steevast, bij elke sigaret die de accountant opstak. David scheurde het vloeitje stuk en gooide de tabak in de asbak. Alles wat hem op dit moment aan Kendall herinnerde, was weerzinwekkend. Hij kon niet aan Kendall denken en aan diens door angst ingegeven overhaaste vertrek.
Hij had wel iets anders om aan te denken.
Heinrich Stoltz, 'de derde of vierde van boven' op de Duitse ambassade, was minder hooggeplaatst dan hij dacht. De nazi had niet gelogen – hij wist níet dat er Gestapo in Buenos Aires was. En als hij dat niet wist, hield het in, dat iemand het hem niet vertelde.
Het was ironisch, dacht David, dat hij en Erich Rhinemann tenslotte toch zouden samenwerken. Voor hij Rhinemann doodde, wel te verstaan.

Heinrich Stoltz nam plaats aan zijn bureau en nam de telefoon op. In zijn vlekkeloze Hoogduits zei hij: 'Verbind me met Herr Rhinemann in Luján.'
Hij legde de hoorn weer op de haak en leunde glimlachend achterover in zijn stoel. Even later ging zijn zoemer over.
'Herr Rhinemann...? Met Heinrich Stoltz... Ja, alles verliep vlot. Kendall heeft de waarheid gesproken. Die Spaulding weet niets van Koening of van de diamanten; zijn enige zorg zijn de tekeningen. Zijn enige dreigement is het inhouden van de betaling. Hij speelt onbetekenende spelletjes, maar wij moeten de codes hebben. Patrouillerende Amerikaanse vlooteenheden zouden de haven kunnen afgrendelen en de treiler moet eruit... Stel u voor, al wat die Spaulding interesseert is, dat hij niet bedrogen wordt!'

28

Zijn eerste gedachte was, dat hij zich vergiste... Nee, dat klopte niet helemaal, dacht hij, het was niet zijn eerste gedachte geweest. Hij had geen eerste gedachte, maar alleen een reactie. Hij was sprakeloos.

Leslie Hawkwood!

Vanuit het raam van zijn taxi zag hij haar met een man praten, aan de zuidkant van de fontein op de Plaza de Mayo. De taxi zocht zich langzaam een weg door het verkeer rondom het enorme plein en hij beval de chauffeur, hem langs het trottoir af te zetten.

David rekende af en stapte uit. Hij stond nu pal tegenover Leslie en de man; door het opspuitende water heen zag hij vaag hun gestalten. De man gaf Leslie een envelop en boog op Europese manier. Hij keerde zich om en liep naar de rand van het trottoir, waar hij zijn hand opstak voor een taxi. Toen er een stopte, stapte de man in; de taxi voegde zich in de verkeersstroom en Leslie liep naar een zebra, waar ze wachtte op het groene oversteeksignaal.

David liep omzichtig om de fontein heen en holde naar de zebra toen het licht al weer versprong.

Hij schoot langs de ongeduldige auto's, bracht claxons aan het toeteren en chauffeurs aan het schelden en hield zo veel mogelijk links voor het geval ze mocht omkijken naar de oorzaak van het lawaai. Ze was hem minstens vijftig meter voor en kon hem niet zien, dat wist hij zeker.

Op de boulevard liep Leslie in westelijke richting naar de Avenida 9 de Julio. David verkleinde de afstand tussen hen beiden, maar hield zich verscholen in de menigte. Diverse malen bleef ze even voor een etalage staan en verkeerde twee maal kennelijk in dubio of ze de winkel zou binnengaan of niet.

Echt Leslie: ze had zich altijd al moeten beheersen om niet iets nieuws te kopen.

Maar ze bleef doorlopen. Een keer keek ze op haar polshorloge. Ze ging rechtsaf in noordelijke richting de Julio op en keek twee maal naar het nummer van een pand, vermoedelijk om te bepalen in welke richting de huisnummers opliepen.

Leslie Hawkwood was nog nooit in Buenos Aires geweest.
Ze bleef op haar gemak noordwaarts kuieren en nam de ongewone breedte en kleurrijkheid van de boulevard in zich op. Ze
kwam op de hoek van de Avenida Corrientes, midden in de
theaterwijk, slenterde langs de aanplakborden en bekeek de foto's van de optredende artiesten.
Spaulding bedacht dat de Amerikaanse ambassade nog geen
twee straten verderop was – tussen de Avenida Supacha en Es-
meralda. Tijd verspillen had geen zin.
Ze zag hem voor hij iets gezegd had. Haar ogen spalkten zich
open, haar mond viel open en haar hele lichaam trilde zichtbaar.
Het bloed trok weg uit haar gebruinde gezicht.
'Je kunt kiezen uit twee mogelijkheden, Leslie,' zei Spaulding.
Hij liep tot vlak voor haar en keek haar in het verschrikte gezicht. 'De ambassade is hier vlakbij; dat is Amerikaans grond-
gebied. Je kunt gearresteerd worden wegens inmenging in de
nationale veiligheid, zoal niet wegens spionage. Of je kunt met
mij meegaan... en mijn vragen beantwoorden. Wat zal het zijn?'

De taxi bracht hen naar het vliegveld, waar David een auto
huurde op zijn legitimatiepapieren van 'Donald Scanlan, mijnbouwkundige'. Dat waren de papieren die hij bij zich had als hij
contact legde met mannen als Heinrich Stoltz.
Hij hield Leslies arm stevig genoeg vast om haar te waarschuwen geen vluchtpogingen te ondernemen; ze was zijn gevangene
en dat was hem dodelijke ernst. Ze zei geen woord tijdens de rit
naar het vliegveld; ze vermeed zijn blik en keek strak naar buiten.
Aan de autoverhuurbalie waren haar enige woorden: 'Waar
gaan we heen?'
Zijn antwoord was kort en bondig: 'De stad uit.'
Hij volgde de rivier noordwaarts naar de voorsteden, in de heuvels boven de stad. Een paar kilometer de provincie Santa Fé in
maakte de Rio Lujan een westwaartse bocht en hij daalde de
steile hellingen af naar de hoofdweg langs de rivier. Hier woonden de rijken van Argentinië. Jachten lagen afgemeerd of kruisten langzaam over het water; zeilboten van iedere denkbare
klasse vingen het lome briesje op dat over de rivier waaide en
laveerden harmonieus tussen de groene eilandjes door, die als
weelderige tuinen uit het water oprezen. Oprijlanen bogen zich

van de hoofdweg af – die nu een flauwe bocht naar het westen maakte, van de oever vandaan. Enorme villa's verrezen langs de oevers; niets was zonder visueel effect.

Hij zag een weg links die tegen een heuvel op liep. Hij sloeg hem in. Anderhalve kilometer verderop was er een opening in het bos langs de weg en een vlak, begrind terrein met een bord ervoor.

Vigía Tigre.

Een uitzichtspunt. Een service voor toeristen.

Hij reed de auto het parkeerterrein op en zette hem bij de reling stil. Het was een werkdag; er waren geen andere auto's.

Het hele uur dat de rit duurde, had Leslie niets gezegd. Ze had met bevende handen zitten roken en haar ogen afgewend gehouden van de zijne. Uit ervaring wist David het voordeel van zwijgen onder zulke omstandigheden.

Het meisje was een zenuwcrisis nabij.

'Ziezo. En nu komen de vragen.' Spaulding keerde zich half om en keek haar in het gezicht. 'En neem gerust van me aan dat ik je onder militair arrest zal laten stellen als je weigert.'

Ze draaide haar hoofd om en keek hem woedend, maar nog steeds angstig aan. 'Waarom heb je dat een uur geleden niet gedaan?'

'Om twee redenen,' antwoordde hij eenvoudig. 'Als de ambassade erin betrokken wordt, raak ik verstrengeld in een keten van bevelvoering en liggen de beslissingen niet meer bij mij. Ik ben te nieuwsgierig om het heft uit handen te geven. En ten tweede, waarde vriendinnetje, geloof ik dat jij tot over je oren in de soesa zit. Wat is het, Leslie? Wáár ben je in betrokken?'

Ze bracht de sigaret naar haar mond en inhaleerde alsof haar leven van de rook afhing. Even sloot ze haar ogen en zei toen op weinig meer dan fluisterende toon: 'Dat kan ik je niet zeggen. Dwing me niet.'

Hij zuchtte. 'Ik geloof dat je het niet begrijpt. Ik behoor tot de afdeling Geheime Operaties van de Inlichtingendienst – en daarmee vertel ik niets dat je nog niet weet. Jij maakte het mogelijk dat mijn hotelkamer werd doorzocht; je loog; je verstopte je; en voorzover ik weet was je verantwoordelijk voor verschillende aanslagen, die me bijna het leven kostten. En nu duik je op in Buenos Aires, vierduizend mijl van dat appartement op Park Avenue. Je volgde me 6500 kilometer...! Wáárom?'

'Dat kan ik je niet zeggen! Men heeft mij niet verteld wat ik je kan zeggen!'

'Men heeft je niet... Verdomme! Met wat ik kan reconstrueren – en onder ede verklaren – kun je twintig jaar krijgen!'

'Ik zou graag uitstappen. Mag ik?' zei ze zacht, terwijl ze haar sigaret in de asbak doofde.

'Jazeker, stap maar uit.' David deed het portier aan zijn kant open en liep snel om de auto heen. Leslie liep naar de reling, waar men ver in de diepte de Rio Luján zag.

'Prachtig is het hier, hè?'

'Ja... Heb jij geprobeerd me te laten vermoorden?'

'O God!' Ze draaide zich naar hem om en spuwde de woorden uit. 'Ik probeerde je leven te rèdden! Ik ben hier omdat ik je niet wil laten vermoorden!'

David had enkele ogenblikken nodig om de woorden van het meisje te verwerken. Haar haren hingen achteloos over haar gezicht, ze knipperde met haar ogen om haar tranen te bedwingen en haar lippen trilden.

'Dat moet je me dan maar eens uitleggen,' zei hij effen.

Ze keerde zich van hem af en keek omlaag naar de rivier, de villa's en de bootjes. 'Net de Rivièra, hè?'

'Schei úit, Leslie!'

'Waarom? Het hoort er ook bij.' Ze legde haar handen op de reling. 'Vroeger was dat alles; verder deed niets ertoe. Wáár nu heen, wíe nu? Wàt een leuke party...! Jij was er ook een deel van.'

'Eigenlijk niet. Als je dat denkt, vergis je je. Net zoals je je nu vergist... Ik laat me niet afschepen.'

'Ik scheep je niet af.' Ze omvatte de reling steviger; een fysiek gebaar dat de besluiteloosheid in haar woorden verried. 'Ik probeer je iets te zeggen.'

'Dat je me volgde omdat je mijn léven wilde redden?' Er klonk ongeloof in zijn vraag. 'In New York deed je ook al zo dramatisch, als ik me goed herinner. Je wachtte... hoe lang? Vijf, zes, acht jaar om me weer op de vloer van het botenhuis te krijgen. Je bent een gewone hoer.'

'En jíj bent onbeduidend!' Ze zweepte de woorden in zijn gezicht. Toen bedaarde ze en beheerste zich. 'Ik bedoel niet jou, jou persoonlijk. Alleen maar vergeleken met al het andere. In die zin zijn we allemaal onbeduidend.'

'Dus werkt mevrouw voor een erezaak.'

Leslie keek hem strak aan en zei zachtjes: 'Een waarin ze heel diep gelooft.'

'Dan kun je geen bedenkingen hebben om me die uit te leggen.'

'Dat zal ik ook doen, dat beloof ik je. Maar nu kan ik het niet... Geloof me!'

'Zeker,' zei David losjesweg. En opeens schoot zijn hand uit en pakte haar tasje, dat aan een leren riem over haar schouder hing. Ze probeerde zich te verzetten, maar hij keek haar aan. Ze hield zich in en haalde diep adem.

Hij deed het tasje open en haalde er de envelop uit, die ze bij de fontein op de Plaza de Mayo gekregen had. Daarbij viel zijn oog op een bobbel onderin haar tas, bedekt met een zijden sjaal. Hij hield de envelop tussen zijn vingers en voelde dieper. Hij trok de hoofddoek weg en haalde een kleine Remington revolver te voorschijn. Zonder iets te zeggen controleerde hij het magazijn en de veiligheidspal en stak het wapen in zijn jaszak.

'Ik heb ermee leren omgaan,' zei Leslie aarzelend.

'Goed voor je,' antwoordde Spaulding en maakte de envelop open.

'Nu zul je dan zien hoe efficiënt we werken,' zei ze, terwijl ze zich omkeerde en weer naar de rivier keek.

Er was geen briefhoofd en geen aanduiding van de schrijver of van een organisatie. Bovenaan het papier stond:

Spaulding, David, Lt.-kol. Militaire Inlichtingendienst, Amerikaanse Leger. Classificatie 4-0. Fairfax.

Daaronder volgden vijf compacte alinea's met gedetailleerde beschrijving van elke stap die hij gezet had sinds hij op zaterdagmiddag in de ambassade was aangekomen. Hij was blij, dat er geen melding gemaakt werd van 'Donald Scanlan'; hij was onopgemerkt van het vliegveld en door de douane gekomen.

Al het andere stond er wel in: zijn adres, zijn telefoonnummer, zijn kamer op de ambassade, het incident op het dak, de lunch met Jean Cameron in La Boca, de bespreking met Kendall in het hotel, de overval op de Avenida Paraná, zijn telefoongesprek in de kiosk op Rodriguez Peña.

Alles.

Zelfs de 'lunch' met Heinrich Stoltz in het Langosta del Mar, aan de rand van het Lezuma. De bespreking met Stoltz werd geschat 'minstens een uur' te zullen duren.

Dat verklaarde haar weinige haast op de Avenida de Mayo. Maar David had de bespreking kort gehouden en er was geen lunch geweest. Hij was benieuwd of hij geschaduwd was na zijn vertrek uit het restaurant. Hij had er niet op gelet. Zijn gedachten waren bij Heinrich Stoltz geweest en bij de aanwezigheid van een Gestapoman waar Stoltz niet van wist.

'Jouw mensen zijn erg grondig. Maar wie zijn het?'

'Mannen... en vrouwen met een roeping. Met een doel. Een verhéven doel.'

'Dat was mijn vraag niet...'

Er klonk het geluid van een auto die de heuvel opkwam. Spaulding greep in zijn jaszak naar zijn pistool. De wagen kwam in zicht en reed hen voorbij. De inzittenden zaten te lachen. David bepaalde zijn aandacht weer tot Leslie.

'Ik vroeg je me te geloven,' zei ze. 'Ik was op weg naar een adres in die straat, op de boulevard Julio. Ik moest er om half twee zijn. Ze zullen zich afvragen waar ik ben.'

'Je wilt mijn vraag niet beantwoorden, is het wel?'

'Je krijgt een antwoord. Ik ben hier om je ervan te doordringen, dat je weg moet uit Buenos Aires.'

'Waarom?'

'Wat je ook doet – en ik weet niet wàt dat is, dat is me niet verteld – mag niet doorgaan. We kunnen het niet laten doorgaan. Het is verkeerd.'

'Je weet niet wat het is; hoe weet je dan dat het verkeerd is?'

'Omdat het me gezegd is. En dat is genoeg.'

'*Ein Volk, ein Reich, ein Führer*,' zei David bedaard. 'Stap in de auto!'

'Nee. Je móet naar me luisteren! Vertrek uit Buenos Aires! Zeg je generaals dat het niet gebeuren mag!'

'Stap in de auto!'

Er kwam weer een auto aan, maar nu uit de andere richting, van boven. David stak weer zijn hand in zijn zak, maar haalde hem er weer achteloos uit. Het was dezelfde auto met de lachende toeristen die even tevoren gepasseerd was. Ze lachten en gebaarden nog steeds; waarschijnlijk vanwege te veel wijn bij de maaltijd.

'Je kunt me niet meenemen naar de ambassade! Dat kun je niet doen!'

'Als je niet instapt, word je er wakker. Vooruit!'
Er klonk het gegier van banden op het grind. De afdalende auto was abrupt – op het laatste ogenblik – omgekeerd en kwam nu na een scherpe draai op het parkeerterrein tot stilstand.
David keek op en vloekte inwendig, terwijl hij zijn hand onbeweeglijk in zijn zak hield.
De lopen van twee snelvuurgeweren staken uit de open ramen van de auto. Ze waren op hem gericht.
De drie inzittenden hadden zijden kousen over hun hoofd getrokken en hun platgedrukte gezichten maakten een groteske indruk achter de doorschijnende maskers. Een man naast de chauffeur op de voorbank en een op de achterbank hadden de geweren.
De man achterin deed het portier open zonder het geweer te laten zakken. Op rustige toon gaf hij zijn bevel. In het Engels.
'Stap in deze auto, Mrs. Hawkwood... En u, overste, haal uw wapen bij de kolf uit uw zak... met twee vingers.'
David deed het.
'Loop naar de reling,' ging de man op de achterbank voort, 'en gooi het er overheen, in het bos.'
David voldeed aan het bevel. De man stapte uit om Leslie te laten instappen. Toen nam hij zelf weer plaats en sloot het portier.
Een krachtige motor sloeg aan en weer klonk het geluid van ronddraaiende banden over het losse grind. De wagen schoot vooruit het parkeerterrein af en racete naar beneden.
David stond bij de reling. Hij zou er overheen klimmen en zijn pistool gaan zoeken. Het had geen zin te proberen de auto met Leslie Hawkwood en de drie gemaskerde mannen te volgen. Zijn huurauto was geen partij voor een Mercedes.

29

Jean had het restaurant uitgezocht. Het lag wat achteraf in het noordelijk gedeelte van de stad, voorbij het Palermo Park. Het was het soort restaurant dat men gebruikte voor afspraken. Aan de muur van de boxen waren aansluitingen voor de telefoons. Kelners droegen telefoons van en naar de afgezonderde tafeltjes.

Hij was lichtelijk verbaasd dat Jean van het bestaan van zo'n restaurant afwist, en dat ze dit restaurant had gekozen.

'Waar ben je vanmiddag geweest?' vroeg ze. Ze zag dat hij zijn blik liet gaan over de schemerige eetzaal vanuit hun box.

'Naar een paar vergaderingen. Erg vervelend. Bankiers hebben altijd de neiging om iedere vergadering tot lang na de tijd van afloop te laten duren. In 't Strand of Wall Street, 't is overal hetzelfde.' Hij glimlachte tegen haar.

'Ja, misschien wel, ze proberen altijd de laatste dollar eruit te persen.'

'Niet "misschien", maar zeker. Het doet me hier denken aan Lissabon.'

'Rome,' zei ze. 'Het lijkt veel meer op Rome, ver buiten de stad. Via Appia.'

'Wist je dat meer dan dertig procent van de bevolking van Buenos Aires Italianen zijn?'

'Ik wist dat het percentage hoog was.'

'De Italiaanse hand... Men zegt dat het onheil betekent.'

'Of intelligentie. 't Hoeft geen onheil te betekenen. De "mooie Italiaanse hand" is meestal een bron van afgunst.'

'Bobby nam me eens mee hierheen. Ik geloof dat hij veel meisjes hierheen brengt.'

'Het is hier discreet.'

'Ik denk dat hij zich zorgen maakte dat Henderson zou horen dat hij oneerbare bedoelingen had. Daarom nam hij mij mee hierheen.'

'Dat bevestigde wat zijn bedoelingen waren.'

'Ja, het is een restaurant voor minnaars. Maar dat waren wij niet.'

'Ik ben blij dat je het voor ons uitgekozen hebt. Het geeft me een prettig gevoel.'

'O nee, dat kun je wel vergeten. Daar heeft niemand behoefte aan dit jaar. Nee, van veiligheid is geen sprake. En van geen verplichtingen. Daar ook niet aan.' Ze nam een sigaret uit het open pakje en hij stak hem voor haar aan. Over de vlam heen zag hij dat ze hem strak aankeek. Betrapt sloeg ze haar blik neer.
'Wat is er?'
'Niets... helemaal niets.' Ze vertrok haar mond tot wat een glimlach moest lijken. Hij miste de openhartigheid en de humor.
'Heb je die Stoltz gesproken?'
'O, zit dat je dwars? Neem me niet kwalijk, ik hád je er iets over moeten vertellen. Stoltz verkocht inlichtingen over de vloot. Ik kan ze niet kopen. Ik heb hem gezegd dat hij contact moet opnemen met de inlichtingendienst van de marine. Ik heb vanmorgen verslag uitgebracht aan de commandant van de basis. Als ze hem willen gebruiken, zullen ze dat wel doen.'
'Wat vreemd dat hij bij jou kwam.'
'Dat vond ik ook. Ik denk dat de Duitsers mij ontdekt hebben en dat de financiële gegevens op hun papieren stonden. Daar had Stoltz genoeg aan.'
'Is hij een verrader?'
'Of hij verkoopt slechte informatie. Dat is een probleem voor FMF, niet voor mij.'
'Je bent weer erg onoprecht.' Ze dronk onzeker haar koffie.
'Wat bedoel je daarmee?'
'Niets... alleen maar dat je erg snel bent en erg handig. Je bent vast steengoed voor je werk.'
'En jij hebt een rothumeur. Komt dat van te veel gin?'
'Denk je dat ik dronken ben?'
'Nuchter ben je niet. Niet dat ik dat erg vind.' Hij grinnikte. 'Ik zou je geen alcoholiste willen noemen.'
'Bedankt voor het vertrouwen. Maar je moet niet gissen. Dat houdt een zekere duurzaamheid in. En dat moeten we vermijden, hè?'
'Vind je? Je maakt je daar nogal druk over vanavond. Ik heb daar helemaal niet bij stil gestaan.'
'Je zult het genegeerd hebben. Je hebt belangrijker zaken aan je hoofd.' Toen ze haar kopje neerzette, morste Jean wat koffie op het tafelkleed. Ze ergerde zich over haar eigen gedrag.
'Ik doe het slecht,' zei ze na een ogenblik van stilte.
'Je doet het slecht,' stemde hij in.

'Ik ben bang.'

'Waarvoor?'

'Je bent niet in Buenos Aires om met bankiers te praten. Er zit veel meer achter. Maar dat wil je niet vertellen, dat weet ik. En over een paar weken ben je weg... als je dan nog leeft.'

'Je laat je fantasie de vrije loop.' Hij nam haar hand in de zijne. Ze drukte haar sigaret uit en legde haar andere hand over de zijne. Ze greep zijn hand stevig vast.

'Laten we zeggen dat je gelijk hebt.' Ze sprak nu rustig, hij moest zich inspannen om haar te verstaan. 'Het is allemaal maar verbeelding. Ik ben gek en ik dronk te veel. Laat me maar even en speel het spelletje mee.'

'Als je dat wilt... oké.'

'Het is hypothetisch. Mijn David is geen syndroom van Buitenlandse Zaken. Hij is een agent. Wij hebben er hier een paar van gehad. Ik heb ze ontmoet. De kolonels noemen ze *provocarios*. Mijn David is dus een agent en omdat hij dat is heet dat... grootrisico-dinges omdat de spelregels anders zijn. Die regels hebben geen betekenis. Er zijn geen spelregels voor mensen zoals mijn hypothetische David. Begrijp je me?'

'Ik begrijp je,' antwoordde hij. 'Maar ik snap het doel niet en hoe iemand dan scoort.'

'Dat zal ik je zo vertellen.' Ze dronk de laatste slok koffie op, terwijl ze haar kopje stevig vast hield – te stevig; haar vingers beefden. 'Een man als mijn... mythische David kan vermoord worden of verminkt raken of kapot geschoten worden. 'n Afschuwelijke gedachte, vind je niet?'

'Ja, ettelijke honderdduizenden hebben intussen aan die mogelijkheid gedacht. Het is afschuwelijk.'

'Maar voor hen ligt de zaak anders. Zij zitten in het leger en hebben uniformen en bepaalde regels. Zelfs in vliegtuigen zijn hun overlevingskansen groter. Ik zeg dat met een zekere kennis van zaken.'

Hij keek haar strak aan. 'Stop.'

'O nee, nog niet. Nu ga ik je vertellen hoe je succes kunt hebben. Waarom doet mijn hypothetische David wat hij doet? Nee, geef nog geen antwoord.' Ze zweeg en glimlachte flauwtjes. 'Maar je was niet van plan om antwoord te geven, hè? Het geeft niet; die vraag was tweeledig. Er volgt nog een deel. Dat kan je extra punten opleveren.'

'Wat is het tweede deel?' Hij dacht dat Jean een redenering recapituleerde die ze uit haar hoofd geleerd had. Haar volgende woorden bewezen dat hij gelijk had.

'Ik heb er steeds weer over nagedacht. Want deze schijnvertoning, deze schijnagent verkeert in een unieke positie; hij werkt alleen, althans met heel, heel weinig mensen. Hij werkt in een vreemd land en hij staat alleen... Begrijp je 't tweede deel nu?' David keek haar aan. Ze had een abstracte verbinding gelegd zonder die onder woorden te brengen. 'Nee, ik begrijp 't niet.'

'Als David alleen werkt in een vreemd land en codes naar Washington moet sturen – Henderson heeft me dat verteld – betekent het dat de mensen voor wie hij werkt moeten geloven wat hij ze vertelt. Hij kan ze alles vertellen wat hij wil. Dus we komen nu terug op de vraag. Nu we dit allemaal weten, waarom doet de mythische David dit soort werk dan? Hij kan toch echt niet geloven, dat hij invloed kan uitoefenen op de afloop van de oorlog. Hij is maar één mens onder vele miljoenen.'

'En – als ik je tenminste goed begrijp – deze schijnfiguur zou berichten kunnen sturen aan zijn meerderen dat hij moeilijkheden ondervindt...'

'Hij moet in Buenos Aires blijven. Een heel lange tijd,' onderbrak ze hem, terwijl ze zijn hand krachtig vasthield.

'En als ze nee zeggen, kan hij zich altijd verbergen in de pampa's.'

'Houd me niet voor de gek,' zei ze gespannen.

'Dat doe ik niet. Ik wil niet doen alsof ik je logische antwoorden kan geven, maar ik geloof niet dat de man waar je nu over spreekt zich zo vrij kan bewegen. Zulke kerels worden volgens mij strak in de hand gehouden. Er kunnen altijd andere agenten naar dit gebied gezonden worden en dat gebeurt ook, daar ben ik zeker van. Jouw strategie geeft alleen voordeel op korte termijn. De straffen zijn lang en verdraaid streng.'

Ze trok haar handen langzaam terug en keek een andere kant op. 'Het is een gok die toch wel de moeite waard kan zijn. Ik houd erg veel van je. Ik wil niet dat je iets overkomt en ik weet dat er mensen zijn die je kapot willen maken.' Ze hield op en keek hem weer aan. 'Ze willen je vermoorden, hè! Een mens onder vele miljoenen... en ik blijf maar tegen mezelf zeggen: Hij niet, o God, laat hem het niet zijn. Begrijp je 't niet...? Hebben we ze nodig? Zijn die lui – wie het ook zijn – zo belangrijk? Voor

ons? Heb je nog niet genoeg gedaan?'
Hij keek haar strak aan. De diepe zin van haar vraag drong tot
hem door. Het was geen prettige gewaarwording. Hij had ge-
noeg gedaan. Zijn hele leven was zo totaal veranderd, dat het
een alledaagse gebeurtenis was. Voor wat? De amateurs? Alan
Swanson? Walter Kendall? Een dode Ed Pace? Een corrupt
Fairfax? Een van de zoveel miljoen.
'Señor Spaulding, De woorden brachten hem even aan 't schrik-
ken, omdat ze zo volkomen onverwacht kwamen. De in smo-
king geklede gerant stond vlak bij de box waar zij zaten. Hij
sprak zacht.
'Ja?'
'Er is telefoon voor u.'
David keek naar de discrete gerant. 'Kunt u de telefoon niet op
de tafel zetten?'
'Onze excuses. Het stopcontact in deze box werkt niet.'
Dat was natuurlijk gelogen. Spaulding wist dat.
'Goed, ik ga wel.' David verliet de box. Hij draaide zich om naar
Jean.
'Ik ben zo terug. Neem nog een kop koffie.'
'En als ik nu 'n borrel wil?'
'Bestel hem dan maar,' zei hij en liep weg.
'David?' Ze riep z'n naam luid genoeg om gehoord te worden,
maar niet te luid.
'Ja?' Hij kwam terug; ze staarde hem weer aan.
'Tortugas is het niet waard,' zei ze rustig.
Het was of hij een harde stomp in zijn maag kreeg. Zijn keel
werd dichtgesnoerd, zijn adem stokte en zijn ogen deden hem
pijn toen hij haar aankeek.
'Ik ben zo terug.'

'Met Heinrich Stoltz,' zei de stem.
'Ik verwachtte uw telefoontje. Ik neem aan dat de telefoniste u
het nummer gegeven heeft.'
'Ik hoefde eigenlijk niet te bellen. Alle maatregelen zijn getroffen. Over twintig minuten staat er een groene Packard voor het
restaurant klaar. Een man zal zijn linker arm buiten het raam
houden met in zijn hand een open pakje sigaretten, ditmaal
Duitse. Ik dacht dat u symbolische herhaling zou kunnen waarderen.'

'Ik ben ontroerd. Misschien zult u de wagen en de tijd moeten veranderen.'

'Veranderingen zijn onmogelijk. Herr Rhinemann is onvermurwbaar.'

'Ik ook. Er is iets gebeurd.'

'Sorry. Over twintig minuten. Een groene Packard.'

De verbinding werd verbroken. Dat was Stoltz z'n zaak, dacht David. Hij dacht maar aan één ding. Terug te gaan naar Jean. Hij liep weg uit de schemerig verlichte hoek en schoof onhandig met zijdelingse bewegingen langs de bar met de vaste klanten, wier krukken het hele pad versperden. Hij had haast. De mensen en zielloze dingen die hem in de weg stonden, irriteerden hem. Hij kwam bij de toog naar de eigenlijke eetzaal en liep snel tussen de tafels door naar de achterste box. Jean Cameron was weg. Er lag 'n boodschap op tafel. 't Stond achterop een servet en was geschreven met een oogschaduwpotlood. De boodschap was haastig geschreven, bijna onleesbaar.

David, je hebt vast wel andere dingen te doen. Ik verveel je vanavond alleen maar.

Anders niets. Alsof ze alleen even langs gekomen was. Hij verfrommelde het servet, stak het in zijn zak en rende terug door de eetzaal naar de ingang aan de voorkant. De gerant stond bij de deur.

'Señor? Heeft u moeilijkheden?'

'Die dame in de box. Waar is ze heen?'

'Mrs. Cameron?'

Jezus! dacht David, terwijl hij de kalme porteño aankeek. Wat was er in hemelsnaam aan de hand? De tafel was gereserveerd op zíjn naam. Jean had laten blijken dat ze maar één keer in het restaurant geweest was.

'Ja. Mrs. Cameron. Verdomme, waar is ze?'

'Ze is een paar minuten geleden weggegaan. Ze nam de eerste taxi die stond te wachten.'

'Lúister naar me...'

'Señor,' onderbrak de onderdanige Argentijn hem, 'buiten wacht een man op u. Hij zal uw rekening betalen. Hij heeft een rekening bij ons lopen.'

Spaulding keek door de grote spiegelruiten in de zware voordeur. Door het glas kon hij op de stoep een man zien staan. Hij was gekleed in een wit tropenkostuum. David duwde de deur open en liep op hem toe.

'Wilde u mij spreken?'

'Ik wacht alleen op u, Herr Spaulding, om u te begeleiden. De wagen zal over een kwartier hier zijn.'

30

De groene Packard stopte aan de overzijde van de straat, precies voor het restaurant. De arm van de chauffeur verscheen door het open raam, een niet te onderscheiden pakje sigaretten in zijn hand. De man in het witte tropenpak gebaarde beleefd dat Spaulding met hem mee moest gaan.

Toen hij dichterbij kwam, kon David zien dat de chauffeur een grote man was in een zwart gebreide trui met korte mouwen, die zijn gespierde armen lieten zien. Hij had baardstoppels op zijn kin en dikke wenkbrauwen. Hij zag eruit als 'n ruwe dokwerker. Die indruk was met opzet gewekt, daar was Spaulding zeker van. De man die naast hem liep opende de deur en David stapte in.

Niemand sprak. De wagen koerste naar het zuiden in de richting van het centrum van Buenos Aires; daarna noordoostelijk naar het Aeroparque district. David was nogal verbaasd dat de chauffeur de brede verkeersweg opgereden was die parallel liep aan de rivier. Dezelfde weg die hij die middag gereden had met Leslie Hawkwood. Hij vroeg zich af of die route met opzet gekozen was, of dat ze verwachtten dat hij hierover een opmerking zou maken. Hij leunde tegen de kussens en liet niet merken dat hij iets herkende.

De Packard schoot naar voren op de brede autoweg die nu naar links afboog en de rivier volgde tot in de heuvels van het noordwesten. De wagen sloeg echter niet een van de zijwegen in, zoals David die middag gedaan had. De chauffeur bleef daarentegen met een constant hoge snelheid doorrijden. In het licht van de koplampen zag hij een ogenblik een reflecterend verkeersbord: *Tigre 12 km.*

Er was niet veel verkeer. Zo nu en dan reden tegenliggers voorbij. Verscheidene wagens werden door de Packard ingehaald. De chauffeur keek voortdurend in de zij- en achteruitkijkspiegel.

Midden in een lange bocht verminderde de Packard vaart. De chauffeur knikte tegen de man in het witte tropenpak die naast David zat.

'We stappen nu over in een andere wagen, Herr Spaulding,' zei

de man, terwijl hij een pistool uit z'n jasje haalde.
Voor hen stond een alleenstaand gebouw, een restaurant of een eethuis met een cirkelvormige oprit, die om een ingang heenboog naar een groot parkeerterrein opzij van het gebouw. Lampen verlichtten de ingang en het grasveld ervoor. De chauffeur reed de oprijlaan op. De man naast Spaulding tikte hem op de schouder.
'Stap hier uit en ga direct naar binnen.'
David opende de deur. Hij was verbaasd een portier in uniform bij de ingang te zien, die bleef staan en niet naar de Packard toekwam. In plaats daarvan liep hij snel voorbij de ingang en over de oprit naar het parkeerterrein opzij van het gebouw. Spaulding opende de voordeur en stapte in de met een tapijt belegde foyer van het restaurant. De man in het witte pak liep vlak achter hem; hij had het pistool nu in zijn zak. In plaats van door te lopen naar de ingang van de eetzaal, hield de man David – beleefd – tegen en klopte op wat de deur van een klein kantoor in de foyer bleek te zijn. De deur werd geopend en ze stapten samen naar binnen.
Het was een heel klein kantoor, maar dat feit maakte geen indruk op Spaulding. Wat hem wel fascineerde waren de twee mannen in het kantoor. De een had een wit tropenpak aan; de andere – en David moest direct, onwillekeurig, glimlachen – was precies zo gekleed als hij zelf. Een lichtblauw, gestreept corduroy jasje en een donkere broek. De tweede man was zo lang als hij, had hetzelfde figuur en ongeveer hetzelfde voorkomen.
David had geen tijd om verder rond te kijken. Het licht in het kleine kantoor, een bureaulamp, werd uitgedaan door de man in het witte tropenpak die hij zojuist gezien had. De Duitser, die Spaulding vergezeld had, liep naar het enige raam dat uitkeek op de oprijlaan. Hij sprak zachtjes.
'*Schnell, beeilen Sie sich. Danke.*'
De twee mannen liepen vlug naar de deur en verlieten de kamer. Het silhouet van de Duitser bij het raam tekende zich af tegen het gefiltreerde licht van de hoofdingang.
Hij wenkte David.
'*Kommen Sie her.*'
Hij ging bij het raam naast de man staan. Buiten stonden hun dubbelgangers op de oprijlaan, pratend en gesticulerend alsof ze ruzie hadden, een klein meningsverschil, geen hevige ruzie.

Ze rookten allebei een sigaret, terwijl ze hun gezichten bijna voortdurend met hun handen bedekten. Ze stonden met hun rug naar de verkeersweg achter hen.

Toen kwam er een auto van rechts, uit de richting van de parkeerplaats en de twee mannen stapten in. De wagen reed langzaam naar links, naar de oprit van de verkeersweg. De wagen stond een paar seconden stil, wachtend op een kans om in te voegen in het verkeer van de late avond. Plotseling schoot hij vooruit, stak over naar de rechterkant van de weg en reed hard naar het zuiden, in de richting van de stad.

David begreep niet goed waarom dit ingewikkelde gedoe nodig was; hij stond op het punt het aan de man naast hem te vragen. Maar voor hij iets zei, zag hij de glimlach op het gezicht van de man weerspiegeld in het raam. Spaulding keek naar buiten.

Ongeveer op vijftig meter afstand, vanaf de kant van de weg langs de rivier, werden koplampen aangestoken. Een auto, die noordwaarts reed, maakte een snelle U-bocht op de brede verkeersweg en reed met grote snelheid zuidwaarts.

De Duitser grinnikte. '*Amerikanische... Kinder.*'

David stapte achteruit. De man liep naar het bureau en deed de lamp aan.

'Dat was een interessante oefening,' zei Spaulding.

De man keek op. 'Alleen maar een – hoe noemt u dat, *eine Vorsichtsmassnahme* – een...'

'Een voorzorgsmaatregel,' zei David.

'Ja. Precies, u spreekt Duits... We moeten Herr Rhinemann niet langer laten wachten dan de voorzorgsmaatregelen vereisen.'

Spaulding realiseerde zich dat zelfs bij daglicht de onverharde weg moeilijk te vinden was. Zonder straatlantaarns en met slechts de mistige verlichting van de maan, leek het of de Packard van de verharde weg in een zwarte muur van hoog struikgewas gereden was. In plaats daarvan hoorde David het onmiskenbare geluid van modder onder de wielen toen de wagen vooruit schoot. De chauffeur kende alle bochten en rechte stukken. Een kleine kilometer in het bos, werd de onverharde weg plotseling breder en het wegdek werd weer effen en hard.

Er was een enorm groot parkeerterrein. Vier stenen pilaren, breed en middeleeuws van aanzien, stonden op gelijke afstand van elkaar aan het einde van het geasfalteerde terrein. Boven

iedere pilaar stond een grote schijnwerper, waarvan de lichtbundels elkaar kruisten en het gehele terrein en het bos erachter
verlichtten Tussen de enorme pilaren was een zwaar ijzeren traliehek, met in het midden een poort van gevlochten staaldraad,
die klaarblijkelijk elektrisch bediend werd. Mannen in donkere
overhemden en broeken van quasi-militaire snit, stonden overal, verscheidene met honden aan een lijn.
Dobermanns. Boosaardig blaffende honden rukkend aan hun
leren riemen. Er klonken bevelen van de geleiders en de honden
bedaarden.
De man in het witte tropenpak opende het portier en stapte uit.
Hij liep naar de hoofdpoort, waar een wacht binnen de omhei-
ning opdook. De twee mannen praatten even met elkaar. David
kon zien dat achter de wacht een donker betonnen of gepleis-
terd gebouw stond, misschien zes meter lang met kleine ramen
waaruit licht naar buiten scheen.
De wacht liep terug naar het kleine huis, de man in het witte
kostuum liep terug naar de Packard.
'We wachten een paar minuten,' zei hij, terwijl hij achter in de
wagen stapte.
'Ik dacht dat we haast hadden.'
'Om hier te komen, zodat Herr Rhinemann weet dat we er zijn.
Niet direct om binnengelaten te worden.'
'Een coulante vent,' zei David.
'Herr Rhinemann kan zijn zoals hij wil.'
Tien minuten later zwaaide de stalen poort langzaam open en de
chauffeur zette de motor aan. De Packard reed voorbij het
wachthuisje en de wachtposten. De Dobermanns begonnen
weer bloeddorstig te blaffen, maar werden direct door hun bazen tot zwijgen gebracht. De weg ging omhoog, naar een tweede
groot parkeerterrein voor een kolossaal wit landhuis met een
brede marmeren trap, die leidde naar de grootste eiken deuren
die David ooit gezien had. Ook hier bestreken schijnwerpers het
hele terrein. Er stond een fontein in het midden van de binnenplaats. De weerspiegeling van de lampen sprong terug van het
wegstuivende water.
Het leek op een extravagant plantagehuis uit het zuiden van
voor de burgeroorlog, steen voor steen, plank voor plank, marmerblok na marmerblok afgebroken en ergens diep in een Argentijns woud herbouwd.

Het was een bijzonder gezicht en niet weinig beangstigend in zijn bouwkundig ontwerp. De bouwkundig ingenieur in David was geprikkeld en tegelijkertijd verbijsterd. De materiaalkeuze moest verbluffend geweest zijn; de egalisatie en transportmethoden ongelooflijk. De kosten onvoorstelbaar.

De Duitser stapte uit en liep om de wagen heen naar het portier aan Davids kant en opende het.

'We laten u hier achter. 't Was 'n prettige tocht. Ga naar de deur. Men laat u binnen. *Auf Wiedersehen*.'

David stapte uit en stond op de harde weg voor de marmeren trap. De groene Packard begon de bochtige afdaling.

Spaulding stond bijna een minuut lang alleen. Als hij gadegeslagen werd, en die gedachte kwam bij hem op, zou de man die hem gadesloeg kunnen denken dat hij een verbaasde bezoeker was, diep onder de indruk van de luister voor hem. Dat oordeel zou gedeeltelijk juist geweest zijn. Maar hij concentreerde zich voor de rest op de meer wereldse onderdelen van het landhuis, de ramen, het dak, het terrein dat aan beide kanten van het huis zichtbaar was.

De toegang en de uitgang waren zaken die voortdurend in de gaten gehouden moesten worden, het onverwachte moest nooit als te onwaarschijnlijk gezien worden.

Hij liep de trap op naar de immens grote houten deuren. Er was geen klopper, geen bel, die had hij ook niet verwacht.

Hij draaide zich om en keek neer op het verlichte terrein. Geen mens te zien. Geen wacht en geen bedienden. Niemand.

Stilte. Zelfs de geluiden van het woud leken verstomd. Alleen het spatten van de fontein verstoorde de stilte. Dat betekende natuurlijk dat onzichtbare ogen en onhoorbaar gefluister hun aandacht op hem richtten.

De deur ging open. Heinrich Stoltz stond in de opening.

'Welkom op Habichtsnest, Herr Spaulding. Het nest van de havik. 'n Passende, misschien wat theatrale naam, vindt u niet?'

David ging naar binnen. De hal was, zoals verwacht mocht worden, enorm groot. Een marmeren trap liep naar boven achter een kroonluchter met duizenden kristallen kralen. De muren waren bedekt met goudkleurig laken. Schilderijen uit de Renaissance hingen onder zilveren portretlampen.

'Zo'n vogelnest heb ik nog nooit gezien.'

'Dat is waar. Maar de betekenis van het Habichtsnest komt in uw taal niet helemaal over. Gaat u mee. Herr Rhinemann is op het balkon aan de rivierzijde. Het is een mooie avond.'

Ze liepen onder de groteske, maar schitterende kroonluchter door, langs de marmeren trap naar een galerij aan het eind van de grote hal. Die gaf toegang tot een reusachtig terras dat zich langs het gehele gebouw uitstrekte. Er stonden witte, smeedijzeren tafels met smetteloze glazen afdekplaten en stoelen van verschillende grootte met vrolijk gekleurde kussens. Aan beide kanten van de galerij waren grote dubbele deuren te zien, die waarschijnlijk toegang gaven tot de diverse delen van het enorme huis.

Het terras werd omgeven door een borsthoge stenen balustrade, met beelden en planten erop. Achter het balkon, in de verte, lag 't water van de Rio Luján. Aan het linker einde van het terras lag een klein plat, afgesloten door een hek. Erboven waren dikke stalen kabels te zien. Het was het eindpunt van een kabelbaantje en de stalen kabels liepen kennelijk tot aan de rivier.

David nam al die pracht in zich op, in de mening Rhinemann in het oog te zullen krijgen. Er was niemand. Hij liep naar de balustrade en zag dat onder het balkon nog een terras lag, ongeveer zes meter lager. Een groot zwembad, compleet met wedstrijdlijnen op de tegels, werd verlicht door strijklichten onder het blauwgroene water. Nog meer metalen tafeltjes met parasols en tuinstoelen stonden verspreid om het zwembad en op het terras. En dit alles werd omgeven door een gladgeschoren gazon, dat in de verschillende weerspiegelingen van licht 'n golfbaan met het dichtste gras leek die David ooit gezien had. Enigszins inconsequent zag hij silhouetten van stokjes en poortjes; op de zachte grasmat was een croquetbaan uitgezet.

'Ik hoop dat u hier eens heen zult komen om te genieten van ons eenvoudig vermaak, overste Spaulding.'

David schrok van de vreemde, rustige stem. Hij draaide zich om. Een mannengestalte stond in de schaduw naast de galerij bij de grote hal.

Erich Rhinemann had hem natuurlijk gadegeslagen.

Rhinemann kwam uit het donker naar voren. Hij was een tamelijk lange man met grijzend haar dat glad naar achteren was gekamd, zonder scheiding. Hij was vrij stevig voor zijn lengte – 'krachtig' zou het juiste woord zijn, maar de omvang van zijn middel loochende die uitdrukking. Zijn handen waren groot en vlezig, maar toch fijngevormd en het wijnglas dat hij in z'n vingers had, ging erin verloren. Er viel voldoende licht op zijn gezicht, zodat David het duidelijk kon onderscheiden. Spaulding wist niet zeker waarom, maar het gezicht verraste hem onaangenaam. Het was een breed gezicht met een breed voorhoofd boven een brede mond onder de tamelijk brede platte neus. Hij was sterk gebruind, zijn wenkbrauwen waren bijna wit door de zon. En toen besefte David waarom hij zo geschrokken was.

Erich Rhinemann raakte op leeftijd. De donkerbruine huid was een dekmantel voor de ontelbare lijnen in zijn gezicht die zijn leeftijd hem gegeven had. Zijn ogen waren klein, omgeven door gezwollen ouderdomsplooien. Het onberispelijk gesneden sportjasje en de broek waren bestemd voor een veel, veel jongere man.

Rhinemann vocht een strijd die zijn rijkdom niet voor hem kon winnen.

'*Habichtsnest ist prachtig, unglaublich,*' zei David beleefd, zonder evenredig enthousiasme.

'Erg vriendelijk van u,' antwoordde Rhinemann, terwijl hij zijn hand uitstak. 'En ook beleefd, want er is geen enkele reden om geen Engels te spreken. Kom, gaat u zitten. Mag ik u iets te gebruiken aanbieden?' De financier ging voor naar de dichtstbijzijnde tafel.

'Nee, dank u,' zei David en ging tegenover Rhinemann zitten. 'Ik heb dringende zaken in Buenos Aires. Dat heb ik Stoltz duidelijk willen maken voor hij de telefoon op de haak legde.'

Rhinemann keek naar de onverstoorbare Stoltz, die tegen de stenen balustrade leunde.

'Was dat nodig? Herr Spaulding verdient zo'n behandeling niet.'

'Het wàs nodig, mein Herr. Voor het bestwil van onze Amerikaanse vriend. Er werd ons bericht dat hij werd gevolgd, daar waren wij op voorbereid.'

'Als ik gevolgd werd, deed u dat.'

'Nadat het gebeurd is, dat ontken ik niet. Er voor hadden we er geen reden toe.'

Rhinemanns spleetogen richtten zich op Spaulding.

'Dit is verontrustend. Wie zou u gevolgd hebben?'

'Kunnen wij een gesprek onder vier ogen hebben?' zei David, terwijl hij naar Heinrich Stoltz keek.

De financier glimlachte. 'Er is niets in onze zaken wat de *Bot-*

schaftssekretär niet mag horen. Hij is een van mijn meest gewaardeerde medewerkers in Zuid-Amerika. U moet niets achterhouden.'

'Dat weet u pas nadat we alleen spreken.'

'Onze Amerikaanse overste is misschien in verlegenheid gebracht,' onderbrak Stoltz op schampere toon 'De man uit Lissabon wordt door zijn eigen regering niet competent geacht. Hij is onder Amerikaans toezicht geplaatst.'

David stak een sigaret op. Hij gaf geen antwoord op wat de Duitse attaché gezegd had. Gebarend met zijn grote, fijnbesneden handen nam Rhinemann het woord.

'Als dat zo is, is er geen reden Stoltz erbuiten te houden. En een andere verklaring is kennelijk niet mogelijk.'

'Wij kopen,' zei David rustig en nadrukkelijk. 'U verkoopt... Gestolen goed.'

Stoltz stond op 't punt iets te zeggen, maar Rhinemann stak zijn hand op.

'Wat u laat doorschemeren, is niet mogelijk. Onze overeenkomsten zijn in het grootste geheim afgesloten en waren een groot succes. En Herr Stoltz is de vertrouweling van het Oppercommando. Meer nog dan de ambassadeur.'

'Ik vind het vervelend om in herhaling te vervallen,' zei David boos. 'Vooral als ik betaal.'

'Laat ons alleen, Heinrich,' zei Rhinemann, terwijl hij Spaulding aankeek. Stoltz boog stijfjes en liep snel, woedend, naar de grote hal.

'Dank u.' David ging verzitten in de stoel en keek naar de vele kleine balkons op de eerste en tweede verdieping van het huis. Hij vroeg zich af hoeveel kerels er bij de vensters op de uitkijk stonden, klaar om te springen als hij een verkeerde beweging maakte.

'We zijn alleen, zoals u verzocht,' zei de Duitse banneling, met nauw verholen geprikkeldheid. 'Wat is er?'

'Stoltz staat onder verdenking,' zei Spaulding. Hij wachtte even om te zien hoe de financier zou reageren op zulk nieuws. Zoals hij had kunnen verwachten, kwam er helemaal geen reactie. David ging verder, misschien denkend dat Rhinemann hem niet goed begreep.

'Hij krijgt geen juiste inlichtingen op de ambassade. Hij zou bij de onze beter terecht kunnen!'

'Belachelijk.' Rhinemann bleef doodstil zitten, en staarde met z'n half gesloten ogen naar David. 'Waarop baseert u uw mening?'

'De Gestapo. Stoltz beweert dat de Gestapo in Buenos Aires niet actief is. Dat is onjuist. Er is Gestapo hier. En die is actief. Vastbesloten u tegen te houden. Ons tegen te houden.'

Erich Rhinemanns zelfsbeheersing begon te wankelen; ook al was het nauwelijks merkbaar. De kwabben onder zijn ogen trilden heel licht en zijn starende blik was zo mogelijk nog harder dan daarvoor, dacht David.

'Wilt u dat nader verklaren?'

'Ik wil eerst vragen beantwoord hebben.'

'*U wilt vragen*...?' Rhinemanns stem was schril zijn hand greep de tafel. De aderen waren duidelijk zichtbaar op zijn grijzende slapen. Hij pauzeerde even en ging toen verder. 'Pardon, ik ben niet gewend voorwaarden voorgeschreven te krijgen.'

'Daar ben ik van overtuigd. Maar ik ben niet gewend te onderhandelen met een contactman als Stoltz, die blind is voor zijn eigen kwetsbaarheid. Zo'n man maakt me kwaad... en bezorgd.'

'Wat voor vragen heeft u?'

'Ik neem aan dat de ontwerpen het land uit zijn?'

'Ja.'

'Zijn ze onderweg?'

'Ze komen vanavond aan.'

'U bent vroeg. Onze man komt pas overmorgen aan.'

'Nu bent u het die onjuiste inlichtingen ontving, Herr Oberst. De Amerikaanse geleerde, Lyons, komt hier morgen aan.'

David zweeg enkele ogenblikken. Dat had hij in het verleden zo vaak gedaan om te tonen dat hij verbaasd was.

'Hij wordt óvermorgen in San Telmo verwacht,' zei David. 'Die verandering is onbelangrijk, maar dat is wat Kendall me vertelde.'

'Voor hij in de Pan American Clipper stapte. Daarna hebben we een gesprek gehad.'

'Hij heeft blijkbaar met veel mensen gesproken. Heeft die verandering enige betekenis?'

'Plannen kunnen vertraagd of bespoedigd worden, al naar 't nodig is.'

'Of veranderd worden om iemand uit zijn evenwicht te brengen,' onderbrak David.

'Dat is hier niet het geval, daar is geen reden voor. Zoals u 't heel bondig uitdrukte: wij verkopen, u koopt.'

'En er is natuurlijk geen enkele reden waarom de Gestapo in Buenos Aires zou zijn...'

'Kunnen we terugkeren tot dat onderwerp?' merkte Rhinemann op.

'Zo dadelijk,' zei Spaulding, die zag dat de Duitser weer gespannen raakte. 'Ik heb achttien uur nodig om mijn codes naar Washington te krijgen. Ze moeten er door een koerier heen gebracht worden, chemisch verzegeld.'

'Dat heeft Stoltz me verteld. Dat was dwaas van u. De codes zouden al verstuurd moeten zijn.'

'*Eine Vorsichtsmassnahme, mein Herr*,' zei David. 'Om ronduit te zeggen, ik weet niet wie er op onze ambassade omgekocht is, maar ik weet zeker dat dit zo is. Er zijn altijd mogelijkheden om codes te verkopen. De authentieke codes worden alleen overgeseind als Lyons de ontwerpen verifieert.'

'Dan moet u snel handelen. U verzendt uw codes morgenochtend per vliegtuig. Ik zal het eerste stel tekeningen morgenavond naar San Telmo brengen... *Eine Vorsichtsmassnahme*. U krijgt het overblijvende stel als u ons verzekerd heeft dat Washington bereid is om in Zwitserland te betalen, nadat zij uw vastgestelde code hebben ontvangen. U zult Argentinië niet verlaten voor ik bericht uit Bern heb ontvangen. Hier dichtbij ligt het kleine vliegveld Mendarro – mijn mannen hebben er het beheer over. Uw vliegtuig zal daar klaar staan.'

'Afgesproken.' David drukte zijn sigaret uit. 'Morgenavond het eerste stel tekeningen. De overige binnen vierentwintig uur... Nu hebben we een tijdschema. Dat is het enige wat mij interesseerde.'

'Goed! En nu weer wat de Gestapo betreft.' Rhinemann boog zich voorover in zijn stoel en de aderen in zijn slapen werden weer tot blauwe riviertjes in zijn van zonlicht doordrenkte huid. 'U zei dat u zich nader zou verklaren.'

Spaulding deed dat.

Toen hij klaar was, ademde Erich Rhinemann diep en regelmatig. Zijn ogen in de plooien vlees flonkerden wild, maar beheerst.

'Dank u. Ik weet zeker dat er een verklaring voor is. We werken verder volgens 't schema. We hebben een lange en gecompliceerde avond achter de rug. U wordt teruggebracht naar Córdoba. Goedenavond.'

'Altmüller!' brulde Rhinemann. 'Een idioot! Een dwaas!'
'Ik begrijp u niet,' zei Stoltz.
'Altmüller...' Rhinemanns stem bedaarde maar bleef dreigend. Hij draaide zich naar het balkon en richtte zich tot de duisternis en de rivier beneden hem.
'In zijn krankzinnige pogingen om het Oppercommando los te maken van Buenos Aires om zijn eigen kostbare ministerie van blaam te zuiveren, werd hij verstrikt door zijn eigen Gestapo.'
'Er is géén Gestapo in Buenos Aires, Herr Rhinemann,' zei Stoltz met nadruk. 'De man uit Lissabon liegt.'
Rhinemann draaide zich om en keek de diplomaat aan. IJzig koud zei hij: 'Ik weet wanneer iemand liegt, Herr Stoltz. Deze man uit Lissabon sprak de waarheid; hij heeft geen reden om dat niet te doen... Als Altmüller niet verstrikt raakte, heeft hij me verraden. Hij heeft de Gestapo op ons dak gestuurd. Hij is niet van plan om verder te gaan met de ruil. Hij zal de diamanten inpikken en de ontwerpen vernietigen. De jodenhaters hebben me in een val gelokt.'
'Ik zelf ben met Franz Altmüller de enige coördinator.' Stoltz sprak op de overtuigendste toon, die hij in jarenlange diplomatieke dienst had weten te ontwikkelen. 'U, Herr Rhinemann, regelde dat. Daarom is er geen reden voor u om aan mij te twijfelen. De mannen in het veem in Ocho Calle zijn bijna klaar. De echtheid van de Koening diamanten zal over een paar dagen bewezen worden; de koerier zal de ontwerpen afleveren voor de nacht voorbij is. Alles loopt zoals we dat gepland hebben. De ruil zal plaatsvinden.'
Rhinemann draaide zich weer om. Hij legde zijn vlezige, maar fijnbesneden handen op de balustrade en keek in de verte. 'Er is één manier om zekerheid te hebben,' zei hij rustig. 'Telegrafeer Berlijn. Ik wil dat Altmüller naar Buenos Aires komt. Anders gaat de ruil niet door.'

31

De Duitser in het witte tropenpak had een uniform aangetrokken zoals de garde van Rhinemann droeg. De chauffeur was niet dezelfde als de vorige keer. Dit was een Argentijn. Ook de auto was anders. Het was een zespersoons Bentley, voorzien van mahoniehouten dashboard, grijsvilten bekleding en gordijntjes voor de ramen. Het was 'n passende auto voor de hogere Engelse diplomatieke dienst, maar niet op ambassadeurs niveau. Het was weer een trekje van Rhinemann, dacht David.

De chauffeur reed de wagen de donkere verkeersweg langs de rivier op vanuit de nog intenser duisternis van de onverharde weg. Hij gaf gas en de Bentley schoot naar voren. De Duitser naast Spaulding bood hem een sigaret aan. David bedankte door zijn hoofd te schudden.

'U wenst naar de Amerikaanse ambassade gereden te worden, señor,' zei de chauffeur, terwijl hij zijn hoofd iets draaide, maar zijn ogen op de weg gericht hield. 'Dat kan ik helaas niet doen. Señor Rhinemanns bevel was u naar de flat in Córdoba te brengen. Neemt u mij niet kwalijk.'

'Wij mogen niet van onze instructies afwijken,' voegde de Duitser eraan toe.

'Ik hoop dat u dat nooit doet. Op die manier winnen we oorlogen.'

'Die belediging is aan het verkeerde adres. Het laat me volmaakt onverschillig.'

'Ik vergat dat Habichtsnest neutraal is.' David maakte een eind aan het gesprek door te gaan verzitten, z'n benen over elkaar te slaan en zwijgend naar buiten te staren. Zijn enige gedachte was om naar de ambassade te komen, naar Jean. Ze had het woord 'Tortugas' gebruikt.

Weer het ondefinieerbare 'Tortugas'.

Hoe kon ze het weten? Was het denkbaar dat ze er deel van uitmaakte? Deel van het onscherpe beeld? Nee.

'Tortugas is het niet waard.' Jean had dat gezegd. Jean had gepleit.

Dat had Leslie Hawkwood ook gedaan. Leslie had 6500 kilometer gereisd om te pleiten. Fanatiek zelfs.

Verlaat Buenos Aires, David.

Bestond er verband tussen?

O, Jezus, dacht hij. *Bestond er werkelijk verband tussen?*

'Señors.' De chauffeur zei het scherp. Davids gedachten onderbrekend. De Duitser draaide zich onmiddellijk – en instinctief – om en keek door de achterruit. Zijn vraag bestond uit twee woorden.

'Hoe lang?'

'Te lang om te twijfelen. Heeft u opgelet?'

'Nee.'

'Ik ben drie auto's gepasseerd. Toen heb ik gas teruggenomen en ben naar de meest rechtse rijstrook gegaan. Hij ging mee. Hij komt dichterbij.'

'Wij zijn toch in het Heuvel Twee district?' vroeg de Duitser.

'Si... Hij komt snel naderbij. 't Is een sterke wagen. Hij zal ons op de verkeersweg inhalen.'

'Rij de Colinas Rojas in! Neem de volgende zijweg rechts! Iedere weg is goed!' commandeerde Rhinemanns luitenant, terwijl hij zijn pistool uit zijn binnenzak haalde.

De Bentley slipte plotseling en draaide, diagonaal naar rechts zwenkend, waardoor David en de Duitser naar links op de achterbank geworpen werden. De Argentijn gaf plankgas, begon 'n heuvel op te rijden; schakelde terug naar de tweede versnelling en had daarin binnen enkele seconden de topsnelheid bereikt. Er was een vlak stuk voor de tweede heuvel begon en de chauffeur gebruikte het om de motor weer in een hogere versnelling te brengen en vaart te meerderen. Door de plotselinge acceleratie schoot de wagen als een kanonskogel voorwaarts.

De tweede heuvel was steiler maar door de snelheid die hij al had, vloog de wagen naar boven. De chauffeur kende z'n wagen, dacht David.

'Daar zijn de koplampen,' gilde de Duitser. 'Ze volgen ons.'

'Ik geloof dat er vlakke stukken zijn,' zei de chauffeur en concentreerde zich op de weg. 'Voorbij deze heuvels. Er zijn veel zijwegen. We zullen proberen ons op een van die wegen te verbergen. Misschien passeren ze ons.'

'Nee.' De Duitser tuurde nog steeds door de achterruit. Hij controleerde het magazijn van zijn pistool op gevoel. Gerustgesteld vergrendelde hij het weer. Toen wendde hij zich van de achterruit af en reikte onder de zitting. De Bentley trilde toen hij de steile landweg opreed en de Duitser vloekte toen hij furieus met zijn hand achter zijn benen grabbelde.

Spaulding hoorde de klik van metalen veersloten. De Duitser stak zijn pistool in zijn riem en reikte naar beneden met zijn vrije hand. Hij haalde een automatisch geweer met dikke loop te voorschijn. David zag dat dit het nieuwste, krachtigste wapen was dat het Derde Rijk voor frontgevechten had ontwikkeld. Het gebogen magazijn, dat vlug door de Duitser erin werd gebracht, bevatte meer dan veertig patronen kaliber .30.

Rhinemanns luitenant zei: 'Naar de vlakke stukken. Laat ze dichterbij komen.'

David schoot omhoog. Hij hield zich vast aan de leren lus aan de achterkant van de voorbank en steunde met zijn linkerhand tegen de raamlijst. Ruw zei hij tegen de Duitser: 'Gebruik dat niet. U weet niet wie ze zijn.'

De man met het geweer keek even naar Spaulding en negeerde hem met een blik. 'Ik ken mijn verantwoordelijkheden.' Hij reikte met zijn hand rechts van de achterruit, waar een metalen ringetje in het vilt zat. Hij stak er zijn wijsvinger in, haalde het omhoog en trok het hard naar zich toe, waardoor een spleet naar buiten zichtbaar werd van ongeveer 25 centimeter breed en 10 centimeter hoog.

David keek links van het raam. Daar was nog een ring en dus nog een opening. Rhinemanns wagen was ingericht op noodgevallen. Hij kon vuren op iedere achtervolgende auto; het uitzicht was vrij en bij hoge snelheden over oneffen grond was er een minimum aan ongemak.

'En als het nu een Amerikaanse wagen is, die mij volgt?' riep David toen de Duitser op de achterbank knielde en op het punt stond het geweer in de opening te steken.

'Dat is het niet.'

'Dat wéét u niet.'

'Señors,' riep de chauffeur. 'We gaan de heuvel af. Het is een lange, brede bocht. Ik herinner mij die. Beneden zijn velden met hoog gras. Vlak... Wegen. Houd u vast.'

De Bentley dook plotseling alsof hij over de rand van een afgrond geschoten was. Meteen werd de snelheid krachtig opgevoerd, zo onverwacht dat de Duitser met het geweer achterover viel. Z'n lichaam hing een ogenblik in de lucht. Hij zocht tegen de voorbank steun, terwijl hij z'n geweer omhoog hield om de val te breken.

David aarzelde niet. Kon ook niet aarzelen. Hij greep het geweer, omklemde met zijn vingers de beugel om de trekker en rukte het geweer uit de handen van de Duitser. Rhinemanns luitenant was verbluft door Spauldings actie. Hij greep naar het pistool onder zijn riem.

De Bentley suisde nu met een reuze snelheid de helling af. De brede bocht waar de Argentijn over gesproken had, was nu bereikt en de wagen volgde een lange, hellende koers, die een technische onbestaanbaarheid mogelijk scheen te maken. De wagen werd aangedreven door de wielen aan een kant, terwijl die aan de andere kant boven de grond hingen.

David en de Duitser drukten zich met hun ruggen tegen de tegenoverelkaar liggende zijkanten, hun benen gespannen, hun voeten diep in het vilten karpet.

'Geef dat geweer.' De Duitser hield het pistool op Davids borst gericht. David had het geweer onder zijn arm, zijn vinger aan de trekker, de loop van het monster op de maag van de Duitser gericht.

'Als jij vuurt, vuur ik ook,' schreeuwde hij terug. 'Ik kan er levend vanaf komen. Jij niet. Jij wordt aan stukken geschoten.'

Spaulding zag dat de chauffeur in paniek geraakt was. De actie op de achterbank, plus de problemen van het terrein, de snelheid en de bochten, hadden hem in een crisis gebracht waar hij niet tegen opgewassen was.

'*Señors. Madre de Jesus... U vermoordt ons.*'

De Bentley raakte even de rotsachtige zijkant van de weg. De schok was ontstellend. De chauffeur zwenkte terug naar het midden van de weg. De Duitser zei: 'U gedraagt zich erg dom. Die mannen zitten achter u aan, niet achter ons.'

'Daar ben ik niet zeker van. Ik vermoord geen mensen op de gok.'

'Wilt u ons dan vermoorden? Met welk doel?'

'Ik wil niet dat er iemand vermoord wordt. Leg dat pistool neer. We weten allebei waar we aan toe zijn.'

De Duitser aarzelde.

Er volgde weer een schok, de Bentley had een grote rots of een afgewaaide tak geraakt. Dat was genoeg voor Rhinemanns luitenant om hem te overtuigen. Hij legde het pistool op de achterbank. De twee tegenstanders zetten zich schrap. David had zijn ogen op de hand van de Duitser, de Duitser de zijne op het geweer.

'*Madre de Dios!*' De kreet van de Argentijn drukte opluchting uit, niet paniek. Langzaam verminderde de Bentley vaart. David keek door de voorruit. Ze waren aan het eind van de bocht onder aan de heuvel gekomen. In de verte lagen de velden, miniatuurpampa's waarin het matte maanlicht zich weerspiegelde. Hij boog zich voorover en nam het pistool van de Duitser van de achterbank. Het was een onverwachte beweging. Rhinemanns luitenant ergerde zich aan zichzelf.

'Rustig aan maar,' zei Spaulding tegen de chauffeur. 'Steek een sigaret op en breng me terug naar de stad.'

'Kolonel,' brulde de Duitser. 'U heeft de wapens nu wel, maar er rijdt een wagen achter ons. Als u mijn raad niet wilt opvolgen, laten we dan tenminste van de weg afgaan.'

'Ik heb geen tijd te verliezen. Ik heb hem niet gezegd langzamer te rijden, alleen om minder nerveus te zijn.'

De chauffeur had het vlakke weggedeelte bereikt en gaf opnieuw gas. Terwijl hij dat deed, volgde hij het advies van David op en stak een sigaret op. Hij had de wagen weer onder controle.

'Ga rustig zitten,' beval Spaulding, terwijl hijzelf diagonaal op de rechter hoek ging zitten, met een knie op de bodem van de auto en het geweer losjes, maar niet achteloos vasthoudend.

De Argentijn sprak met bevreesde monotone stem. 'Daar zijn de koplampen weer. Ze komen sneller dichterbij dan deze wagen kan rijden... Wat wilt u dat ik doe?'

David dacht een ogenblik over de mogelijkheden na. 'Geef ze een kans om te reageren... Is er genoeg maan om de weg te zien? Met je lichten uit?'

'Even. Niet lang. Ik kan me niet herinneren...'

'Doe ze aan en uit. Twee keer... Nu.'

De chauffeur deed wat hem opgedragen werd. Het resultaat was vreemd, de plotselinge duisternis en daarna de lichtbundels, terwijl de Bentley langs het hoge gras aan beide zijden van de weg schoot. David keek door de achterruit naar de lichten van de wagen die hen achtervolgde. Er werd niet geantwoord op de signalen. Hij vroeg zich af of ze wel duidelijk geweest waren, of ze zijn boodschap om tot een vergelijk te komen wel overgebracht hadden.

'Doe ze nog eens aan en uit,' beval hij de chauffeur. 'Laat ze een paar seconden uit en dan weer aan. Nu.'

Je kon het klikken aan het dashboard horen. De koplampen bleven, drie, vier seconden uit. Daarna hoorde je 't klikken weer; daarna weer de duisternis.

En toen gebeurde het.

Er kwam een salvo schoten uit de auto die hen achtervolgde. Het glas van de achterruit werd verbrijzeld, het vloog rond en drong zich in de huid van de inzittenden en in de bekleding. David voelde het bloed langs zijn wang druppelen. De Duitser gilde van pijn en greep naar zijn bloedende linkerhand. De Bentley zwenkte. De chauffeur trok het stuur heen en weer en reed zigzaggend over de weg.

'Daar hebt u uw antwoord,' schreeuwde Rhinemanns luitenant. Z'n hand bloedde en in zijn ogen blonk een mengeling van woede en paniek.

Snel gaf David het geweer aan de Duitser. 'Gebruik het.'

De Duitser stak de loop in de opening. Spaulding sprong op de zitting en greep naar de ijzeren ring aan de linkerkant van het raam, trok eraan en bracht zijn pistool naar de opening. Er volgde nog een salvo uit de achtervolgende wagen. Het was een salvo uit een halfautomatisch geweer van zwaar kaliber, die de achterkant van de Bentley met kogels besproeide. De vilten bekleding van het dak en de zijkanten zaten vol gaten en verscheidene kogels verbrijzelden de voorruit. De Duitser begon te vuren met het automatische geweer. David richtte zo goed mogelijk; de zwenkende Bentley hield de achtervolgende wagen telkens buiten hun schootsveld. Toch haalde hij de trekker over in de hoop de banden van de naderende wagen te raken.

Het lawaai van het wapen van de Duitser was onvoorstelbaar; herhaalde crescendo's van oorverdovende slagen en de schokgolven van ieder salvo vulden de kleine, elegante ruimte.

David zag de explosie op 't moment dat het gebeurde. De motorkap van de toestormende auto was plotseling één grote wolk rook en stoom. Maar de salvo's uit het machinegeweer bléven door de damp heenkomen.

'Aauuu!' gilde de chauffeur. David zag dat het bloed uit het hoofd van de man stroomde. Zijn nek was half weg geschoten. De handen van de Argentijn schoten los van het stuurwiel. Spaulding sprong naar voren en probeerde het stuur te grijpen, maar dat lukte niet. De Bentley schoot van de weg af en reed het hoge gras in.

De Duitser trok zijn automatische geweer uit de opening. Hij sloeg met de loop het zijraam kapot en deed snel een tweede magazijn in het geweer toen de Bentley met een schok tot stilstand kwam.

De achtervolgende wagen, gehuld in 'n wolk van rook en hier en daar vlammen, reed nu parallel met de Bentley. De wagen remde twee keer. Slingerde een keer en stond onbeweeglijk stil.

Er kwam een salvo van schoten uit de wagen. De Duitser schopte het portier van de Bentley open en sprong in het hoge gras.

David dook ineen tegen de linkerdeur, terwijl zijn vingers naar de portierkruk tastten en hij zijn gewicht tegen de deur drukte, zodat de deur open zou vliegen als hij er tegen drukte en hij zich in het hoge gras kon gooien.

Plotseling was de lucht vervuld van het overdonderende geluid van het automatische geweer, dat door een vaste hand bediend een aantal salvo's losliet. 'n Doordringend gegil klonk door de nacht. David gooide de deur open en terwijl hij eruit sprong zag hij Rhinemanns luitenant opstaan uit het gras. Opstaan en lopen tussen de schoten door, terwijl hij zijn vinger aan de trekker hield en zijn hele lichaam schudde en wankelde onder de schok van de kogels die zijn lichaam binnendrongen.

Hij viel.

Op dat moment volgde er een tweede explosie in de wagen op de weg.

De benzinetank ontplofte en vlammen en stukken metaal vlogen door de lucht.

David sprong om de achterkant van de Bentley heen, zijn pistool vast in de hand. Het vuren hield op. Het loeien van de vlammen en het gesis van de stoom was het enige hoorbare geluid.

Hij keek langs de Bentley naar de slachting op de weg.

Toen herkende hij de auto. Het was de Mercedes die dezelfde middag Leslie Hawkwood was komen halen.

Twee dode lichamen achter in de auto werden snel door de vlammen omgeven. De chauffeur lag over de voorbank, zijn armen slap, zijn nek onbeweeglijk, zijn ogen wijd open in doodsverstarring.

Er was nog een vierde man, die uitgespreid lag op de vloer bij het open rechterportier. Zijn hand bewoog! Toen zijn hoofd!

Hij leefde nog!

Spaulding rende naar de brandende Mercedes en trok de half bewusteloze man weg van het wrak.

Hij had te veel mannen zien sterven om niet te weten dat het leven snel wegebde. Het had geen zin om de dood tegen te houden; alleen er gebruik van te maken.

David knielde bij de man neer. 'Wie ben je? Waarom wilde je me vermoorden?'

De ogen van de man, draaiend in hun kassen, vestigden zich op David. Een koplamp van de Mercedes gaf nog een flikkerend licht, door de rook van de uiteengereten wagen, maar ook dat licht lag op sterven.

'Wie ben je? Zeg me wie je bent?'

De man wilde niet – of kon niet – spreken. In plaats daarvan bewogen zijn lippen, maar niet om te fluisteren.

Spaulding bukte zich nog verder.

De man stierf terwijl hij David in zijn gezicht probeerde te spugen. Het slijm en het bloed vermengden zich en dropen van de man zijn kin toen zijn hoofd slap neerviel. In het licht van de vlammen rukte Spaulding het colbert van de man open.

Geen identificatie.

Ook niet in de broek.

Hij trok de voering van het jasje stuk en scheurde het overhemd tot het midden open.

Toen hield hij op. Verbijsterd en nieuwsgierig.

Er waren littekens op de maag van de dode. Wonden, maar niet van kogels. David had die littekens al eerder gezien.

David kon zich niet bedwingen. Hij trok de man bij zijn nek omhoog en rukte de jas van de linkerschouder, het overhemd bij de naden kapotscheurend om de arm te ontbloten.

Ze waren er. Diep in de huid. Onuitwisbaar. De getatoeëerde nummers van een dodenkamp.

Ein Volk, ein Reich, ein Führer.

De dode man was een jood.

Het was bijna vijf uur toen Spaulding zijn flat op de Córdoba bereikte. Hij had er de tijd voor genomen om iedere mogelijke identificatie van de lichamen van de Argentijnse chauffeur en Rhinemanns luitenant te verwijderen. Hij vond gereedschap in de achterbak van de auto en haalde de nummerplaten van de Bentley af; hij draaide de wijzers van de klok op het dashboard vooruit en sloeg de klok toen kapot. Dergelijke details zouden het politieonderzoek misschien traineren – tenminste voor een paar uur – en dat gaf hem kostbare tijd voor hij Rhinemann zou ontmoeten.

Rhinemann zou die confrontatie eisen.

En er was nog zoveel dat hij te weten moest komen en in logisch verband moest brengen.

Hij had bijna een uur teruggelopen over de twee heuvels – the Colinas Rojas – naar de hoofdweg langs de rivier. Hij had de glasscherven uit zijn gezicht verwijderd. Gelukkig waren het er maar een paar en de wondjes niet diep. Hij had het afschuwelijke automatische geweer ver van de plaats des doods meegenomen, de patroonhouder verwijderd en de trekker kapotgeslagen, zodat het wapen onbruikbaar was. Toen had hij het in het bos gegooid.

Een melkauto uit de Tigrewijk had hem opgepikt. Hij had de chauffeur een fantastisch verhaal over alcohol en sex verteld; hij was vakkundig beroofd en het was allemaal zijn eigen schuld geweest.

De chauffeur bewonderde de durf van de vreemdeling, het accepteren van het risico en het verlies. Er werd veel gelachen tijdens de trip.

Het was zinloos en onjuist om te proberen te slapen. Er was te veel te doen. Daarom nam hij een douche en zette een grote pot koffie. Het werd tijd. Het daglicht werd zichtbaar boven de Atlantische Oceaan. Zijn hoofd was helder; het werd tijd om Jean te bellen.

Hij vertelde de verbaasde nachttelefonist op de ambassade dat Mrs. Cameron het gesprek verwachtte. Hij was zelfs al te laat, hij had zich verslapen. Mrs. Cameron had plannen gemaakt om te

Het was bijna vijf uur toen Spaulding zijn flat op de Córdoba bereikte. Hij had er de tijd voor genomen om iedere mogelijke identificatie van de lichamen van de Argentijnse chauffeur en Rhinemanns luitenant te verwijderen. Hij vond gereedschap in de achterbak van de auto en haalde de nummerplaten van de Bentley af; hij draaide de wijzers van de klok op het dashboard vooruit en sloeg de klok toen kapot. Dergelijke details zouden het politieonderzoek misschien traineren – tenminste voor een paar uur – en dat gaf hem kostbare tijd voor hij Rhinemann zou ontmoeten.

Rhinemann zou die confrontatie eisen.

En er was nog zoveel dat hij te weten moest komen en in logisch verband moest brengen.

Hij had bijna een uur teruggelopen over de twee heuvels – the Colinas Rojas – naar de hoofdweg langs de rivier. Hij had de glasscherven uit zijn gezicht verwijderd. Gelukkig waren het er maar een paar en de wondjes niet diep. Hij had het afschuwelijke automatische geweer ver van de plaats des doods meegenomen, de patroonhouder verwijderd en de trekker kapotgeslagen, zodat het wapen onbruikbaar was. Toen had hij het in het bos gegooid.

Een melkauto uit de Tigrewijk had hem opgepikt. Hij had de chauffeur een fantastisch verhaal over alcohol en sex verteld; hij was vakkundig beroofd en het was allemaal zijn eigen schuld geweest.

De chauffeur bewonderde de durf van de vreemdeling, het accepteren van het risico en het verlies. Er werd veel gelachen tijdens de trip.

Het was zinloos en onjuist om te proberen te slapen. Er was te veel te doen. Daarom nam hij een douche en zette een grote pot koffie. Het werd tijd. Het daglicht werd zichtbaar boven de Atlantische Oceaan. Zijn hoofd was helder; het werd tijd om Jean te bellen.

Hij vertelde de verbaasde nachttelefonist op de ambassade dat Mrs. Cameron het gesprek verwachtte. Hij was zelfs al te laat, hij had zich verslapen. Mrs. Cameron had plannen gemaakt om te gaan vissen op zee. Ze moest om zes uur in La Boca zijn.

'Hallo...? Hallo.' De stem van Jean was eerst slaperig en toen verrast.

'Met David. Ik heb geen tijd om mijn excuses aan te bieden. Ik moet je direct spreken.'

'David? O, mijn God...'

'Over twintig minuten ben ik op je kantoor.'

'Alsjeblieft...'

'Er is geen tijd te verliezen. Twintig minuten. Zorg alsjeblieft dat je er bent. Ik heb je nodig Jean. *Ik heb je nodig.*'

De dienstdoende luitenant bij de ingang van de ambassade was hulpvaardig, maar niet van harte. Hij vond het goed dat de telefonist het kantoor van Mrs. Cameron belde. Als ze naar buiten kwam en persoonlijk voor hem instond, zou de marinier hem doorlaten.

Jean verscheen op de buitentrap. Ze zag er kwetsbaar uit. En mooi. Ze liep de oprijlaan af tot aan het wachthokje en zag hem. Op hetzelfde moment onderdrukte ze een snik.

Hij begreep het. De bloedstelpende stift had niet de snijwonden weg kunnen nemen van de talrijke glassplinters die hij uit zijn wangen en voorhoofd gehaald had. Misschien gedeeltelijk verbergen, maar niet meer.

Ze spraken niet terwijl ze door de gang liepen. Ze hield alleen zijn arm zo krampachtig vast dat hij aan de andere kant van haar ging lopen. Ze had aan de schouder getrokken die nog niet helemaal hersteld was van het ongeluk op de Azoren. In haar kantoor sloot ze de deur achter zich en vloog in zijn armen. Ze beefde.

'David, ik heb zo'n spijt. Ik heb me afschuwelijk gedragen.'

Hij nam haar bij de schouders en hield haar heel voorzichtig van zich af. 'Je was bezig met een probleem.'

'Ik geloof dat ik de problemen niet meer aankan. En ik dacht dat ik er zo goed in was. Wat is er met je gezicht gebeurd?' Ze voelde met haar vingers over zijn gezicht. 'Het is opgezwollen.'

'Tortugas.' Hij keek haar in de ogen. 'Tortugas is gebeurd.'

'O, God.' Ze zei het fluisterend en verborg haar gezicht tegen zijn borst. 'Ik kan niet goed denken. Ik kan niet zeggen wat ik wil zeggen. Laat... alsjeblieft, laat er niets meer gebeuren.'

'Dan moet je me helpen.'

maar dat lukte niet. De Bentley schoot van de weg af en reed het hoge gras in.

De Duitser trok zijn automatische geweer uit de opening. Hij sloeg met de loop het zijraam kapot en deed snel een tweede magazijn in het geweer toen de Bentley met een schok tot stilstand kwam.

De achtervolgende wagen, gehuld in 'n wolk van rook en hier en daar vlammen, reed nu parallel met de Bentley. De wagen remde twee keer. Slingerde een keer en stond onbeweeglijk stil. Er kwam een salvo van schoten uit de wagen. De Duitser schopte het portier van de Bentley open en sprong in het hoge gras.

David dook ineen tegen de linkerdeur, terwijl zijn vingers naar de portierkruk tastten en hij zijn gewicht tegen de deur drukte, zodat de deur open zou vliegen als hij er tegen drukte en hij zich in het hoge gras kon gooien.

Plotseling was de lucht vervuld van het overdonderende geluid van het automatische geweer, dat door een vaste hand bediend een aantal salvo's losliet. 'n Doordringend gegil klonk door de nacht. David gooide de deur open en terwijl hij eruit sprong zag hij Rhinemanns luitenant opstaan uit het gras. Opstaan en lopen tussen de schoten door, terwijl hij zijn vinger aan de trekker hield en zijn hele lichaam schudde en wankelde onder de schok van de kogels die zijn lichaam binnendrongen.

Hij viel.

Op dat moment volgde er een tweede explosie in de wagen op de weg.

De benzinetank ontplofte en vlammen en stukken metaal vlogen door de lucht.

David sprong om de achterkant van de Bentley heen, zijn pistool vast in de hand. Het vuren hield op. Het loeien van de vlammen en het gesis van de stoom was het enige hoorbare geluid.

Hij keek langs de Bentley naar de slachting op de weg.

Toen herkende hij de auto. Het was de Mercedes die dezelfde middag Leslie Hawkwood was komen halen.

Twee dode lichamen achter in de auto werden snel door de vlammen omgeven. De chauffeur lag over de voorbank, zijn armen slap, zijn nek onbeweeglijk, zijn ogen wijd open in doodsverstarring.

Er was nog een vierde man, die uitgespreid lag op de vloer bij het open rechterportier. Zijn hand bewoog! Toen zijn hoofd!

Hij leefde nog!

Spaulding rende naar de brandende Mercedes en trok de half bewusteloze man weg van het wrak.

Hij had te veel mannen zien sterven om niet te weten dat het leven snel wegebde. Het had geen zin om de dood tegen te houden; alleen er gebruik van te maken.

David knielde bij de man neer. 'Wie ben je? Waarom wilde je me vermoorden?'

De ogen van de man, draaiend in hun kassen, vestigden zich op David. Een koplamp van de Mercedes gaf nog een flikkerend licht, door de rook van de uiteengereten wagen, maar ook dat licht lag op sterven.

'Wie ben je? Zeg me wie je bent?'

De man wilde niet – of kon niet – spreken. In plaats daarvan bewogen zijn lippen, maar niet om te fluisteren.

Spaulding bukte zich nog verder.

De man stierf terwijl hij David in zijn gezicht probeerde te spugen. Het slijm en het bloed vermengden zich en dropen van de man zijn kin toen zijn hoofd slap neerviel. In het licht van de vlammen rukte Spaulding het colbert van de man open.

Geen identificatie.

Ook niet in de broek.

Hij trok de voering van het jasje stuk en scheurde het overhemd tot het midden open.

Toen hield hij op. Verbijsterd en nieuwsgierig.

Er waren littekens op de maag van de dode. Wonden, maar niet van kogels. David had die littekens al eerder gezien.

David kon zich niet bedwingen. Hij trok de man bij zijn nek omhoog en rukte de jas van de linkerschouder, het overhemd bij de naden kapotscheurend om de arm te ontbloten.

Ze waren er. Diep in de huid. Onuitwisbaar. De getatoeëerde nummers van een dodenkamp.

Ein Volk, ein Reich, ein Führer.

De dode man was een jood.

Ze trok haar hoofd terug. 'Ik? Hoe kan ik dat?'
'Geef antwoord op mijn vragen... ik zal weten of je liegt.'
'Líegen...? Maak geen grapjes. Ik heb tegen jou niet gelogen.'
Hij geloofde haar... en dat maakte het doel van zijn komst niet makkelijker. En duidelijker. 'Waar heb je de naam Tortugas gehoord?'
Ze trok haar armen weg. Hij liet haar los. Ze deed een paar stappen achteruit, maar ze trok zich niet terug.
'Ik ben niet trots op wat ik gedaan heb; ik heb het nog nooit eerder gedaan.'
Ze draaide zich om en keek hem aan.
'Ik ben naar de "Gewelven" gegaan... zonder machtiging, en ik heb je dossier gelezen. Het was beslist 't kortste dossier in de geschiedenis van de diplomatieke dienst.'
'Wat stond erin?'
Ze vertelde het hem.
'Mijn mythische David van gisteravond had dus duidelijk een basis van realiteit.'
Spaulding liep naar het raam dat uitzag over het westelijke gazon van de ambassade. De ochtendzon was al op, het gras was bedekt met dauw; het deed hem denken aan de prachtig onderhouden gazons die hij in het licht van de strijklichten onder het terras van Rhinemann gezien had. En dat herinnerde hem aan de codes. Hij draaide zich om. 'Ik moet Ballard spreken.'
'Is dat alles wat je me te zeggen hebt?'
'De niet-zo-mythische David moet werken. Dat verandert niet.'
'Dat kan ik niet veranderen, bedoel je?'
Hij liep naar haar terug. 'Nee, dat kan je niet... Ik zou graag willen dat je het kon; ik wou dat ìk het kon. Ik kan mezelf er niet van overtuigen – om met een zeker meisje te spreken – dat wat ik doe veel verschil uitmaakt... Maar ik geloof dat ik uit gewoonte reageer. Misschien mijn ego, misschien is dat alles.'
'Ik heb je gezegd dat je goed in je werk was, is 't niet?'
'Ja, en dat ben ik ook... Weet je wàt ik ben?'
'Een lid van de geheime dienst. Een agent. Een man die met andere mannen werkt; in het geheim in 't donker en met veel geld en leugens. Dat is mijn versie, zie je.'
'Dat niet. Dat is van later... Wat ik wèrkelijk ben? Ik ben een bouwkundig ingenieur. Ik ontwerp gebouwen en bruggen en dammen en verkeerswegen. Ik heb eens een uitbreiding voor

een dierentuin in Mexico gebouwd. De mooiste speelweide voor apen die je ooit gezien hebt. Jammer genoeg werd het zo duur dat het zoölogische genootschap geen apen meer kon kopen, maar de ruimte is er nog.'

Ze lachte zachtjes. 'Je bent geestig.'

'Ik bouwde het liefst bruggen. Om een natuurlijk obstakel te overbruggen zonder het te beschadigen of zijn eigen doel aan te tasten...'

'Ik heb nooit gedacht dat ingenieurs romantici waren.'

'Bouwkundige ingenieurs zijn dat wel. Tenminste, de beste... Maar dat is allemaal zo lang geleden. Als deze ellende voorbij is, ga ik terug naar mijn vak. Maar ik ben niet gek. Ik ken de nadelen die me te wachten staan. Het is iets anders dan een advocaat die zijn boeken sluit om ze later weer te openen; zoveel verandert er in de wet nu ook niet. Of een effectenmakelaar. De beursfluctuaties kùnnen niet veranderen.'

'Ik begrijp niet waar je heen wilt...'

'Techniek. Het is het enige wezenlijke en beschaafde voordeel dat de oorlog oplevert. De veranderingen in bouwkunde zijn revolutionair. In drie jaar zijn hele nieuwe technieken ontwikkeld... Daar weet ik niets van. Mijn vooroorlogse referenties zullen zeker niet de beste zijn.'

'Goeie gunst, je hebt medelijden met jezelf.'

'Jezus, ja. In zekere zin wel... Juister gezegd, ik ben kwaad. Niemand heeft me gedwongen. Ik ben aan dit werk begonnen om allerlei verkeerde redenen en zonder overleg. Daarom moet ik wel zo goed in dit werk zijn.'

'En wij dan? Bestaat er geen "wij"?'

'Ik hou van je,' zei hij simpel. 'Dat weet ik.'

'Na pas één week? Dat vraag ik me steeds af. Wij zijn geen kinderen.'

'Wij zijn geen kinderen,' antwoordde hij. 'Kinderen hebben geen toegang tot de dossiers van Buitenlandse Zaken.' Hij glimlachte en werd toen ernstig. 'Ik heb je hulp nodig.'

Ze keek hem even scherp aan. 'Wat is het?'

'Wat weet je over Erich Rhinemann?'

'Een verachtelijk mens.'

'Hij is een jood.'

'Dan is hij een verachtelijke jood. Ongeacht ras en godsdienst.'

'Waarom is hij verachtelijk?'

'Omdat hij mensen gebruikt. Zonder onderscheid te maken. Kwaadwillig. Hij gebruikt zijn geld om iedereen en alles om te kopen. Hij koopt invloed bij de Junta, daardoor krijgt hij land, regeringsconcessies en scheepvaartrechten. Hij heeft enkele mijnbouwmaatschappijen uit het Pantagonië-bekken verdreven en een stuk of tien olievelden in Comodoro Rivadavia overgenomen...'
'Welke politiek steunt hij?'
Jean dacht een ogenblik na; ze leunde achterover in de stoel, keek dan weer naar het raam en toen naar Spaulding. 'Hij steunt zichzelf,' antwoordde ze.
'Ik heb gehoord dat hij openlijk pro-Duits is.'
'Alleen omdat hij geloofde dat Engeland zou verliezen en er een vredesverdrag zou komen. Hij neemt in Duitsland nog steeds een machtspositie in, hoor ik.'
'Maar hij is een jood.'
'Dat is een tijdelijk nadeel. Ik geloof niet dat hij een voorganger in de synagoge is. De joodse gemeenschap in Buenos Aires moet niets van hem hebben!'
David stond op. 'Misschien is dat het.'
'Wat?'
'Rhinemann verzaakte zijn volk en steunt openlijk de stichters van Auschwitz. Misschien willen ze hem dood hebben. Eerst zijn lijfwachten opruimen, dan komt hijzelf.'
'Als je met "ze" de joden hier bedoelt, dan moet ik dat ontkennen. De Argentijnse *judíos* zijn erg voorzichtig. De troepen van de kolonels zijn nogal pro-Duits. Rhinemann heeft invloed. Maar een of twee fanatici houd je onmogelijk tegen.'
'Nee... Het kunnen fanatici zijn, maar niet een of twee. Ze zijn georganiseerd. Ze worden gesteund – met grote bedragen, geloof ik.'
'En jagen zij op Rhinemann? De joodse gemeenschap hier zou in paniek raken. Eerlijk gezegd zouden ze het eerst bij ons komen.'
David stopte met ijsberen. Hij herinnerde zich weer de woorden: geen onderhandelingen met Altmüller. Een donker portiek op de 52ste Straat in New York.
'Heb je ooit de naam Altmüller gehoord?'
'Nee, er is een man die gewoon Müller heet op de Duitse ambassade, geloof ik. Maar dat is hetzelfde als Smit of Jansen. Geen Altmüller.'

'En Hawkwood? Een vrouw die Leslie Jenner-Hawkwood heet?'

'Nee, ook niet. Maar als ze te maken hebben met de Inlichtingendienst, dan is er geen reden dat ik ze zou kennen.'

'Ze zijn wel van de geheime dienst, maar ik dacht niet dat ze in het verborgen werkten. Die Altmüller zeker niet.'

'Wat betekent dat?'

'Zijn naam werd genoemd in een samenhang, die herkenning veronderstelt. Maar ik kan hem niet vinden.'

'Wil je dat natrekken in de "Gewelven"?' vroeg ze.

'Ja, rechtstreeks met Granville. Hoe laat gaan ze open?'

'Om half negen. Henderson is om kwart voor negen op zijn bureau.' Ze zag dat David z'n pols omhoog hield, vergetend dat hij geen horloge had. Ze keek naar de kantoorklok. 'Nog een dikke twee uur. Help me onthouden dat ik een horloge voor je koop.'

'Bedankt... Ballard. Ik moet hem spreken. Hoe is zijn humeur op de vroege ochtend? Op dit uur?'

'Ik neem aan dat dit een retorische vraag is... Hij is eraan gewend om voor codeproblemen uit zijn bed gebeld te worden. Zal ik hem opbellen?'

'Graag. Kun je hier koffie zetten?'

'Daar staat een kookplaat.' Jean wees naar de deur van de aangrenzende kamer. 'Achter de stoel van mijn secretaresse. De gootsteen is in de wc. Laat maar, ik doe het wel. Laat ik eerst Bobby bellen.'

'Ik zet een heerlijke kop koffie. Jij belt, ik zet koffie. Je lijkt zo'n hoge ambtenaar, dat ik me er maar buiten houd.'

Hij deed net de koffie in de pot toen hij het hoorde. Een voetstap. Eén enkele voetstap buiten op de gang. Een voetstap die gedempt had moeten zijn, maar het niet was. Een tweede stap zou moeten volgen, maar die kwam niet.

Spaulding zette de pot op het bureau, bukte en deed zijn schoenen uit zonder geluid te maken. Hij liep naar de gesloten deur en bleef bij de deurpost staan.

Daar hoorde hij het weer. Stappen. Stil, onnatuurlijk.

David deed zijn colbert los, controleerde zijn wapen en legde zijn linkerhand op de deurknop. Hij drukte de knop geluidloos naar beneden, opende toen snel de deur en stapte naar buiten.

Een man die vijf meter verder in de gang liep, draaide zich snel om toen hij het geluid hoorde. De uitdrukking op zijn gezicht was er een die Spaulding al vaak gezien had.

Angst.

'O hallo, u moet de nieuwe man zijn. We hebben nog geen kennis gemaakt... Mijn naam is Ellis. Bill Ellis... Ik heb een ellendige vergadering om zeven uur.' De attaché sprak niet met overtuiging.

'Een paar van ons willen gaan vissen, maar de weerberichten zijn onzeker. Zin om met ons mee te gaan?'

'Ik zou het graag doen, maar ik heb die vergadering op dat onzedelijke uur.'

'Ja, dat zei u al. 'n Kop koffie?'

'Bedankt, maar ik moet werkelijk aan de slag met de administratie.'

'Oké. Jammer.'

'Ja. Tot ziens.' De man die Ellis heette glimlachte onbeholpen, maakte een nog onbeholpener gebaar van een groet – die door David beantwoord werd.

David ging het kantoor van Jean weer binnen en deed de deur dicht. Ze stond bij het bureau van de secretaresse.

'Met wie stond je op dit uur in hemelsnaam te praten?'

'Hij zei dat hij Ellis heette. Hij zei dat hij om zeven uur met iemand moest vergaderen... Dat doet hij niet.'

'Wat?'

'Hij loog. Bij welke afdeling werkt Ellis?'

'In- en uitvoervergunningen.'

'Dat is handig... Hoe zit 't met Ballard?'

'Hij is op weg hierheen. Hij vindt je een rotvent. Wat is er zo "handig" aan die Ellis?'

Spaulding liep naar de koffiepot op het bureau, pakte de pot op en liep naar het toilet. Jean hield hem tegen en nam de koffiepot van hem over. 'Hoe wordt Ellis beoordeeld?' vroeg hij.

'Uitstekend. Hij is behept met het syndroom. Hij wil ambassadeur in Engeland worden. Maar je hebt me nog geen antwoord gegeven. Wat is er "handig"?'

'Hij is omgekocht. 't Kan iets ernstigs zijn, maar 't kunnen ook gewone douanechicanes zijn.'

'O?' Van haar stuk gebracht, opende Jean de deur naar het toilet waar een wasbak was. Plotseling hield ze stil. Ze draaide zich om naar Spaulding.

'David, wat betekent Tortugas?'

'O Jezus, hou op met die grapjes.'

'Dat betekent dat je het me niet kunt vertellen.'

'Dat betekent dat ik het niet wéét. Wist ik het maar.'

'Het is een codewoord, hè? Dat staat tenminste in je dossier.'

'Het is een code, waarover men mij nooit iets verteld heeft en waar ik toch verantwoordelijk voor ben.'

'Hier, doe hem vol, maar spoel hem eerst om.' Jean gaf hem de koffiepot en liep vlug haar kantoor binnen. David volgde haar tot in de opening.

'Wat doe je nu?'

'Attachés, zelfs tweede secretarissen, moeten hun vroege afspraken melden aan de wacht.'

'Ellis?'

Jean knikte en belde; haar gesprek duurde kort. Ze legde de telefoon op de haak en keek Spaulding aan. 'Om negen uur komt de eerste bezoeker. Ellis heeft geen afspraak om zeven uur.'

''t Verbaast me niets. Waarom jou wel?'

'Ik wilde zekerheid hebben... Je zei dat je niet wist wat "Tortugas" betekent. Misschien kan ik het je vertellen.'

Verbijsterd deed David een paar passen het kantoor in. 'Wàt?'

'Er kwam een verkenningsrapport uit La Boca – dat district valt onder Ellis. Zijn afdeling moet het geverifieerd en "schoon" verklaard hebben. Er werd niet op ingegaan.'

'Waarop niet? Waar heb je 't over?'

'Een treiler in La Boca. Met lading voor een opgegeven bestemming, die een schending betekende van territoriale wateren. Het werd als vergissing bestempeld. De bestemming was Tortugas.'

De deur van het kantoor ging plotseling open en Ballard wandelde naar binnen.

'Jezus,' zei hij. 'De Munchkins gaan vroeg aan 't werk in deze heerlijke wereld van Oz.'

338

33

Het doornemen van codeschema's met Ballard nam minder dan 'n half uur in beslag. David was verbaasd over de levendige verbeeldingskracht van de cryptograaf. Hij ontwikkelde – ter plaatse – een geometrische reeks nummers en corresponderende letters, waarvoor de beste cryptografen die Spaulding kende, een week nodig zouden hebben om ze te ontcijferen.

David had hoogstens 96 uur nodig.

Bobby deed de kopie voor Washington in een officiële koeriersenvelop, verzegelde hem chemisch, stopte de envelop in een zak met drie sloten en belde de FMF basis om een officier – een kapitein of hoger – die binnen een uur op de ambassade moest zijn. De codes zouden om negen uur aan boord van een marinejachtvliegtuig zijn, laat in de middag op het vliegveld Andrews, en kort daarna door een pantserwagen afgeleverd worden bij generaal Alan Swanson op het ministerie van oorlog.

Het bevestigingsbericht was eenvoudig. Spaulding had Ballard twee woorden gegeven: *Sein Tortugas.*

Als de code in Washington aankwam, zou Swanson weten dat Eugene Lyons de tekeningen van het geleidesysteem goedgekeurd had. Hij kon dan de bank in Zwitserland telegraferen en het geld op Rhinemanns rekening laten overmaken. Door de naam 'Tortugas' te gebruiken, hoopte David dat iemand, waar dan ook, zijn stemming zou aanvoelen. Zijn boosheid dat hij de volle verantwoordelijkheid moest dragen zonder alle feiten te weten.

Spaulding begon te denken dat Erich Rhinemann meer verlangde dan waar hij recht op had. En dat zou hem geen goed doen. Rhinemann moest gedood worden.

En de contouren tekenden zich af van een plan om die noodzakelijke moord ten uitvoer te brengen. De daad zelf zou misschien het gemakkelijkste deel zijn van zijn opdracht.

Het had geen zin om Jean en Bobby Ballard níet te vertellen van de geleidesystemen. Kendall had Buenos Aires per vliegtuig verlaten – zonder nadere uitleg. David wist dat hij hulp nodig zou kunnen hebben op een ogenblik dat er geen tijd was om zijn medewerkers te instrueren. Zijn dekmantel was nu overbodig.

Tot in de finesses omschreef hij Rhinemanns tijdschema, de functie van Eugene Lyons en het optreden van Heinrich Stoltz als contactman.

Ballard was verbaasd dat Stoltz vermeld werd. '*Stoltz*. Dat is een gevaarlijke bliksem... Ik bedoel 'n áánhanger. Niet van Hitlers te-vuur-en-te-zwaard politiek, dat vindt hij onzin, maar van Duitsland. De argumenten van Versailles, de herstelbetalingen, de doodgebloede reus, exporteren of sterven, de hele rataplan. Hij lijkt me een echte Junker...'

David schonk er niet veel aandacht aan.

De strategie voor die ochtend stond Spaulding helder voor ogen en hij begon om kwart voor negen.

Het gesprek met Henderson Granville was kort en hartelijk. De ambassadeur wilde niet weten wat het werkelijke doel van David in Buenos Aires was, zolang er maar geen diplomatiek conflict ontstond. Spaulding verzekerde hem dat dit naar zijn beste weten niet het geval was en dat de kans daarop nog veel kleiner zou zijn als de ambassadeur zich afzijdig hield van de essentie van de opdracht. Daar had Granville geen bezwaar tegen. Op uitdrukkelijk verzoek van David liet hij in de 'Gewelven' nagaan of er dossiers bestonden over Franz Altmüller en Leslie Jenner-Hawkwood.

Niets.

Spaulding ging van Granvilles kantoor terug naar dat van Jean. Ze had de lijst met de binnenkomende passagiers ontvangen van het vliegveld. Lyons zat in vlucht 101, die 's middags om twee uur aankwam. Zijn beroep stond aangegeven als 'natuurkundige', als reden van verblijf 'industriële conferenties'.

David was kwaad op Walter Kendall. Of, dacht hij, moest hij kwaad zijn op die verbijsterende amateur, brigade-generaal Alan Swanson? Het minste wat ze hadden kunnen doen was Lyons omschrijven als een 'technicus'; 'natuurkundige' was stom. Een natuurkundige in Buenos Aires was een openlijke uitnodiging tot schaduwen, zelfs door geallieerden.

Hij liep terug naar zijn eigen afgelegen kantoortje om na te denken. Hij besloot Lyons zelf af te halen. Walter Kendall had hem verteld dat de verplegers van Lyons de stemloze jammerlijke man naar San Telmo zouden brengen.

Hij kreeg angstige voorgevoelens toen hij zich die twee mannen voor de geest haalde. Want het zou hem niets verbazen als Johnny en Hall – zo heetten ze toch? – Lyons op de stoep van de Duitse ambassade afleverden, in de mening dat het een ziekenhuis was.

Hij zou de Pan Am Clipper 101 opwachten en de drie mannen via een grote omweg naar San Telmo brengen.

Als hij Lyons afgeleverd had, zou hij twee, mogelijk drie uur hebben voor Rhinemann – of Stoltz – contact zouden zoeken. Tenzij Rhinemann nu op jacht naar hemzelf was, in paniek over de moorden in de Colinas Rojas. In dat geval had Spaulding 'z'n schuilplaats gebouwd'. Z'n onweerlegbare alibi... Hij was daar niet geweest. Hij was om twee uur in de morgen op de Córdoba afgezet. Wie zou dat kunnen weerleggen?

Dus zou hij 's middags twee of drie uur speling hebben.

La Boca.

Jean had discreet de Marine Inlichtingendienst gepolst. De discretie school in de toon van alledaagse sleur en verveling waarmee ze de commandant had opgebeld. Ze zat met een 'staartje' van een 'afgelegd' dossier; het was niet belangrijk, alleen 'n administratieve kwestie – er wou altijd wel de een of ander zich uitsloven om 'n wit voetje te krijgen voor later. Zou de luitenant zo goed willen zijn? De treiler die naar Tortugas zou gaan, zoals abusievelijk vermeld stond, lag bij een pakhuis in Ocho Calle. Het abuis was gecontroleerd en bevestigd door de ambassade attaché, Mr. William Ellis, van de afdeling in- en uitvoer.

Ocho Calle.

David wilde er eens een uurtje rondkijken. 't Zou tijdverspilling kunnen zijn. Welk verband zou er kunnen bestaan tussen een visserstreiler en zijn opdracht? Hij kon er geen bedenken. Maar de naam Tortugas wèrd genoemd. En er wàs een attaché die Ellis heette, die zachtjes langs gesloten deuren liep en die loog over niet-bestaande vergaderingen in de vroege morgen.

Het was wel de moeite waard eens naar Ocho Calle te gaan. Daarna zou hij bij zijn telefoon op de Córdoba blijven zitten.

'Neem je me mee uit lunchen?' vroeg Jean toen ze zijn kantoor binnenliep. 'Kijk niet op je horloge, want je hebt er geen.'

Spauldings hand bleef in de lucht steken, z'n pols gedraaid. 'Ik wist niet dat 't al zo laat was.'

'Dat is 't niet. 't Is pas elf uur, maar je hebt nog niet gegeten – waarschijnlijk ook niet geslapen en je zei dat je even over enen naar het vliegveld zou gaan.'

'Ik wist het wel. Je bent een directie-assistente. Je gevoel voor organisatie is beangstigend.'
'Lang niet zo goed als dat van jou. We gaan eerst naar de juwelier. Ik heb al opgebeld. Je krijgt een cadeau.'
'Ik hou van cadeaus. Laten we gaan.' Spaulding stond op uit z'n stoel toen de telefoon ging. Hij keek naar het toestel. 'Weet je dat het de eerste keer is dat dit ding geluid maakt?'
'Het is waarschijnlijk voor mij. Ik zei mijn secretaresse dat ik hier was. Ik had het haar eigenlijk niet hoeven te vertellen.'
'Hallo,' zei David.
'Spaulding?'
David herkende het beschaafde Duits van Heinrich Stoltz. Zijn gespannenheid was voelbaar aan de andere kant. 'Is 't niet een beetje dom om hier te bellen?'
'Ik heb geen andere keus. Onze wederzijdse vriend is in alle staten van opwinding. Alles is in gevaar.'
'Waar hebt u het over?'
'Het is nu geen tijd voor dwaasheden. De situatie is ernstig.'
''t Is ook geen tijd voor spelletjes. Waar hebt u het in godsnaam over?'
'Vannacht. Vanmorgen. Wat is er gebeurd?'
'Wat is er gebeurd en waar?'
'Hou òp. Je was dáár.'
'Waar?'
Stoltz zweeg even. David kon zijn ademhaling horen. De Duitser was in paniek, en probeerde wanhopig zich te beheersen. 'De mannen werden vermoord. We moeten weten wat er gebeurd is.'
'Vermoord...? U bent gèk. Hoe?'
'Ik waarschuw je.'
'Hou op met die onzin. Ik ben de koper. En vergeet dat niet... Ik wens niet betrokken te worden in organisatieproblemen. Die mannen hebben me om ongeveer half twee afgezet. En, tussen twee haakjes, ze hebben ook die andere jongens van u ontmoet, de jongens die mijn flat in de gaten houden. En tussen nog twee haakjes, ik wens niet permanent geschaduwd te worden.'
Stoltz was met stomheid geslagen – net als David verwachtte. 'De anderen...? Welke anderen?'
'Hou toch op, man. Dat weet je bliksems goed.' Spaulding liet het in het ongewisse.

'Dit is allemaal heel verontrustend.' Stoltz probeerde z'n kalmte te herwinnen.

''t Spijt me,' zei David vaag.

Geërgerd, onderbrak Stoltz hem. 'Ik bel u terug.'

'Niet hier. Ik ben bijna de hele middag weg. Om precies te zijn,' voegde Spaulding er opgewekt aan toe, 'zal ik in een van die zeilboten zitten waar onze wederzijdse vriend majestueus op neerziet. Ik ga zeilen met een paar diplomatieke vrienden die bijna net zo rijk zijn als hij. Bel me na vijf uur op de Córdoba.'

David hing meteen op toen hij hoorde, dat Stoltz begon te protesteren. Jean keek hem gefascineerd aan.

'Dat deed je heel goed,' zei ze.

'Ik heb meer ervaring dan hij.'

'Stoltz?'

'Ja. Laten we naar jouw kantoor gaan.'

'Ik dacht dat we gingen lunchen.'

'Dat gaan we ook. Eerst 'n paar andere dingen... Er is toch wel een achteruitgang?'

'Zelfs meer dan een. Aan de achterzijde.'

'Ik wil een auto van de ambassade gebruiken. Geeft dat moeilijkheden?'

'Nee, natuurlijk niet.'

'Kun je je secretaresse missen voor een langdurige lunch?'

'Je bent lief. Ik had het krankzinnige idee dat je mij mee uit zou nemen.'

'Dat doe ik ook. Kan ze haar haren opsteken en een breedgerande hoed opzetten?'

'Dat kan iedere vrouw.'

'Goed. Haal die gele jas, die je gisteravond droeg. En zoek een man die ongeveer mijn postuur heeft. Een met wie je secretaresse graag zou gaan lunchen. Liefst met een donkere pantalon aan. Hij krijgt mijn colbert.'

'Wat haal je je in je hóófd?'

'Onze vrienden zijn goed in het foppen van anderen. Laten we eens kijken hoe ze reageren als zij gefopt worden.'

Verborgen achter de lange gordijnen keek Spaulding uit het raam op de tweede etage. Hij hield een verrekijker voor zijn ogen. Beneden, op het bordes, liep Jeans secretaresse, met een hoed op met een brede rand en Jeans lange gele jas aan, snel van de treden naar de bocht van de oprijlaan. Achter haar liep een van Ballards assistenten, een lange man met een donkere pantalon en Davids colbertje aan. Allebei hadden ze een zonnebril op. Ballards assistent bleef even staan op de bovenste trede en keek op een opgevouwen wegenkaart. Z'n gezicht was bedekt door de kaart. Hij liep de trap af en samen stapten hij en het meisje in de auto van de ambassade – 'n wagen met gordijntjes voor de hogere ambtenaren.

Spaulding speurde de Avenida Corrientes voor het hek af. Toen de wagen door het hek was, trok een Mercedes, die aan de zuidzijde van de straat geparkeerd stond, op van de stoeprand en volgde hem. Daarna maakte een tweede wagen aan de noordzijde een voorzichtige U-bocht, liet enkele auto's voorgaan en volgde de Mercedes. Tevreden legde David de kijker neer en liep de kamer uit. In de gang sloeg hij linksaf en liep snel voorbij deuren en om trappen heen naar de achterkant van het gebouw, tot hij aan een kamer kwam die correspondeerde met zijn observatiepost aan de voorkant. Bobby Ballard zat in een leunstoel bij het raam. Hij draaide zich om toen hij Davids voetstappen hoorde. Hij had ook een kijker.

'Iets gezien?' vroeg Spaulding.

'Twee,' antwoordde de cryptograaf. 'In tegenovergestelde richting geparkeerd, ze zijn net weggereden.'

'Voor precies zo. Ze hebben radiocontact.'

'Grondig werk, hè?'

'Niet zo grondig als ze wel denken,' zei Spaulding.

Ballards sportjasje zat wat ruim in de taille en de mouwen waren te kort, maar je kon Davids nieuwe polshorloge zien. Jean was daar blij om. 't Was een heel precieze chronometer.

Het restaurant was klein, weinig meer dan een gat in de muur in een zijstraat dichtbij San Martin. De voorzijde was open. Een kleine luifel beschermde de paar tafeltjes buiten tegen de zon. Zij hadden binnen een tafeltje. Spaulding zat met zijn gezicht naar de ingang en kon duidelijk de voorbijgangers zien.

Maar daar keek hij nu niet naar. Hij keek naar Jean. En wat hij in haar gezicht zag, bracht de woorden automatisch over zijn lippen. 'Het is binnenkort afgelopen. Ik schei ermee uit.'

Ze nam zijn hand in de hare en keek naar zijn ogen. Ze zweeg een tijdje. Het was alsof ze zijn woorden een voor een wilde overdenken. 'Een vreemde uitspraak. Ik weet niet precies wat je ermee bedoelt.'

'Het betekent dat ik jaren en jaren met jou wil samenzijn. De rest van m'n leven... Ik weet niet hoe ik het anders moet zeggen.' Een ogenblik sloot Jean haar ogen, zo lang een zucht van stilte duurt. 'Ik vind dat je het... heel mooi gezegd hebt.'

Hoe kon hij het haar zeggen? Hoe kon hij het uitleggen? Hij moest 't proberen.

Het was zo verdomd belangrijk. 'Nog geen maand geleden,' begon hij met zachte stem, 'gebeurde er iets op een veld. 's Nachts, in Spanje. Bij een kampvuur... Met míj. De omstandigheden zijn niet belangrijk, maar wat mij overkwam was... het angstaanjagendste wat ik me kon voorstellen. En 't had niets te maken met de berekende risico's van mijn werk, niet met bang zijn – en ik was altijd bang, neem dat maar van me aan... Ik kreeg een bericht dat me diep had moeten schokken – me had moeten doen huilen, of kwaad maken. verdomd kwaad. Maar ik voelde totaal niets. Ik was gevoelloos. Ik nam het bericht voor kennisgeving aan en bekritiseerde de brenger dat hij het achtergehouden had. Ik zei dat hij die fout niet meer moest maken... Dat ik nooit onbezonnen te werk ging onder welke omstandigheden dan ook... Hij dacht, en terecht, dat ik dat wel zou doen.'

David zweeg en legde zijn hand op die van Jean. 'Wat ik je probeer te zeggen is, dat jij me iets teruggegeven hebt dat ik kwijt was. Ik wil nooit meer de kans lopen dat te verliezen.'

'Je maakt me aan het huilen,' zei ze rustig. Haar ogen waren vochtig en haar lippen trilden tot een glimlach. 'Weet je niet dat meisjes huilen als er zulke dingen tegen ze gezegd worden...? Ik moet je nog zoveel leren... O God,' fluisterde ze. 'Alstublieft, alstublíeft... nog jaren.'

David leunde over de kleine tafel; hun lippen raakten elkaar. Toen ze elkaar losjes vasthielden, maakte hij z'n hand los en streek met zijn vingers zachtjes over haar wang.

Er biggelden tranen over.

Hij voelde ze. Ze kwamen er niet om hem, maar hij voelde ze. 'Ik ga natuurlijk met je terug,' zei ze.

Haar woorden brachten hem weer tot de werkelijkheid... de andere werkelijkheid, die niet zo belangrijk was. 'Niet mèt me. Maar wel spoedig. Ik heb een paar weken nodig om alles te regelen... En jij moet je werk hier overdragen.'

Ze keek hem vragend aan, maar vroeg niets. 'Er zijn... speciale maatregelen voor jou getroffen om de blauwdrukken of ontwerpen – of wat 't ook zijn – mee terug te nemen.'

'Ja.'

'Wanneer?'

'Als alles gaat zoals we verwachten, over een dag of twee. Hoogstens drie.'

'Waarom heb je dan een paar weken nodig?'

Hij aarzelde voor hij antwoord gaf. En toen besefte hij dat hij haar de waarheid wilde vertellen. Het was een deel van het begin voor hem. De waarheid. 'Er is een lek in de veiligheidsmaatregelen in Fairfax...'

'Fairfax,' onderbrak ze hem. 'Die naam komt voor in je dossier.'

'Het is een centrale van de inlichtingendienst in Virginia. Erg geheim. Er werd daar een man vermoord. Hij was een vriend van me. Ik hield met opzet inlichtingen achter om de lekken te kunnen stoppen en, wat belangrijker is, erachter te komen wie hem doodde.'

'Maar waarom in hemelsnaam?'

'In zekere zin werd ik gedwongen. De mensen in Fairfax waren niet toegankelijk verklaard voor de inlichtingen die ik had, de man die dat wel was, is onbekwaam... vooral in zoiets als dit. Hij is ook niet van de inlichtingendienst, maar een generaal van de Dienst Aanschaffingen. Hij koopt spullen.'

'Zoals gyroscoopontwerpen?'

'Ja. Als ik terug ben zal ik hem dwingen de details vrij te geven.' David wachtte even en zei toen meer tegen zichzelf als tegen Jean: 'Eigenlijk kan het me geen lor schelen of hij het doet of niet. Ik heb een lang verlof te goed. Een week of twee ervan gebruik ik in Fairfax. Er wandelt een Duitse agent rond met een vier-nul classificatie. Hij doodde een heel goed mens.'

'Dat maakt me bang.'

'Dat is verkeerd.' David glimlachte en antwoordde haar naar waarheid. 'Ik ben niet van plan om die jaren waarover we spraken in gevaar te brengen. Als het moet, werk ik vanuit een cel met hoogste beveiliging... Maak je geen zorgen.'

Ze knikte. 'Ik zal niet bang zijn. Ik geloof je. Ik kom over een week of drie naar je toe. Dat ben ik tegenover Henderson verplicht; hij zal helemaal moeten overschakelen. En ik moet ook nog iets aan Ellis doen.'

'Bemoei je niet met hem. We wéten nog niets. Als we ontdekken dat hij door anderen betaald wordt, kan hij erg waardevol voor ons zijn. Kanalen naar de tegenpartij zijn onschatbaar. Als we er een ontdekken zorgen we er altijd voor dat het de minst verdachte man – of vrouw – is en blijft.'
'In wat voor soort wereld leef je wel?' Jean stelde de vraag zorgelijk, zonder humor.
'In 'n wereld die jij me helpt verlaten... Na Fairfax schei ik ermee uit.'

Eugene Lyons ging op de achterbank van de taxi zitten, tussen Spaulding en de verpleger die Hal heette. De andere verpleger, Johnny, zat voorin naast de chauffeur. David gaf z'n aanwijzingen in het Spaans, en de chauffeur reed de lange, vlakke weg vanaf Aeroparque op.
David keek naar Lyons; dat viel niet mee. De onmiddellijke nabijheid van het trieste, vermagerde gezicht versterkte het besef dat wat hij zag door de man zelf teweeg was gebracht. Lyons ogen reageerden niet; hij was uitgeput van de vliegreis, hij wantrouwde z'n nieuwe omgeving en ergerde zich aan Davids hinderlijke haast om het vliegveld te verlaten.
'Ik ben blij u weer te zien,' zei David.
Lyons knipperde met zijn ogen; Spaulding wist niet zeker of het een groet was of niet.
'We hadden u niet verwacht,' zei Johnny. 'We meenden, dat wijzelf de professor moesten installeren.'
'We hebben het allemaal op schrift,' voegde Hal eraan toe, die rechts van Lyons zat. Hij leunde naar voren en haalde een paar adreskaarten uit zijn zak. 'Kijk, het adres. Uw telefoonnummer en dat van de ambassade. En een portefeuille vol Argentijns geld.'
Hal sprak Argentijns uit als 'Argentains'. David vroeg zich af hoe de man ooit had kunnen leren injecties te geven. Wie zou de etiketten moeten lezen? Maar zijn maat Johnny, minder praatziek en verstandiger, was duidelijk de baas van de twee.
'Dit soort dingen loopt vaak verkeerd. Verbindingen verbreken voortdurend... Heeft u een goede vlucht gehad, dokter?'
'Niet slecht,' antwoordde Hal, 'maar er zaten veel luchtzakken boven Cuba.'
'Waarschijnlijk zware luchtmassa's die boven het eiland opstij-

347

gen,' zei David. Vanuit zijn ooghoek nam hij de geleerde op. Ditmaal reageerde Lyons; hij keek Spaulding zijdelings aan, met humor in zijn blik.

'Ja,' hernam Hal wijs, 'dat zei de stewardess ook.'

Lyons glimlachte flauwtjes.

David wilde net het blijk van toenadering benutten, toen hij in de achteruitkijkspiegel iets zag dat hem verontrustte. Hij had instinctmatig in die spiegel zitten kijken.

Het was de smalle grill van een auto die hij al eerder gezien had, zonder zich zorgen te maken. Hij had de wagen twee keer eerder gezien: in de lange rij van taxi's langs de trottoirband en nog eens bij het verlaten van het park. Nu was de wagen er weer. David ging verzitten en keek door de achterruit van de taxi. Lyons leek aan te voelen dat Spaulding bezorgd was en schoof op om hem meer ruimte te gunnen.

De wagen was een zwarte La Salle 1937, met roestig chroom op de grill en om de koplampen. Hij bleef veertig tot vijftig meter achter hen rijden, maar de chauffeur, een vent met blond haar, liet geen andere wagens invoegen. Iedere keer dat zijn positie bedreigd werd, gaf hij gas. Het was duidelijk dat de blonde kerel onervaren was of slordig. Als hij hen volgde.

Dringend, maar in rustig Spaans richtte David zich tot de taxichauffeur. Hij bood de man vijf dollar boven de meterprijs als hij wilde omdraaien en de komende minuten van San Telmo weg te gaan rijden. De *porteño* was niet zo'n amateur als de chauffeur van de La Salle; één blik in de spiegel zei hem genoeg. Hij knikte zwijgend tegen Spaulding, maakte plotseling een gevaarlijke U-bocht en reed hard westwaarts. Hij liet de taxi zigzaggen door het verkeer, sloeg toen plotseling rechtsaf en reed hard zuidwaarts over de weg langs de rivier. Het water deed David aan Ocho Calle denken.

Hij wilde Eugene Lyons liefst in San Telmo achterlaten en teruggaan naar Ocho Calle.

De La Salle was geen probleem meer.

'Jezus,' zei Hal. 'Wat betekende dat?' En toen beantwoordde hij zijn eigen vraag. 'We werden gevolgd, is het niet?'

'We wisten het niet zeker,' zei David.

Met een uitdrukkingsloze blik zat Lyons hem op te nemen. Op de voorbank nam Johnny het woord.

'Betekent dit dat we problemen kunnen verwachten? U liet die vent wel hard rijden. Mr. Kendall heeft niets over moeilijkheden gezegd... Hij sprak alleen over onze taak.' Johnny draaide zich niet om terwijl hij sprak.

'Zou je het erg vinden als er moeilijkheden kwamen?'

Johnny draaide zich nu wel om en keek Spaulding aan; hij was een ernstig man, dacht David. 'Dat hangt ervan af,' zei de verpleger. 'Onze taak is op de professor te passen. Om hem te verzorgen. Maar als iemand dat zou verhinderen, zou ik dat niet prettig vinden.'

'Wat zou je doen?'

'Ik zou hem hier direct weghalen,' antwoordde Johnny eenvoudig.

'Dr. Lyons heeft werk te doen in Buenos Aires. Kendall moet je dat verteld hebben.'

Johnny's ogen staarden recht in die van Spaulding. 'Ik zal er geen doekjes omwinden. Die rotvent kan doodvallen. Ik heb nog nooit zoveel kapsones van iemand moeten accepteren.'

'Waarom schei je er dan niet mee uit?'

'We werken niet voor Kendall,' zei Johnny, alsof de gedachte daaraan weerzinwekkend was. 'We worden betaald door het Researchlaboratorium van de Meridian Vliegtuigfabrieken. Die smeerlap werkt niet eens bij Meridian, hij is een gewone boekhouder.'

'U zult begrijpen, Mr. Spaulding,' zei Hal, om de agressiviteit van zijn collega te sussen, 'we moeten doen wat het beste is voor de professor. Daarvoor zijn we door het Researchlaboratorium aangenomen.'

'Ik begrijp het. Ik sta in voortdurend contact met Meridian. Niemand zou willen dat Dr. Lyons iets overkwam, dat kan ik je verzekeren.'

David loog met overtuiging. Hij kon die zekerheid niet geven, want hij was er zelf helemaal niet zeker van. Hij moest erop aansturen om de nieuwe relatie met Johnny en Hal uit te buiten. De sleutel zou 't Meridian Researchlaboratorium zijn en zijn gefingeerde relatie daarmee; en een gezamenlijke weerzin tegen Kendall.

De taxi ging langzamer rijden en sloeg een hoek om, een rustige straat van San Telmo in. De chauffeur stopte voor een smal wit huis met twee verdiepingen en met een aflopend pannendak.

'We zijn er,' zei Spaulding en opende de deur.

Lyons stapte na David uit. Hij stond op de stoep en keek naar het vreemde, kleurige huisje in de stille straat. De bomen langs de stoeprand waren goed verzorgd. Alles zag er verzorgd uit. De wijk ademde een Europese sfeer van rust en kalmte. David had het gevoel dat Lyons plotseling iets gevonden had, iets waarnaar hij gezocht had.

En toen meende hij te zien wat het was. Eugene Lyons keek naar een mooie rustplaats. Een laatste rustplaats. Een graf.

34

David had niet zoveel tijd als hij wel gedacht had. Hij had Stoltz gezegd hem na vijf uur op de Córdoba te bellen. Het was nu bijna vier uur. De eerste boten voeren met gillende stoomfluiten de haven binnen. Mannen gooiden of vingen zware trossen en netten hingen overal in de late middagzon te drogen.

Ocho Calle lag in de Darsena Norte, ten oosten van de Retiro entrepots in een tamelijk afgezonderd gedeelte van La Boca. Spoorwegrails, lang niet meer gebruikt, lagen ingebed in de straten langs de rij pakhuizen. Ocho Calle was geen belangrijk opslag- en overslagterrein. De toegang tot de zee was niet zo lastig als vanaf de binnenhavens aan de La Plata, maar de faciliteiten waren ouderwets. Het was alsof de directie niet kon besluiten of men de fraaie gebouwen aan de haven zou verkopen of ze weer in bruikbare staat zou brengen. Het resultaat was dat het complex vrijwel verlaten was.

Spaulding was in hemdsmouwen. Hij had Ballards colbertje achtergelaten op de Terraza Verde. Over zijn schouder droeg hij een groot, gebruikt net dat hij gekocht had aan een stalletje op straat. Het ding stonk naar rottende hennep en dode vis, maar was geschikt voor zijn doel. Hij kon er zijn gezicht naar believen mee bedekken en kon zich gemakkelijk en onopvallend bewegen tussen de gebouwen. David dacht dat als hij ooit – wat God verhoede – nieuwelingen in Fairfax moest opleiden, hij de nadruk zou leggen op de factor gemak. Psychologisch gemak. Je kon 't direct voelen, zoals je ook direct 't ongemak voelde van gekunsteldheid.

Hij volgde de stoep tot die ophield. Het laatste blok van Ocho Calle werd aan de buitenzijde begrensd door een paar oude gebouwen en afgerasterde stukken verlaten grond, die vroeger als open opslagterrein gediend hadden. Aan de waterkant stonden twee grote pakhuizen met een open terrein. Ertussen was de midscheeps van een afgemeerde treiler te zien. De volgende pier lag minstens een vierhonderd meter verder over het water. De pakhuizen van Ocho Calle lagen werkelijk afgelegen. David stond stil. Het laatste blok huizen was net een miniatuur schiereiland. Er woonden weinig mensen. Geen zijstraten, geen gebouwen voorbij de rij huizen aan zijn linkerzijde, alleen zo te zien achter de huizen nog wat stukken grond en schoeiingen om het water van een klein kanaal te keren.

Het laatste stuk van Ocho Calle was een schiereiland. De pakhuizen daar lagen niet alleen afgelegen, maar zelfs geïsoleerd. David slingerde het net van z'n rechterschouder en gooide het over zijn linker. Twee zeelieden liepen een gebouw uit; op de eerste verdieping deed een vrouw een raam open en schreeuwde naar beneden, scheldend tegen haar man dat hij bijtijds terug moest zijn. Een oude man, met donkere Indiaanse trekken, zat in een houten stoel op een kleine verwaarloosde veranda voor een gore winkel waar ze aas verkochten. Binnen, achter de ruit vol modder en zoutvlekken, zag hij andere oude mannen uit wijnflessen drinken. In het laatste huis leunde een eenzame hoer uit het raam gelijkvloers. Toen ze David zag, maakte ze haar blouse open en ontblootte een grote, hangende borst. Ze kneep er een paar keer in en richtte de tepel op David.

Ocho Calle was het einde van een bijzonder gedeelte van de wereld. Hij liep op de oude Indiaan toe, groette hem terloops en ging de winkel binnen waar ze aas verkochten. De stank was overweldigend, een combinatie van urine en verrotting. Er stonden drie mannen binnen, meer dronken dan nuchter, eerder zeventig dan zestig.

De man achter het houten blad, dat als toonbank diende, leek verschrikt een klant te zien en wist niet wat hij moest doen. Spaulding haalde een bankbiljet uit z'n zak – tot verbazing van de drie mannen rond hem – en vroeg in 't Spaans: 'Heeft u pijlinktvis?'

'Nee... Nee, geen pijlinktvis. Heel weinig aanvoer vandaag,' antwoordde de winkelier, starend naar het bankbiljet.

'Wat heeft u dan wel?'

'Wormen, hondevlees en wat kattevlees. Kat is erg goed.'

'Geef me een klein blikje.'

De man strompelde achteruit, pakte een paar stukken ingewanden en wikkelde ze in een vuile krant. Hij legde ze op de plank naast het geld. 'Ik heb geen wisselgeld, *señor*.'

'Geeft niet,' antwoordde Spaulding. 'Het geld is voor u. En hou 't aas maar.'

De man grinnikte verrast. '*Señor*...'

'Hou het geld maar. Begrepen... Vertel me eens, wie werkt daar?' David wees naar het raam aan de voorkant, waar je nauwelijks doorheen kon kijken. 'In die grote vemen.'

'Bijna niemand... 'n Paar man... nu en dan. 'n Vissersboot... nu en dan.'

'Bent u daar wel 's binnen geweest?'

'O ja, drie, vier jaar geleden werkte ik daar. Toen was er veel werk, drie, vier... vijf jaar geleden. We werkten er allemaal.' De twee andere oude mannen knikten, brabbelend, zoals oude mannen dat doen.

'Nu niet?'

'Nee, nee... Allemaal gesloten. Afgelopen. Niemand gaat nu naar binnen. De eigenaar is een heel slechte vent. Bewakers slaan hoofden kapot.'

'Bewakers?'

'O ja. Met geweren. Veel geweren. Heel slecht.'

'Komen hier ook auto's?'

'O ja, nu en dan... Een of twee... Ze geven ons geen werk.'

'Dank u. Hou het geld maar. Nogmaals bedankt.' David liep naar het gore raam aan de voorkant, maakte een klein stukje van het glas schoon en keek naar de lange rij pakhuizen. Er was niemand, behalve de mannen op de pier. Toen keek hij wat aandachtiger naar die mannen.

Eerst was hij er niet zeker van; het raam, hoewel schoongeveegd, was van buiten nog vuil, het was niet helder en de mannen bewogen zich in en uit het beperkte gezichtsveld.

Toen wist hij 't zeker. En hij werd plotseling erg kwaad.

De mannen in de verte op de pier droegen dezelfde paramilitaire kleren als de bewakers van Rhinemann hadden gedragen.

Het waren mannen van Rhinemann.

De telefoon ging om half zes precies. De man die belde was niet Stoltz en omdat hij 't niet was, weigerde David de instructies te accepteren die hem gegeven werden. Hij hing op en wachtte minder dan twee minuten toen de telefoon weer ging.

'U bent erg koppig,' zei Erich Rhinemann. 'Wij moeten voorzichtig zijn, u niet.'

'Dat is een nutteloze bewering. Ik heb geen zin de aanwijzingen op te volgen van iemand die ik niet ken. Ik verwacht geen waterdichte controle, maar dit is te oppervlakkig.'

Rhinemann zweeg even. Toen zei hij ruw: 'Wat is er gisteravond gebeurd?'

'Ik heb Stoltz precies verteld wat er met míj is gebeurd. Verder weet ik niets.'

'Ik geloof u niet.' Rhinemanns stem was gespannen, scherp met nauw verholen woede.

"'t Spijt me,' zei David. 'Maar dat interesseert me weinig.'

'Geen van die kerels kon Córdoba verlaten! Onmogelijk!'

'Toch deden ze het; neemt u dat van me aan... Luister, ik heb Stoltz gezegd dat ik niet in uw problemen betrokken wil raken.'

'Hoe weet u dat u er niet... in betrokken bent?'

Het was natuurlijk een logische vraag en Spaulding besefte dat ook. 'Omdat ik hier in mijn appartement zit en met u spreek. Volgens Stoltz zijn de anderen dood. Die toestand wil ik voor mijzelf voorkomen. Ik koop alleen maar wat papieren van u. Laten we ons daarop concentreren.'

'We spreken nog wel over dit onderwerp,' zei Rhinemann. 'Nu niet. We hebben zaken af te handelen.'

De Duitse jood zweeg weer even. 'Doe wat de man u gezegd heeft. Ga naar de Casa Rosada op de Plaza de Mayo. De zuidelijke ingang. Als u een taxi neemt, stap dan uit op de Julio en loop verder.'

'Uw mensen volgen me zeker als ik het appartement verlaat?'

'Discreet. Om te zien of u gevolgd wordt.'

'Dan ga ik lopen. Dat is gemakkelijker.'

'Erg intelligent. Er zal een auto op u wachten bij de Rosada. Dezelfde auto die u gisteravond hierheen bracht.'

'Zult u daar zijn?' vroeg David.

'Natuurlijk niet, maar we ontmoeten elkaar binnenkort.'

'Breng ik de tekeningen rechtstreeks naar Telmo?'

'Als alles in orde is, kunt u dat doen.'

'Over vijf minuten vertrek ik. Zijn uw mensen dan klaar?'

'Ze zijn nu al klaar,' antwoordde Rhinemann. Hij hing op. David snoerde de Beretta tegen zijn borst en trok zijn jasje aan. Hij ging de badkamer binnen, griste een handdoek van het rekje, wreef zijn schoenen af en verwijderde daardoor de modder van het Aeroparque en La Boca van het leer. Hij kamde zijn haren en deed wat talkpoeder op de schrammen op z'n gezicht.

Hij moest de donkere wallen onder z'n ogen wel zien. Hij had hard slaap nodig, maar had er geen tijd voor. Ter wille van zichzelf – zijn eigen overlevingskans – moest hij zich de tijd gunnen. Dat wist hij.

Hij vroeg zich af wanneer dat het geval zou zijn.

Hij liep terug naar de telefoon. Hij moest nog twee gesprekken voeren voor hij wegging.

Het eerste was met Jean, om haar te vragen in de ambassade te blijven; hij zou haar misschien moeten bellen. Hij zou haar in ieder geval bellen als hij terugkwam. Hij zei dat hij op de Terraza Verde zou zijn bij Eugene Lyons en dat hij van haar hield.

Het tweede gesprek was met Henderson Granville.

'Ik heb u al gezegd dat ik de ambassade of uzelf niet in mijn werk hier zou betrekken. Dat daar verandering in gekomen is, komt alleen omdat een van de mensen van uw staf een marine-surveillancedossier ten onrechte heeft afgesloten. En dat had op mij betrekking.'

'Wat bedoelt u met ten "onrechte"? Dat is een ernstige nalatigheid. Zoal geen strafbare overtreding.'

'Ja meneer. En daarom is het hoogst belangrijk dat we geen alarm slaan en alles stil houden. Het betreft een zaak van de Inlichtingendienst.'

'Wie is die man?' vroeg Granville ijzig.

'Een attaché die Ellis heet. William Ellis, maar onderneemt u alstublieft geen enkele actie.' Spaulding sprak snel en met nadruk. 'Hij kan bedrogen zijn, misschien ook niet. Hoe dan ook, hij mag hier geen lucht van krijgen.'

'Goed, ik begrijp u... Maar waarom heeft u 't me dan verteld... als u geen actie ondernomen wilt hebben?'

'Niet tegen Ellis, meneer. Ik wil wel opheldering over de surveillance hebben.' David beschreef de pakhuizen op de Ocho Calle en de treiler die tussen de twee gebouwen gemeerd lag.

Granville onderbrak hem rustig. 'Ik herinner me het rapport. Marinesurveillance. 't Was een landing met bestemming... even denken.'

'Tortugas,' zei Spaulding.

'Ja, dat was 't. Overtredingen van de bepalingen inzake territoriale wateren. Natuurlijk een vergissing. Geen enkel vissersvaartuig zou aan zo'n tocht beginnen. De werkelijke bestemming was *Torugos*, een kleine haven in Noord-Uruguay, geloof ik.'

David dacht een ogenblik na. Jean had niets over de verwisse-

ling – of overeenkomst in naam – van de bestemming gezegd.
'Dat kan zijn, maar ik zou graag weten wat de lading is.'
'Die was opgegeven. Landbouwwerktuigen, geloof ik.'
'Wij denken van niet,' zei Spaulding.
'Wij hebben niet het recht om de lading te inspecteren.'
'Excellentie,' onderbrak David de oude heer. 'Is er iemand van de junta die we absoluut kunnen vertrouwen?'
Granvilles antwoord was aarzelend, voorzichtig. Spaulding begreep dat. 'Een. Twee, misschien.'
'Ik zal u niet om hun namen vragen, meneer. Maar ik vraag u wèl hun hulp in te roepen. Met de hoogste veiligheidsmaatregelen. Die pakhuizen worden bewaakt... door mannen van Erich Rhinemann.'
'Rhinemann?' De antipathie van de ambassadeur was voelbaar. Dat was een pluspunt, dacht David.
'We hebben redenen om aan te nemen dat hij aan een onderhandeling een eind wil maken of er contrabande bij wil betrekken. Smokkel, excellentie. We moeten weten wat die lading is.'
David wist niets anders te bedenken. Een generalisatie zonder werkelijke basis. Maar als mannen voor 'Tortugas' wilden doden en gedood worden, was dat misschien basis genoeg. Als Fairfax die naam op zijn overplaatsing kon vermelden, zonder het hem te vertellen, dan was dat méér dan genoeg.
'Ik zal doen wat ik kan, Spaulding, maar ik kan natuurlijk niets beloven.'
'Ja, meneer, dat begrijp ik. Dank u wel.'
De Avenida de Mayo wemelde van de auto's, op de Plaza was het nog erger. Aan het einde van het plein weerspiegelden de roze stenen van de Casa Rosada de oranje stralen van de ondergaande zon. Dat paste bij een door militairen beheerste hoofdstad, dacht David.
Hij stak het plein over, stopte bij de fontein en dacht aan gisteren en Leslie Jenner-Hawkwood. Waar was ze nu? In Buenos Aires, maar waar? En wat belangrijker was, waarom?
Misschien lag het antwoord in de naam 'Tortugas' en een treiler in Ocho Calle.
Hij liep twee keer om de fontein heen, toen een keer terug om zichzelf en Erich Rhinemann op de proef te stellen. Waar waren de mannen die hem in de gaten moesten houden? Of waren het vrouwen?

Zaten ze in auto's of taxi's of kleine vrachtwagens? Reden ze rond zoals hij nu rond de fontein liep?

Hij zag er een. Dat was niet moeilijk. De man was gaan zitten op de rand van de fontein. Zijn jaspanden hingen in het water. Hij was te haastig gaan zitten, in zijn poging zo weinig mogelijk op te vallen.

David begon het voetpad af te lopen, hetzelfde voetpad dat hij gebruikt had toen hij Leslie Hawkwood volgde en wachtte bij de eerste vluchtheuvel tot het stoplicht op groen sprong. In plaats van de straat over te steken, liep hij echter terug naar de fontein. Hij versnelde zijn pas, ging op de rand van de fontein zitten en hield het zebrapad in de gaten.

De man met het natte jasje verscheen met de volgende groep wandelaars en keek gespannen om zich heen. Tenslotte zag hij Spaulding.

David wuifde.

De man draaide zich om en rende terug de straat over. Spaulding rende hem achterna. Het licht stond nog net op groen. De man keek niet achterom; hij leek vastbesloten om een contactman te bereiken, dacht David, of misschien om zich te laten aflossen. Bij de Casa Rosada sloeg de man linksaf, gevolgd door Spaulding die ervoor zorgde dat hij niet gezien werd.

De man bereikte een hoek en tot Davids verrassing vertraagde hij zijn pas en ging een telefooncel binnen. Het was vreemd en amateuristisch om zoiets te doen, overdacht Spaulding. En het zei hem iets over de ondergeschikten van Rhinemann; ze waren niet zo goed als ze dachten dat ze waren.

Er klonk een lang getoeter dat harder leek dan je gewoonlijk hoorde in het verkeer op Mayo. Die ene stoot op de claxon was het startsein voor andere en binnen een paar seconden vulde een kakofonie van schel getoeter de straten. David keek op. Het betekende niets. Een geïrriteerde automobilist had het eind van zijn geduld bereikt. De normale chaos keerde weer terug toen de auto's bij het zebrapad optrokken.

En toen klonk er een gil; de gil van een vrouw. En nog een en nog een. Een drom mensen verzamelde zich rond de telefooncel. David werkte zich naar voren door aan armen en schouders te rukken en mensen opzij te schuiven. Hij kwam bij de telefooncel en keek naar binnen.

De man met het natte jasje was ineengezakt op de vloer van het kleine, glazen huisje, zijn benen onder zich, zijn armen omhoog. Een hand hield de hoorn nog vast, zodat de draad strak stond. Zijn hoofd was achterovergeslagen. Er stroomde bloed uit de achterkant van de schedel. Spaulding keek naar de wanden van de telefooncel. Aan de straatzijde zaten drie duidelijke gaten in een krans van gebarsten glas.

Hij hoorde het schrille geluid van politiefluitjes en drong zich terug tussen de menigte. Hij kwam bij het ijzeren hek dat het Casa Rosada omgaf, sloeg rechtsaf en liep snel om het gebouw naar de zuidkant. Naar de zuidelijke ingang.

De Packard stond met draaiende motor voor de ingang geparkeerd. Een man van zijn postuur kwam naar hem toe toen David naar de auto liep.

'Kolonel Spaulding?'

'Ja.'

'Wilt u gauw instappen, alstublieft?' De man opende de achterdeur en David stapte snel in.

Heinrich Stoltz begroette hem. 'U heeft een heel eind gelopen. Gaat u zitten. De rit zal u ontspannen.'

'Nu niet.' David wees naar het apparaat onder het dashboard. 'Kunt u met dat ding Rhinemann bereiken? Nu direct?'

'We staan in voortdurend contact met hem. Waarom?'

'Neem direct contact op. Uw mannetje werd net vermoord.'

'Onze man?'

'De man die mij volgde. Hij werd in een telefooncel doodgeschoten.'

'Hij hoorde niet bij ons, kolonel,' zei Stoltz kalm. 'En wíj schoten hem neer.'

'Wàt?'

'We kenden die man. Hij was een huurmoordenaar uit Rio de Janeiro. Hij moest u vermoorden.'

Stoltz legde het kort en bondig uit. Ze hadden de moordenaar ontdekt kort nadat David zijn appartement verlaten had. Hij was een Corsicaan, voor de oorlog gedeporteerd uit Marseille. Een moordenaar voor de Unio Corso, die een prefect te veel vermoord had op bevel van de *contrabandistes* in Zuid-Frankrijk.'

'We konden geen risico lopen met de Amerikaan die onze codes bezit. Een geluiddemper is voldoende in het drukke verkeer.'

'Ik geloof niet dat hij mij wilde vermoorden,' zei Spaulding. 'Ik geloof dat jullie te haastig te werk zijn gegaan.'

'Dan wachtte hij op het moment dat u òns zou ontmoeten. Maar dat konden we niet toestaan. Bent u het daarmee eens?'

'Nee, ik had hem voor mijn rekening kunnen nemen.' David leunde achterover en bracht zijn hand naar zijn voorhoofd, vermoeid en geërgerd. 'Ik was van plan het te doen. Nu zitten we er allebei naast.'

Stoltz keek David aan. Hij sprak voorzichtig; een vraag. 'Dezelfde? Vraagt u zich dat ook af?'

'U soms niet? Denkt u nog steeds dat er geen Gestapo in Buenos Aires is?'

'Onmógelijk.' Stoltz stootte het woord uit zijn mond.

'Dat zei onze wederzijdse vriend ook over wat er gisteravond met uw mensen gebeurde... Ik weet daar geen lor vanaf, maar ik hoor dat ze dood zijn. Wat is er dus onmogelijk?'

'De Gestapo kàn hier niet bij betrokken zijn. Dat hebben we uit de hoogste kringen.'

'Rhinemann is een jood, nietwaar?' David sloeg Stoltz gade terwijl hij de onverwachte vraag stelde.

De Duitser draaide zich om en keek naar Spaulding. In zijn ogen was een zweem van verwarring te zien. 'Hij is niet godsdienstig; zijn moeder was joods... Eerlijk gezegd, doet dat er niet toe. De rassentheorieën van Rosenberg en Hitler worden niet door iedereen gedeeld; er is veel te veel de nadruk op gelegd... Het is – was – voornamelijk een economische aangelegenheid. Spreiding van de macht van de banken, decentralisatie van financiële hiërarchieën. Een onplezierig onderwerp.'

David wilde juist op de ontwijkende opmerkingen van Stoltz ingaan, toen hij zich bedacht en zweeg... Waarom vond Stoltz het nodig om een verstandelijke redenering te geven? Om met een slappe verklaring te komen waarvan hij zelf wist dat er geen grein logica in zat?

Heinrich Stoltz was loyaal aan Rhinemann, niet aan het Derde Rijk. Spaulding keek opzij en zei niets. Hij was eigenlijk een beetje in de war, maar wilde niet dat Stoltz dat merkte. Stoltz ging verder.

'Het is een vreemde vraag. Waarom stelde u hem?'

'Een gerucht... dat ik op de ambassade hoorde.' En dat was de waarheid, dacht David bij zichzelf. 'Ik hoorde dat de joodse ge-

359

meenschap in Buenos Aires Rhinemann vijandig gezind is.'
'Dat is zuiver speculatie. De joden hier zijn net als de joden overal elders. Ze bemoeien zich haast niet met niet-joden. Het getto is minder opvallend, maar bestaan doet het. Ze hebben geen ruzie met Rhinemann, er is helemaal geen contact.'
'Eén speculatie minder,' zei Spaulding.
'Er is er nog een,' zei Stoltz. 'Uw eigen landgenoten.'
David draaide zich langzaam om naar de Duitser. 'Een aardige gok. Hoe komt u daarop?'
'De ontwerpen worden door één vliegtuigmaatschappij gekocht. Vijf, zes grote maatschappijen beconcurreren elkaar voor uw talloze regeringsorders. Wie de gyroscoopontwerpen bezit, zal een grote – ik zou zelfs kunnen zeggen een onweerstaanbare – macht hebben. Alle andere geleidesystemen zijn dan verouderd.'
'Meent u dat werkelijk?'
'Zeer zeker. We hebben dit tot in finesses besproken. We zijn er vrijwel zeker van dat dit het logische antwoord is.' Stoltz wendde zijn blik van David af en staarde voor zich uit. 'Er is geen ander antwoord. Degenen die ons proberen tegen te houden zijn Amerikanen.'

35

De groene Packard reed kriskras door de straten van Buenos Aires. De route was opzettelijk willekeurig en Spaulding doorzag de bedoeling. Een heel grondige voorzorg tegen achtervolgers. Bij tussenpozen nam de chauffeur de microfoon van onder het dashboard en las een aantal vooraf opgestelde getallenreeksen op. Het antwoord kwam krakend uit de luidspreker met een herhaling van de nummers en de Packard maakte dan de zoveelste – schijnbaar doelloze – draai.

Diverse keren zag David vanuit andere wagens uitkijken. Rhinemann had minstens vijf auto's ingeschakeld. Na drie kwartier was het absoluut zeker dat de tocht naar San Telmo ongestoord zou zijn.

De chauffeur sprak tegen Stoltz.

'Alles is in orde. De anderen nemen nu hun plaatsen in.'

'Doorrijden,' zei Stoltz.

Ze reden naar het noord-westen; de Packard trok op in de richting van San Telmo. David wist dat ten minste drie andere wagens volgden en misschien twee voor hen reden. Rhinemann had zijn eigen transportcolonne gegroepeerd en dat betekende dat de gyroscooptekeningen zich in een van die wagens bevonden.

'Heeft u de handelswaar bij u?' vroeg hij aan Stoltz.

'Een gedeelte ervan,' antwoordde de attaché. Hij leunde voorover en drukte tegen een plek in de vilten achterkant voor hem. Een veerslot sprong open. Stoltz bukte zich en trok een bakje van onder de zitting. In de verborgen lade zat een dunne metalen doos, zo ongeveer als bibliotheken hebben om kostbare handschriften tegen brand te beschermen. De Duitser haalde hem eruit, legde hem op zijn schoot en duwde de lade met zijn voet terug. 'We zijn er over een paar minuten,' zei hij.

De Packard hield stil langs de stoeprand voor een witgepleisterd huis in San Telmo. Spaulding wilde de deurknop pakken, maar Stoltz tikte op zijn arm en schudde het hoofd. David trok zijn hand terug; hij begreep het.

Ongeveer veertig meter voor hen stond een van de controleauto's geparkeerd en twee mannen stapten uit. Een van hen droeg een smalle metalen doos, de andere een langwerpige leren koffer – een radio. Ze liepen naar de Packard.

David hoefde niet door de achterruit te kijken om te zien wat er achter hem gebeurde, maar om zich te overtuigen deed hij het toch. Er stond nog een auto geparkeerd en nog twee mannen kwamen naar hen toe. Een ervan droeg natuurlijk een metalen doos en de andere een in leer gevatte radio.

De vier mannen ontmoetten elkaar bij de deur van de Packard. Stoltz knikte tegen Spaulding. David stapte uit de wagen, liep eromheen en voegde zich bij de mannen van Rhinemann. Hij wilde net naar de voordeur lopen toen Stoltz zich door het autoraam tot hem richtte.

'Wacht u even. Onze mannen zijn nog niet in positie. Ze waarschuwen ons wel.' Er klonk geruis over de radio onder het dashboard. Er volgde een opsomming van getallen; de chauffeur pakte de microfoon en herhaalde ze.

Heinrich Stoltz knikte en stapte uit. David liep naar de deur toe. Binnen bleven twee van Rhinemanns helpers in de vestibule staan; twee liepen door het huis naar de keuken en een achterdeur die toegang gaf tot een kleine achtertuin. Stoltz liep met David naar de zitkamer, waar Eugene Lyons aan een grote eettafel zat. De tafel was afgeruimd. Er lagen alleen twee grote blocnotes en een stuk of zes potloden op.

De verplegers, Johnny en Hal, volgden Spauldings korte bevelen op. Ze stonden in tegenover elkaar gelegen hoeken van de kamer voor een sofa, in hemdsmouwen en met hun pistolen in schouderholsters, die afstaken tegen het wit van hun overhemden.

Stoltz had de metalen doos van een van de mannen overgenomen en zei David de andere te nemen. Samen legden Stoltz en David de drie dozen op de grote tafel en Stoltz maakte ze open met een sleutel. Lyons nam niet de moeite zijn bezoekers – zijn indringers – te begroeten en Stoltz groette hem maar heel oppervlakkig. Het was duidelijk dat Kendall gesproken had over de kwalen van de geleerde; de Duitse diplomaat gedroeg zich daar dan ook naar.

Van over de tafel richtte Stoltz zich tot de zittende Lyons. 'Vanaf uw linkerhand liggen de ontwerpen in volgorde. Ieder schema is voorzien van een tweetalige sleutel en waar procédés worden omschreven, zijn ze woordelijk vertaald. Daarbij is gebruik gemaakt van Engelse equivalente formules of internationaal erkende symbolen en dikwijls van allebei... Niet ver van hier, en gemakkelijk te bereiken met onze autoradio, is een aëronautisch specialist uit Peenemünde. Desgewenst is hij beschikbaar voor overleg. Ten slotte zal het u duidelijk zijn dat er geen foto's gemaakt mogen worden.'

Lyons pakte een potlood en schreef iets op een blocnote. Hij scheurde het vel papier eraf en gaf het aan Spaulding. Er stond: *Hoeveel tijd heb ik? Zijn ze compleet?*

David gaf de aantekening aan Stoltz, die antwoordde.

'Zolang als u nodig heeft. *Herr Doktor...* Er is nog een laatste doos, die zal u later gebracht worden.'

'Binnen vierentwintig uur,' onderbrak Spaulding hem. 'Daar sta ik op.'

'Als we bevestiging ontvangen hebben dat de codes in Washington ontvangen zijn.'

'Dat bericht ligt ongetwijfeld nu op de ambassade.' David keek op zijn horloge. 'Daar ben ik zeker van.'

'Als u het zegt, geloof ik het,' zei Stoltz. 'Het zou geen zin hebben om te liegen. U kunt Argentinië niet uit voor wíj bericht hebben ontvangen uit Zwitserland.'

Spaulding kon niet precies zeggen waarom, maar er was iets vragends in de uitspraak van de Duitser, iets dat niet bij zo'n mededeling paste. David dacht dat Stoltz veel nerveuzer was dan hij anderen wilde laten merken.

'Ik zal bij ons vertrek de codes bevestigen... Bovendien sta ik erop dat de tekeningen hier blijven nadat Dr. Lyons ze gecontroleerd heeft.'

'We hadden dat... verzoek verwacht. Jullie Amerikanen zijn zo wantrouwend. Twee van onze mensen blijven ook hier. Anderen zullen buiten staan.'

'Dat is verspilling van mankracht. Wat voor nut heeft driekwart van de handelswaar?'

'Driekwart meer dan u nu hebt!' antwoordde de Duitser.

De volgende tweeëneenhalf uur klonk alleen het krassen van het potlood van Lyons; het onophoudelijk gekraak van de radio's uit de vestibule en de keuken, die voortdurend de irriterende stroom van getallen lieten horen; het gedrentel van Stoltz, wiens ogen steeds gericht waren op de bladzijden met aantekeningen van de uitgeputte Lyons en die erop lette dat de geleerde ze niet probeerde in zijn zak te steken of te verbergen; het gapen van de verpleger Hal; de stille, vijandige blikken van zijn vriend, Johnny.

Om kwart voor elf stond Lyons op. Hij legde de stapel aantekeningen links van hem neer, schreef iets op de blocnote, scheurde het vel eraf en gaf dit aan Spaulding.

'*Tot nu toe is alles echt. Ik heb geen vragen.*

David gaf het briefje aan de gespannen Stoltz.

'Goed,' zei de Duitser, 'Kolonel, wilt u de begeleiders van de doctor zeggen dat het noodzakelijk is voor ons dat we hen hun wapens afnemen. Die krijgen ze natuurlijk terug.'

David zei tegen Johnny: 'Het is in orde, leg ze op de tafel.'

'Wie zegt dat het in orde is?' vroeg Johnny en leunde tegen de muur. Hij maakte geen aanstalten om aan het verzoek te voldoen.

'Dat zeg ik,' antwoordde Spaulding. 'Er gebeurt niets.'

'Deze stinkerds zijn nazi's. Moeten we ook geblinddoekt worden?'

'Het zijn Duitsers, geen nazi's.'

'Onzin.' Johnny duwde zich van de muur af en ging rechtop staan. 'Hun manier van praten bevalt me niet.'

'Luister.' David liep op hem toe. 'Een groot aantal mensen hebben hun leven gewaagd om dit gedaan te krijgen. Om verschillende redenen. Je kunt net zo'n hekel aan ze hebben als ik, maar we kunnen het nu niet spaak laten lopen. Doe wat ik je vraag.'

Johnny keek Spaulding boos aan. 'Ik hoop dat u weet wat u doet...' Hij en zijn maat legden hun pistolen neer.

'Dank u, heren,' zei Stoltz en liep het portaal in. Hij sprak zachtjes in het Duits tegen de twee mannen die op wacht stonden. De man met de radio liep snel door de zitkamer heen de keuken in, de andere pakte de twee pistolen, deed er een in zijn riem, de andere in zijn jaszak. Toen liep hij zonder te spreken terug naar het portaal.

Spaulding liep naar de tafel, gevolgd door Stoltz. Lyons had de ontwerpen weer in de bruine enveloppen gedaan; er lagen er drie. 'Ik moet er niet aan denken hoeveel geld onze wederzijdse vriend voor deze dingen krijgt,' zei David.

'U zou het niet betalen als ze het niet waard waren.'

'Dat denk ik ook niet... Er is geen enkele reden om ze niet in één doos te doen. Met de aantekeningen.' Spaulding keek over de tafel naar Lyons, die onbeweeglijk aan het einde van de tafel stond. 'Gaat u daarmee akkoord, doctor?'

Lyons knikte; zijn half gesloten droevige ogen accentueerden zijn bleekheid.

'Zoals u wilt,' zei Stoltz. Hij nam de enveloppen en de aantekeningen op en deed ze in de eerste doos, deed de doos op slot en sloot de andere twee en zette ze op de eerste alsof hij een godsdienstig ritueel voor een altaar uitvoerde.

Spaulding deed een paar passen naar de twee mannen bij het raam. 'U hebt een zware dag achter de rug, Dr. Lyons ook. Ga naar bed en laat uw gasten wachtlopen. Die krijgen hun overuren uitbetaald.' Hal grinnikte, Johnny niet.

'Goedenavond doctor, het was een voorrecht met zo'n briljant geleerde kennis te maken.' Stoltz, aan de andere kant van de kamer, sprak zoals diplomaten dat doen en maakte een lichte buiging.

De wacht met de radio kwam uit de keuken en knikte tegen de Duitse attaché. Samen verlieten ze de kamer. Spaulding glimlachte tegen Lyons. De geleerde draaide zich om zonder de glimlach te beantwoorden en liep naar zijn slaapkamer rechts van de keuken.

Buiten, op de stoep, hield Stoltz het portier voor David open. 'Een heel vreemde man, uw doctor Lyons,' zei hij toen David in de Packard stapte.

'Dat kan zijn, maar hij is een van de knapsten op zijn gebied... Laat uw chauffeur bij een telefooncel stoppen. Dan bel ik de radiokamer van de ambassade en krijgt u uw bevestiging.'

'Een prachtig idee... En wilt u daarna misschien met me gaan eten?' David keek de attaché aan, die zo zelfbewust en half spottend naast hem zat. Van zijn nervositeit was niets meer te merken. 'Nee, Herr Botschaftssekretär, ik heb een andere afspraak.'

'Ongetwijfeld met de lieftallige Mrs. Cameron. Dat eerbiedig ik.'

Spaulding gaf geen antwoord, maar keek zwijgend uit het raam van de auto.

De Terraza Verde lag er vredig bij. De straatlantaarns lieten een zacht licht vallen op de rustige, donkere trottoirs. De fraai gesnoeide bomen voor de pittoreske huizen in Franse stijl tekenden zich af tegen de pastelkleurige gevels. In de vensters, achter bloembakken, verspreidden de gele lampen in huiskamers en slaapkamers een uitnodigend schijnsel. Een man in een colbert-kostuum met een krant onder de arm, liep een paar treden op naar een deur, terwijl hij een sleutel uit zijn zak haalde. Een jong stel lachte zachtjes, geleund tegen een laag smeedijzeren hek. Een klein meisje met een lichtbruine cockerspaniël aan een lijn huppelde over het trottoir, terwijl de hond blij liep te springen. Terraza Verde was een heerlijke straat om te wonen.

En David dacht een ogenblik aan een andere straat die hij die dag gezien had. Met oude mannen die roken naar verrotting en urine, met een tandeloze hoer die op een gore vensterbank leunde. Met kattedarmen en ramen waar het vuil in lagen op lag. Met enorme pakhuizen waar niet gewerkt werd, en een afgemeerde treiler, tot voor kort met bestemming Tortugas.

De Packard draaide een andere straat in. Daar waren wat meer lantaarns, wat minder gesnoeide bomen, maar de straat leek veel op de Terraza Verde. Het deed David denken aan de zijstraten in Lissabon die uitkwamen op de grote *caminos*, vol sjieke winkels voor de rijke inwoners die een paar honderd meter verder woonden.

Hier waren ook winkels; met geraffineerd verlichte etalages en smaakvol uitgestalde artikelen.

Een volgende straat; de Packard remde af voor een kruispunt en reed toen door. Meer winkels, minder bomen, meer honden – maar nu vaak door dienstmeisjes uitgelaten. Een groep tieners stond om een Italiaanse sportwagen.

En toen zag David de overjas. Eerst was het alleen maar een overjas, een lichtgrijze overjas in een portiek.

Een grijze overjas. Een inspringende ingang.

De man was lang en mager. Een lange, magere man in een licht-grijze overjas. In een inspringende ingang.

Mijn God, dacht David. *De man van de 52ste Straat.*

De man had zich afgewend en keek naar een flauw verlichte etalage. Spaulding kon ze niet zien, maar hij kon zich de donkere, holle ogen voorstellen; het verbasterde Engels ergens uit de Balkan horen; de voor niets terugdeinzende vastbeslotenheid in de ogen van de man voelen.

Geen onderhandelingen met Franz Altmüller... Neem de les van Fairfax ter harte.

Hij moest uit de Packard zien te komen. Snel. Hij moest terug naar de Terraza Verde. Zonder Stoltz. Hij móest.

'Er is een café in de volgende straat,' zei Spaulding en wees naar een oranje markies met lampen eronder. 'Stop daar. Dan bel ik de ambassade.'

'U schijnt haast te hebben, kolonel. Het kan wachten. Ik geloof u wel.'

Spaulding draaide zich om naar de Duitser. 'Moet ik het je midden in je gezicht zeggen? Best, dat zal ik doen... Ik ben niet van je gediend, Stoltz, en ook niet van Rhinemann. Ik ben niet gediend van mannen die schreeuwen en bevelen snauwen en me laten volgen... Ik koop van je, maar ik hoef niet met je om te gaan. Ik hoef na afloop van onze dagtaak niet met je te gaan eten of in je auto te zitten. Is dat duidelijk?'

'Dat is duidelijk, hoewel wat onbeschaafd. En ondankbaar, als ik het zeggen mag. Eerder op de avond hebben we uw leven gered.'

'Dat is uw mening, niet de mijne. Laat me uitstappen, dan bel ik de ambassade en kom terug met de bevestiging. Zoals u al zei, het heeft geen zin om te liegen. Rijdt u maar door. Ik neem wel een taxi.'

Stoltz gaf de chauffeur opdracht om voor de oranje markies te stoppen.

'Zoals u wilt. En als Dr. Lyons in uw plannen betrokken is, vergeet dan niet dat we overal in de wijk posten hebben staan. Ze hebben strenge bevelen. Die ontwerpen blijven waar ze zijn.'

'Ik betaal niet voor driekwart van de spullen, ongeacht wat er achtergebleven is. En ik heb geen zin in een botsing met die falanx van robots.'

De Packard stopte voor de markies. Spaulding opende vlug het portier en sloeg het kwaad achter zich dicht. Hij liep snel de verlichte ingang binnen en vroeg waar de telefoon was.

'De ambassadeur probeert al een halfuur u te bereiken,' zei de nachttelefonist. 'Hij zegt dat het dringend is. Ik moet u een telefoonnummer geven.' De telefonist las de cijfers langzaam voor.

'Dank u,' zei David. 'Verbind me nu met Mr. Ballard, alstublieft.'

'O'Leary's bar.' David hoorde de verveelde stem van Ballard.

'Je bent een grappig mannetje. Volgende week dinsdag zal ik om je lachen.'

'De telefonist zei dat jij het was. Granville probeert je te bereiken.'

'Dat heb ik gehoord. Waar is Jean?'

'In haar kamer, wegkwijnend zoals jij haar bevolen hebt.'

'Heb je iets uit Washington gehoord?'

'Alles is in orde. Het kwam een paar uur geleden door. Je codes zijn in orde bevonden. Hoe is het met de montagehandleiding?'

'De instructies – driekwart ervan – zitten in de doos. Maar er zijn te veel medespelers.'

'Terraza Verde?'

'In die buurt.'

'Zal ik een paar kleuteroppassers van FMF sturen?'

'Dan zou ik me wel prettiger voelen,' zei Spaulding. 'Laat ze wat rondrijden, meer niet. Ik zie ze wel en roep wel als ik ze nodig heb.'

'Het duurt een half uur voor ze er zijn.'

'Bedankt en mondje dicht, Bobby.'

'Ze zullen zo stil zijn, dat niemand dan wij erg in ze hebben.'

Spaulding drukte de hoorn met zijn vinger naar beneden om een nieuwe munt in te werpen en Granville te bellen... Er was geen tijd meer voor. Hij verliet de telefooncel en liep het restaurant uit naar de Packard. Stoltz zat voor het raampje. David zag dat iets van zijn eerdere zenuwachtigheid teruggekeerd was.

'De bevestiging is er. Lever de rest van de spullen en geniet maar van het geld... Ik weet niet waar je vandaan komt, Stoltz, maar ik zal erachter komen en het van de landkaart laten bombarderen. Ik zal de Achtste Luchtmacht de luchtaanval naar jou laten vernoemen.'

Stoltz leek opgelucht door Davids korzeligheid – David had niet anders verwacht. 'De man uit Lissabon is gecompliceerd. Dat hoort ook bij een gecompliceerde opdracht. We bellen u tegen de middag.' Stoltz wendde zich tot de chauffeur. '*Los, abfahren, machen Sie schnell.*'

De groene Packard schoot de straat uit. Spaulding wachtte onder de markies om te zien of hij ergens keerde. Als de wagen dat zou doen, zou hij naar het café terugkeren en daar blijven wachten.

Maar het gebeurde niet. De wagen bleef rechtdoor rijden. David keek hem na tot de achterlichten nog maar kleine rode stipjes waren. Toen draaide hij zich om en liep zo snel en onopvallend mogelijk richting Terraza Verde.

Hij kwam in het korte straatje waar hij de man in de lichtgrijze overjas had gezien en stond stil. Zijn bezorgdheid zette hem aan tot spoed, zijn intuïtie dwong hem te wachten, te kijken, om voorzichtig te zijn.

De man was niet meer in de straat; hij was nergens te zien. David draaide zich om en liep in tegengestelde richting tot het eind van het trottoir. Hij sloeg linksaf en rende de straat door naar de volgende hoek, sloeg daar weer linksaf en vertraagde zijn gang tot een rustig wandeltempo. Kende hij de wijk maar beter. Kende hij de gebouwen maar achter het witgepleisterde huis waar Lyons woonde. Anderen hadden dat voordeel. Anderen stonden in donkere schuilhoeken waarvan hij niets wist.

De wachten van Rhinemann. De man met de lichtgrijze overjas. Hoeveel meer waren er bij hèm?

Hij kwam op de kruising van de Terraza Verde en stak de straat diagonaal over, van het witgepleisterde huis vandaan. Hij hield zich zoveel mogelijk buiten het licht van de straatlantaarns en volgde het trottoir tot de straat achter de rij huizen op de Terraza Verde. Het was natuurlijk een straat met soortgelijke huizen, ouderwets, pittoresk, rustig. Spaulding keek naar het verticale naambordje: *Terraza Amarilla*.

San Telmo leefde een eigen leven.

Hij bleef staan op de verste hoek onder een gesnoeide boom en keek naar het gedeelte van de aangrenzende straat, waar hij dacht dat de achterkant van Lyons' huis moest zijn. Hij kon het schuine met dakpannen belegde dak nauwelijks zien, maar wel kon hij nauwkeurig vaststellen waar het gebouw erachter stond – ongeveer 150 meter verder.

Hij zag ook Rhinemanns auto, een van de wagens die hij tijdens de lange, omzichtige rit vanaf de Casa Rosada gezien had. De wagen stond geparkeerd tegenover een Italiaanse villa van lichte stenen met brede hekken aan weerszijden. David vermoedde dat achter die hekken stenen paden naar een muur of een afrastering leidden, die de afscheiding vormden van de achtertuin van het huis van Lyons. Zo moest het ongeveer wel zijn. De wachten van Rhinemann waren zo geplaatst dat ze iedereen die door die hekken kwam direct in het oog kregen.

En toen herinnerde Spaulding zich het gekraak van de radio's in het portaal en de keuken en de voortdurende herhaling van de Duitse nummers. Degenen die de radio's hadden, waren gewapend. Hij voelde onder zijn colbert en haalde de Beretta uit de holster. Hij wist dat het magazijn geladen was, hij maakte de veiligheidspal los, stopte het wapen onder zijn riem en liep de straat over naar de auto.

Voor hij de tegenoverliggende hoek had bereikt, hoorde hij achter zich een auto aankomen. Hij had geen tijd om weg te rennen, geen ogenblik om een beslissing te nemen – goed of slecht. Zijn hand ging naar zijn riem en hij probeerde een onverschillige houding aan te nemen.

Hij hoorde de stem en was verbijsterd.

'Stap in, verdomde stòmmeling.'

Leslie Hawkwood zat achter het stuur van een kleine Renault coupé. Ze had het portier aan de andere kant geopend. David pakte de deur, zijn gedachten verdeeld tussen zijn geschoktheid en zijn angst dat Rhinemanns wacht – of wachten – een honderd meter verderop het geluid gehoord hadden. Er liepen nog geen tien mensen in dit deel van de straat. Rhinemanns mannen móesten gewaarschuwd zijn. Hij sprong in de Renault en greep met zijn linkerhand Leslies rechterbeen boven de knie. Zijn greep was als een bankschroef, die op de zenuwen drukte. Hij sprak zachtjes, maar met onmiskenbare intensiteit.

'Rij zo rustig mogelijk achteruit, draai naar links en rij de straat uit.'

'Laat m'n been lòs!'

'Doe wat ik zeg of ik breek je knieschijf.'

De Renault was maar klein; het was niet nodig om achteruit te rijden. Leslie draaide het stuur om en de wagen maakte een scherpe bocht.

'Langzaam,' beval Spaulding, z'n ogen op Rhinemanns wagen gericht. Hij kon een hoofd zien draaien, twee hoofden. Toen waren ze uit het zicht.

David trok zijn hand terug. Ze trok haar been omhoog en haar schouders krompen samen van pijn. Spaulding greep het stuur en zette zonder ontkoppeling de versnelling op vrij. De wagen stopte halverwege de straat langs de stoeprand.

'Schoft. Je hebt mijn been gebroken.' Leslies ogen waren vol tranen, van pijn, niet van verdriet. Ze was bijna buiten zichzelf van razernij, maar ze schreeuwde niet. En dat onthulde David iets over Leslie dat hij nog niet eerder wist.

'Ik breek je meer dan je been alleen als je me niet vertelt wat je hier doet. Hoeveel anderen zijn hier? Ik heb er een gezien. Hoeveel zijn er nog meer?'

Ze richtte haar hoofd op, wierp haar lange haren naar achteren en keek hem uitdagend aan. 'Dacht je dat we hem niet konden vinden?'

'Wie?'

'Jouw geleerde. Die Lyons. We hebben hem gevonden.'

'In vredesnaam, Leslie, wat bezielt je?'

'Ik probeer jou tegen te houden.'

'Míj?'

'Jou, Altmüller, Rhinemann, Koening. Die zwijnen in Washington... Peenemünde. Ze vertrouwen je niet meer. Met "Tortugas" is het uit!'

Weer die naam zonder gezicht... Altmüller. Tortugas... Koening? Woorden... namen... met en zonder betekenis. Tunnels zonder licht.

Er was geen tíjd meer.

Spaulding stak z'n hand uit en trok het meisje naar zich toe. Hij greep het haar boven haar voorhoofd, trok er hard aan en klemde de vingers van zijn andere hand om haar keel, net onder haar kaakbeen. Hij drukte met korte, harde grepen, steeds iets harder.

Er was zoveel, en zo vreemd.

'Jij wilt dit spelletje meespelen; speel het dan ook uit. Vertel op! Wat gebeurt er? Nu?'

Ze probeerde zich los te wringen, sloeg wild met haar armen, schopte naar hem, maar iedere keer boorden zijn vingers zich in haar kaak. Haar ogen spalkten open tot ze uit hun kassen puilden. Hij sprak weer.

'Zeg op, Leslie. Ik zal je moeten vermoorden als je het niet doet. Ik heb geen andere keus. Nu niet meer... In vredesnaam, dwing me er niet toe.'

Ze zakte in elkaar; haar lichaam werd slap, maar ze was niet bewusteloos. Haar hoofd ging op en neer; ze steunde diep uit haar keel. Hij liet haar los en hield haar gezicht zachtjes vast. Ze opende haar ogen.

'Raak me niet aan. O God, raak me niet aan.' Ze kon nauwelijks fluisteren, laat staan schreeuwen. 'Naar binnen. We gaan naar binnen. De geleerde vermoorden... Rhinemanns mannen vermoorden.'

Voor ze uitgesproken was, had Spaulding zijn vuist gebald en een korte harde klap opzij tegen haar kin gegeven. Ze zakte in elkaar, bewusteloos.

Hij had genoeg gehoord. Er wàs geen tijd meer.

Hij legde haar neer op de voorbank en haalde de autosleutels uit het contact. Hij zocht naar haar beurs; ze had er geen. Hij deed de deur open en ook weer goed dicht en speurde de straat af. Er liepen twee echtparen halverwege de straat, een auto parkeerde op de hoek, op de bovenverdieping van een gebouw aan de overkant ging een raam open en er kwam muziek naar buiten. Verder was er niets. Er heerste rust in San Telmo.

Spaulding rende tot vlak bij de Terraza Amarilla. Hij stond stil en sloop langs een ijzeren hek bij de hoek, vloekend op het licht van de straatlantaarns. Hij keek door de zwarte tralies naar Rhinemanns auto die nog geen honderd meter verderop stond. Hij probeerde zich te concentreren op de voorbank, op de twee hoofden die hij een paar minuten geleden had zien bewegen. Er was nu geen beweging te zien, geen brandende sigaretten, geen bewegende schouders.

Niets.

Toch was er een onderbreking in het schaduwbeeld van de linkerruit, een vlek die het beneden gedeelte van de ruit besloeg. David liep langs de scherpe hoek van het ijzeren hek en ging langzaam naar de auto toe, de Beretta stevig in zijn hand, z'n vinger aan de trekker.

Zeventig meter, zestig, vijfenveertig.

De vlek bewoog zich niet.

Vijfendertig, dertig... Hij haalde het pistool te voorschijn, klaar om te schieten.

Niets.

Nu zag hij het duidelijk. De vlek was een hoofd, tegen de ruit geslagen, niet ertegenaan leunend, maar verdraaid, verwrongen; onbeweeglijk.

Dood.

Hij rende de straat over naar de achterkant van de auto en dook in elkaar, z'n Beretta op schouderhoogte. Er kwam geen geluid, geen geritsel uit de wagen.

De straat was nu leeg. Het enige geluid was het gedempte gegons achter honderd verlichte ramen. Verderop in de straat hoorde hij een deur sluiten; een hondje blafte; in de verte was het huilen van een baby te horen.

David ging rechtop staan en keek door de achterruit. Hij zag de gedaante van een tweede man uitgespreid over de viltbekleding van de voorbank. Het licht van de straatlantaarns bescheen de rug en de schouders van de man. Het was één massa bloed en verscheurde kleren.

Spaulding sloop naar de zijkant van de wagen naar de rechter voordeur. Het raam was open, wat hij binnen zag was walgelijk. De man achter het stuur was opzij door het hoofd geschoten, z'n metgezel diverse keren gestoken.

De langwerpige radio in de leren tas was kapot geslagen en lag op de vloer onder het dashboard.

Het moest in de afgelopen vijf of zes minuten gebeurd zijn, dacht David. Leslie Hawkwood was met de Renault de straat ingeschoten om hem te onderscheppen, precies op het moment dat met pistolen met geluiddempers en met messen gewapende mannen Rhinemanns wachten hadden aangevallen.

Na de moorden, moesten de mannen met de pistolen en de messen de straat over gerend zijn, de hekken door naar het huis van Lyons. Hollend zonder aan dekking of camouflage te denken, wetend dat de radio's in voortdurend contact stonden met de mannen in 15 Terraza Verde.

Spaulding opende de deur van de wagen, deed het raam dicht en trok het levenloze lichaam van de zitting af. Hij deed de deur dicht; de lichamen waren nog zichtbaar, maar minder dan eerst. Het was geen tijd voor alarm op straat als het vermeden kon worden.

Hij keek naar de hekken aan de overkant aan beide kanten van het huis. Dat aan de linkerkant stond op een kier.

Hij rende er naartoe en glipte door de opening zonder iets aan te raken. Hij hield zijn pistool langs zijn lichaam met de loop naar voren gericht. Achter het hek voerde een betonnen pad langs het gebouw naar een soort miniatuurpatio met een hoge stenen muur eromheen.

Hij liep behoedzaam maar snel naar het eind van de open doorgang; de patio was een combinatie van leistenen paden, stukjes gras en kleine bloemperken. Albasten beelden glommen in het maanlicht; klimplanten slingerden zich tegen de muren op.

Hij schatte de hoogte van de muur: ruim twee meter, misschien iets meer. De dikte twintig tot vijfentwintig centimeter – normaal. Constructie: nieuw, een paar jaar oud misschien, sterk.

Het was de constructie van de muur die hem de meeste zorgen baarde. Hij was in San Sebastian over een muur van drie meter hoog geklommen die onder hem in elkaar stortte. Een maand later was het vermakelijk, maar op het moment zelf kostte het hem bijna het leven.

Hij schoof de Beretta weer in de schouderholster en zette de veiligheidspal vast. Hij bukte zich en wreef z'n handen in het droge stof aan de rand van het betonnen pad om het zweet in zijn handen af te vegen. Hij stond op en holde op de stenen muur af.

Spaulding sprong. Eenmaal op de muur bleef hij plat voorover liggen met zijn handen tegen de zijkanten van de muur, zijn lichaam bewegingloos alsof het een deel van de muur was. Met zijn gezicht naar het terras van Lyons gekeerd bleef hij een paar seconden onbeweeglijk liggen. De achterdeur van Lyons flat was gesloten – er brandde geen licht in de keuken; alle gordijnen voor de ramen waren dicht. Er kwam geen geluid van binnen.

Hij liet zich van de muur glijden, haalde zijn pistool te voorschijn en rende naar de kant van de keukendeur, waar hij zich tegen de gepleisterde muur drukte. Tot zijn verbazing zag hij dat de deur níet gesloten was en toen zag hij waarom. Op de drempel, nauwelijks zichtbaar in het duister van de keuken, lag een stuk van een hand; die hand had de onderkant van de deursponning vastgegrepen en was verbrijzeld tussen de deur en de drempel; de vingers waren de vingers van een dode.

Spaulding boog zich naar voren en duwde tegen de deur. Een klein stukje, nog iets meer. Hout tegen dood gewicht, zijn elleboog deed pijn van het drukken.

Tien, vijftien, dertig centimeter.

Hij hoorde nu onherkenbare stemmen, flauw hoorbare, opgewonden mannenstemmen.

Hij ging recht voor de deur staan en duwde met alle kracht – zo rustig mogelijk – tegen het gevallen lichaam dat als een zwaar, zacht dood gewicht tegen de sponning drukte. Hij stapte over het lijk van Rhinemanns wacht en merkte op dat de langwerpige radio uit de leren tas was getrokken en kapotgeslagen op de grond lag. Geluidloos sloot hij de deur.

De stemmen kwamen uit de zitkamer. Zich tegen de muur drukkend, schoof hij verder, de Beretta klaar om te schieten.

Zijn oog viel op de open deur van een provisiekast aan de tegenoverliggende muur. Hoog in de westelijke muur zat het enige venster met ruiten van goedkoop gekleurd glas, waardoor het onwezenlijk gekleurde maanlicht naar binnen viel. Op de vloer lag Rhinemanns tweede wacht. Hij kon niet zien hoe de man gestorven was; het lichaam lag achterover gebogen – waarschijnlijk had een kogel van een licht pistool hem gedood. Een pistool met een geluiddemper erop. Dat zou geen lawaai maken. David voelde de transpiratie over z'n voorhoofd en in z'n nek druppelen.

Hoeveel waren er? Ze hadden een garnizoen uitgeschakeld.

En toch had hij een vreemde verplichting tegenover Lyons. Hij voelde zich op dit moment tegenover Lyons verplicht. Verder durfde hij niet te denken.

En hij was goed; hij kon – en mocht – dat nooit vergeten. Hij was de beste.

Als dat voor iemand belangrijk was. *Er was zoveel, en zo vreemd.*

Hij drukte zijn wang tegen de toog en wat hij zag deed hem walgen. De afkeer werd misschien vergroot door de omgeving. Een goed ingerichte flat met stoelen en sofa's en tafels, bedoeld voor beschaafde mensen met beschaafde bezigheden.

Niet met de dood.

De twee verplegers – de vijandige Johnny, de vriendelijke, domme Hal – lagen op de vloer, arm in arm, hun hoofden vlak bij elkaar. Hun beider bloed had een plas gevormd op het parket. Johnny's ogen stonden wijd open, boos – dood. Het gezicht van Hal was kalm, vragend en rustig.

Achter hen lagen twee andere wachten van Rhinemann, hun lichamen op de sofa, als geslacht vee.

Ik hoop dat u weet wat u doet.

Johnny's woorden vibreerden pijnlijk – als schrille kreten – door Davids hersens.

Er waren nog drie mannen in de kamer. Ze stonden, levend, met dezelfde groteske maskers op als de mannen in de Mercedes gedragen hadden, die de paar ogenblikken onderbroken hadden dat hij alleen was geweest met Leslie Hawkwood in de heuvels van Luján.

De Mercedes die brandend ontplofte in de heuvels van Colinas Rojas.

De mannen – geen van hen was gewapend – stonden over de

uitgeputte Eugene Lyons gebogen die, zonder angst, op zijn gemak aan de tafel zat. De blik in de ogen van de geleerde onthulde de waarheid zoals Spaulding die zag: de dood was hem
welkom.
'U ziet wat er om u heen gebeurt.' De man in de lichtgrijze overjas had het woord. 'We zullen niet langer aarzelen. U bent al
dood... geef ons de "tekeningen".'
Verdomme! dacht David. Lyons had de tekeningen verstopt.
'Het heeft geen zin om vol te houden, gelooft u me maar,' ging
de man met de overjas verder, de man met de weggezonken
ogen die Spaulding zich zo goed herinnerde. 'Uw leven kan gespaard worden, maar alleen als u 't ons vertelt. Nù.'
Lyons bewoog zich niet. Hij keek de man met de overjas aan
zonder z'n hoofd te bewegen, met een rustige blik. De blik kruiste die van David.
'Schrijf het op,' zei de man in de lichtgrijze overjas.
Het was het moment voor actie.
David vloog met het pistool in aanslag naar binnen.
'Blijf van je wapens af. Jíj!' schreeuwde hij tegen de man die het
dichtst bij hem stond. 'Draai je om.'
Geschokt, zonder te denken, gehoorzaamde de man. Spaulding
deed twee passen vooruit en gaf een harde klap met de Beretta
op de schedel van de man. Die zakte onmiddellijk in elkaar.
David schreeuwde tegen de man naast de ondervrager met de
grijze overjas. 'Til die stoel op. Metéén!' Hij wees met zijn pistool naar een stoel met een rechte rug die een eindje van de tafel
af stond. 'Metéén, zei ik.'
De man reikte naar voren en deed wat hem gezegd was. Hij was
verstard. Spaulding zei: 'Als je hem laat vallen, vermoord ik je...
Doctor Lyons. Neem ze hun wapens af. Ze hebben pistolen en
messen. Vlug alstublieft.'
Het gebeurde allemaal heel vlug. David wist dat de enige hoop
een vuurgevecht te vermijden de snelheid van de actie was, de
onmiddellijke uitschakeling van een of twee mannen, een plotselinge ommekeer van de kansen.
Lyons stond op van zijn stoel en ging eerst naar de man in de
lichtgrijze overjas. Het was duidelijk dat de geleerde gezien had
waar de man zijn pistool had. Hij haalde 't uit de zak van de
overjas. Hij ging naar de man die de stoel vasthield en verwijderde eenzelfde pistool. Vervolgens fouilleerde hij de man en haal-

de een groot mes uit diens colbert en een tweede korte revolver uit een schouderholster. Hij legde de wapens op het verste eind van de tafel en liep naar de bewusteloze derde man. Hij rolde hem om en ontnam hem twee pistolen en een stiletto.

'Doe je jasjes uit. Nú!' commandeerde Spaulding de twee mannen. Hij nam van de man naast hem de stoel af en duwde hem naar zijn metgezel. De mannen begonnen hun jasjes uit te doen, toen Spaulding plotseling een nieuw bevel gaf voor een van hen beiden zijn colbert geheel uit had. 'Stop met het uittrekken. Doctor, wilt u twee stoelen pakken en die achter hen neerzetten.'

Lyons deed het.

'Ga zitten,' zei Spaulding tegen zijn gevangenen.

Ze gingen zitten, hun colberts van hun schouders afhangend. David liep op hen toe en trok de kledingstukken verder naar beneden tot aan de ellebogen.

De twee mannen, met de panty's als groteske maskers op, zaten op de stoelen, hun armen uitgeschakeld door hun eigen kleren. Spaulding ging voor de mannen staan en rukte de zijden maskers van hun gezicht. Hij stapte terug en leunde tegen de tafel met zijn pistool in de hand.

'Goed,' zei hij. 'Ik schat dat we een minuut of vijftien hebben voordat de hel losbreekt... Ik heb een paar vragen. U zult me de antwoorden geven.'

36

Spaulding luisterde; hij kon zijn oren niet geloven. De afschuwelijkheid van de beschuldiging was zo verstrekkend, dat het – in een heel reële zin – zijn verstand te boven ging.

De man met de holle ogen was Asher Feld, commandant van de Voorlopige Vleugel van de Hagana in de Verenigde Staten. Hij voerde het woord.

'De operatie – de ruil van de gyroscooptekeningen tegen industriediamanten – kreeg de naam "Tortugas" van de Amerikanen, één Amerikaan om precies te zijn. Hij had beslist dat de overdracht plaats zou vinden op Dry Tortugas, maar dat was klaarblijkelijk door Berlijn afgewezen. 't Was echter als codenaam door deze man aangehouden. De misleidende conclusie paste precies bij zijn paniek over zijn medeplichtigheid. Het werd voor hem en voor Fairfax de benaming voor de activiteiten van de man uit Lissabon.

Toen het fiat van het ministerie van oorlog – een geallieerde vereiste – afkwam bij het Newyorkse kantoor van de Koening diamantmaatschappij, gaf deze man de toestemming voor de codenaam "Tortugas". Als iemand informeerde, was "Tortugas" een Fairfax operatie. Er zouden geen vragen over gesteld worden.

De ruil werd in eerste instantie bedacht door de Nachrichtendienst. Daar hebt u zeker wel eens van gehoord, overste.'

David gaf geen antwoord. Hij kon niet spreken. Feld ging verder.

'Wij van de Hagana hoorden ervan in Genève. We hoorden dat er een ongewone bespreking had plaatsgevonden tussen een Amerikaan, ene Kendall – een financiële medewerker van een grote luchtvaartmaatschappij – en een diep verachte Duitse zakenman, een homoseksueel, die naar Zwitserland gezonden was door een hoofdambtenaar van het ministerie van bewapening, Unterstaatssekretär Franz Altmüller... De Hagana is overal, overste, ook in de bureaus van het ministerie en in de Luftwaffe.'

David bleef de jood aanstaren, die zijn bijzondere – ongelooflijke – verhaal zo zonder omhaal vertelde.

'U zult het met me eens zijn dat zo'n bespreking ongewoon was. Het was niet moeilijk om deze twee koeriers in een situatie te manoeuvreren die ons een geluidsopname bezorgde. Ze spraken in een afgelegen restaurant en het waren amateurs.

We kenden toen de grondbeginselen. De artikelen en in welk gebied de overdracht zou plaatsvinden. Maar niet het exacte punt daarvan, en dat was de belangrijkste factor. Buenos Aires is enorm groot, zeker de haven, die zich mijlen ver uitstrekt. Waar in dit uitgestrekte gebied van land en bergen en water zou de overdracht plaatsvinden?

Toen kregen we natuurlijk bericht uit Fairfax. De man uit Lissabon werd teruggeroepen. Een hoogst ongewone maatregel, maar wel uitstekend bedacht. De beste netwerkspecialist in Europa, die vloeiend Duits en Spaans sprak, een expert op het gebied van tekeningen. Erg logisch. Vindt u ook niet?'

David wilde iets zeggen, maar bedwong zich. Er werden dingen gezegd die bliksemflitsen in zijn brein ontketenden. En ongelooflijke donderslagen... even ongelooflijk als de woorden die hij nu hoorde. Hij kon alleen knikken. Versuft.

Feld nam hem scherp op. Toen sprak hij weer.

'In New York vertelde ik u, zij het kort, over de sabotage op het vliegveld van Terceira. Zeloten, fanatici. Het feit dat de man uit Lissabon kon vluchten en deel kon uitmaken van de ruil was te veel voor de heetgebakerde Spaanse joden. Niemand was opgeluchter dan wij van de Voorlopige Vleugel toen u ontsnapte. We namen aan dat uw verblijf in New York ten doel had de werkwijze te perfectioneren. Vanuit die gedachtengang gingen wij aan het werk.

Toen was er plotseling geen tijd meer. Rapporten uit Johannesburg – onvergeeflijk vertraagd – meldden dat de diamanten in Buenos Aires waren aangekomen. We namen de nodige gewelddadige maatregelen, waaronder een poging om u te vermoorden. Dit werd vermoedelijk verhinderd door de mannen van Rhinemann.' Asher Feld zweeg even. Toen voegde hij er vermoeid aan toe: 'De rest weet u.'

Nee! De rest wist hij niet! Evenmin als welk ander deel!

Krankzinnigheid!

Waanzin!

Alles was niets. Niets was alles!

De jaren! De levens... De verschrikkelijke nachtmerrie van de

angst... het moorden! O God, het moorden!
Waarvoor...? O God, waarvoor?
'*Je liegt.*' David sloeg hard met zijn hand op de tafel. Het staal van zijn pistool sloeg met zo'n kracht tegen het hout dat de slag in de kamer vibreerde.
'*Je liegt!*' riep hij; hij schreeuwde niet. 'Ik ben in Buenos Aires om gyroscooptekeningen te kopen. Om hun echtheid te laten verifiëren en per code te bevestigen, zodat die smeerlap in Zwitserland betaald wordt. Dat is àlles. *Anders niets. Anders helemaal niets. Dit niet.*'
'Toch wel...' Asher Feld zei het zachtjes. 'Dit is 't.'
Davids gedachten tolden oncontroleerbaar in het rond. Hij rekte zijn hals uit, maar de harde donderslagen in zijn hoofd wilden niet ophouden, de verblindende lichtflitsen voor zijn ogen veroorzaakten een vreselijke pijn. Hij zag de lichamen op de vloer, het bloed... de lijken op de sofa, het bloed.
Tableau van de dood.
De Dood.
Zijn hele schimmenwereld was uit zijn baan gerukt. Ontelbare speculaties... inspanningen, manipulaties, moorden. En nog meer moorden... alles vervaagd in een zinloze leegte. Het verraad – als 't verraad was – was zo reusachtig... honderdduizenden waren opgeofferd voor totaal niets.
Hij moest wachten. Hij moest nadenken, zich concentreren.
Hij keek naar de akelig uitgeteerde Eugene Lyons, wiens gezicht doodsbleek was.
De man is stervend, dacht Spaulding.
De dood.
Hij moest zich concentreren.
Of hij zou gek worden.
Hij draaide zich om naar Feld. De ogen van de jood toonden medelijden. Ze hadden iets anders kunnen uitdrukken, maar dat deden ze niet. Ze toonden medelijden.
En toch waren het de ogen van een man die weloverwogen en rustig doodde.
Zoals hij, de man uit Lissabon, gedood had.
Executie.
Waarvoor?
Er rezen vragen. *Concentreer je op de vragen. Luister.* Ontdek abuizen. *Ontdek abuizen.* Als er ooit een abuis nodig was ge-

weest in deze wereld, dan was 't nù.

'Ik geloof je niet,' zei David en probeerde overtuigender te zijn dan hij ooit geweest was.

'Ik geloof dat u dat wel doet,' antwoordde Feld rustig. 'Dat meisje, Leslie Hawkwood, vertelde ons dat u 't niet wist. Wij konden dat moeilijk geloven... Ik geloof het nu wel.'

David moest een ogenblik nadenken. Aanvankelijk had hij de naam niet herkend. *Leslie Hawkwood.* En toen herkende hij hem natuurlijk meteen. Met pijn in het hart. 'In welk verband staat zij tot u?' vroeg hij als verdoofd.

'Herold Goldsmith is haar oom. Aangetrouwd uiteraard; zij is geen joodse.'

'Goldsmith? De naam zegt me niets.'

Concentreren. Hij moest zich concentreren en verstandig praten.

'Hij betekent wel iets voor duizenden joden. Hij is de man achter de Baruch en Lehman onderhandelingen. Hij heeft meer gedaan om onze mensen uit de kampen te krijgen dan wie ook in Amerika... Hij wilde niets met ons te maken hebben tot de beschaafde, meevoelende mannen in Washington, Londen en het Vaticaan zich van hem afkeerden. Toen kwam hij bij ons... razend. Hij ontketende een orkaan, waardoor zijn nicht werd opgezweept. Ze is overdreven dramatisch, maar toegewijd en efficiënt. Ze komt in kringen waar joden niet gewenst zijn.'

'*Waarom...?*' *Luister. In vredesnaam, luister. Wees verstandig. Concentreer je!*

Asher Feld hield even op met praten en zijn donkere holle ogen verrieden een stille haat. 'Ze leerde tientallen... misschien honderden mensen kennen die Goldsmith vrij gekregen heeft. Ze zag foto's, hoorde de verhalen. Dat was genoeg. Ze was klaar om mee te doen.' David voelde de rust weer in zich terugkeren, Leslie was de springplank die hij nog had om terug te keren uit deze waanzin. Er waren vragen...

'Ik kan de premisse niet afwijzen dat Rhinemann de ontwerpen kocht...'

'Ach kom,' onderbrak Feld hem. 'U was de man in Lissabon. Hoe vaak vonden uw eigen agenten – uw beste agenten – Peenemünde onbereikbaar? Heeft de Duitse ondergrondse zelf het niet opgegeven om daar te penetreren?'

'Niemand geeft ooit op. Aan beide kanten. De Duitse onder-

grondse maakt hier deel van uit.' *Dat was het abuis*, dacht David.
'Als dat waar was,' zei Feld en gebaarde met zijn hoofd naar de
dode Duitsers op de sofa, 'dan waren die mannen hier leden van
de ondergrondse. U kent de Hagana, Lissabon. Zulke kerels
vermoorden we niet.'
Spaulding keek de beheerst sprekende jood aan en wist dat hij
de waarheid sprak.
'Een paar avonden geleden,' zei Spaulding snel, 'in de Paraná,
werd ik gevolgd en in elkaar geslagen... maar ik zag de persoonsbewijzen. Het waren Gestapo-lui.'
'Het waren mensen van de Hagana,' antwoordde Feld. 'De Gestapo is onze beste dekmantel. Als ze van de Gestapo geweest
waren zou dat inhouden dat ze uw taak kenden... Zouden ze u
hebben laten leven?'
Spaulding begon bezwaren te maken. De Gestapo zou geen
moorden in een neutraal land riskeren, niet met legitimatiepapieren bij zich. Toen realiseerde hij zich de absurditeit van zijn
redenering. Buenos Aires was Lissabon niet. Natuurlijk zouden
ze hem vermoorden. En toen herinnerde hij zich de woorden
van Heinrich Stoltz.
*Tot op 't hoogste niveau hebben we 't nagegaan... niet de Gesta-
po... onmogelijk...*
En het vreemde ongepaste excuus: *de rassentheorieën van Rosenberg en Hitler worden niet gedeeld... hoofdzakelijk een economische kwestie...*
Een verdediging van het onverdedigbare gegeven, door een
man wiens loyaliteit volgens zijn zeggen níet het Derde Rijk
gold, maar *Erich Rhinemann*. Een jood.
Tenslotte Bobby Ballard.
Hij is een overtuigde... een echte Junker.
'O mijn God,' fluisterde David.
'U bent in het voordeel, overste. Wat kiest u? Wij zijn bereid te
sterven. Ik wil niet de held uithangen; ik vermeld een feit.'
Spaulding bleef onbewogen staan. Hij zei zachtjes op ongelovi-
ge toon:
'Beseft u de consequenties?'
'We begrepen ze,' onderbrak Feld hem, 'nadat uw Walter Ken-
dall Johann Dietrich in Genève ontmoette.'
David reageerde alsof hij een klap in zijn gezicht kreeg. 'Jo-
hann... *Dietricht?*'

'De walgelijke erfgenaam van Dietricht Fabriken.'

'J.D.,' fluisterde Spaulding en herinnerde zich de verfrommelde gele blaadjes papier in het kantoor van Walter Kendall in New York. De borsten, de geslachtsdelen, de hakenkruizen... de obscene, zenuwachtige tekeningetjes van een obscene, zenuwachtige man. 'Johann Dietricht... J.D.'

'Altmüller liet hem vermoorden. In zekere zin voorkwam dat...'

'Wáárom?' vroeg David.

'Om ieder spoor naar het ministerie van bewapening uit te sluiten, vermoeden wij, iedere relatie met het Oberkommando. Dietricht leidde de besprekingen in tot een stadium waarop ze naar Buenos Aires overgeheveld konden worden. Naar Rhinemann. Door de dood van Dietricht was het Oberkommando nog een stap verder verwijderd.'

De verschillende punten schoten door Davids brein: Kendall was in paniek uit Buenos Aires gevlucht; er was iets fout gegaan. De accountant wilde zich niet in een hinderlaag laten lokken of vermoorden. En hij, David, moest Rhinemann vermoorden. Na de ontwerpen was de dood van Rhinemann het belangrijkste genoemd. En met zijn dood was Washington ook 'een stap verder verwijderd' van de ruil.

En Edmund Pace dan?

Edmund Pace.

Nooit.

'Een man werd vermoord,' zei David. 'Een kolonel Pace...'

'In Fairfax,' zei Asher Feld. 'Dat was nodig. Hij werd gebruikt, zoals u gebruikt wordt. We moeten zakelijk blijven... Zonder dat hij de consequenties kende – of weigerde ze voor zichzelf te erkennen – was kolonel Pace de constructeur van "Tortugas".'

'U had 't hem kunnen zèggen. Niet vermoorden. Jullie hadden het kunnen tegenhouden. Schoften!'

Asher Feld zuchtte. 'Ik geloof niet dat u de hysterie onder uw industriëlen doorgrondt; of van die van het Reich. Hij zou uit de weg geruimd zijn. Door dit zelf te doen, neutraliseerden we Fairfax. En de niet geringe faciliteiten van Fairfax.'

Het had geen zin om stil te staan bij de nóódzaak van de dood van Pace, dacht David. Feld, de pragmaticus, had gelijk: Fairfax had geen zeggenschap meer over 'Tortugas'.

'Dan weet Fairfax het niet.'

'Onze man wel. Maar niet genoeg.'

'Wie is het? Wie is uw man in Fairfax?'

Feld wees naar zijn zwijgzame metgezel. 'Hij weet het niet en ik vertel 't u niet. U kunt me vermoorden, maar ik vertel het u niet.'

Spaulding wist dat de jood met de donkere ogen de waarheid sprak. 'Als Pace werd gebruikt... en ik, wie gebruikt ons dan?'

'Daar kan ik geen antwoord op geven.'

'U weet al zoveel. U moet er een mening over hebben. Vertel me die.'

'Degene die u bevelen geeft, denk ik.'

'Eén man...'

'Die kennen we. Hij is niet erg goed, vindt u niet? Er zijn anderen.'

'*Wie?* Waar houdt het op? Bij Buitenlandse Zaken? Het ministerie van oorlog? *Het Witte Huis?* In godsnaam, wáár?'

Zulke begrenzingen verliezen hun betekenis bij deze transacties. Ze verdwijnen.'

'*Mannen niet*. Mannen verdwijnen niet.'

'Zoekt u dan degenen die met Koening zaken deden. In Zuid-Afrika. De mannen van Kendall. Zij hebben "Tortugas" bedacht.' Asher Felds stem werd luider.

'Dat is uw zaak, overste Spaulding. We willen er alleen een eind aan maken. Daar zullen we zelfs graag voor sterven.'

David keek de man met het smalle, droevige gezicht aan. 'Betekent het zoveel voor u? Met wat u weet en wat u gelooft? Verdient een van beide partijen zoveel moeite?'

'Er moeten altijd prioriteiten bestaan. Zelfs in dalende lijn. Als Peenemünde gered wordt – als dat weer kan functioneren – heeft het Reich weer een onderhandelingspositie die voor ons onaanvaardbaar is. Denkt u aan Dachau, aan Auschwitz, aan Bergen-Belsen. Onaanvaardbaar.'

David liep om de tafel heen en ging voor de joden staan. Hij stak zijn Beretta in de schouderholster en keek Asher Feld aan.

'Als u tegen me gelogen hebt, vermoord ik u. En dan ga ik terug naar Lissabon en het noordelijke gebied in en vernietig alle Haganafanatici in de bergen. En degenen die ik niet vermoord, die zal ik ontmaskeren. Trek uw jassen aan en verdwijn. Neem een kamer in het Alvear hotel onder de naam van... Pace. *E. Pace*. Ik neem weer contact met u op.'

'En onze wapens?' vroeg Feld, terwijl hij zijn lichtgrijze overjas over zijn schouders trok.

'Die houd ik. U kunt zich zeker nieuwe veroorloven... En blijf niet buiten op ons wachten. Er patrouilleert hier een FMF-wagen voor me.'

'En "Tortugas"?' smeekte Asher Feld.

'Ik zei u dat ik contact met u zou houden,' schreeuwde Spaulding. 'Verdwijn nu... Neem dat meisje Hawkwood mee, ze zit in de Renault om de hoek. Hier zijn de sleutels.' David haalde ze uit zijn zak en gooide ze naar de metgezel van Asher Feld, die ze moeiteloos opving. 'Stuur haar terug naar Californië. Vanavond, als u dat lukt. Uiterlijk morgenochtend. Is dat duidelijk?'

'Ja. Néémt u contact op?'

'Eruit,' zei Spaulding uitgeput.

De twee Hagana-agenten stonden van hun stoel op. De jongste liep naar de bewusteloze derde man, tilde hem van de grond en legde hem op zijn schouders. Asher Feld stond in de vestibule, draaide zich om en liet zijn blik een ogenblik op de dode lichamen rusten en daarna op Spaulding.

'U en ik moeten ons bezig houden met prioriteiten... De man uit Lissabon is een bijzondere man.' Hij draaide zich om naar de deur en hield die open, terwijl zijn metgezel de derde man naar buiten droeg. Hij ging naar buiten en trok de deur achter zich dicht.

David draaide zich om naar Lyons. 'Haal de tekeningen.'

37

Toen het gevecht op Terraza Verde nummer 15 begon, had Eugene Lyons iets opmerkelijks gedaan. Het was zo eenvoudig dat je het onberispelijk zou kunnen noemen, dacht Spaulding. Hij had de metalen doos met de tekeningen gepakt, zijn slaapkamerraam geopend en de trommel een paar meter naar beneden laten vallen in een bed tijgerlelies, die langs een kant van het huis groeiden. Hij had het raam gesloten, was naar zijn badkamer gelopen en had de deur op slot gedaan.

Alles in aanmerking genomen – de schok, de paniek, zijn eigen bekende tekortkomingen – had hij gedaan wat het minste verwacht werd; hij had zijn hoofd koel gehouden. Hij had de doos verwijderd, niet geprobeerd hem te verstoppen. Hij had hem verplaatst naar een beréikbare plaats, en dat zou niet in het hoofd opkomen van de fanatici die gebruik maakten van gecompliceerde tactieken en onberekenbare listen.

David volgde Lyons door de keukendeur naar de zijkant van het huis. Hij nam de doos uit de trillende handen van de geleerde over en hielp de bijna hulpeloze man over het lage hek naar het aangrenzende perceel. Samen renden zij achter de twee volgende huizen langs en kropen voorzichtig naar de straat toe. Met zijn linkerhand hield Spaulding Lyons stevig bij de schouder, en drukte hem tegen de muur, klaar om hem bij het minste teken van vijandelijkheden op de grond te gooien.

Toch verwachtte David geen vijandelijkheden. Hij was ervan overtuigd dat de Hagana alle wachten van Rhinemann voor het huis had opgeruimd, om de eenvoudige reden dat Asher Feld door de voordeur was weggegaan. Wat hij wel mogelijk achtte was dat Asher Feld een laatste vertwijfelde poging zou doen om de ontwerpen in zijn bezit te krijgen. Of de plotselinge verschijning van een auto van Rhinemann die geen radiocontact meer had kunnen krijgen met Terraza Verde no. 15.

Dat was allebei mogelijk, maar hij verwachtte geen van beide. Het was te laat en te vroeg.

Wat David vooral hoopte te ontdekken, was een blauwgroene auto die langzaam door de straten reed. Een wagen met kleine oranje kentekenen op de bumpers, die aangaven dat de wagen

Amerikaans eigendom was. Ballards 'kleuteroppassers', de mannen van de FMF basis.

De wagen reed niet rond. Hij stond stil aan het einde van de straat, met de parkeerlichten aan. Er zaten drie mannen in die sigaretten rookten, de gloed verlichtte de wagen van binnen. Hij wendde zich tot Lyons.

'Kom mee. Loop langzaam, nonchalant. De wagen staat daar.'

De chauffeur en de man naast hem stapten uit toen Spaulding en Lyons op het trottoir verschenen. Ze stonden onhandig bij de motorkap en waren in burger. David stak de straat over en sprak ze aan. 'Stap in de wagen en zorg dat we hier wegkomen. En waarom schilder je de wagen niet vol met schietschijven? Dan zou je niet meer een doelwit zijn dan nu.'

'Rustig aan, ouwe jongen,' antwoordde de chauffeur. 'We zijn hier net.' Hij opende de achterdeur en Spaulding hielp Lyons instappen. 'U zou rondrijden, niet parkeren als waakhonden.'

David ging naast Lyons zitten, de man aan de andere kant schoof opzij. De chauffeur ging achter het stuur zitten, sloot het portier en zette de motor aan. De derde man bleef buiten staan.

'Laat hem instappen,' snauwde Spaulding.

'Hij blijft waar hij is, overste,' zei de man op de achterbank naast Lyons. 'Hij blijft hier.'

'Wie bent u?'

'Kolonel Daniel Meehan, Fleet Marine Force, Marine Inlichtingendienst. En we willen graag weten wat er aan de hand is.'

De wagen reed weg.

'Deze aangelegenheid valt buiten uw ressort,' zei David langzaam, bedachtzaam. 'En ik heb geen tijd voor gekwetste ego's. Rijd ons naar de ambassade, alstublieft.'

'Barst met je ego's. We vragen alleen een simpele opheldering. Weet u wat er gaande is in onze sectie van de stad? Dit ritje naar Telmo is maar een klein ongerief. Ik zou hier niet zijn als uw naam niet genoemd was door die eigenwijze cryptograaf...! *Verdomme!*'

Spaulding leunde achterover en keek Meehan aan. 'Vertelt u me liever wat er aan de hand is in uw sectie van de stad en waarom mijn naam u naar Telmo gebracht heeft.'

De marinier beantwoordde Spauldings blik en keek toen – met duidelijke afkeer – naar de asbleke Lyons. 'Waarom niet? Is uw vriend ingewijd?'

'Nu wel. Niemand meer dan hij.'

'Er patrouilleerden drie kruisers voor de kuststreek van Buenos Aires plus een torpedobootjager en er is ook een vliegkampschip in de buurt. Vijf uur geleden kregen we een blauw alarm: bereidt u voor op een radio- en radarstilte. Alle schepen en vliegtuigen moeten blijven liggen waar ze zijn. Drie kwartier later kwam er een scramble in code uit Fairfax, classificatie viernul. Onderschep overste David Spaulding, ook vier-nul. Hij moet direct contact opnemen.'

'Met Fairfax?'

'Alléén met Fairfax. Dus sturen we iemand naar uw huis op de Cordoba. Hij vindt u niet maar hij vond daar wel een vreemde vogel die uw kamers overhoop haalde. Hij probeerde hem te arresteren, maar werd bewusteloos geslagen. Een paar uur later kwam hij bij ons terug met een kapot hoofd en wie belde er op? Gewoon over de publieke telefoon?'

'Ballard,' antwoordde David rustig. 'De cryptograaf van de ambassade.'

'De linkmiegel. Hij maakte geintjes en zei ons spelletjes te gaan spelen in Telmo. En op u te wachten voor beslissingen.' De kolonel schudde geërgerd het hoofd.

'U zei dat het blauwe alarm een voorbereiding was voor radar- en radiostilte.'

'En dat alle schepen en vliegtuigen moeten stilliggen,' onderbrak Meehan hem. 'Wat of wie komt hierheen? De hele verdomde generale staf? *Roosevelt? Churchill? Rin-tin-tin? En wat zijn wíj? De vijand?*'

'Het gaat er niet om wat er binnenkomt, kolonel,' zei David zachtjes. 'Het gaat erom wat er uitgaat... Wanneer wordt het bevel van kracht?'

'Dat staat niet vast. In de loop van de komende achtenveertig uur. Hoe kan ik dan een strak schema opstellen?'

'Wie is mijn contactpersoon in Virginia?'

'O... hier.' Meehan ging verzitten en gaf hem een verzegelde, gele envelop, zoals alleen voor codeberichten gebruikt worden. David reikte voor Lyons langs en nam de envelop aan.

Er klonk een gekraak uit de radio, gevolgd door het enkele woord 'Roodborst' uit de luidspreker. De chauffeur nam snel de microfoon van het dashboard.

'Hier "Roodborst",' zei de marinier.

Het gekraak hield aan maar de woorden waren duidelijk. 'Onderschepping van Spaulding. Pik hem op en breng hem hierheen. Vier-nul orders van Fairfax. Geen contact met de ambassade.'

'U heeft het gehoord,' lachte Meehan. 'Vanavond niet naar de ambassade.'

David was verbijsterd. Hij begon bezwaren te maken – boos, woedend; toen hield hij op... Fairfax. Geen nazi, maar Hagana. Asher Feld had het gezegd. De Voorlopige Vleugel hield zich alleen met de praktijk bezig. En het meest praktische doel in de komende achtenveertig uur was de man met de codes uit te schakelen. Washington zou zonder die codes geen radio- en radarstilte bevelen; en een vijandige onderzeeër die opdook voor een ontmoeting met een treiler zou op de radarschermen te zien zijn en kapot geschoten worden. De Koening-diamanten – het materiaal voor Peenemünde – zouden naar de bodem van de Atlantische Oceaan verhuizen.

Verdomme, wat een ironie, dacht David. Fairfax – iemand in Fairfax – deed precies wat gedaan moest worden, daartoe aangezet door overwegingen die Washington – en de vliegtuigmaatschappijen – weigerden te erkennen. Zij hadden andere zorgen; driekwart ervan lag aan Spauldings voeten. Substratosferische gyroscoopontwerpen. David gaf een duwtje tegen de schouder van Lyons. De uitgemergelde geleerde bleef recht voor zich uit staren maar beantwoordde het gebaar van Spaulding door hem aarzelend met zijn linker elleboog aan te stoten.

David schudde zijn hoofd en zuchtte hoorbaar. Hij hield de gele envelop omhoog, haalde zijn schouders op en stak de envelop in zijn binnenzak. Toen zijn hand weer te voorschijn kwam, hield hij een pistool vast.

'Ik kan die bevelen helaas niet opvolgen, kolonel Meehan.' Spaulding richtte het pistool op het hoofd van de marinier; Lyons leunde achterover op de achterbank.

'Wat doet u, verdomme?' Meehan schoot vooruit. David haalde de haan bijna helemaal over.

'Zeg tegen de chauffeur dat hij rijdt waarheen ik wil. Ik wil u liever niet vermoorden, kolonel, maar ik doe het als het nodig is. Het is een kwestie van prioriteiten.'

'U bent een dubbelspion. Daar was het Fairfax om te doen!'

David zuchtte. 'Was het maar zo eenvoudig.'

Lyons handen trilden toen hij de knopen om Meehans polsen aantrok. De chauffeur lag een kilometer terug, goed vastgebonden in de berm van de landweg in het hoge gras. Er was hier 's nachts bijna geen verkeer. Ze waren in de heuvels van de Colinas Rojas.

Lyons deed een paar stappen terug en knikte tegen Spaulding. 'Stap in de auto.'

Lyons knikte nog eens en liep op de auto toe. Meehan rolde zich om en keek omhoog naar David.

'Je bent al dood, Spaulding. Je komt voor het vuurpeloton. Je bent nog stom ook. Je nazivrienden zullen deze oorlog verliezen.'

'Dat is te hopen,' antwoordde David. 'En wat executies betreft, zullen er wel meer voltrokken worden. In Washington zelf. Daar gaat het hier juist om, kolonel. Morgen zal iemand u hier wel vinden. Als u wilt kunt u proberen u zelf naar het westen te rollen. Uw chauffeur ligt een anderhalve kilometer verderop... Het spijt me.'

Spaulding haalde half verontschuldigend zijn schouders op en holde naar de FMF auto. Lyons zat op de voorbank en toen de binnenverlichting op zijn gezicht scheen, zag David zijn ogen. Was het mogelijk dat er in die blik een poging lag om dankbaarheid te tonen? Of goedkeuring? Er was geen tijd om daarover te speculeren. Dus glimlachte David maar en praatte vriendelijk tegen Lyons.

'Dit is verschrikkelijk voor u geweest, ik weet het... Maar ik wist niet wat ik anders moest doen. Als u dat wilt, breng ik u terug naar de ambassade. Daar zult u veilig zijn.'

David startte de motor en beklom een steile helling – een van de vele – van de Colinas Rojas. Hij zou de parallelweg terugrijden en de verkeersweg in tien of vijftien minuten bereiken. Hij wilde Lyons bij een taxistandplaats aan de buitenkant van de stad afzetten en de chauffeur opdracht geven de geleerde af te leveren bij de Amerikaanse ambassade. Dat was niet wat hij eigenlijk wilde doen, maar wat kon hij anders?

Toen klonken de woorden naast hem. *Woorden*. Gefluisterd, gedempt, nauwelijks hoorbaar, maar duidelijk. Uit de diepste diepten van een gepijnigde keel.

'Ik... blijf bij u... Samen...'

Spaulding moest het stuur stevig vastgrijpen om de macht erover niet te verliezen. De schok van de pijnlijke toespraak – en voor Eugene Lyons wàs het een toespraak – deed hem bijna het stuur loslaten. Hij keerde zich om en keek de geleerde aan. In de voorbijschietende schaduwen zag hij dat Lyons hem ook aankeek. Zijn lippen waren op elkaar geklemd en zijn blik was vast. Lyons wist precies wat hij deed, wat ze beiden deden – *moesten doen.*

'Goed,' zei David en probeerde zo kalm mogelijk te blijven. 'Ik begrijp u heel goed. God weet dat ik alle hulp nodig heb die ik kan krijgen. Wij allebei. We hebben twee machtige vijanden. Berlijn èn Washington.'

'Ik wil niet onderbroken worden, Stoltz,' brulde David door de telefoon in een kleine telefooncel in de buurt van Ocho Calle. Lyons zat tien meter verder achter het stuur van de FMF auto. De motor draaide. De geleerde had in twaalf jaar niet gereden, maar met halve woorden en gebaren overtuigde hij Spaulding ervan dat hij in geval van nood kon rijden.

'U kunt zo niet optreden,' was het paniekerige antwoord.

'Ik ben Pavlov en jij bent de hond. Hou je mond en luister. Er was een bloedbad op de Terraza Verde, als je dat nog niet wist. Jouw mensen zijn dood: de mijne ook. Ik heb de ontwerpen èn Lyons. Jouw niet-bestaande Gestapo voert een aantal executies uit!'

'*Onmogelijk,*' gilde Stoltz.

'Vertel dat maar aan de lijken, incompetente lamstraal. Als je de rotzooi opruimt... Ik moet de rest van die tekeningen hebben, Stoltz. Wacht op mijn telefoontje.' David smeet de hoorn op de haak en rende uit de telefooncel naar de auto. Het was tijd voor de radio. Daarna de envelop uit Fairfax. Dan Ballard op de ambassade. Stap voor stap.

Spaulding opende de deur en gleed op de stoel naast Lyons. De geleerde wees naar het dashboard.

'Weer...' was het enige, moeizame woord.

'Goed,' zei Spaulding. 'Ze zijn nieuwsgierig. Ze luisteren gespannen.' David draaide de knop op het dashboard om en nam de microfoon uit de houder. Hij drukte zo hard tegen het gaas van de microfoon dat het verboog. Hij bedekte het instrument met zijn hand en hield het onder het spreken tegen zijn colbert, terwijl hij er kringen mee maakte om het geluid nog meer te

vervormen. 'Roodborst aan basis... Roodborst aan basis.'
Het gekraak begon, de stem was kwaad. 'Jezus, Roodborst. We proberen al twee uur contact met je te krijgen. Die Ballard blijft bellen. Waar zit je verdomme?'
'Roodborst... Kreeg je onze laatste boodschap niet?'
'*Boodschap?* Welnee man, ik kan nauwelijks deze ontvangen. Blijf aan de lijn. Ik ga de commandant halen!'
'Laat maar, maak je niet druk. Je zakt weer weg. We zitten achter Spaulding aan. We volgen hem: hij zit in een auto... vierenveertig, vijfenveertig kilometer noordelijk van...' David hield plotseling op met praten.
'Roodborst! Roodborst...! Jezus, deze frequentie is waardeloos... Vijfenveertig kilometer van wáár...? Ik ontvang je niet Roodborst. Bevestig Roodborst!'
'... borst bevestig,' zei David rechtstreeks in de microfoon. 'Deze radio moet nagekeken worden, vriend. Herhaal. Geen probleem. *Zal op de basis terug zijn over ongeveer...*'
Spaulding reikte onder het dashboard en draaide de knop op uit. Hij stapte uit en liep terug naar de telefooncel.
Stap voor stap. Niets door elkaar halen. Niets tegelijk doen. Iedere handeling afgebakend, met precisie uitgevoerd.
Nu kwam het codebericht van Fairfax. De ontcijferde code die hem de naam van de man zou vertellen die hem liet onderscheppen; de opdrachtgever vier-nul, wiens functie het hem mogelijk maakte zulke bevelen te zenden vanuit het zendstation van het inlichtingencentrum.
De agent die onschendbaarheid genoot in de geheimste afdelingen en die op oudejaarsavond ene Ed Pace vermoord had.
De Hagana infiltratie. Hij had de aanvechting gehad om de gele envelop open te scheuren op het moment dat de FMF officier hem die gegeven had in San Telmo, maar hij had de bijna onweerstaanbare verleiding weerstaan. Hij wist dat hij verbijsterd zou zijn, wie 't ook was – bekend of onbekend; en wie 't ook was, hij zou een naam hebben voor de wraak die hij gepland had voor de moordenaar van zijn vriend.
Zulke gedachten vormden belemmeringen. Niets kon hun snelle, maar voorzichtige rit naar Ocho Calle verhinderen; niets kon zijn uitgedachte contact met Heinrich Stoltz verstoren.
Hij trok de gele envelop uit z'n zak en maakte hem met zijn vinger open.

Eerst betekende de naam niets voor hem.

Luitenant-kolonel Ira Barden.

Niets.

Toen herinnerde hij het zich.

Oudejaarsavond!

O Jezus, en of hij het zich herinnerde! De verbeten sprekende stugkop die onderbevelhebber was in Fairfax. De 'beste vriend' van Ed Pace die met de woede van een soldaat over de dood van 'zijn beste vriend' getreurd had; die in het geheim geregeld had dat David naar Virginia overgevlogen werd om deel te nemen aan het onderzoek naar de moord, die de tragische dood had gebruikt om de kluizen met dossiers van 'zijn beste vriend' binnen te dringen... maar die niets vond.

De man die volhield dat een cryptograaf uit Lissabon, Marshall geheten, gesneuveld was in Baskenland; die gezegd had dat hij een onderzoek naar Franz Altmüller zou instellen.

Wat hij natuurlijk nooit gedaan had.

De man die David ervan probeerde te overtuigen dat het in ieders belang was als Spaulding zou afwijken van de voorschriften en aan hem de opdracht van het ministerie van oorlog zou uiteenzetten.

Wat David bijna gedaan had. En nu wenste dàt hij het gedaan had. O God. Waarom had Barden hem niet vertróuwd? Anderzijds, hij kon dat ook niet. Want dat zou tot bepaalde, ongewenste speculaties over de moord op Pace geleid hebben.

Ira Barden was geen dwaas. Een fanaticus misschien, maar geen dwaas. Hij wist dat de man uit Lissabon hem vermoorden zou als de dood van Pace voor zijn rekening kwam.

Neem de les van Fairfax ter harte.

Jézus, dacht David. We vechten tegen elkaar, we vermoorden elkaar... we weten niet meer wie onze vijanden zijn.

Voor wat?

Er was nu nog een reden om Ballard op te bellen. Een naam was niet voldoende; hij had meer nodig dan een naam. Hij zou Asher Feld het hoofd bieden.

Hij nam de telefoonhoorn van de haak, gooide de munt in de gleuf en draaide een nummer.

Ballard kwam aan de lijn, ditmaal zonder grapjes.

'Lúister David.' Ballard had nog nooit zijn voornaam in een gesprek gebruikt. Ballard was erg kwaad maar onderdrukte dat.

'Ik wil niet doen of ik begrijp hoe jullie je verbindingen tot stand brengen, maar als jullie die van mij gebruiken, dan wil ik op de hoogte zijn.'

'Er werd een aantal mensen vermoord; ìk was daar niet bij. Dat was geluk, maar de omstandigheden verhinderden me contact met je op te nemen. Neemt dat je klacht weg?'

Ballard zweeg een paar seconden. De stilte was niet alleen een reactie op de mededeling, dacht David. Er was iemand bij Bobby. Toen de cryptograaf weer sprak was hij niet langer boos; hij sprak aarzelend en angstig.

'Is alles goed met je?'

'Ja, Lyons is bij me.'

'De FMF was te laat...' Het scheen of Ballard spijt had van die opmerking. 'Ik blijf bellen, maar ze blijven ontwijkend. Ik denk dat hun wagen zoekgeraakt is.'

'Nee, ik heb hem...'

'Allejezus.'

'Ze lieten een man achter in Telmo – voor observatie. Er waren nog twee anderen. Ze zijn niet gewond. Ze hebben zich teruggetrokken.'

'Wat betekent dàt nou weer?'

'Ik heb geen tijd om dat uit te leggen... Er is order gegeven om mij te onderscheppen. Door Fairfax. De ambassade mag het niet weten... Het is een valstrik; ik kan me niet laten oppakken... voorlopig nog niet...'

'We laten ons niet in met Fairfax,' zei Ballard vastberaden.

'Dit keer wel. Ik heb het Jean verteld. Er is een lek in het veiligheidssysteem in Fairfax. Dat ben ik niet, geloof dat maar... Ik moet tijd winnen. Misschien wel achtenveertig uur. Ik heb antwoorden op vragen nodig. Lyons kan me helpen. Vertrouw me maar.'

'Ik vertrouw je, maar ik heb hier niet veel te zeggen. Wacht even. Jean is bij me.'

'Dat dacht ik al,' onderbrak Spaulding. David had Ballard de nodige hulp willen vragen. Plotseling besefte hij dat Jean hem veel beter kon helpen.

'Praat met haar voor ze de huid van mijn hand afkrabt.'

'Voor je de telefoon overgeeft Bobby... Zou je een prioriteitscontrole over iemand in Washington kunnen opvragen? In Fairfax, om precies te zijn?'

'Daar zou ik een reden voor moeten hebben. De man in kwestie van de inlichtingendienst, vooràl in Fairfax – zou daar achterkomen.'

'Dat kan me geen lor schelen. Zeg maar dat ik erom gevraagd heb. Mijn classificatie is vier-nul. G-2 heeft dat op schrift staan. Ik neem de verantwoordelijkheid op me.'

'Wie is het?'

'Een luitenant-kolonel. Ira Barden heet hij. Heb je dat?'

'Ja, Ira Barden. Fairfax...'

'Goed. Geef me nu...'

Jeans woorden tuimelden over elkaar in een mengeling van woede en liefde, wanhoop en opluchting.

'Jean,' zei hij toen ze een half dozijn vragen gesteld had die hij onmogelijk kon beantwoorden. 'Laatst heb je me iets voorgesteld waarop ik weigerde serieus in te gaan. Ik ga er nu serieus op in. Jouw mythische David heeft een schuilplaats nodig. De pampas zijn ongeschikt, maar iedere andere plaats dichterbij is goed... Kan je me helpen? Ons helpen? *In godsnaam!*'

38

Hij zou Jean later bellen, voor het dag werd. Hij en Lyons moesten in het donker blijven, waar ze ook heengingen. Waar Jean ook maar een schuilplaats voor hen kon vinden.

Er zouden geen codes naar Washington gezonden worden, geen fiat gegeven worden voor de weerzinwekkende ruil, geen radar- en radiostilten die de vloot zouden stilleggen. David begreep dat; het was de eenvoudigste en zekerste weg om 'Tortugas' te beëindigen.

Maar dat was niet genoeg.

Er waren de mannen achter 'Tortugas'. Ze moesten uit de duistere nissen van hun vunzigheid te voorschijn getrokken en in het volle licht aan de kaak gesteld worden. Als er nog gerechtigheid bestond, als de jaren van pijn en angst en moorden nog enige betekenis hadden, moesten ze in al hun obsceniteit aan de wereld overgegeven worden. De wereld had daar recht op. Honderdduizenden – aan beide kanten – die de littekens van de oorlog hun hele leven met zich moesten meedragen, hadden daar recht op. Ze moesten de betekenis begrijpen van het 'waarvoor'.

David accepteerde zijn rol. Hij zou de mannen van 'Tortugas' tegemoet treden. Meer dan dat kon hij niet doen met het getuigenis van een fanatieke jood. De woorden van Asher Feld, leider van de Voorlopige Vleugel van de Hagana, waren geen getuigenis. Fanatici waren krankzinnigen; de wereld had er genoeg gezien van allebei, want beide waren één. En zij waren afgedankt. Of gedood. Of allebei.

David wist dat hij geen keus had.

Als hij de mannen van 'Tortugas' tegemoet trad, zou het niet zijn met de woorden van Asher Feld. Of met bedrieglijke codes en manipulaties die op honderden manieren geïnterpreteerd konden worden.

Bedriegerijen. Camouflages. Verduisteringen.

Hij zou ze tegemoet treden met wat hij zag. Wat hij wist, omdat hij het gezien had. Hij zou ze het onweerlegbare voorleggen. En dan zou hij ze vernietigen.

Om dat alles te doen moest hij aan boord van de treiler in Ocho Calle komen. De treiler die kapot geschoten zou worden als hij zou proberen uit de haven te komen om een Duitse duikboot te ontmoeten. Dat het schip dit uiteindelijk zou proberen, was onvermijdelijk. Hun fanatieke geest zou dat eisen. Dan zou er geen bewijs meer zijn van dingen die gezien en onder ede verklaard waren. Hij moest nu aan boord van de treiler komen.

Hij gaf Lyons zijn laatste instructies en gleed in het warme, olieachtige water van de Rio de la Plata. Lyons zou in de wagen blijven – zou die desnoods besturen – en, als David niet terugkeerde, zou hij negentig minuten wachten voor hij naar de FMF basis zou gaan om de commandant te vertellen dat David gevangen werd gehouden aan boord van de treiler. Een Amerikaanse agent die gevangen werd gehouden.

Er zat logica in de strategie. FMF had prioriteitsorders om David te arresteren; orders uit Fairfax. Het zou halfvier in de ochtend zijn. Fairfax verlangde snelle, krachtige actie. Vooral om halfvier 's morgens in een neutrale haven. Het was de brug die David altijd voor zichzelf trachtte te bouwen in tijden van hoogst riskante ondernemingen. Het was de ruil; zijn leven voor een verlies dat minder zwaar woog. De lessen van het noordelijke gebied.

Hij wilde eigenlijk niet dat het zo zou verlopen. Er waren te veel manieren om hem uit te schakelen; er waren te veel paniekerige mannen in Washington en Berlijn om hem – misschien – in leven te laten. In het gunstigste geval zou er een compromis komen. In het ongunstigste... Het mislukken van 'Tortugas' was niet voldoende, de aanklacht was alles.

Zijn pistool zat stevig met een stuk van zijn overhemd tegen zijn hoofd gebonden, de stof tussen zijn tanden. Hij zwom naar de romp van het schip, hield zijn hoofd boven water en de slagpen van zijn wapen zo droog mogelijk. Dat ging ten koste van slokken vies, met stookolie vermengd water, wat nog verergerd werd door een zeepaling, die aangetrokken, en daarna afgestoten werd door het bewegende witte vlees.

Hij bereikte de romp. Golven sloegen zacht, onophoudelijk, tegen het harde donkere gevaarte. Hij zwom naar de achtersteven, gespannen luisterend en kijkend of er leven aan boord was. Niets dan het onophoudelijke klotsen van het water. Er was licht op het dek, maar geen beweging, geen schaduwen, geen stemmen. Alleen het naakte, kleurloze licht van gloeilampen aan zwarte draden, die langzaam heen en weer zwaaiden op de trage beweging van de romp. Aan de bakboordzijde van het schip, aan de kant van de haven, waren twee trossen aan de bolders op het achterdek en middenschip bevestigd. Om de paar meter lagen opgerolde trossen; het zware manilla hennep was zwart van de smeer en afgewerkte olie. Toen hij naderbij kwam kon David een enkele wacht in een stoel zien zitten bij de grote gesloten pakhuisdeuren. De stoel was achterover gewipt tegen de muur van de loods. Twee korflampen met metalen afscherm-kappen hingen aan weerskanten van de brede deuringang. Watertrappend werkte Spaulding zich naar achteren om een duidelijker beeld te krijgen. De wacht droeg het paramilitaire uniform van Habichtsnest. Hij las een boek; om de een of andere reden kwam David dat vreemd voor.

Plotseling klonken er voetstappen aan de westkant van de loods. Ze kwamen langzaam naderbij, gestadig; er werd geen poging gedaan om het geluid te dempen.

De wacht keek op van zijn boek. Tussen de loodsen door kreeg David een tweede figuur in het oog. Het was nog een wacht in het Rhinemann uniform. Hij droeg een leren koffer, eenzelfde radiokoffer als de dode mannen in Terraza Verde no. 15 gehad hadden.

De wacht op de stoel glimlachte en sprak de staande man aan. De taal was Duits. 'Ik los je wel even af als je wilt,' zei de man op de stoel. 'Dan kun je even rusten.'

'Nee, dank je,' antwoordde de man met de radio. 'Ik loop liever. Dan gaat de tijd sneller voorbij.'

'Is er nog nieuws uit Luján?'

'Geen veranderingen. Maar het gaat er wel opgewonden aan toe. Zo nu en dan hoor ik schreeuwen. Iedereen geeft bevelen.'

'Ik vraag me af wat er in Telmo gebeurd is.'

'Ik weet alleen dat er grote moeilijkheden zijn. Ze grendelen ons af. Ze stuurden lui naar het eind van de Ocho Calle.'

'Heb je dat gehoord?'

'Nee, ik sprak Geraldo. Hij en Luis zijn hier. Aan de voorkant van het pakhuis, op straat.'

'Ik hoop dat ze de hoeren niet wakker maken.'

De man met de radio lachte. 'Zelfs Geraldo is leper dan die honden.'

'Daar zou ik maar niet op wedden als ik jou was,' antwoordde de wacht op de stoel.

De andere wacht lachte weer en liep verder oostwaarts op zijn eenzame patrouille om het gebouw heen. De man op de stoel nam zijn boek weer op.

David zwom weer terug naar de romp van de treiler. Zijn armen werden moe; het stinkende water van de haven werkte op zijn neus. En nu moest hij met nog iets anders rekening houden. Met Eugene Lyons.

Lyons bevond zich vierhonderd meter verder, dwars over het water, vier straten van de voet van de Ocho Calle. Als Rhinemanns patrouilles de wijk gingen doorkruisen, zouden ze de FMF-auto met Lyons erin vinden. Daar had hij niet aan gedacht. Hij had eraan moeten denken. Maar hij kon er nu niet over denken.

Hij bereikte het middenschip aan stuurboord en hield zich vast aan de richel op de waterlijn, waardoor de spieren van zijn armen en schouders wat rust kregen. De treiler was een middelgrote boot, niet meer dan vijfentwintig tot dertig meter lang en in het midden misschien tien meter breed. En voor zover David in de duisternis kon onderscheiden, waren de midscheeps en achteruit onder de stuurhut gelegen hutten ongeveer vijf en zeven meter lang, met ingangen aan beide kanten en met twee patrijspoorten per hut, aan stuurboord en aan bakboord elk een. Als de Koening-diamanten aan boord waren, zouden ze zich waarschijnlijk in de achterste hut bevinden, zover mogelijk verwijderd van de normale activiteiten van de bemanning. Bovendien waren hutten onder het achterdek ruimer en rustiger. En als Asher Feld gelijk had, als er twee of drie geleerden uit Peenemünde de Koening-produkten met microscopen bestudeerden, zouden ze in tijdnood verkeren en niet afgeleid mogen worden. Davids ademhaling ging gemakkelijker. Hij zou gauw genoeg weten of en waar de diamanten waren of niet waren. Binnen heel korte tijd.

Watertrappend maakte hij de lap om zijn hoofd los en hield het pistool stevig vast. Het stuk overhemd dreef weg; hij hield zich vast aan de richel en keek omhoog. De verschansing was ongeveer twee meter boven het water. Hij zou beide handen nodig hebben om zich langs de naden van de romp op te hijsen.

Hij spuwde de restjes havenwater uit en klemde de loop van zijn pistool tussen zijn tanden. Hij had alleen nog maar een broek aan; hij stak zijn handen onder water en wreef ze af aan zijn broek om zoveel mogelijk vuil van de haven te verwijderen.

Hij greep de richel weer vast, trapte met uitgestoken rechterhand zijn lichaam uit het water en reikte naar de volgende kleine richel van de romp. Zijn vingers omklemden het smalle randje en hij hees zich omhoog. Hij legde zijn linkerhand naast zijn rechter en drukte zijn borst hard tegen het ruwe hout voor meer steun. Zijn blote voeten waren nog net onder water en de verschansing was niet meer dan een meter boven hem.

Langzaam trok hij zijn knieën op tot zijn tenen op de richel bij de waterlijn rustten. Hij wachtte even om adem te halen, wetend dat zijn vingers zich niet langer konden vasthouden aan de smalle richel. Hij spande zijn buikspieren en drukte zijn pijnlijke tenen tegen de richel, terwijl hij zich zoveel mogelijk omhoog werkte. Hij sloeg zijn handen uit naar de verschansing, in de wetenschap dat hij bij een misgreep terug zou vallen in het water. De plons zou een alarm veroorzaken.

Zijn linkerhand had houvast; de rechterhand gleed los. Maar het was voldoende. Hij trok zichzelf op tot de reling en schaafde zijn borst tegen de ruwe verweerde romp, zodat de huid begon te bloeden.

Hij gooide zijn arm over de reling en nam zijn pistool uit zijn mond. Hij bevond zich, zoals hij gehoopt had, midscheeps, tussen de hutten op het voor- en achterdek. De hutwanden verborgen hem voor de wachten op de kade.

Hij liet zich geruisloos op het smalle dek rollen en deed gehurkt de paar stappen naar de wand van de hut. Hij drukte zijn rug tegen de houten spanten en stond langzaam op. Hij schoof behoedzaam naar de eerste patrijspoort op het achterdek; het licht in de hut werd gedeeltelijk tegengehouden door een primitief gordijn, dat naar achter getrokken was, om de nachtlucht binnen te laten. De tweede patrijspoort was niet afgeschermd, maar bevond zich maar een paar decimeter van de achterkant; er was een mogelijkheid dat een vanuit het water voor hem onzichtbaar gebleven bewaker op wacht stond op de achtersteven. Hij zou maar kijken, wat er door de eerste patrijspoort te zien was.

Zijn natte wang tegen de verteerde rubberstrip om de patrijspoort drukkend, keek hij naar binnen. Het 'gordijn' was een zwaar stuk zwart zeildoek, dat aan een punt was omgeslagen. Het licht daarachter was zoals hij verwacht had: een enkele gloeilamp die van het plafond naar beneden hing aan een dikke draad, een draad die door de patrijspoort aan de andere kant naar een aansluiting op de kade liep. De eigen generator werd in de haven niet gebruikt. Er hing een vreemd gevormd plat stuk metaal opzij van de lamp. Eerst twijfelde David waar dat voor diende. Toen begreep hij het. De metalen plaat schermde het licht van de lamp af van de achterkant van de hut, waar hij, achter de vouw van het zeildoek, twee kooien kon zien. Er sliepen mannen in; het licht bleef aan, maar zij lagen min of meer in de schaduw.

Aan de achterkant van de hut, tegen de wand, stond een lange tafel met het onwaarschijnlijke voorkomen van een laboratoriumtafel in een ziekenhuis. Hij was bedekt met een strakgespannen, smetteloos wit zeil en op het zeil stonden, op gelijke onderlinge afstand, vier sterke microscopen. Naast iedere microscoop stond een zeer sterke lamp en alle draden liepen naar de twaalf volts accu onder de tafel. Op de grond, voor de microscopen, stonden vier stoelen met hoge rugleuningen – vier smetteloze witte stoelen stonden als het ware klinisch in de houding. Dat was het goede woord, dacht David. Klinisch. Dit afgezonderde deel van de treiler stond in sterk contrast tot de rest van het smerige schip; het was een klein klinisch eiland omgeven door verrot afval van de zee en de manilla trossen. En toen zag hij ze. In de hoek.

Vijf stalen kisten, aan de bovenkant met metalen banden aan elkaar verbonden en bij elkaar gehouden met zware brandkastsloten. Op de voorkant van iedere kist stond de duidelijk leesbare naam: KOENING MINES LTD.

Hij had het nu gezien. Het onloochenbare, het onweerlegbare. *Tortugas.*

De lugubere ruil die via Erich Rhinemann liep.

En hij was er zo dicht bij, hij had het zo voor het grijpen. De beslissende aanklacht. In zijn angst – en hij wàs bang – welden razernij en verleiding gelijktijdig in hem op. Ze waren voldoende om zijn angst weg te nemen, om hem te dwingen zich alleen op zijn doel te concentreren. Om te geloven – wetend dat het bijgeloof was – in een soort mystieke onkwetsbaarheid, die een paar minuten zou duren.

Dat was genoeg.

Hij dook onder de eerste patrijspoort en naderde de tweede. Hij ging rechtop staan en keek naar binnen; de deur van de hut lag direct in zijn gezichtsveld. Het was een nieuwe deur, geen deel van de treiler. Hij was van staal en in het midden was een duimdikke grendel die in de deurpost was geschoven.

De geleerden uit Peenemünde waren niet alleen klinisch afgezonderd, maar ze zaten in zelf-opgelegde gevangenschap.

De grendel, realiseerde David zich, was zijn privé-pas over de Alpen, die hij zonder hulpmiddelen moest overwinnen.

Hij dook in elkaar en kroop onder de patrijspoort door naar de hoek van de wand van de hut. Hij bleef geknield liggen en, millimeter voor millimeter, met zijn wang tegen het hout keek hij om de hoek.

Er was natuurlijk een wacht, die op de gebruikelijke manier wacht klopte in de haven: op het dek, de binnenste verdedigingslinie; verveeld, ontspannen door zijn gebrek aan activiteit, maar geërgerd door de doelloosheid ervan.

Maar hij droeg niet 't paramilitaire uniform van Habichtsnest. Hij had een loszittend pak aan dat nauwelijks een krachtig – martiaal – lichaam verborg. Zijn haar was kortgeknipt zoals de Wehrmacht het droeg.

Hij leunde tegen een grote lier voor de netten, rookte een dunne sigaar en blies de rook achteloos de lucht in. Naast hem lag een automatisch geweer, waarvan de losgegespte schouderriem over het dek slingerde. Hij had het geweer een poosje niet aangeraakt, want de riem was met een laagje vocht bedekt.

De riem... David haalde de riem uit zijn eigen broek. Hij stond op, liep voetje voor voetje terug naar de patrijspoort, reikte onder de reling en verwijderde een van de twee gangboordhaken voor de visnetten. Hij klopte er zachtjes mee op de reling, twee keer. Nog eens een keer. Hij hoorde de wacht met zijn voeten schuifelen. Geen stappen voorwaarts, alleen een verandering van houding. Hij klopte nog eens. Twee keer en weer twee keer. Het rustige, nauwkeurige kloppen – met bewust gelijke tussenpozen – was voldoende om de nieuwsgierigheid op te wekken; onvoldoende om alarm te veroorzaken.

Nu hoorde hij de voetstappen van de wacht. Nog steeds ontspannen, rustig vooruit lopend, niet denkend aan gevaar, alleen nieuwsgierig. Misschien een stuk drijfhout in de haven dat tegen de romp sloeg, meegevoerd met de heen-en-weer gaande stroom.

De wacht kwam de hoek om. Spauldings riem sloeg om zijn nek, onmiddellijk strak gespannen, zodat de gil gesmoord werd. David draaide het leer een paar keer om toen de wacht neerzeeg in het flauwe licht uit de patrijspoort; met een merkbaar roder wordend gezicht, de lippen van pijn samengetrokken.

David stond niet toe dat zijn slachtoffer het bewustzijn verloor; hij moest zijn Alpenpas nog over. Hij stopte zijn pistool in zijn broek, greep de schede die aan het middel van de wacht hing en haalde de karabijnbajonet eruit; een favoriet mes van soldaten, dat zelden gebruikt wordt op een geweer. Hij hield het mes voor de ogen van de wacht en fluisterde.

'*Español of Deutsch?*'

De man staarde hem doodsbang aan. Spaulding draaide het leer strakker; de wacht kuchte gesmoord en deed moeite om twee vingers op te heffen. David fluisterde weer, het mes tegen de huid onder de rechter oogappel gedrukt.

'Deutsch?'

De man knikte.

Natuurlijk was hij een Duitser, dacht Spaulding. En een nazi. Zijn kleren, zijn haar, Peenemünde wàs het Derde Rijk. De geleerden werden natuurlijk door hun eigen mensen bewaakt. Hij draaide het lemmet van de bajonet een keer om, zodat er een heel klein scheurtje onder het oog verscheen. De wacht deed uit angst zijn mond open.

'Doe precies wat ik je zeg,' fluisterde David in het Duits in het oor van de wacht. 'Of ik steek je je ogen uit. Begrepen?'

De man, bijna krachteloos, knikte.

'Sta op en roep door de patrijspoort. Je hebt een dringend bericht van... Altmüller, Franz Altmüller! Ze moeten de deur open doen en ervoor tekenen. Dat zeg je! Nu meteen! En denk eraan, dit mes blijft vlak bij je ogen.'

De wacht stond geschokt op. Spaulding duwde het gezicht van de man naar de open patrijspoort, liet de riem een tikje vieren en ging naast de man en het raam staan met in zijn linkerhand de leren riem en in zijn rechter het mes.

'Nú,' fluisterde David en beschreef een halve cirkel met het lemmet van het mes.

De stem van de wacht klonk aanvankelijk geforceerd, gekunsteld. Spaulding ging dichter hij hem staan; de wacht wist dat hij nog maar seconden te leven had als hij niet meewerkte.

Hij werkte mee. Er kwam beweging in de kooien in de hut. Eerst werd er mopperend geklaagd, maar dat hield direct op toen de naam Altmüller werd genoemd.

Een kleine man van middelbare leeftijd stapte uit de onderste kooi en liep slaperig naar de stalen deur. Hij had niets anders aan dan een onderbroek. David gooide de wacht om de hoek van de hut en was bij de deur toen de grendel werd weggeschoven. Met de gestrengelde riem sloeg hij de wacht tegen het stalen paneel; de deur vloog open en David greep de knop voor die tegen het waterdichte schot kon slaan. Hij liet het mes vallen, rukte zijn pistool te voorschijn en liet de loop op de schedel van de kleine geleerde neerdalen.

'*Schweigen*,' fluisterde hij schor. '*Wenn Ihnen Ihr Leben lieb ist.*' De drie mannen in de kooien – oudere mannen, een heel oude – strompelden uit bed, bevend en sprakeloos. De nog steeds naar lucht happende wacht begon om zich heen te kijken en probeerde op te staan. Spaulding deed twee stappen en sloeg diagonaal met het pistool tegen de slaap van de man, waardoor hij op het dek in elkaar zakte.

De oude man, minder bang dan zijn twee metgezellen, staarde David aan. Spaulding kon niet verklaren waarom, maar hij schaamde zich. Geweld paste niet in deze antiseptische hut.

'Ik heb niets tegen u,' fluisterde hij nors in het Duits. 'U volgt bevelen op. Maar denk erom, ik vermoord u als u een kik geeft.' Hij wees naar wat papieren naast de microscoop, met reeksen cijfers en kolommen. 'U.' Hij wees met zijn pistool naar de oude man. 'Geef me die papieren. Vlug.'

De oude man liep weifelend door de hut naar het klinische werkgedeelte. Hij nam de papieren van de tafel op en gaf ze aan Spaulding, die ze in de zakken van zijn natte broek stopte.

'Bedankt... Nu.' Hij richtte zijn wapen op de andere twee. 'Maak een zo'n kist open. Meteen!'

'Nee... Nee. In godsnaam,' zei de grootste van de geleerden. Zijn stem was zwak en angstig.

David greep de oude man die naast hem stond. Zijn hand trok het slappe vlees van de oude nek strak en hij hief zijn pistool op naar het hoofd van de man. Met zijn duim drukte hij de veiligheidspal terug en zei kalm: 'U maakt een kist open of ik vermoord deze man. Als hij dood is, richt ik mijn pistool op jullie tweeën. Ik heb geen keus.'

De kleinste draaide snel zijn hoofd om in een zwijgend beroep op de grootste. Spaulding wist dat de oude die hij vast had, de leider was. 'n Oude... *Anführer;* pak altijd de Duitse leider.

De grootste van de twee Peenemünde-geleerden liep – iedere stap in doodsangst – naar de verste hoek van de klinische werkbank, waar een rij sleutels netjes aan de wand hing. Hij nam er een af en liep aarzelend naar de eerste stalen kist. Hij boog zich voorover en stak de sleutel in het brandkastslot dat de metalen band op zijn plaats hield. De band sprong in het midden los.

'Open het deksel!' commandeerde Spaulding. In zijn opgewondenheid begon hij harder te fluisteren; te hard, besefte hij.

Het deksel van de stalen kist was zwaar. De Duitser moest het met beide handen optillen, de rimpels om zijn ogen en mond verrieden zijn inspanning. Toen het deksel een hoek van 90° had bereikt, stonden kettingen aan beide zijden strak. Er volgde een klik van een heugel en het deksel stond vast.

De kist bevatte tientallen andere vakjes die op glijladen leken. Het had iets weg van een grote, gecompliceerde gereedschapskist. Toen begreep David het. De voorkant van de kist kon scharnieren, die voorkant kon ook geopend worden, of, beter gezegd, neergeklapt worden, zodat de laden uitgeschoven konden worden.

In ieder vakje zaten twee dikke papieren enveloppen, klaarblijkelijk gevoerd met zachte stof. Alleen al in de bovenste lade lagen tientallen enveloppen.

David liet de oude man los en gooide hem in de richting van de kooien. Hij gebaarde met zijn pistool naar de lange Duitser die de kist geopend had, dat hij bij de twee anderen moest gaan staan. Hij stak zijn hand in de stalen kist, haalde er een kleine envelop uit en scheurde met zijn tanden de rand eraf. Hij schudde hem leeg op de grond, er rolden kleine doorschijnende steentjes over de vloer van de hut.

De Koening-diamanten.

Hij keek naar de Duitse geleerden toen hij de envelop verfrommelde. Ze staarden naar de stenen op de vloer.

Waarom niet? dacht David. In deze hut lag de oplossing voor Peenemünde. In die kisten zat het materiaal om dood en verderf te zaaien over talloze duizenden mensen, zoals ook gyroscoopontwerpen, waarvoor ze geruild werden, een verdere afslachting mogelijk maakten.

Juist wilde hij walgend de envelop weggooien en zijn zakken vullen met andere, toen hij op de envelop letters zag staan. Hij streek hem glad terwijl hij zijn pistool op de Duitsers gericht hield en las de tekst. Er stond één woord:

ECHT

Echt. Onvervalst. Deze envelop, deze lade, deze stalen kist was al geïnspecteerd.

Hij stak zijn hand in de kist en haalde er zoveel enveloppen uit als hij met zijn linkerhand kon vasthouden en stopte ze in zijn zak.

Het was alles wat hij nodig had voor de beschuldiging.

Het was alles. Het was de verklaring.

Hij kon nog iets doen, iets van meer directe en praktische aard. Hij liep naar de werkbank naar de vier naast elkaar staande microscopen en sloeg met de loop van zijn pistool objectief en oculair stuk. Hij keek rond naar een laboratoriumkist van het type waar optische instrumenten in zaten. Er moest er een zijn! Hij stond op de grond onder de lange tafel. Hij schopte hem eronder uit met zijn blote voet en bukte zich om hem open te maken.

Nog meer gleuven en laden, alleen waren deze gevuld met lenzen en kleine zwarte buisjes, om ze in te klemmen.

Hij bukte zich en gooide de kist omver, waardoor tientallen ronde lenzen op de vloer vielen. Hij greep zo snel mogelijk de dichtstbijzijnde witte kruk en sloeg met de zijkant in op de hoopjes glas.

Ze waren niet allemaal kapot, maar de schade was misschien voldoende voor twee dagen.

Hij richtte zich op, zijn wapen nog steeds op de geleerden gericht, zijn ogen en oren wijd open.

Hij hoorde het! Hij voelde het! En tegelijkertijd begreep hij dat als hij niet snel opzij sprong, hij dood zou zijn!

Hij gooide zichzelf naar rechts op de grond; de hand boven en achter hem schoot naar beneden en de karabijnbajonet kliefde door de lucht, gericht op het punt waar nog een seconde geleden zijn nek geweest was.

Hij had die vervloekte bajonet op de vloer laten liggen. Hij had die vervloekte bajonet vergeten. De wacht was weer bijgekomen en had die vervloekte bajonet te pakken gekregen!

Eén kreet klonk uit de keel van de nazi voordat Spaulding zich op de knielende gedaante kon werpen en de schedel met zoveel kracht tegen de vloer kon slaan dat het bloed uit talrijke scheurtjes uit het hoofd spoot.

Maar die ene kreet was voldoende.

'Is er iets mis?' riep een stem van buiten, twintig meter verder op de kade. 'Heinrich, riep je?'

Hij mocht geen seconde, geen ogenblik aarzelen.

David schoot naar de stalen deur, trok die open en rende rond de hoek van de hut naar het beschutte gedeelte van de verschansing. Terwijl hij dat deed, kwam er een wacht – de schildwacht op het achterdek – in het gezicht.

Hij hield zijn geweer op heuphoogte en vuurde.

Spaulding vuurde terug. Maar niet voor hij zich realiseerde dat hij geraakt was. De kogel van de nazi had boven de heup zijn zij geschampt. Hij voelde het bloed in zijn broek stromen.

Hij wierp zich over de reling in het water. Schreeuwen en kreten uit de hut en vanaf de kade drongen tot hem door. Hij ploegde door het vuile modderwater van de Rio en probeerde zijn hoofd koel te houden. Waar was hij? Welke richting moest hij uit? Waarheen? In vredesnaam, waarhéén?

Het geschreeuw werd luider en luider; overal op de treiler gingen zoeklichten aan en lichtbundels schoten over het water van de haven. Hij kon mannen in radio's horen schreeuwen zoals alleen in paniek geraakte mannen kunnen schreeuwen. Beschuldigend, hulpeloos.

Plotseling realiseerde David zich dat er geen boten waren. Er kwamen geen boten met zoeklichten en automatische geweren het water op die hem zouden uitschakelen.

Geen boten.

Hij lachte bijna. De operatie in de Ocho Calle was zo volkomen geheim dat er zelfs geen kleine boten in dit verlaten gedeelte waren toegelaten.

Hij drukte zijn hand tegen zijn zij, dook zo vaak mogelijk onder water en zwom zo snel hij kon.

De treiler en de schreeuwende wachten van Rhinemann-Alt-müller verdwenen in de mist van de haven. Spaulding kwam telkens met zijn hoofd boven het olieachtige water in de hoop dat hij in de goede richting zwom.

Hij werd hondsmoe, maar hij mocht niet verslappen. Dat mocht hij niet. Nu niet.

Hij had de 'Tortugas' beschuldiging in zijn bezit.

Hij zag de palen, niet ver voor zich uit. Misschien twee, driehonderd meter. En het waren de goede palen, de juiste kaden. Ze moesten het zijn.

Hij voelde dat het water om hem heen in beweging kwam en toen zag hij de slangachtige lichamen van de zeepalingen die blindelings tegen zijn lichaam aansloegen. Ze werden aangetrokken door zijn bloedende wond! Een afgrijselijke horde reuzenwormen geselde gezamenlijk zijn lichaam!

Hij sloeg en schopte en onderdrukte een kreet. Hij trok zich door het water voor hem, zijn handen in voortdurende aanraking met de olieachtige slangen van de haven. Hij zag gele en witte strepen en vlekken voor zijn ogen; zijn keel was droog in het water en zijn voorhoofd bonsde.

Toen hij ten slotte de schreeuw niet kon inhouden, toen hij moest schreeuwen, voelde hij de hand in zijn hand. Hij voelde dat zijn schouders opgetild werden, hij hoorde de schorre kreten van zijn eigen stem – diep, voortkomend uit meer angst dan hij kon verdragen. Hij keek omlaag en zag, terwijl zijn voeten steeds van de ladder afgleden, de rondzwemmende zeepalingen beneden hem.

Eugene Lyons droeg hem – dróeg hem – naar de FMF auto. Hij was zich bewust – maar toch niet helemaal – dat Lyons hem voorzichtig op de achterbank legde.

Daarna stapte Lyons naast hem achter in de auto en David begreep en begreep toch ook niet – dat Lyons hem sloeg. Hard. Harder.

Opzettelijk. Zonder ritme, maar met veel kracht.

Het slaan hield niet op! Hij kon er ook geen eind aan maken! Hij kon de half invalide, stemloze Lyons niet beletten hem te slaan. Hij kon alleen maar huilen. Huilen zoals een kind het kan.

En toen opeens kòn hij Lyons dwingen op te houden. Hij trok de handen voor zijn gezicht weg en greep de polsen van Lyons vast, bereid om ze desnoods te breken.

Hij knipperde met zijn ogen en keek de geleerde aan.

Lyons glimlachte in de schaduw. Met zijn gepijnigde stem fluisterde hij:

'Het spijt me... U was... tijdelijk... in een shock. Mijn vriend.'

39

In de achterbak van de auto zat een goedvoorziene verband-trommel. Lyons bette de wond van David met sulfapoeder, leg-de er gevouwen stroken gaas overheen en plakte de wond dicht met extra brede hechtpleisters. Omdat het een vleeswond was en geen kogelgat, hield het bloeden op. Het verband zou wel houden tot ze een dokter bereikten. Zelfs al zouden ze een dag of anderhalve dag moeten wachten, dan was er nog geen ernstig gevaar.

Lyons reed.

David keek naar de uitgeteerde man achter het stuur. Hij reed onzeker maar deed zijn best, anders kon je het niet noemen. Nu en dan drukte hij het gaspedaal te diep in en het plotselinge vooruitschieten van de wagen maakte hem bang – en ergerde hem.

Maar na een paar minuten scheen hij er een voorzichtig soort plezier in te krijgen om de wagen hoeken te laten omslaan.

David wist dat hij drie dingen moest doen; hij moest Henderson Granville bereiken, met Jean spreken en naar de schuilplaats gaan die – hoopte hij – Jean voor hem gevonden had.

Als er een dokter bij hem kon komen, prima. Zo niet, dan zou hij gaan slapen; hij kon niet meer goed functioneren zonder ge-rust te hebben.

Hoe vaak had hij in het noordelijke gebied geen afgelegen grot-ten in de heuvels opgezocht? Hoe vaak had hij niet takken en twijgen opgestapeld voor de kleine ingangen, zodat zijn lichaam en geest weer de balans van objectiviteit konden herstellen, die zijn leven konden redden? Hij had nu dringend zo'n rustplaats nodig.

En morgen zou hij de laatste regelingen met Erich Rhinemann treffen. De laatste bladzijde van de aanklacht.

'We moeten een telefoon zien te vinden,' zei David. Lyons knik-te onder het rijden.

David liet de geleerde terugrijden naar het centrum van Buenos Aires. Hij dacht dat ze nog wat tijd over hadden voor de FMF basis een zoekactie zou beginnen.

De oranje tekens op de bumpers zouden overgrote nieuwsgierigheid van de politie afremmen; de Amerikanen waren nu eenmaal nachtvlinders.

Hij herinnerde zich de telefooncel aan de noordzijde van de Casa Rosada. De telefooncel waarin een gehuurde moordenaar van de Unico Corso – hierheen gestuurd vanuit de Rio de Janeiro – zijn laatste adem had uitgeblazen.

Ze bereikten de Plaza de Mayo na een kwartier, via een omweg, om zich te vergewissen dat ze niet gevolgd werden. De Plaza was niet verlaten. Het was, zoals de vooroorlogse toeristenposters verkondigden, het Parijs van het westelijke halfrond. Net als in Parijs liepen er tientallen vroege nachtbrakers rond, die bijna allen goed gekleed gingen. Taxi's reden af en aan. Prostituées deden hun laatste pogingen om klanten te krijgen; de straatlantaarns beschenen de reusachtige fonteinen; verliefde paartjes roerden met hun handen in het water.

De Plaza de Mayo was om half vier in de morgen geen uitgestorven, dode plaats. En daar was David dankbaar voor.

Lyons stopte voor de telefooncel en Spaulding stapte uit.

'Wat het ook is, u heeft een enorme deining veroorzaakt in Buenos Aires.' Granvilles stem was hard en op de man af. 'Ik eis dat u naar de ambassade terugkeert. Voor uw eigen bescherming zowel als voor het welzijn van onze diplomatieke relaties.'

'U zult zich wat duidelijker moeten uitdrukken,' antwoordde David. Granville deed dat.

De 'een of twee' contacten die de ambassadeur bij de Grupo dacht te hebben, waren, natuurlijk, teruggebracht tot een. Die man had inlichtingen ingewonnen over de treiler in Ocho Calle en werd vervolgens onder bewaking uit zijn huis gehaald. Dat had Granville gehoord van een hysterische echtgenote. Een uur later hoorde Granville van een man die in verbinding stond met de GOU dat 'zijn vriend' was gedood bij een auto-ongeluk. De GOU wilde hem dat laten weten. Het was hoogst ongelukkig.

Toen Granville de echtgenote wilde bellen, onderbrak een telefoniste hem en zei dat de telefoon afgesloten was.

'U hebt ons erbij betrokken, Spaulding. We kunnen niet werken als de inlichtingendienst een blok aan ons been is. De toestand in Buenos Aires is heel netelig.'

'U bènt erbij betrokken, meneer. Een paar duizend kilometer hier vandaan schieten mensen op elkaar.'

'Daar heb ik schijt aan.' Het was de meest onverwachte krachtterm die David uit de mond van Granville dacht te kunnen horen. 'U moet leren uw eigen gebied af te bakenen. We moeten allemaal werken binnen de... kunstmatige, als je het zo wilt noemen, parameters die voor ons zijn vastgesteld. Ik herhaal, kom terug naar de ambassade en ik zorg voor een onmiddellijke terugreis naar de Verenigde Staten. Weigert u dat, meldt u dan op de FMF basis. Díe ligt búiten mijn rechtsbevoegdheid; u behoort niet langer tot de ambassade!'

Mijn God, dacht David. *Kunstmatige parameters. Rechtsbevoegdheid. Diplomatieke spitsvondigheden.* Terwijl mannen stierven, legers vernietigd en steden weggevaagd werden. En mannen in deftige kamers spelletjes speelden met woorden en opvattingen.

'Ik kan niet naar de FMF gaan. Maar ik kan u iets ter overdenking geven. Binnen achtenveertig uur zullen alle Amerikaanse schepen en vliegtuigen in de kustzone radio- en radarstilte in acht nemen. Alles wordt stilgezet en stilgelegd. Op hoog militair bevel. Zoekt u maar eens uit waarom. Want ik geloof dat ik dat weet, en als ik gelijk heb is uw diplomatieke wrakhout viezer dan wat ook. Vraagt u eens na bij ene Swanson op het ministerie van oorlog. Brigade-generaal Alan Swanson. En vertelt u hem dat ik "Tortugas" gevonden heb!'

David sloeg de hoorn zo hard op de haak dat er stukken bakeliet van het toestel vielen. Hij wilde wegrennen. De deur van de verstikkende telefooncel openen en wegrennen.

Maar waarheen? Hij kon nergens heen.

Hij haalde een paar keer diep adem en draaide nog eens het nummer van de ambassade.

De stem van Jean was zacht, vol bezorgdheid. Maar ze had een schuilplaats voor hem gevonden.

Hij en Lyons moesten westwaarts rijden over de Rivadavia naar de verste buitenwijken van Buenos Aires. Aan het einde van de Rivadavia was een weg die naar rechts afboog – herkenbaar aan een groot Mariabeeld bij het begin van de weg. Die weg leidde naar het vlakke grasland, het *provinciales* gebied. Vijfenzestig kilometer voorbij het Mariabeeld was links een andere weg, die herkenbaar was aan de telefoondraden die in een transformatordoos op een telefoonpaal samenkwamen. Die weg leidde naar de ranch van ene Alfonso Quesarro. Señor Quesarro zou afwezig zijn... met het oog op de omstandigheden. En zijn vrouw ook. Maar er zou een kleine personeelskern zijn. En de overige personeelsvertrekken waren beschikbaar voor de onbekende vrienden van Mrs. Cameron.

Jean zou zich houden aan zijn bevelen; ze zou de ambassade niet verlaten.

En ze hield van hem. Verschrikkelijk veel.

De dag brak aan boven de pampa. De bries was warm; David moest zichzelf eraan herinneren dat het januari was. De Argentijnse zomer. Een lid van het personeel van Estancia Quesarro wachtte hen op, een kilometer of vijf voorbij de telefoonpalen, op de grens van de boerderij, en begeleidde hen naar de *rancheria*, een groep kleine huisjes van één verdieping dichtbij, maar niet grenzend aan, de hoofdgebouwen. Ze werden naar een huisje gebracht dat het verste van de andere huizen aflag, op de rand van een omheinde weide met grasland zover het oog reikte. Het huis werd bewoond door de *caporal* – de opzichter van de boerderij.

Toen hij omhoog keek naar de enkele telefoondraad op het dak begreep David het doel ervan. Een opzichter van een boerderij moest kunnen opbellen.

Hun begeleider opende de deur en bleef in de deuropening staan. Hij had haast om weg te komen. Hij raakte Davids arm aan en zei in het Spaans, doorspekt met Indiaanse woorden: 'Alle telefoongesprekken hier lopen via telefonistes. De service is slecht, niet zoals in de stad. Dat moest ik u zeggen, señor.'

Maar dat was niet wat de gaucho hem wilde vertellen. Hij wilde hem vertellen voorzichtig te zijn.

'Ik zal eraan denken,' zei Spaulding. 'Bedankt.'

De man liep snel weg en David sloot de deur. Lyons stond aan de andere kant van de kamer in een kleine kloosterachtige boog, die toegang gaf tot een zonovergoten ruimte.

Hij had de metalen trommel met de gyroscooptekeningen in zijn rechterhand; met zijn linker wenkte hij David.

Achter de boog was een klein vertrek; in het midden, onder een langwerpig raam dat uitkeek over de pampa, stond een bed.

Spaulding maakte zijn broek los en deed hem uit.

Hij viel met zijn volle gewicht op de harde matras en sliep in.

40

Het leek nog maar seconden geleden dat hij door de kleine boog het zonnige kamertje binnengegaan was.

Hij voelde de drukkende vingers rond de wond; zijn lichaam schokte toen een koud-brandend vocht op zijn middel werd gesmeerd en de pleisters craf werden getrokken.

Hij opende woedend zijn ogen en zag een man die over het bed gebogen stond. Lyons stond naast hem. Op de rand van de harde matras stond een onmiskenbaar dokterskoffertje. De man die over hem heen gebogen stond was een dokter. Hij sprak ongewoon duidelijk Engels.

'U hebt bijna acht uur geslapen. Dat is het beste recept dat men u kon geven... Ik ga de wond op drie plaatsen hechten; dat zal wel voldoende zijn. U zult wat ongemak aan die zij hebben, maar met de pleisters kunt u gaan en staan waar u wilt.'

'Hoe laat is het?' vroeg David.

Lyons keek op zijn horloge. Hij fluisterde en de woorden klonken duidelijk hoorbaar: 'Twee... uur.'

'Mijn dank dat u hierheen gekomen bent,' zei Spaulding en schoof opzij zodat de dokter zijn instrumenten kon neerleggen.

'Wacht tot ik terug ben in mijn praktijk in Palermo.' De dokter lachte zachtjes, sardonisch. 'Ik weet zeker dat ik op een van hun lijsten sta.'

Met een geruststellend glimlachje bracht hij een hechting aan. 'Ik liet een boodschap achter dat ik voor een bevalling naar een verafgelegen boerderij geroepen was... Zo.' Hij hechtte de draad af en klopte goedkeurend op Spauldings blote huid. 'Nog twee en dan zijn we klaar.'

'Denkt u dat u ondervraagd zult worden?'

'Nee, dat niet. De junta knijpt nogal eens een oogje dicht. Er is geen overvloed van dokters hier... En het is grappig, maar ondervragers komen altijd om gratis medisch advies. Ik geloof dat het bij hun mentaliteit hoort.'

'En ik geloof dat u iets verbergt. Ik geloof dat het wel degelijk gevaarlijk was.'

De dokter hield zijn handen stil terwijl hij David aankeek. 'Jean Cameron is een heel bijzondere vrouw. Als de geschiedenis van

Buenos Aires in oorlogstijd wordt geschreven, zal ze met ere vermeld worden.' Hij ging zonder veel omhaal verder met de hechting. David had het gevoel dat hij niet verder wilde praten. Hij had haast.

Twintig minuten later was David weer op de been en stond de dokter bij de deur van het huisje. David schudde hem de hand.

'Ik kan u helaas niet betalen,' zei hij.

'Dat deed u al, overste. Ik ben een jood.'

Spaulding liet de hand van de dokter niet los. Hij hield integendeel de hand stevig vast – niet als een groet. 'Verklaar u nader.'

'Er valt niets te verklaren. De joodse gemeenschap gonst van geruchten over een Amerikaanse officier die het opneemt tegen het zwijn... het zwijn Rhinemann.'

'Is dat alles?'

'Het is genoeg.' De dokter trok zijn hand uit die van Spaulding en liep naar buiten. David sloot de deur.

Rhinemann het zwijn. Het was tijd voor Rhinemann.

De Teutoonse keelstem gilde door de telefoon. David zag in gedachten de blauwzwarte aderen opzwellen onder de opgeblazen, door de zon verbrande huid. En de smalle ogen die uitpuilden van woede.

'*Jij hebt dat gedaan. Jij hebt dat gedaan.*' De beschuldiging werd alsmaar herhaald, alsof de herhaling ervan een ontkenning kon uitlokken.

'Ja, ik heb het gedaan,' zei David effen.

'Je bent dóód. Je bent een dode man.'

David sprak rustig en langzaam, maar nadrukkelijk. 'Als ik dood ben, worden er geen codes naar Washington gestuurd en komt er geen radio- en radarstilte. De radarschermen zullen de treiler oppikken en zodra er een onderzeeër in de buurt van de treiler boven water komt, wordt hij uit het water geschoten.'

Rhinemann zweeg. Spaulding hoorde het ritmische ademhalen van de Duitse jood maar zei niets. Hij liet Rhinemann nadenken over de gevolgen. Eindelijk sprak Rhinemann weer. Met soortgelijke nadruk. 'Dan heb je me iets te vertellen. Anders had je niet opgebeld.'

'Dat klopt,' zei David. 'Ik heb u iets te zeggen. Ik neem aan dat u commissie berekent. Ik kan niet aannemen dat u deze ruil gratis regelt.'

Rhinemann was weer even stil. Hij antwoordde voorzichtig, z'n zware ademhaling was hoorbaar. 'Nee... het is een transactie. Hulp moet betaald worden.'

'Maar die betaling komt later, nietwaar?' David sprak de woorden kalm en ongeëmotioneerd uit. 'U hebt geen haast. Iedereen doet precies wat u beveelt... Er komen geen radioberichten uit Zwitserland dat de betaling heeft plaatsgevonden. Het enige bericht dat u krijgt – of niet zult krijgen – is van een onderzeeboot ·met de mededeling dat de Koening-diamanten overgeladen zijn uit de treiler. Dan stijg ik op in Buenos Aires met de tekeningen. Dat is het sein.' Spaulding lachte even, koud en gedempt. 'Het is erg professioneel, Rhinemann, gefeliciteerd.'

De stem van de financier klonk plotseling diep en behoedzaam. 'Wat wil je eigenlijk?'

'Dit is ook erg professioneel... Ik ben de enige die ervoor kan zorgen dat het bericht van die duikboot doorkomt. Niemand anders. Ik heb de codes waardoor de lichten uitgaan en de radarschermen worden uitgeschakeld. Maar ik wil er ook voor betaald worden.'

'Zit het zo...' Rhinemann aarzelde. Zijn ademhaling was nog steeds hoorbaar.

'Het is een buitensporige eis. Je superieuren verwachten de gyroscooptekeningen. Als je de aflevering verhindert, word je ongetwijfeld terechtgesteld. Niet formeel veroordeeld natuurlijk, maar het resultaat zal hetzelfde zijn. Dat hoef ik je zeker niet te vertellen.'

David lachte weer en weer lachte hij kort, maar nu gemoedelijk. 'U zit ernaast. Ver naast. Er komen mogelijk executies, maar niet de mijne. Tot gisteravond kende ik maar het halve verhaal. Nu weet ik alles. Nee, niet míjn executie. Anderzijds hebt u wel een probleem, dat weet ik. Vier jaar in Lissabon leren iemand het een en het ander.'

'Wat is mijn probleem dan?'

'Als de Koening-artikelen in Ocho Calle niet geleverd worden, stuurt Altmüller een geheim bataljon naar Buenos Aires. Dat overleeft u niet.'

Weer stilte. En die stilte hield de erkenning van Rhinemann in dat David gelijk had.

'Dan zijn we bondgenoten,' zei Rhinemann. 'In één nacht heb je het ver gebracht. Je hebt een gevaarlijk risico genomen en je hebt veel werk verzet. Ik heb bewondering voor dergelijke agressieve ambities. Ik ben ervan overtuigd dat we tot een akkoord kunnen komen.'

'Ik wist wel dat u die overtuiging had.'

'Zullen we de bedragen bespreken?'

Weer lachte David zacht. 'Betaling door u is als... voor gisteravond. Alleen de helft van het verhaal. Zorg dat uw helft heel royaal is. In Zwitserland. De andere helft moet in de Verenigde Staten betaald worden. Levenslang héél royale uitkeringen.' Ineens werd David kortaf. 'Ik wil namen weten.'

'Ik begrijp je niet...'

'Dènk erover na. De mannen die achter deze operatie zitten. De Amerikanen. Dat zijn de namen die ik wil hebben. Niet van een accountant of van een verwarde brigade-generaal. De anderen... Zonder die namen geen ruil. Geen codes.'

'De man uit Lissabon heeft weinig last van zijn geweten,' zei Rhinemann met iets van respect in zijn stem. 'Je bent... zoals jullie zeggen... zo rot als een mispel.'

'Ik heb de grootmeesters in actie gezien. Ik heb erover nagedacht... Waarom niet?'

Het was duidelijk dat Rhinemann niet naar Davids antwoord geluisterd had. Zijn toon was plotseling achterdochtig. 'Als dit... verwerven van persoonlijke rijkdom je einddoel is, waarom deed je dan wat je gisteravond gedaan hebt? Die schade is wel niet onherstelbaar, maar waarom dééd je het?'

'Om een heel simpele reden. Ik had er gisteravond niet over nagedacht. Ik was nog niet tot die slotsom gekomen... gisteravond.' God wist dat dit de waarheid was, dacht David.

'Ja, ik denk dat ik het begrijp,' zei de financier. 'Een heel menselijke reactie...'

'Ik wil de rest van die tekeningen hebben,' onderbrak Spaulding hem. 'En u wilt de codes verzonden hebben. Als we ons aan het tijdrooster willen houden, hebben we nog zesendertig uur, misschien iets meer of minder. Ik bel u om zes uur. Zorg dan dat u klaar bent.'

David hing de telefoon op. Hij ademde diep en realiseerde zich dat hij transpireerde... hoewel het in het betonnen huisje koel was. De pampabries blies naar binnen en deed de gordijnen opbollen. Hij keek naar Lyons, die hem in een rieten schommelstoel met een rechte rugleuning zat op te nemen.

'Hoe deed ik het?' vroeg hij.

Lyons slikte en begon te praten en David merkte op dat hij of gewend raakte aan de geforceerde stem of dat Lyons beter ging spreken.

'Heel overtuigend. Behalve... het zweet op uw gezicht en de uitdrukking... in uw ogen.' Lyons glimlachte en liet er toen direct een ernstig gemeende vraag op volgen. 'Is er een kans... op de rest van de blauwdrukken?'

David hield een lucifer bij zijn sigaret. Hij inhaleerde de rook, keek naar de langzaam heen en weer bewegende gordijnen voor het open raam en wendde zich toen tot de geleerde. 'Ik vind dat we elkaar goed moeten begrijpen, Dr. Lyons. Ik geef geen lor om die tekeningen. Dat is misschien niet juist, maar het is zo. En als we ze alleen in handen kunnen krijgen door het risico te lopen dat die treiler de duikboot bereikt, dan is er geen sprake van. Ik vind dat we driekwart meer leveren dan we moeten. En dat is veel te veel. Het enige waar het mij om gaat, zijn de namen... het bewijs heb ik, nu wil ik nog de namen hebben.'

'U wilt wraak nemen,' zei Lyons zachtjes.

'*Ja... Jezus. Ja, dat wil ik.*' David drukte de zojuist opgestoken sigaret uit, liep naar het open raam en keek naar buiten over de weiden. 'Het spijt me, ik wilde niet tegen u schreeuwen. Of misschien zou ik het wel moeten doen. U hoorde wat Feld gezegd heeft; u zag wat ik meebracht uit Ocho Calle. U kent de hele smerige obscene zaak.'

'Ik weet... dat de piloten van die vliegtuigen... niet verantwoordelijk zijn... Ik geloof... dat Duitsland deze oorlog moet verliezen.'

'Verdomme,' brulde David, terwijl hij zich snel omdraaide. 'U hebt het gezíen. U móet het begríjpen.'

'Wilt u daarmee zeggen... dat er geen verschil tussen is? Dat geloof ik niet... Ik denk niet dat u het gelooft.'

'Ik weet niet wàt ik geloof... Nee, ik weet het wèl. Ik weet wat me tegenstaat omdat er daardoor geen ruimte overblijft voor geloof... En ik weet dat ik die namen wil hebben.'

'U moet ze ook hebben... Uw problemen zijn grote... morele kwesties. U zult er nog jaren mee bezig zijn.' Het was moeilijk voor Lyons duidelijk te blijven praten. 'Ik wil alleen zeggen... wat er ook gebeurd is... dat Asher Feld gelijk had. Over deze oorlog moet níet onderhandeld worden, hij moet gewonnen worden.'

417

Lyons hield op met praten en masseerde zijn hals. David liep naar een tafel waar Lyons een kan water had staan en schonk een glas vol. Hij bracht het glas naar de uitgeputte geleerde en gaf het hem. Terwijl hij een gebaar van dank beantwoordde, bedacht David dat het vreemd was... Van alle mensen zou de vermagerde kluizenaar voor hem het minste profijt hebben van de afloop van de oorlog. Of de bekorting ervan. Toch was Eugene Lyons getroffen door de inzet van Asher Feld. Misschien begreep Lyons door zijn pijn de eenvoudiger principes, die door zijn eigen boosheid waren verwrongen.

Asher Feld. Het Alvear Hotel.

'Luister,' zei Spaulding. 'Als er een kans is – en misschien is die er – proberen we de blauwdrukken in handen te krijgen. Er is een ruil mogelijk. Een gevaarlijke... niet voor ons, maar voor uw vriend Asher Feld. We zullen zien. Ik beloof niets. Eerst moet ik de namen hebben. Het loopt parallel; tot ik de namen heb, moet Rhinemann denken dat ik de tekeningen even graag wil hebben als hij de diamanten... We zullen zien.'

De zachte, onregelmatig klinkende bel van de plattelandstelefoon klonk door de kamer. Spaulding nam de hoorn op.

'Met Ballard,' zei de bezorgde stem.

'Ja, Bobby?'

'Ik hoop dat je niets uitgehaald hebt, want van alle kanten wordt het tegendeel beweerd. Ik neem aan dat een verstandige vent zichzelf niet door de krijgsraad tot een lange gevangenisstraf laat veroordelen voor een paar dollars.'

'Dat is een redelijke veronderstelling. Wat is er? Heb je de inlichtingen gekregen?'

'Eerst het belangrijkste. En het belangrijkste is dat de Fleet Marine Force je dood of levend in handen wil krijgen, hoe doet er niet toe, maar waarschijnlijk het liefst dood.'

'Hebben ze Meehan en de chauffeur gevonden?'

'Nou en hoe! Nadat ze bestolen en uitgekleed waren door zwervende *vagos*. Ze zijn razend. Ze strooien het praatje rond dat de ambassade niet mocht weten, dat Fairfax opdracht had gegeven je op te pikken. Fairfax is maar een bijkomstigheid. Zij willen je hebben. Mishandeling, diefstal, enz.'

'Goed, dat was te verwachten.'

'Te verwachten? Een mooi nummer ben jij. En over Granville hoef ik je niets te vertellen. Hij belt me de hele dag. Washington bereidt een instructie op het allerhoogste niveau voor, dus ik zit hier vast tot het binnenkomt.'

'Dan weet hij het niet. Ze dekken elkaar,' zei David ontstemd.

'Natuurlijk weet hij het niet. Natuurlijk doen ze dat! Die radiostilte; jij bemoeide je met een lèk bij het oppercommando. Een project van de centrale Geallieerden dat rechtstreeks van het ministerie van oorlog komt.'

'Natuurlijk komt het van het ministerie van oorlog. En ik kan je ook nog vertellen van welke afdeling.'

'Het is waar... een duikboot brengt er een paar heel belangrijke Berlijners heen. Daar heb jij niets mee te maken, het ligt buiten jouw terrein. Granville zal je dat wel vertellen.'

'Kolder!' gilde David. 'Je reinste kolder! Doorzichtige kolder! Vraag het iedere geheime agent in Europa. Je krijgt nog geen Briefmarke uit wèlke Duitse haven ook. Niemand weet dat beter dan ik.'

'Ontologisch gezien, interessant. Doorzichtigheid is geen eigenschap die je verwacht...'

'Geen grappen. Daar ben ik niet voor in de stemming.' Ineens bedacht David dat hij geen reden had om tegen de cryptograaf te gillen. Ballards aanknopingspunten waren in wezen dezelfde als achttien uur geleden – misschien met complicaties, maar niets over kwesties van leven of dood. Ballard wist niets van de slachting in San Telmo of het materiaal voor Peenemünde in de Ocho Calle; en van een Hagana die was doorgedrongen tot de diepste geheimen van de Militaire Inlichtingendienst. En hij zou het nu ook niet te weten komen. 'Het spijt me, ik heb erg veel aan mijn hoofd.'

'Goed, goed,' suste Ballard, alsof hij gewend was geraakt aan de humeuren van andere mensen. Nog een trek die de meeste cryptografen gemeen hebben, dacht David. 'Jean zei dat je gewond bent, je viel en je kreeg een flinke jaap. Heeft iemand je geduwd?'

'Nee, dat is in orde. Er is een dokter bij geweest... Heb je inlichtingen gekregen? Over Ira Barden?'

'Ja... Ik heb me rechtstreeks tot G-2 in Washington gewend. Een verzoek per telex over een dossier op jouw naam. Barden wordt erover ingelicht.'

'Dat is oké. Wat staat er in?'

'Wil je àlles weten?'

'Al wat... ongewoon lijkt. Fairfax beoordelingen, waarschijnlijk.'
'Ze gebruiken de naam Fairfax niet. Alleen topprioriteitsclassificatie... Hij zit bij de reservisten, niet in het gewone leger. De familie heeft een importbedrijf. Hij bracht een aantal jaren door in Europa en het Midden-Oosten; hij spreekt vijf talen...'
'En een ervan is Hebreeuws,' onderbrak David hem rustig.
'Dat is zo. Hoe wist... Laat maar. Hij was twee jaar op de Amerikaanse universiteit in Beiroet toen zijn vader de firma vertegenwoordigde in de Middellandse-Zeelanden. De firma deed grote zaken in textiel uit het Midden-Oosten. Daarna ging Barden naar Harvard en toen naar een kleine hogeschool die Brandeis heet... Die ken ik niet. Er staat hier dat hij zijn graad haalde op een proefschrift over het Nabije Oosten. Na zijn studie werd hij opgenomen in de familiezaak tot het uitbreken van de oorlog... Ik denk dat het de talen zijn.'
'Bedankt,' zei David. 'Verbrand het telexbericht, Bobby.'
'Graag... Wanneer kom je op de ambassade? Als ik jou was, zou ik maar zorgen hier te zijn voor de FMF je vindt. Jean kan Henderson misschien bepraten om de zaak te sussen.'
'Ik kom heel gauw. Hoe gaat het met Jean?'
'Hè? Goed... Bang, zenuwachtig, denk ik. Je ziet het zelf wel. Maar ze kan tegen een stootje.'
'Laat ze zich geen zorgen maken.'
'Zeg haar dat zelf maar.'
'Zit ze bij je?'
'Nee...' Ballard hield het woord lang aan, waardoor hij een zekere ongerustheid verried die tot nu toe afwezig was geweest. 'Nee, ze is niet bij mij. Ze is op weg naar jou toe...'
'Wàt?'
'De verpleegster. De doktersassistente. Ze belde ongeveer een uur geleden. Ze zei dat je Jean wilde spreken.' De stem van Ballard klonk plotseling hard en luid. '*Wat gebeurt er in vredesnaam Spaulding?*'

41

'De man uit Lissabon verwachtte toch zeker wel tegenmaatregelen? Het verbaast me, dat hij zo achteloos was.' Heinrich Stoltz liet zijn arrogantie telefonisch doorklinken. 'Mrs. Cameron was voor u een onaantastbare flankdekking, niet waar? De oproep van een geliefde is moeilijk te weerstaan, is het niet?'
'Waar is ze?'
'Onderweg naar Luján. Ze zal gast zijn op Habichtsnest. Een geëerde gast, dat kan ik u verzekeren. Herr Rhinemann zal erg blij zijn; ik wilde hem net bellen. Maar ik heb gewacht tot ze onderschept was.'
'U bent uit de koers!' zei David en probeerde zijn stem rustig te laten klinken. 'U vraagt om represailles in ieder neutraal gebied. Diplomatieke gijzelaars in een neutraal...'
'Een gast,' onderbrak de Duitser hem, met plezier in zijn stem. 'Nauwelijks een vangst: een stíef-schoondochter; haar man is overleden. Iemand zonder officiële status. Erg ingewikkeld, die Amerikaanse society-riten.'
'U weet wat ik bedoel! Daar hebt u geen woordenboek voor nodig!'
'Ik zei dat ze een gàst was. Van een eminente financier, met wie u zelf contact moest opnemen voor internationale economische aangelegenheden, meen ik. Een jood die uit zijn eigen land verbannen is en dat land is uw vijand. Ik zie geen reden tot ongerustheid. Hoewel... voor u misschien wel.'
Hij mocht niet talmen. Jean behoorde niet tot de transactie, niet tot de beschuldiging. Die beschuldiging kon hem wat! De zinloze verplichting kon hem ook wat! Het was allemaal zinloos en onbetekenend.
Behalve Jean.
'Noem uw condities,' zei David.
'Ik twijfelde er niet aan of u zou meewerken. Wat voor verschil maakt het voor u uit? Of voor mij... U en ik ontvangen bevelen. We laten de filosofie over aan de leidinggevende personen. Wij leven verder.'
'Dat klinkt niet als een ware aanhanger. Ik hoorde dat u een aanhanger bent.' David zei maar wat; hij had tijd nodig, een paar

seconden maar. Tijd om na te denken.

'Vreemd genoeg ben ik dat ook. In een wereld die helaas niet meer bestaat. En maar gedeeltelijk in de wereld die komen gaat... De resterende tekeningen zijn op Habichtsnest. U en uw aerofysicus moeten daar direct heen. Ik wil onze transactie vanavond afsluiten.' 'Wacht even!' David dacht razendsnel na over vermoedens, over de uitwijkmogelijkheden van zijn tegenstander. 'Habichtsnest is niet het schoonste nest waar ik in gezeten heb; de bewoners laten nogal wat te wensen over.'

'De gasten ook.'

'Twee voorwaarden. Ten eerste: ik krijg Mrs. Cameron direct bij mijn aankomst te spreken. Ten tweede: ik verzend geen codes – als ze al verzonden moeten worden – voor zij terug is op de ambassade. Met Lyons.'

'Dat bespreken we later wel. Er gaat één andere voorwaarde aan vooraf.' Stoltz wachtte even. 'Als u vanmiddag niet op Habichtsnest aanwezig bent, ziet u Mrs. Cameron nóóit terug. Niet zoals u haar het laatst zag... Habichtsnest biedt veel afleiding; de gasten genieten er echt van. Helaas zijn er in het verleden een paar nare ongelukken gebeurd. Op de rivier, in het zwembad... bij het paardrijden...'

De opzichter gaf hen een wegenkaart en vulde de tank van de FMF auto met benzine van de pomp op de boerderij. Spaulding verwijderde de schildjes van de bumpers en wiste de cijfers van de nummerborden gedeeltelijk uit door de verf af te krabben tot de zevens op enen leken en de achten op drieën. Toen sloeg hij de sierdop van de motorkap af, gooide zwarte verf over de radiateur en sloopte de vier wieldoppen. Ten slotte nam hij een moker en sloeg er tot verbazing van de zwijgende gaucho mee op de deuren, de achterbak en het dak van de wagen.

Toen hij daarmee klaar was, leek de auto van de Fleet Marine Force precies een van de talloze wrakken die er op het platteland rondreden.

Ze reden de weg af tot de zogenaamde hoofdweg waar de telefoondraden bij elkaar kwamen en toen oostwaarts in de richting van Buenos Aires. Spaulding drukte het gaspedaal in, zodat de gehavende carrosserie ervan begon te rammelen. Lyons zat met de opengevouwen kaart op zijn knieën. Als de kaart deugde, konden ze Luján bereiken zonder op de grote verkeerswegen te komen en met veel minder kans op ontdekking door de FMF patrouilles, die nu ongetwijfeld uitgerukt waren.

Wat een afschuwelijke ironie, dacht David. Veiligheid – veiligheid voor Jean, en eigenlijk voor hemzelf ook – bestond in contact met diezelfde vijand, die hij meer dan drie jaar zo fel bestreden had. Een vijand die een bondgenoot geworden was door ongelooflijke gebeurtenissen... verraad in Washington en Berlijn.

Wat had Stoltz ook weer gezegd? Laat de filosofie maar over aan *de leidinggevende personen*.

Betekenisvol en toch zonder betekenis.

David miste bijna de half verborgen inrit naar Habichtsnest. Hij kwam nu uit de tegengestelde richting over een eenzaam weggedeelte waar hij maar één keer geweest was en dan nog 's nachts. Wat hem langzamer deed rijden en naar links kijken, zodat hij de open plek in het bos zag, waren bandensporen op de lichte grond van de inrit. Die sporen waren nog te vers om al uitgewist te zijn door de hete zon of het verkeer. En Spaulding herinnerde zich de woorden van de wacht op de pier in de Ocho Calle:

Er wordt veel geschreeuwd.

In gedachten zag David Rhinemann zijn bevelen schreeuwen, waardoor een serie Bentley's en Packards met gierende banden uit de verborgenheid van Habichtsnest wegreed naar een stille straat in San Telmo.

En ongetwijfeld later – kort voor de dageraad – nog meer auto's, nog meer zwetende, angstige beulsknechten, die met grote snelheid naar het kleine, geïsoleerde schiereilandje Ocho Calle reden.

Met een zekere professionele trots bedacht Spaulding dat zijn oordeel juist geweest was.

Allebei vijanden. Allemaal vijanden.

Een vaag plan kwam bij hem op, alleen nog maar in grote trekken. Er hing zoveel af van wat hun op Habichtsnest wachtte.

En van de gedempte woorden van haat die Asher Feld geuit had.

De wachten in hun paramilitaire uniformen richtten hun geweren op de naderende auto. Anderen hadden honden bij zich, die met ontblote tanden en venijnig blaffend aan hun riemen trokken. De man achter het elektrisch bediende hek schreeuwde bevelen naar de ervoor staande wachten; vier wachten holden op de wagen af en rukten de ingeslagen deuren open. Spaulding en Lyons stapten uit; ze werden tegen de FMF auto geduwd en gefouilleerd.

David deed niets dan de aan beide kanten van het hek doorlopende afrastering opnemen. Hij schatte de hoogte en de treksterkte van de schakels, waar de elektrische contactpunten tussen de door dikke palen verbonden secties zaten. De richtingshoeken.

Het was een deel van zijn plan.

Jean holde over het balkon naar hem toe. Verscheidene ogenblikken hield hij haar zwijgend in zijn armen. Het was een korte wijle van normaal leven en hij was er dankbaar voor.

Rhinemann stond een meter of zes verderop bij de balustrade met Stoltz naast zich. Rhinemanns half dichtgeknepen ogen staarden David aan uit de plooien van het door de zon gebruinde vlees met een blik van jaloers respect – en David wist dat.

Er was nog een derde man. Een lange, blonde man in een wit tropenpak bij een tafeltje met een glazen blad. Spaulding kende hem niet. 'David, Dávid. Wat heb ik gedáán?' Jean wilde hem maar niet loslaten. Hij streelde haar zachte bruine haar en antwoordde rustig: 'Mijn leven gered, onder andere...'

'Het Derde Rijk houdt de mensen bijzonder scherp in de gaten, Mrs. Cameron,' onderbrak Stoltz glimlachend. 'We houden alle joden in de gaten. Vooral die met vrije beroepen. We wisten dat u bevriend was met de dokter in Palermo en dat de overste gewond was. Het was allemaal heel eenvoudig.'

'Valt de man naast u ook onder de joden die in de gaten gehouden worden?' vroeg David op effen toon.

Stoltz verbleekte enigszins en zijn blik zwenkte onopvallend van Rhinemann naar de blonde man bij het tafeltje. 'Herr Rhinemann begrijpt wat ik bedoel. Ik bedoel het pragmatisch; de noodzakelijke observering van vijandige elementen.'

'Ja, ik herinner het me,' zei David, terwijl hij Jean losliet en zijn arm om haar schouder sloeg. 'U was gisteren overduidelijk wat betreft de betreurenswaardige noodzakelijkheid van bepaalde maatregelen. Het spijt me dat u de lezing gisteren miste, Rhinemann. Het ging over de concentratie van joods kapitaal... Maar we zijn nu bij elkaar. Laten we de zaak afhandelen.'

Rhinemann verwijderde zich van de balustrade. 'Dat doen we. Maar eerst, om de... cirkel rond te maken, wil ik u een kennis voorstellen die uit Berlijn is aangekomen. Via neutrale routes, natuurlijk. U krijgt de mogelijkheid om rèchtstreeks met hèm te onderhandelen. De ruil wint daarmee aan authenticiteit.'

Spaulding keek de blonde man in het witte tropenpak aan. Hun blikken kruisten zich.

'Franz Altmüller, ministerie van bewapening. Berlijn,' zei David.

'Luitenant-kolonel David Spaulding, Fairfax. Tot voor kort in Portugal. De man uit Lissabon,' zei Altmüller.

'Jullie zijn jakhalzen,' voegde Rhinemann eraan toe, 'die achterbaks vechten en jullie eigen huizen te schande maken. Dat geldt voor jullie allebei... Zoals u al zei, overste, zullen we de zaak afhandelen.'

Stoltz nam Lyons mee naar het prachtig geschoren gazon bij het zwembad. Bij een grote ronde tafel stond daar een wacht van Rhinemann met een metalen koffertje in de hand. Lyons nam plaats met zijn rug naar het balkon. De wacht zette het koffertje op tafel.

'Maak het open,' commandeerde Rhinemann vanaf het balkon. De wacht deed dat; Lyons nam de tekeningen eruit en spreidde ze uit op tafel.

Altmüller beval: 'Blijf bij hem, Stoltz.'

Stoltz keek verrast op, maar zei niets. Hij liep naar de rand van het zwembad en ging in een tuinstoel zitten, met zijn ogen strak op Lyons gericht.

Altmüller wendde zich tot Jean. 'Zou ik even met de overste mogen spreken?'

Jean keek Spaulding aan. Ze maakte haar hand los uit de zijne en liep naar het eind van het balkon. Rhinemann bleef in het midden naar Lyons staan kijken.

'In ons beider belang,' zei Altmüller, 'kunt u me maar beter vertellen wat er in San Telmo gebeurde.'

David nam de Duitser nauwkeurig op. Altmüller loog niet. Hij probeerde niet, hem in een val te lokken. *Hij wist niets van de Hagana. Van Asher Feld*. Het was Spauldings enige kans.

'Gestapo,' zei David.
'*Onmogelijk!*' Altmüller spuwde de woorden uit. 'U wéét dat het onmogelijk is! Ik ben hier!'
'Ik heb bijna vier jaar lang, op verschillende manieren, met de Gestapo te maken gehad. Ik ken de vijand... Dat zult u toch moeten toegeven.'
'U hebt het mis. *Het is onmogelijk!*'
'U hebt te veel tijd doorgebracht op het ministerie en te weinig te velde. Wilt u een professionele analyse horen?'
'Hoe luidt die?'
David leunde tegen de balustrade. 'U bent bedrogen.'
'*Wat?*'
'Net zoals ik bedrogen ben. Door degenen die van onze aanzienlijke talenten gebruik maken. In Berlijn en in Washington. Er is bovendien een opmerkelijke overeenkomst... Ze hebben allebei dezelfde initialen... A.S.'
Altmüller staarde Spaulding ongelovig aan. Zijn ogen priemden zich in die van David en zijn mond ging iets open. Zachtjes mompelde hij de naam.
'*Albert Speer...*'
'*Alan Swanson*,' zei David.
'Het kàn niet,' zei Altmüller met minder overtuiging dan hij wilde laten blijken. 'Hij weet het niet...'
'Ga niet in actie zonder gedegen opleiding. Dan hou je het niet lang vol... Waarom denkt u dat ik een transactie met Rhinemann wilde afsluiten?'
Altmüller luisterde maar met een half oor. Hij wendde zijn blik van Spaulding af, schijnbaar geheel in beslag genomen door een ongelooflijke legpuzzel. 'Als het waar is wat u zegt – en ik ben het er beslist nog niet mee eens – zouden er geen codes verzonden worden en wordt de ruil verhinderd. Dan komt er geen radiostilte; uw vloot blijft kruisen en vliegtuigen en radar blijven actief. Dan is alles verloren!'
David kruiste zijn armen over zijn borst. Het was het ogenblik waarop de leugen geloofd zou worden of verworpen. Hij wist het; hij voelde wat hij zo vaak gevoeld had in het noordelijke gebied als de leugen de sluitsteen betekende. 'Uw partij speelt het spel ruwer dan de mijne. Dat hoort bij de Nieuwe Orde. Mijn superieuren zullen me niet van kant maken; ze zullen er alleen zeker van willen zijn dat ik niets weet. Het enige wat ze interes-

seert zijn de tekeningen... Bij u ligt dat anders. Uw superieuren houden hun opties open.'

David zweeg en glimlachte tegen Rhinemann, die zich van Lyons had afgewend en hen aankeek. Altmüllers ogen waren op Spaulding gericht... de onervaren koerier krijgt een lesje, dacht David.

'En wat zijn die opties volgens u?'

'Ik weet er wel een paar,' antwoordde Spaulding. 'Mij uitschakelen, op het laatste moment een andere codeseiner erbij halen; valse tekeningen leveren, of de diamanten uit Ocho Calle anders dan per schip verzenden – vrij moeilijk met die kistjes, maar niet onmogelijk.'

'Waarom zou ik dan geen gebruik maken van die opties? U brengt me in verleiding.'

Spaulding had omhoog gekeken, in de ruimte. Plotseling draaide hij zich om en keek Altmüller aan. 'Ga nooit in actieve dienst. U blijft geen dag leven. Blijf op uw ministerie.'

'Wat bedoelt u daarmee?'

'Bij elke verandering van strategie bent u er geweest. U bent nu een blok aan het been. U hebt zaken gedaan met de vijand. Speer weet het; de Gestapo weet het. Uw enige kans is, gebrúik te maken van wat u weet. Dat moet ik ook. U uit lijfsbehoud; ik voor heel veel geld. God weet dat de vliegtuigfabrieken er schatten aan zullen verdienen. Een deel daarvan komt mij toe.'

Altmüller deed twee stappen naar de balustrade en kwam naast David staan. Hij keek naar de rivier, ver in de diepte. 'Het is allemaal zo doelloos.'

'Niet als u erover nadenkt,' zei Spaulding. 'Iets voor niets bestaat niet in deze zaak.'

David, die strak voor zich uitkeek, voelde Altmüllers ogen abrupt op zich gericht. Hij voelde het nieuwe plan, dat vaste vorm kreeg in Altmüllers brein.

'Uw edelmoedigheid kan u het leven kosten, overste... We kunnen nog altijd iets voor niets krijgen. En ik een eremedaille van het Reich. Wij hebben u. En Mrs. Cameron. De geleerde is ongetwijfeld kwetsbaar. U zult de codes versturen. U was bereid voor geld te onderhandelen. U zult zeer zeker onderhandelen voor uw leven en dat van anderen.'

Net als Altmüller bleef David recht voor zich uitkijken toen hij antwoordde. Hij hield zijn armen gekruist en was irriterend ontspannen, zoals hij wist dat hij zijn moest. 'Die onderhandelingen zijn beëindigd. Als Lyons de tekeningen goedkeurt, verzend ik de codes nadat hij en Mrs. Cameron op de ambassade teruggekeerd zijn. Niet eerder.'

'U zult ze versturen zodra ik u dat bevéél.' Altmüller had moeite zijn stem in bedwang te houden. Rhinemann keek weer in hun richting, maar maakte geen aanstalten om tussenbeide te komen. Spaulding begreep het. Rhinemann speelde met zijn jakhalzen.

'Het spijt me u te moeten teleurstellen,' zei David.

'Dan zullen er bijzonder onaangename dingen gebeuren. Eerst met Mrs. Cameron.'

'Hou maar op.' David zuchtte. 'Speel volgens de oorspronkelijke regels. U hebt geen schijn van kans.'

'U praat erg zelfverzekerd voor een man die alleen staat.'

Spaulding duwde zich van de balustrade af en draaide zich om, zodat hij tegenover de Duitser kwam te staan. Hij sprak weinig harder dan fluisterend. 'U bent toch werkelijk een stomkop. U zou in Lissabon geen uur in leven blijven... Dacht u werkelijk, dat ik hierheen gereden ben zonder enige ruggesteun? Dacht u dat Rhinemann dat van me verwachtte? Wij mannen van de praktijk zijn erg voorzichtig; erg laf zelfs en helemaal geen helden. We blazen geen gebouwen op als er kans is dat we er zelf nog in zitten. We vernietigen geen vijandelijke brug als we niet langs een andere weg naar onze eigen stellingen terug kunnen.'

'U bent alleen. Er zijn voor u geen bruggen meer over!'

David keek Altmüller aan alsof hij een slecht stuk vlees keurde en raadpleegde zijn horloge. 'Uw Stoltz was een dwaas. Als ik niet binnen een kwartier opbel, wordt er druk getelefoneerd met als gevolg God-weet-hoeveel auto's die naar Luján komen. Ik ben een aan de Amerikaanse ambassade verbonden militaire attaché. Ik vergezelde de dochter van de ambassadeur naar Luján. Dat is voldoende.'

'Dat is belachelijk! Dit is een neutrale stad. Rhinemann zou...'

'Rhínemann zou de poorten openen en de jakhalzen eruit smijten,' onderbrak Spaulding rustig en heel erg kalm. 'Wij zijn allebei een blok aan zijn been. "Tortugas" kan hem na de oorlog veel schade berokkenen. Dat zal hij zeker willen verhinderen. Wat hij over de systemen denkt, het uwe of het mijne, doet niet ter zake. Voor hem doet maar één ding ertoe; het belang van

Erich Rhinemann... Ik dacht dat u dat wel wist. U hebt hem uitgezocht.'

Altmüller ademde regelmatig, een beetje te diep, dacht David. Hij dwong zich tot zelfbeheersing en dat lukte hem maar ten dele.

'Hebt u... maatregelen getroffen om de codes te versturen? Van hieruit?'

De leugen werd geslikt. De sluitsteen lag op zijn plaats.

'De regels zijn weer van kracht. Radio- en radarstilte. Geen aanvallen van vliegtuigen op boven water komende duikboten, geen onderschepping van treilers onder... Paraguayse vlag die de kustwateren binnenvaren. We winnen allebei... Wat mag het zijn, jakhals?'

Altmüller liep terug naar de balustrade en legde zijn handen op de marmeren bovenrand, zijn vingers stijf eromheen geklemd. De plooien van zijn witte palmbeach pantalon hingen bewegingloos. Hij keek omlaag naar de rivier en zei: 'De spelregels van "Tortugas" zijn weer van kracht.'

'Ik moet opbellen,' zei David.

'Dat had ik al verwacht,' zei Rhinemann met een verachtelijke blik op Franz Altmüller. 'Ik voel niets voor ontvoering van ambassadepersoneel. Daar is niemand mee gebaat.'

'Zeg dat maar niet te hard,' zei David. 'Het bracht mij in recordtijd hierheen.'

'Bel maar op.' Rhinemann wees naar een telefoon op een tafeltje naast de toog. 'Uiteraard is er een versterker aangesloten.'

'Allicht,' antwoordde David en liep naar de telefoon.

'Radiokamer,' klonk het uit de onzichtbare luidsprekers.

'Met luitenant-kolonel Spaulding, militair attaché,' zei David, Ballards woorden onderbrekend.

Er volgde iets van een pauze voor Ballard antwoordde.

'Ja meneer... overste?'

'Ik heb voor mijn bespreking van vanmiddag om een onderzoek gevraagd. Dat verzoek kunt u als niet gedaan beschouwen.'

'Ja meneer... Begrepen, overste.'

'Kunt u mij doorverbinden met de chef-cryptograaf? Ene Mr. Ballard, meen ik.'

'Ik ben... Ballard, overste.'

'Sorry,' zei David kortaf. 'Ik herkende uw stem niet, Ballard.

Houdt u gereed voor verzending van de verzegelde codeschema's die ik voor u opstelde. Ze zitten in de groene envelop. Stelt u op de hoogte van de procedure. Zodra ik het sein geef, moeten ze direct overgeseind worden. Met zwart floers prioriteit.'
'Met wat... overste?'
'Mijn machtiging is "zwart floers", Ballard. Het staat in de lex, hou dus alle kanalen van de codezender vrij. Door die prioriteit zult u nergens last mee krijgen. Ik bel u nog wel.'
'Jawel overste...'
David hing op, in de hoop dat Ballard net zo'n goede crypto-graaf was als waar David hem voor hield. En net zo goed in gezelschapsspelletjes als Henderson Granville dacht.
'U bent erg efficiënt,' zei Rhinemann.
'Dat probeer ik althans,' zei David.

Ballard staarde naar de telefoon. Wat probeerde Spaulding hem te vertellen? Ongetwijfeld dat Jean het goed maakte en hijzelf en Lyons ook. Voorlopig tenminste.
Houdt u gereed voor verzending van de verzegelde codeschema's die ik opstelde...
David had geen codes opgesteld. Dat had hijzélf gedaan. Spaulding had de procedures van buiten geleerd, dat wel, maar alleen voor onvoorziene omstandigheden.
Welke groene envelop?
Er was geen envelop, rood, blauw of groen.
En wat betekende die onzin... *zwart floers prioriteit?*
Wat was zwart floers? Dat had geen enkele betekenis!
Maar het wàs een sleutel.
Het staat in de lex...
Lex... Lexicon. De Lexicon voor de Cryptografie!
Zwart floers... Hij herinnerde zich iets... heel vaag, heel lang ge-leden. Zwart floers wàs een heel oude term, al lang in onbruik.
Maar betékenen deed het iets.
Ballard stond op uit zijn draaistoel en liep naar de boekenplank aan de andere kant van de kleine radiokamer. Hij had de *Lexi-con voor de Cryptografie* in geen jaren ingekeken. Het was een waardeloze, theoretische verhandeling... hopeloos verouderd.
Het boek stond op de bovenste plank bij andere waardeloze naslagwerken en zat, net als de andere, dik onder het stof.
Hij vond de uitdrukking op bladzijde 71. Het was één enkele

paragraaf tussen andere paragrafen van al even weinig betekenis. Maar nu had het betekenis.

'Zwart floers, ook bekend onder de naam *Schwarzes Tuch*, omdat de term voor het eerst gebruikt is door het Duitse keizerlijke leger in 1916, is een valstrikmethode. Hij is gevaarlijk omdat hij niet herhaald kan worden. Het is een sein om met een code door te gaan en bepaalde regelingen te beginnen met de bedoeling die regelingen te beëindigen of te annuleren. De factor voor beëindiging wordt uitgedrukt in minuten, op speciale manier genummerd. De toepassing ervan werd in 1917 afgeschaft want het verstoorde...'

Doorgaan... met de bedoeling te beëindigen.

Ballard sloeg het boek dicht en keerde terug naar zijn stoel voor het seintoestel.

Lyons bleef de bladen met de tekeningen heen en terug slaan alsof hij zijn berekeningen nogmaals wilde controleren. Rhinemann riep twee keer van het balkon naar beneden met de vraag of er soms problemen waren. Twee keer draaide Lyons zich om in zijn stoel en schudde het hoofd. Stoltz bleef in de tuinstoel bij het zwembad sigaretten zitten roken. Altmüller sprak even met Rhinemann; het was duidelijk, dat het gesprek voor beiden onbevredigend was. Altmüller keerde terug naar zijn stoel bij het tafeltje met het glazen blad en bladerde een krant uit Buenos Aires door.

David en Jean bleven aan het eind van het terras rustig staan praten. Nu en dan sprak Spaulding wat luider; als Altmüller luisterde, hoorde hij opmerkingen over New York, over architectenbureaus en over vage naoorloge plannen. Plannen van verliefden. Maar die opmerkingen sloten nergens op aan.

'In het Alvear Hotel,' zei David zachtjes terwijl hij Jeans hand vasthield, 'staat iemand ingeschreven onder de naam E. Pace. *E. Pace.* Zijn ware naam is Asher Feld. Maak je bekend als contactpersoon van mij... en van ene Barden. Ira Barden. Meer niet. Zeg hem, dat ik een beroep doe op zijn... prioriteiten. Op de minuut af twee uur... nadat jij van de ambassade belt... Werkelijk op de minúút af, Jean. Hij zal het begrijpen...'

Slechts één keer begon Jean Cameron te hijgen, waarop David haar woedend aankeek en in haar hand kneep. Ze verborg haar geschoktheid achter een gekunsteld lachje.

Altmüller keek op van zijn krant. Minachting sprak uit zijn ogen en achter die minachting lag, niet minder duidelijk, zijn boosheid.

Lyons stond op van zijn stoel en strekte zijn uitgeteerde lichaam. Hij had drie uur en tien minuten aan de tafel gezeten; hij draaide zich om en keek omhoog naar het balkon. Naar Spaulding. Hij knikte.

'Goed,' zei Rhinemann en liep naar Franz Altmüller. 'We gaan verder. Het zal gauw donker zijn; morgenochtend vroeg ronden we alles af. Geen verder uitstel! Stoltz! *Kommen Sie her! Bringen Sie die Aktenmappe!*'

Stoltz liep naar de tafel en begon de bladen weer in het koffertje op te bergen.

David nam Jeans arm en leidde haar naar Rhinemann en Stoltz. De nazi zei: 'De ontwerpen omvatten ongeveer vierhonderdenzestig pagina's basisgegevens en uitgewerkte vergelijkingen. Niemand kan dat allemaal onthouden. Het ontbreken van enig deel maakt de tekeningen waardeloos. Zodra u contact hebt opgenomen met de cryptograaf en de codes hebt laten doorseinen, kunnen Mrs. Cameron en Dr. Lyons vertrekken.'

'Het spijt me,' zei Spaulding. 'Ik heb gezegd dat ik de codes zou verzenden als zij terug waren op de ambassade. En zo blijft het.'

Woedend onderbrak Rhinemann hem: 'U denkt toch zeker niet dat ik zal toestaan...'

'Nee, dat denk ik niet,' kwam David ertussen. 'Maar ik weet niet precies hoeveel invloed u hebt buiten de poorten van Habichtsnest. Op deze manier zult u beter uw best doen.'

42

Het duurde een uur en eenendertig minuten voor de telefoon ging. Om precies kwart voor negen. De zon was ondergegaan achter de heuvels van Luján en de lantaarns langs de rivieroever in de verte flikkerden in het omringende donker.

Rhinemann nam de hoorn op, luisterde en knikte naar David. Spaulding stond op uit zijn stoel, liep naar de financier en nam de hoorn over. Rhinemann draaide een schakelaar aan de muur om. De luidsprekers waren ingeschakeld.

'We zijn er, David.' Jeans woorden klonken versterkt over het terras. 'Mooi zo,' antwoordde Spaulding. 'Geen problemen?'

'Als-ie over velden rijdt, wordt Dr. Lyons half misselijk. Ze reden ook zo hard...'

Als-ie... over velden...

Asher... Feld...

Jean had het voor elkaar!

'Maar nu is hij opgeknapt?'

'Hij rust nu. Het zal tijd kosten voor hij weer...'

Tijd.

Jean had Asher Feld de exacte tíjd opgegeven.

'Oké...'

'*Genug! Genug!*' zei Altmüller, die bij het balkon stond. 'Dat is genoeg. U hebt uw bewijs; ze zijn aangekomen. De codes!'

David keek op naar de nazi. Het was een bedachtzame en allesbehalve geruststellende blik.

'Jean?'

'Ja?'

'Ben je in de radiokamer?'

'Ja.'

'Geef me die Ballard even.'

'Hier komt-ie.'

Ballards stem klonk onpersoonlijk en efficiënt. 'Overste Spaulding?'

'Ballard, zijn alle kanalen geverifieerd voor de code-uitzending?'

'Jawel overste. Uw prioriteit ook. Het floers is bevestigd.'

'Uitstekend. Houd je klaar voor mijn telefoontje. Dat komt over

433

een paar minuten.' Snel hing David de hoorn op.

'Wat bezielt u?' schreeuwde Altmüller woedend. '*De codes! Verzend ze!*'

'Hij verráádt ons!' gilde Stoltz en sprong op uit zijn stoel.

'U zult u nader moeten verklaren.' Rhinemann sprak op zachte toon en zijn stem verried de straf die hij dacht op te leggen.

'Alleen een paar laatste details,' zei David, terwijl hij een sigaret opstak. 'Een paar minuten maar... Zullen we even onder vier ogen spreken, Rhinemann?'

'Dat is niet nodig. Waar gaat het over?' vroeg dé financier. 'Uw wijze van vertrek? Die is geregeld. U wordt met de tekeningen naar het vliegveld Mendarra gereden. Dat is nog geen tien minuten hier vandaan. Maar u zult niet mogen opstijgen voor wij de bevestiging hebben van de overdracht van de Koening-diamanten.'

'Hoe lang duurt dat?'

'Wat maakt dat voor verschil uit?'

'Na afkondiging van de radiostilte ben ik onbeschermd; dat is het verschil.'

'*Ach!*' Rhinemann was ongeduldig. 'U krijgt vier uur lang de best denkbare bescherming. Ik heb geen zin om de lui in Washington te beledigen.'

'Ziet u wel?' zei David tegen Franz Altmüller. 'Ik zei toch al dat we blokken aan zijn been waren.' Hij wendde zich weer tot Rhinemann. 'Goed, daar kan ik inkomen. U hebt veel te verliezen. Detail nummer een is afgehandeld. Nu detail nummer twee. Uw betaling aan mij.'

Rhinemanns ogen vernauwden zich tot spleten. 'U bènt een man van details... Er zal een bedrag van vijfhonderdduizend Amerikaanse dollars worden overgemaakt naar de Banque Louis Quatorze in Zürich. Het is een niet overdraagbaar bedrag en een royale som.'

'Buitengewoon royaal. Meer dan ik gevraagd zou hebben... Welke garantie heb ik?'

'Kom, kom, overste, wij zijn geen hàndelsreizigers. U weet waar ik woon; uw bekwaamheden zijn bewezen. Ik voel er niets voor om de spookverschijning van de man uit Lissabon weer binnen mijn persoonlijke gezichtskring te zien opduiken.'

'U vleit me.'

'Het geld wordt gestort en de daarop betrekking hebbende documenten zullen in Zürich voor u bewaard worden. Op de bank; de normale procedure.'

David drukte zijn sigaret uit. 'Goed. Zürich... En nu het laatste detail. De royale vergoedingen die ik in Amerika zal ontvangen... De namen alstublieft. Schrijft u ze op.'

'Weet u zeker dat ik die namen ken?'

'Het is het enige waar ik echt zeker van ben. Het is de unieke kans, die u zich onder geen beding kon laten ontgaan.'

Rhinemann haalde een klein zwartleren notitieboekje uit zijn zak en krabbelde haastig iets op een blaadje. Hij scheurde het eruit en gaf het aan Spaulding.

David las de namen:

Kendall, Walter
Swanson, A. Amerikaanse Strijdkrachten
Oliver, H. Meridian Vliegtuigfabrieken
Craft, J. Packard.

'Dank u,' zei Spaulding. Hij stopte het blaadje in zijn zak en pakte de telefoon. 'Geeft u me de Amerikaanse ambassade.'

Ballard las de volgorde van de codereeksen die David hem had gedicteerd. Ze waren niet vlekkeloos, maar ook niet ver ernaast. Spaulding had twee klinkers verwisseld, maar de boodschap was duidelijk. En Davids nadruk op de 'frequentie van 120 Herz voor alle volgende code-uitzendingen' was zinloos geklets. Maar ook dat was duidelijk.

120 minuten.

Zwart floers.

De oorspronkelijke code telde twaalf letters:

SEIN TORTUGAS

Maar het bericht dat Spaulding gedicteerd had, telde vijftien letters. Ballard staarde naar de woorden.

VERNIEL TORTUGAS

Over twee uur.

David had nog een laatste 'detail' waar niemand iets tegenin kon brengen, maar dat ze wel verwerpelijk vonden. Omdat het ten naaste bij vier uur zou duren voor hij naar het vliegveld

Mendarro zou worden gebracht cn er in die tijd honderd en een redenen konden zijn, waarom hij de tekeningen niet zou zien – of Rhinemann ze niet zou zien – stond hij erop, dat ze in een afgesloten metalen koffer opgeborgen en met een ketting vastgemaakt zouden worden aan een onverplaatsbaar voorwerp. De ketting moest worden afgesloten met een nieuw hangslot, waarvan hij de sleutels moest krijgen. Verder moest hij de sleutels van de koffer in bewaring krijgen en zou hij de hengsels bedraden. Als er met de tekeningen geknoeid werd, zou hij het weten.

'Uw voorzorgen worden nu overdreven,' zei Rhinemann verstoord. 'Ik zou u moeten negeren. De codes zijn verzonden.'

'Geef me dan mijn zin. Ik ben een Fairfax-agent met classificatie vier-nul. Misschien werken we later weer eens samen.'

Rhinemann glimlachte. 'Zo gaat het altijd, hè? Vooruit.'

Rhinemann liet een ketting en een hangslot halen en toonde David met een zeker genoegen, dat het nog in de oorspronkelijke verpakking zat. Het ritueel was in een paar minuten voorbij: de metalen koffer werd met de ketting aan de trapleuning in de grote hal vastgelegd. De vier mannen gingen naar de grote zitkamer rechts van de hal, waar een brede toog een onbelemmerd uitzicht gaf op de trap... en de metalen koffer.

De financier toonde zich een gulle gastheer. Hij bood cognac aan, die eerst alleen door Spaulding geaccepteerd werd. Heinrich Stoltz volgde. Altmüller wilde niet drinken.

Een bewaker met een messcherpe plooi in de broek van zijn paramilitaire uniform kwam door de toog naar binnen.

'Onze radiotelefonisten bevestigen de radiostilte, meneer. In de hele kustzone.'

'Dank je,' zei Rhinemann. 'Luister naar alle frequenties.'

De wacht knikte en verliet even snel de kamer als hij die was binnengekomen.

'Uw mannen zijn efficiënt,' merkte David op.

'Daar worden ze voor betaald,' antwoordde Rhinemann, op zijn horloge kijkend. 'En nu wachten we maar af. Alles is in werking gezet en wij hoeven alleen maar te wachten. Ik zal een koud buffet bestellen. Borrelhapjes vullen de maag niet... en we hebben de tijd.'

'U bent gastvrij,' zei Spaulding en nam zijn cognac mee naar een stoel naast Altmüller.

'En gul. Vergeet dat niet.'

'Dat zou moeilijk gaan... Ik vraag me af of ik u nog een keer lastig mag vallen.' David zette zijn cognac op een bijzettafeltje en wees op zijn verkreukelde, slecht zittende kleren. 'Die heb ik geleend van een vaquero. Joost mag weten wanneer ze 't laatst gewassen zijn. Of ik... Ik zou me graag douchen en scheren; misschien hebt u een broek voor me en een overhemd of een trui...'

'Uw eigen mensen zullen u daar zeker aan kunnen helpen,' zei Altmüller met een wantrouwende blik op David.

'Goeie genade, Altmüller. Ik gá nergens heen. Alleen naar de douche. De tekeningen liggen dáár.' Spaulding wees boos door de toog naar de metalen koffer, die met een ketting aan de trapleuning vastzat. 'Als u denkt, dat ik wegga zonder die koffer, bent u achterlijk.'

De belediging maakte de nazi woedend; hij omklemde de armleuningen van zijn stoel om zich te beheersen. Rhinemann begon te lachen en zei tegen Altmüller: 'De overste heeft een paar vermoeiende dagen achter de rug. Zijn verzoek is een kleinigheid en ik kan u verzekeren, dat hij nergens anders heengaat dan naar het vliegveld Mendarro... Was het maar zo. Dat zou me een half miljoen dollar sparen.'

David beantwoordde Rhinemanns lach door zelf te lachen. 'Iemand met zoveel geld in Zurich moet zich op zijn minst schoon kunnen vóelen.' Hij stond op uit zijn stoel.' U hebt gelijk wat de laatste paar dagen betreft: ik ben doodop. Mijn hele lichaam doet pijn. Als het bed zacht is, ga ik een dutje doen.' Hij keek Altmüller aan. 'Met een bataljon gewapende schildwachten voor de deur, als dat de kleine jongen geruststelt.'

Nors en luid viel Altmüller uit: 'Genóeg!'

'Blijf toch zitten,' zei David. 'U maakt een belachelijke indruk.'

Een wacht van Rhinemann bracht hem een pantalon, een dunne coltrui en een bruin suède jasje. David zag dat het dure kledingstukken waren en dat ze alle drie zouden passen. In de badkamer was scheergerei; als hij nog iets anders nodig had, hoefde hij de deur maar open te doen en erom te vragen. Er zou iemand in de hal staan. Twee man zelfs.

David begreep het.

Hij zei tegen de wacht – een porteño – dat hij een uur ging slapen, daarna een douche wilde nemen en zich scheren voor zijn vertrek. Zou de wacht zo goed willen zijn om elf uur te kijken of hij wakker was?

Dat zou de wacht doen.

Op Davids horloge was het vijf over tien. Om kwart over negen had Jean opgebeld. Asher Feld had vanaf kwart over negen precies twee uur de tijd.

David had nog een uur en zes minuten.

Kwart over elf.

Als Asher Feld werkelijk in zijn prioriteiten geloofde.

Het was een grote, hoge kamer met twee openslaande ramen, twee verdiepingen boven de grond en de kamer lag in de oostelijke vleugel. Dat was alles wat Spaulding kon vaststellen – of weten wilde – nu de lampen nog aan waren.

Hij draaide ze uit en liep terug naar de ramen. Zachtjes deed hij het linkerraam open en tuurde door de gordijnen naar buiten. Het huis had een leien dak: dat was niet zo best. Het had een brede dakgoot; dat was beter. De goot liep naar een regenpijp een meter of zes verderop. Dat was bevredigend.

Vlak onder het raam op de eerste verdieping waren vier kleine balkons, die waarschijnlijk bij vier slaapkamers hoorden. Het verste balkon was hoogstens anderhalve meter van de regenpijp. Misschien van belang, waarschijnlijk echter niet.

Beneden was het gazon zoals overal rondom Habichtsnest: gladgeschoren, groenzwart in het maanlicht; een dichte grasmat met hier en daar witte smeedijzeren tuinmeubelen en paden van flagstones met een rand van bloemen erlangs. Afbuigend van het gazon beneden hem was een breed, geharkt pad, dat zich verloor in de duisternis tussen de bomen. Hij herinnerde zich, dat hij dat pad gezien had aan het uiteinde van het terras aan de kant van het zwembad, en hij herinnerde zich de niet bijgeharkte hoefsporen. Het was een ruiterpad, dat naar stallen ergens onder de bomen moest leiden.

Dàt was van belang, hoewel het belang op dit moment maar betrekkelijk was.

En toen zag Spaulding de door een hand afgeschermde gloed van een sigaret, achter een leiboom een meter of tien van de smeedijzeren tuinmeubelen af. Rhinemann mocht overtuigend verkondigd hebben dat hij, David, over een paar uur op weg zou zijn naar Mendarro, die overtuiging werd in stand gehouden door schildwachten op hun post. Dat was niet verrassend, het ontbreken van zulke posten zou verrassend geweest zijn. Dat was een van de redenen waarom hij op Asher Feld rekende.

Hij liet de gordijnen weer terugvallen, trok zich terug van het raam en liep naar het hemelbed. Hij sloeg de lakens terug en ontkleedde zich tot zijn onderbroek – een grof ding, dat hij in het opzichtershuisje gevonden had ter vervanging van zijn eigen bebloede exemplaar. Hij ging liggen en sloot zijn ogen, maar niet met de bedoeling om te gaan slapen. In plaats daarvan haalde hij zich het hoge hek van onder stroom staand prikkeldraad bij de ingang van Habichtsnest voor de geest... Zoals hij dat gezien had toen de wachten van Rhinemann hem fouilleerden tegen de gedeukte FMF-auto.

Rechts van de grote poort. En links ervan.

De zoeklichten hadden voldoende licht gegeven om de flauwe bocht te onthullen, waarmee de afrastering in het bos verdween. Hij had niet veel gezien, maar wel duidelijk.

Richting noordnoordoost.

Weer stelde hij zich het balkon boven het zwembad voor, achter de balustrade aan het rechter uiteinde van het terras, waar hij rustig met Jean had zitten praten. Hij concentreerde zich op het gazon beneden – voor hem en rechts.

Noordnoordoostelijk.

Hij zag het duidelijk voor zich. Het terrein rechts van de croquetbaan en de tafeltjes glooide iets, tot aan de hoge bomen van de omringende bossen. Naar die bossen voerde het ruiterpad beneden hem. En het terrein bleef aflopen – zo'n anderhalve kilometer tot aan de rivieroever – en hij herinnerde zich de open plekken tussen de boomkruinen in de verte. Ook weer rechts. Weiden.

Als er paarden waren – en er wáren paarden – en stallen – en er moesten stallen zijn –, dan waren er ook weiden. Weiden waar de dieren konden grazen en dravend de frustraties van zich af konden schudden van de beboste, beperkende ruiterpaden.

De open plekken tussen het afdalend geboomte waren opengekapte weiden; het kon niet anders.

Noordnoordoostelijk.

Vervolgens dacht hij aan de verkeersweg drie kilometer ten zuiden van de marmeren trappen van Habichtsnest, de verkeersweg die de buitenwijken van Luján doorsneed en naar Buenos Aires liep. Hij herinnerde het zich: de weg, hoewel die bij de zijweg naar Habichtsnest hoog boven de rivier liep, boog naar lìnks en daalde àf naar de wijk Tigre. Hij probeerde zich precies de eerste minuten te herinneren van die afschuwelijke rit in de Bentley, die geëindigd was met rook en vuur en dood in de Colinas Rojas. De wagen was de verborgen inrit uitgeschoten en had verscheidene kilometers oostwaarts heuvelàfwaarts èn iets noordelijk gereden. Ten slotte had de weg parallel aan de rivier gelopen.

Noordnoordoostelijk.

En toen dacht hij aan de rivier beneden het terras, die bezaaid was met witte zeilen en kajuitjachten. De rivier stroomde in een diagonale lijn weg... naar rechts.

Noordnoordoostelijk. Dat was zijn ontsnappingsroute.

Via het ruiterpad naar de beschermende dekking van de donkere bossen en noordoostwaarts naar de open plekken tussen de bomen – de weiden. Over de weiden, steeds rechts aanhoudend – oostwaarts, de heuvel af en noordwaarts. Weer het glooiende bos in, evenwijdig aan de rivier blijven tot hij bij de onder stroom staande afrastering kwam, die de begrenzing vormde van het reusachtige landgoed Habichtsnest.

Achter die afrastering liep de verkeersweg naar Buenos Aires.

En de ambassade.

En Jean.

David liet zijn lichaam verslappen en liet de pijn van zijn verwonding kringetjes beschrijven op zijn gehavende huid. Hij ademde diep en regelmatig. Hij moest kalm blijven; dat was het moeilijkste.

Hij keek op zijn horloge – het cadeautje van Jean. Het was bijna elf uur. Hij stapte uit bed en trok de broek en de trui aan. Hij stapte in zijn schoenen en trok de veters zo strak aan tot het leer knelde aan zijn voeten. Vervolgens pakte hij het kussen en wikkelde het vuile overhemd van de afgelegen ranch eromheen. Hij legde het kussen weer aan het hoofdeinde van het bed en trok de deken er gedeeltelijk overheen. Hij tilde de lakens op, propte ze op in de broek van de vaquero en liet de dekens weer op hun plaats vallen.

Hij stond op. In het donker en met het beetje licht dat uit de hal zou binnenvallen, leek het bed, althans voor zijn onmiddellijke doel, gevuld genoeg.

Hij liep naar de deur en drukte zich tegen de muur ernaast.

Zijn horloge stond op een minuut voor elf.

Er werd luid geklopt; de wacht was niet bepaald zachtzinnig.

De deur ging open.

'*Señor...? Señor?*'

De deur ging verder open.

'Señor, het is tijd. Het is elf uur.'

De wacht stond in de deuropening en keek naar het bed. 'Hij slaapt,' zei hij vluchtig over zijn schouder.

'Señor Spaulding!' De wacht liep de donkere kamer in.

Op het moment dat hij over de drempel kwam, nam David één enkele stap en omklemde met beide handen van achteren de hals van de wacht. Hij boorde zijn vingers in de keel en rukte de man diagonaal naar zich toe.

Er klonk geen kreet, de luchttoevoer in 's mans luchtpijp was afgesloten. Als een vaatdoek zakte hij in elkaar.

Zachtjes sloot Spaulding de deur en draaide de lichtschakelaar om. 'Dank je,' zei hij hardop. 'Help me even overeind alsjeblieft. Mijn buik doet pijn als de hèl...'

Het was geen geheim op Habichtsnest, dat de Amerikaan gewond was.

David boog zich over de bewusteloze wacht. Hij masseerde diens keel, kneep in de neusvleugels, legde zijn lippen op de mond van de man en blies lucht in de beschadigde luchtpijp.

De wacht reageerde; bij bewustzijn, maar nog onbewust. Hij was half in shocktoestand.

Spaulding pakte de Lüger uit de pistoolriem van de man en een groot jachtmes uit een schede ernaast. Hij zette het lemmet op de kaak van de wacht en maakte een wondje met de scherpe punt. Hij praatte fluisterend. In het Spaans.

'Versta me goed: ik wil dat je lacht. Je begint metéén te lachen. Als je 't niet doet, steek ik dit mes door je strot. Tot aan je nekwervels... Vooruit. Làchen!'

De verdwaasde ogen van de wacht bewezen, dat hij er totaal niets van snapte. Hij scheen alleen te beseffen dat hij met een maniak te maken had. Een krankzinnige die hem zou vermoorden.

Eerst zwakjes, toen harder en paniekeriger, begon de man te lachen. Spaulding lachte met hem mee.

Het lachen werd harder. David bleef de wacht strak aankijken en gebaarde om luidere en meer enthousiaste uitgelatenheid. Onbegrijpelijk verbaasd en doodsbenauwd, brulde de man hysterisch van de lach.

Spaulding hoorde de klik van de deurknop, een halve meter van zijn oor. Hij velde de wacht met de loop van de Lüger en stond op toen de tweede man binnenkwam.

'Wat is er, Antonie? Waar...'

De kolf van de Lüger kwam met zoveel kracht op de schedel van de Argentijn terecht dat de uitgestoten adem van de neerzijgende wacht even luid was als zijn stem.

David keek op zijn horloge. Acht minuten over elf. Nog zeven minuten.

Als die Asher Feld de woorden maar geloofde, die hij met zoveel overtuiging had uitgesproken.

Spaulding nam de tweede wacht zijn wapens af en stak nog een Lüger in zijn riem. Hij doorzocht de zakken van beide mannen en haalde er alle bankbiljetten uit die hij vinden kon. En ook een paar muntstukken.

Hij had helemaal geen geld. Hij zou het nodig kunnen hebben. Hij rende de badkamer in en zette de douchekraan in de heetste stand zo ver mogelijk open. Hij liep terug naar de toegangsdeur naar de hal en deed die op slot. Vervolgens deed hij alle lichten uit en liep met gesloten ogen naar het linkerraam om aan de duisternis buiten te wennen. Hij deed zijn ogen weer open en knipperde een paar keer met zijn oogleden om de witte vlekken van gespannenheid weg te nemen.

Het was negen minuten over elf.

Hij wreef zijn transpirerende handen over de dure coltrui, haalde diep adem en wachtte.

Het wachten werd bijna onverdraaglijk.

En toen hoorde hij het! En hij wist het.

Twee daverende explosies! Zó luid, zó verbijsterend, zó totaal onaangekondigd, dat hij ervan beefde en zijn adem stokte.

Salvo's machinegeweervuur verscheurden de nachtelijke stilte. Beneden hem, buiten, schreeuwden mannen tegen elkaar en renden in de richting van de geluiden, die met toenemende hevigheid langs de omtrek van het terrein klonken.

David keek naar de hysterie beneden hem. Er waren vijf wachten onder zijn raam, die allemaal vanuit hun schuilhoeken te voorschijn sprongen. Hij zag dat er rechts van hem, op het voorplein van Habichtsnest, nog meer zoeklichten werden aangezet. Hij hoorde het brullen van sterke automotoren en de paniekerige bevelen, die elkaar steeds sneller opvolgden.

Hij liet zich uit het raam zakken en hield zich vast aan de vensterbank tot zijn voeten de dakgoot raakten.

Hij had de beide Lügers tussen zijn riem en het mes tussen zijn tanden. Een lemmet op zijn lichaam was te gevaarlijk; zo nodig kon hij het mes altijd nog uitspuwen. Met zijwaartse stappen schoof hij over het leien dak. De regenpijp was hoogstens nog een meter verwijderd. De explosies en het geweervuur bij de poort namen toe. David was vol bewondering – niet alleen over de inzet van Asher Feld, maar ook om zijn organisatietalent. Want de Hagana-leider moest een klein en goed bewapend legertje naar Habichtsnest gebracht hebben.

Voorzichtig liet hij zich voorover zakken op het leien dak. Met zijn rechterhand greep hij de goot voorbij de regenpijp en gleed langzaam en voorzichtig verder tot zijn voeten een steunpunt gevonden hadden. Hij zette zich af tegen de buitenrand van de goot om de sterkte te beproeven en wipte met een korte, verende sprong over de rand. Zijn beide handen hielden de gootrand vast en hij klemde de regenpijp tussen zijn benen.

Hand-over-hand daalde hij langs de regenpijp af.

Te midden van de geweerschoten hoorde hij plotseling een luid gekraak boven zich. Er werd zowel in het Duits als in het Spaans geschreeuwd en hij hoorde het onmiskenbare versplinteren van hout.

De kamer die hij juist verlaten had, werd opengebroken.

Hij was nu evenwijdig met het verste balkon op de eerste verdieping. Hij strekte zijn linkerhand uit en greep de rand, sloeg zijn rechterhand erover voor meer steun en zwaaide ernaartoe. Zijn lichaam bengelde tien meter boven de grond, maar kon niet gezien worden. Boven hem stonden mannen bij de openslaande ramen. Zonder op uitzethaken te letten forceerden ze de loden sponningen; de ruiten gingen aan diggelen en metaal knarste op metaal.

Er klonk weer een daverende ontploffing vanaf het gevechtsterrein, een halve kilometer verder op de donkere wei tussen de bossen.

Een ververwijderd wapen veroorzaakte een ontploffing op het voorplein; het licht van de schijnwerper ging plotseling uit. Asher Feld rukte op. Het kruisvuur zou vernietigend zijn. Moordend.

Het geschreeuw boven Spauldings hoofd verwijderde zich van het raam. Twee keer zette hij zich af met zijn voeten om voldoende vaart te krijgen, zodat hij de regenpijp weer met zijn handen zou kunnen pakken.

Het lukte, al deden zijn kaken pijn van het mes tussen zijn tanden. Hij gleed naar beneden en schaafde zijn handen aan het verweerde metaal, maar voelde de sneden in zijn handpalmen en vingers niet. Hij nam het mes uit zijn mond, trok een Lüger uit zijn gordel en holde langs de rand van het geharkte ruiterpad naar de duisternis van het bos. Hij schoot de pikdonkere, met bomen omzoomde gang in, rakelings langs de stammen, klaar om bij het eerste geluid van schoten het bos in te duiken.

Ze kwamen: vier schoten achter elkaar. De kogels boorden zich met angstwekkende nauwkeurigheid in de omringende hoge stammen. Hij schoot achter een dikke stam en keek naar het huis. De schutter stond in zijn eentje bij de regenpijp. Er voegde zich een tweede wacht bij hem, die vanuit de richting van de croquetbaan kwam aanhollen met een kalf van een Dobermann aan de lijn. De mannen schreeuwden tegen elkaar en wilden allebei de leiding hebben, terwijl de hond woest blafte.

Terwijl ze stonden te schreeuwen klonken er twee salvo's machinegeweervuur op het voorplein en nog twee schijnwerpers vielen uit. David zag de mannen verstijven; hun aandacht richtte zich op het voorplein. De man met de hond rukte aan de lijn en sleurde het beest terug tegen de zijkant van het huis. De tweede man hurkte neer, ging toen weer staan en liep met zijn rug tegen de muur gedrukt snel langs het gebouw naar de voorkant, zijn kameraad bevelend hem te volgen.

En toen zag David hem. Boven. Rechts. Door het gebladerte. Op het terras dat uitzag over het gazon en het zwembad.

Erich Rhinemann was door de deuren gerend en had woedend, maar niet in paniek, bevelen staan schreeuwen. Hij verzamelde zijn troepen en organiseerde zijn verdediging... op het hoogtepunt van de aanval was hij de Caesar, die zijn legioenen beval aan te vallen, *aan te vallen*, aan te vallen. Achter hem werden drie mannen zichtbaar; hij brulde tegen ze en twee van de drie holden Habichtsnest weer binnen. De derde man protesteerde; zonder enige aarzeling schoot Rhinemann hem neer. Buiten

Davids gezichtskring stortte het lichaam neer. Daarna holde Rhinemann naar de muur, gedeeltelijk – maar niet helemaal – verborgen door de balustrade. Het leek of hij tegen de muur schreeuwde.

Of hij ìn de muur kríjste.

Tussen de vuursalvo's door hoorde David het gedempte, regelmatige snorren en hij begreep wat Rhinemann deed.

Het kabelbaanzitje beneden bij de rivieroever werd omhooggestuurd. Terwijl de strijd woedde, zou deze Caesar aan het gevecht ontsnappen.

Rhinemann, het zwijn. De manipulator tot het uiterste. De man die alles besmeurde, voor wie geen eer bestond.

Misschien werken we later weer eens samen...

Zo gaat het altijd, hè?

David sprong uit zijn schuilhoek te voorschijn en rende terug over het pad tot het punt aan de bosrand, waar het gazon onder het balkon begon. Hij holde naar een witte metalen tafel met smeedijzeren poten – dezelfde tafel waaraan Lyons gezeten had, met zijn tengere lichaam over de tekeningen gebogen. Rhinemann was nergens te zien.

Hij moest er zijn!

Het was Spaulding plotseling... ongewoon duidelijk, dat het enige zinvolle aspect van het feit, dat hij uit Lissabon weggehaald en over de halve aardbol gestuurd was – door het vuur en de pijn – de verborgen man op het balkon boven hem was.

'Rhinemann...! Rhinemann! Hier ben ik!'

De zware gestalte van de financier kwam naar de balustrade gerend. Een automatisch Sternlicht pistool in de hand. Machtig, moorddadig. *'Jij! Jij bent er geweest!'* Hij begon te vuren. David wierp zich op de grond achter de tafel, die hij omkeerde en als schild gebruikte. Kogels boorden zich in de grond en ketsten af op het metaal. Rhinemann bleef schreeuwen. 'Jouw trucs betekenen zèlfmoord, Lissabon! Mijn mannetjes komen van overal. *Bij honderden!* Over een paar minuten...! Vooruit, Lissabon! Vertoon je maar. Je stelt alleen je dood uit! Dacht je dat ik je had laten léven? *Nooit!* Vertoon je! Je bent er gewéést!'

David begreep het. De manipulator wilde de lui in Washington niet beledigen, maar hij zou de man uit Lissabon ook niet binnen zijn persóónlijke gezichtskring dulden. De tekeningen zouden naar Mendarro gegaan zijn. De man uit Lissabon niet.

Op weg naar Mendarro zou men hem vermoord hebben.

Het was overduidelijk.

David hief de Lüger op; hij zou maar een ogenblik ter beschikking hebben. Een afleidingsmanoeuvre en dan een ogenblik. Het zou genoeg zijn...

De lessen uit het noordelijke gebied.

Hij reikte omlaag en klauwde met zijn linkerhand kluiten aarde en graspollen uit het gazon. Toen hij een flinke vuist vol had, smeet hij die in de lucht, links van de metalen rand. Zwarte modder en grassprietjes vlogen op, beschenen door het zwakke licht van het naderbij komende woeste gevecht.

Er kwam een ononderbroken regen van kogels uit de Sternlicht. Spaulding sprong naar rèchts van de tafel en haalde vijf keer snel achtereen de trekker van de Lüger over.

Het gezicht van Erich Rhinemann spatte in een bloederige massa uiteen. De Sternlicht viel op de grond toen zijn handen zich in een laatste stuiptrekking ophieven. Het kolossale lichaam zwaaide achterover, toen voorover en sloeg over de balustrade. Rhinemann stortte van het balkon omlaag.

David hoorde de kreten van de wachten boven en rende terug naar de duisternis van het ruiterpad. Met alle krachtsinspanning holde hij de bochtige zwarte corridor door, waarbij zijn schoenen af en toe in de zachte bermen wegzakten.

Het pad maakte plotseling een bocht. Naar lìnks.

Verdomme.

En toen hoorde hij het hinniken van angstige paarden. Zijn neusgaten vingen hun geur op en rechts van hem zag hij het lage gebouw van de stallen met de boxen voor de paarden. Ergens binnen hoorde hij het verbijsterde geschreeuw van een stalknecht die zijn dieren probeerde te kalmeren.

Een fractie van een seconde speelde David met een gedachte, maar hij verwierp die meteen weer. Een paard zou snel zijn, maar mogelijk onhandelbaar.

Hij holde naar het eind van de stallen, sloeg de hoek om en bleef even staan om op adem te komen en zich te oriënteren. Hij meende te weten waar hij was; hij probeerde zich een luchtopname van het landgoed voor te stellen.

De weiden! De weiden moesten dichtbij zijn.

Hij rende naar de andere hoek van het gebouw en zag de weiden voor zich. Zoals hij al gedacht had, liep het veld iets af – noordwaarts – maar het glooide niet zoveel, dat de dieren er niet konden grazen of draven. In de verte, achter de weide, zag hij de beboste heuvels oprijzen in het maanlicht. Rechts – oostwaarts. Tussen de glooiing van de weiden en de hellingen van de heuvels door lag zijn koers. Het was de meest rechtstreekse, verborgen weg naar de geëlektrificeerde afrastering.

Noordnoordoostelijk.

Hij repte zich naar het houten hek dat de weide begrensde, kroop erdoor en holde de weide over. De schoten en vuursalvo's achter hem bleven aanhouden – nu verder weg, maar schijnbaar niet minder venijnig. Hij kwam op een richel in de weide, van waaraf hij tot de rivier kon kijken, bijna een kilometer beneden hem. Die richel was ook afgezet met een hoog houten hek, om te voorkomen dat de dieren van de steilste hellingen naar beneden zouden vallen. Hij kon overal langs de rivier lampen zien aangaan. Het zomerbriesje droeg de onophoudelijke crescendo's van de dood voort naar de sjieke woonwijken beneden, aan de oever.

Geschokt draaide hij zich bliksemsnel om. Een kogel jankte over hem heen. Die was op hèm gericht geweest! Hij was ontdekt!

Hij liet zich op het gras vallen en schoot weg. Er was een kleine helling, waar hij zich vanaf liet rollen, om en om tot zijn lichaam tegen het harde hout van een paal botste. Hij was aan de overkant van de weide; achter het hek begonnen de bossen weer.

Hij hoorde het woeste gehuil van de honden en wist dat het op hem gemunt was.

Op zijn knieën zag hij de contouren van een geweldig dier, dat over het gras op hem af kwam rennen. Hij hield zijn Lüger gericht, maar hij besefte dat een schot zijn positie zou verraden. Hij nam de revolver in zijn linkerhand en haalde het jachtmes uit zijn gordel.

Door zijn reukzin naar zijn menselijke doel geleid, deed het zwarte monster een sprong. Spaulding deed een slag met de Lüger in zijn linkerhand en voelde de stoot van het harige, gespierde lichaam van de Dobermann tegen zijn bovenlijf. Hij zag de afzichtelijke kop opzij schieten en de ontblote tanden, die de trui stuk trokken en zich in zijn arm boorden.

Hij zwaaide zijn rechterarm omhoog en boorde het mes met alle kracht in de zachte buik van het dier. Een golf warm bloed spoot uit het opengereten lichaam van de hond en het gesmoorde geluid van een woest gehuil kwam uit de muil van het stervende dier.

David bevoelde zijn arm. De tanden van de Dobermann hadden zich net onder zijn schouder in de huid geboord. En de rukkende, rollende en draaiende bewegingen van het lichaam hadden minstens een van de hechtingen in zijn maagstreek gebroken. Hij hield zich vast aan het hek en kroop oostwaarts.

Nóórdnoordoostelijk! Niet óóstwaarts, verdomme!

In zijn plotselinge schrik bemerkte hij opeens dat het schieten in de verte merkbaar minder was. Hoeveel minuten was het al opgehouden? De explosies schenen door te gaan, maar het geweervuur verminderde.

Aanzienlijk.

Er klonken nu kreten. Over de weide, uit de buurt van de stallen. Hij keek door en over het gras heen. Er renden mannen rond met zaklantaarns waarvan de lichtbundels diagonaal heen en weer bewogen. David kon bevelen horen schreeuwen.

Wat hij zag deed hem bewegingloos voor zich uit staren. De zaklantaarns van de mannen op de grote weide richtten zich op een gestalte die de stal uit kwam – te paard! De gezamenlijke lichtbundels werden weerkaatst door een glanzend wit tropenkostuum.

Franz Altmüller!

Altmüller had gekozen voor de dwaasheid die hij, David, verworpen had.

Maar natuurlijk verschilden hun rollen.

Spaulding wist dat hij nu de prooi was en Altmüller de jager.

Er zouden anderen volgen, maar Altmüller wílde en kòn niet wachten. Hij gaf het paard de sporen en schoot door het geopende hek. Spaulding begreep ook dit. Franz Altmüller was ten dode opgeschreven als David bleef leven. Zijn enige kans om in Berlijn gespaard te worden was het lijk van de man uit Lissabon te tonen. De Fairfax-agent die 'Tortugas' verijdeld had; het lijk van de man dat door de patrouilles en de geleerden in Ocho Calle geïdentificeerd kon worden. De man die de 'Gestapo' had getart.

Er was zo veel... zo vreemd.

Paard en ruiter kwam over de weide aanrennen. David bleef vorover liggen en voelde de harde aarde oostelijk van hem. Hij kon niet gaan staan; Altmüller had een sterke zaklantaarn bij zich. Als hij onder het hek doorrolde, zouden het onkruid en het hogere gras daarachter hem misschien verbergen, maar het zou even goed kunnen platslaan en juist daardoor opvallen.

Als... misschien...

Hij wist dat hij moest wikken en wegen. Het hoge gras was het beste, dan was hij uit het gezicht. Maar dan had hij ook niet meer de keus van de strategie. En hij wist waarom hem dat dwars zat. Hij wilde de jager zijn. Niet de prooi.

Altmüller moest sterven.

Franz Altmüller was geen vijand die je in leven liet. Altmüller was even dodelijk in een verstild klooster in vredestijd als in oorlog op het slagveld. Hij was de volslagen vijand; dat las je in zijn ogen. Dat hield geen verband met de Duitse zaak, maar het wortelde diep in de arrogantie van de man: Altmüller had zijn meesterlijke plan ineen zien storten, hij had 'Tortugas' zien vernietigen. Door iemand die hem voor minderwaardig had uitgemaakt.

En dat kon Altmüller niet tolereren.

Hij zou gehoond worden in de nasleep.

Onduldbaar!

Altmüller zou op de loer liggen. In Buenos Aires, in New York, in Londen, het deed er niet toe waar. En zijn eerste doel zou Jean zijn. Op de korrel van een geweer, met een mes in een menigte, of met een verborgen pistool in het donker. Altmüller zou hem doen boeten; dat stond in zijn ogen te lezen.

Spaulding drukte zich op de grond toen het galopperende paard het midden van de weide bereikte en naar voren stormde, geleid door de lichtstraal van de patrouilles bij de stallen een paar honderd meter terug. Het licht was gericht op het stuk land waar de Dobermann het laatst te zien geweest was.

Altmüller hield het paard in en liet het langzamer lopen, maar niet stilstaan. Met zijn zaklantaarn speurde hij de grond voor zich af. Hij naderde voorzichtig, een revolver in zijn hand, de teugels vasthoudend, maar klaar om te vuren.

Onverwachts klonk er een plotselinge, oorverdovende explosie in de stallen. De lichtbundels aan de overkant van de weide waren verdwenen; mannen, die Altmüller over de weide achterna gegaan waren, stonden stil en keerden terug naar de paniek die bij het houten hek steeds groter werd. Er was brand uitgebroken.

Altmüller vervolgde zijn weg; als hij zich al bewust was van de consternatie achter zich, liet hij het niet merken. Hij gaf zijn paard een trap en dreef het voorwaarts.

Het paard bleef snuivend stilstaan; het trappelde weerbarstig met de voorpoten en stapte ondanks Altmüllers bevelen achteruit. De nazi was woedend; hij schreeuwde tegen het dier zonder er iets mee te bereiken. Het paard had de dode Dobermann opgemerkt; de geur van het verse bloed dreef het terug.

Altmüller zag de hond in het gras liggen. Hij zwaaide zijn lantaarn eerst naar links en toen naar rechts en liet de lichtstraal in de duisternis boven Davids hoofd priemen. Altmüller nam instinctief zijn beslissing – zo leek het Spaulding althans. Hij trok de teugels van het paard naar rechts, in Davids richting. Hij liet het paard stappen, niet draven.

En toen zag David waarom. Altmüller volgde de bloedsporen van de Dobermann in het gras.

Zo snel hij kon kroop David voor Altmüllers langzaam bewegende lichtbundel uit. Zodra hij zich in betrekkelijke duisternis bevond, maakte hij een scherpe bocht naar rechts en holde diep voorover gebogen naar het midden van de weide. Hij wachtte tot paard en berijder zich tussen hem en het hek bevonden en schoof toen voetje voor voetje op de nazi af. Hij kwam in de verleiding een raak schot met de Lüger af te geven, maar hij wist dat hij dat alleen in geval van uiterste nood mocht doen. Hij had nog verscheidene kilometers over onbekend terrein voor zich, door een donker bos, dat anderen beter kenden dan hij. De luide knal van een pistool van zwaar kaliber zou mannen weglokken uit het pandemonium een halve kilometer verderop.

Niettemin zou het nodig kunnen zijn.

Hij was tot op drie meter genaderd, met de Lüger in zijn linkerhand en de rechterhand vrij... Nog iets dichterbij, een klein tikje maar. Altmüllers zaklantaarn bewoog zich bijna niet meer. Hij was het punt genaderd waar hij, David, onbeweeglijk in het gras gelegen had.

Toen voelde Spaulding het lichte briesje in zijn rug en hij wist – in een afschuwelijk moment van herkenning – dat dit het moment was om toe te slaan.

De kop van het paard schoot omhoog en de grote ogen puilden uit. De lucht van Davids bebloede kleren was zijn neusgaten binnengedrongen.

Spaulding sprong op uit het gras, zijn rechterhand op Altmüllers pols gericht. Hij klemde zijn vingers om de loop van het pistool – het was een Colt! een Amerikaanse legercolt kaliber 0.45! – en wrong zijn duim over de trekker. Altmüller draaide zich hevig geschrokken om, overdonderd door de volkomen onverwachte aanval. Hij trok zijn armen terug en schopte met zijn voeten. Het paard steigerde op de achterbenen, maar Spaulding hield vast en wrong Altmüllers hand omlaag, omlaag. Hij rukte met alle kracht die in hem was en sleurde Altmüller letterlijk van het paard af in het gras. Keer op keer beukte hij de pols van de nazi op de grond tot het gewricht een rotspunt raakte en de Colt wegsprong. Op dat moment liet hij zijn Lüger in Altmüllers gezicht neerdalen.

De Duitser verzette zich hevig. Hij klauwde met zijn vrije linkerhand naar Spauldings ogen, schopte verwoed met zijn knieën en benen naar Davids geslachtsorganen en benen, en schudde uit alle macht heen en weer, hoewel zijn hoofd en schouders door Spauldings lichaam tegen de grond gedrukt werden. Hij schreeuwde het uit.

'*Jij! Jij en... Rhinemann! Verraad!*'

De nazi zag het bloed beneden Davids schouder en rukte de gewonde arm verder open tot Spaulding dacht dat hij verging van de pijn.

Altmüller drukte zijn schouder in Davids maag en rukte aan diens bloedende arm, waardoor David op zijn ene zij terechtkwam. De nazi sprong overeind en liet zich toen weer op het gras vallen, op de plek waar de Colt was losgelaten. Zijn handen tastten wild over de grond.

Hij vond het wapen.

Spaulding trok het jachtmes uit zijn gordel en overwon in één sprong de korte afstand tussen hem en Altmüller. De loop van de Colt werd op hem gericht en de ronde zwarte opening was vlak voor zijn ogen. Toen het lemmet het lichaam binnendrong, klonk de oorverdovende knal van de zware revolver opzij van Davids gezicht en schroeide zijn huid, maar de kogel miste zijn doel.

Spaulding duwde het mes omlaag in Altmüllers borst en liet het daar zitten.

De volslagen vijand was dood.

David wist dat er geen ogenblik te verliezen was of hij zou ver-

loren zijn. Er zouden andere mannen komen, andere paarden...
en heel veel honden.

Hij rende naar het hek om de weide, schoot eroverheen de duisternis van de bossen in. Hij holde blindelings voort en probeerde wanhopig iets naar links af te buigen. Noordwaarts. Noordnoordoostelijk.

Hij moest ontsnappen!

Hij struikelde over rotsblokken en afgevallen takken en kwam tenslotte in dichtere begroeiing terecht. Hij sloeg met zijn armen om een pad vrij te maken, het gaf niet wat voor doorgang. Zijn linkerschouder was gevoelloos en dat was zowel een gevaar als een zegen. Er klonk nu geen geweervuur meer in de verte; er was alleen duisternis en het geruis van het nachtelijke bos, en het wilde, gejaagde kloppen van zijn hart. Het gevecht bij de stallen was afgelopen. Rhinemanns mannen hadden nu de handen vrij om hem te achtervolgen. Hij had bloed verloren; hoeveel en in hoe ernstige mate wist hij niet. Hij wist alleen dat zijn ogen net zo moe werden als zijn lichaam was. De takken werden zware, ruwe tentakels; de hellingen steile bergen. De glooiingen werden tot enorme ravijnen, die zonder touwen overwonnen moesten worden. Zijn benen begaven het en hij moest ze met geweld dwingen dienst te doen.

De afrastering! Daar was de afrastering!

Aan de voet van een lage heuvel, tussen de bomen.

Hij begon te draven, struikelde, klauwde over de grond en duwde zich vooruit naar de voet aan de heuvel.

Hij was er. Hèt was er.

Het hek.

Maar hij mocht het niet aanraken. Hoewel, misschien...

Hij raapte een droge tak op van de grond en smeet die tegen het ijzerdraad.

Vonken en statisch gekraak. De afrastering aanraken betekende de dood.

Hij keek omhoog naar de bomen. Het zweet uit zijn haren en van zijn voorhoofd prikte in zijn ogen en vervaagde zijn toch al vertroebelde gezichtsvermogen. Er moest een boom zijn.

Een of andere boom. De juiste boom.

Hij wist het niet zeker. De duisternis speelde hem parten waar het bladeren en takken betrof. Het maanlicht toonde schaduwen waar hout hoorde te zijn.

Er waren geen takken! Er hingen geen takken over de afrastering, die bij aanraking de dood veroorzaakte. Rhinemann had –
aan beide kanten – alles laten wegzagen wat in de buurt van de
hoge, verbonden staaldraden groeide!

Hij holde zo hard hij nog kon naar links – noordwaarts. De rivier
was misschien nog anderhalve kilometer van hem af. Misschien... Misschien het water.

Maar de rivier – àls hij die al kon bereiken langs de steilten die
voor paarden onbegaanbaar waren – zou hem tegenhouden, zou
hem de kostbare tijd ontroven die hij zo wanhopig hard nodig
had. En Rhinemann zou patrouilles langs de rivieroever hebben.

En toen zag hij het.

Misschien.

Een afgezaagde tak, zeker een meter boven de strakgespannen
draden, die tot op een halve meter van de afrastering reikte. Het
was een dikke tak, met een plotselinge aanzienlijke verdikking
op het punt van vergroeiing met de stam. Een arbeider had de
weg van de minste weerstand gekozen en met zijn kettingzaag
de tak net voor de grootste verdikking afgezaagd. Niemand zou
er iets van zeggen; de tak zat te hoog en te ver weg voor enig
praktisch doel.

Maar Spaulding wist, dat het zijn laatste kans was. Zijn enige. En
dat feit werd hem onloochenbaar duidelijk door de geluiden van
mannen en honden in de verte. Ze zaten hem na.

Hij nam een van de Lügers uit zijn gordel en gooide die over de
afrastering. Eén uitpuilende bult op zijn middel was genoeg.

Hij moest twee keer springen voor hij een knoestige stomp te
pakken kreeg; zijn pijnlijke linkerarm was niet langer gevoelloos en niet langer een zegen. Hij drukte zijn benen op tegen de
dikke stam tot zijn rechterhand een hogere tak te pakken kreeg.
Hij worstelde tegen de scherpe pijnscheuten in zijn schouder en
maag en hees zich op. De afgezaagde tak was vlak boven hem.
Hij boorde de zijkanten van zijn schoenen in de schors en wreef
zijn zolen heen en weer om richeltjes te maken. Hij rekte zijn
hals, drukte zijn kin in het ruwe hout, sloeg zijn beide armen
boven zijn hoofd, duwde zijn linkerelleboog over de tak en trok
verwoed met zijn rechterhand. Hij omvatte de afgezaagde tak
en zette zich met zijn voeten tegen de stam af tot hij zijn rechterbeen over de tak kon gooien. Hij drukte zijn armen omlaag

en duwde zich in zittende houding tot zijn rug tegen de stam rustte.

Het was hem gelukt. Gedeeltelijk.

Hij haalde een paar maal diep adem en probeerde zijn bezwete, stekende ogen op een vast punt te richten. Hij keek omlaag naar het onder stroom staande prikkeldraad bovenop de afrastering. Het was ruim een meter onder hem, maar bijna een meter voor hem uit. En ongeveer tweeëneenhalve meter van de grond. Hij móest dat prikkeldraad ontwijken; hij zou zijn lichaam moeten draaien en manoeuvreren tot een zijdelingse sprong. En gesteld dat hij dat zou kunnen, was hij er allesbehalve zeker van dat zijn lichaam de straf van de plof zou kunnen doorstaan.

Maar hij hoorde de honden en de mannen nu duidelijk. Ze waren het bos achter de weiden binnengedrongen. Hij draaide zijn hoofd om en zag vage lichtbundels door het dichte gebladerte. De andere straf was de dood.

Langer nadenken had geen zin. Gedachten waren hier niet op hun plaats. Alleen beweging telde.

Hij reikte met beide handen omhoog, negeerde opzettelijk de geluidloze kreten uit zijn schouder, pakte de dunne takken, hees zijn benen op tot zijn voeten op de dikke tak rustten en hing voorover, terwijl hij zijn lichaam languit strekte over de strakgespannen draden héen tot hij ze onder zich zag. Op dat moment zwaaide hij zijn lichaam krachtig naar rechts en omlaag, terwijl hij zijn knieën optrok.

Het was een vreemde, kortstondige sensatie: ongelijke gevoelens van uiterste wanhoop en, in wezenlijke zin, klinische objectiviteit. Hij had alles gedaan wat hij kon doen. Meer was er niet. Toen hij de grond raakte, ving hij de schok op met zijn rechterschouder en rolde vooruit, met zijn knieën onder zijn lichaam opgetrokken – steeds maar doorrollend zonder een eind aan de beweging te maken, zodat hij de schok over zijn hele lichaam verdeelde.

Hij schoot over een wirwar van scherpe wortels en botste tegen de voet van een boomstam. Hij greep naar zijn maag; de scheut van pijn leerde hem dat de wond weer open was. Hij zou de randen moeten vasthouden, dichtknijpen... afdekken. De stof van de coltrui was doordrenkt van zweet en bloed – het zijne en dat van de Dobermann – en aan flarden gescheurd door de tientallen val- en struikelpartijen.

Maar het was hem gelukt.

Bijna, althans.

Hij was buiten het landgoed. Hij was vrij van Habichtsnest.

Hij keek om zich heen en zag de tweede Lüger in het maanlicht op de grond liggen... De ene in zijn gordel zou genoeg zijn. Zo niet, dan zou een tweede hem niet rcdden; hij liet hem liggen. De verkeersweg was nog maar ruim een halve kilometer verderop. Hij kroop in het onderhout om op adem te komen, om tijdelijk het beetje krachten te verzamelen dat hij nog over had. Hij zou het nodig hebben voor de rest van de tocht.

Het geblaf van de honden klonk nu luider; het geschreeuw van de patrouilles was nog maar een paar honderd meter van hem vandaan.

Opeens kwam de paniek terug. Wat had hij in vredesnaam gedacht? Wat deed hij eigenlijk?

Wat deed hij?

Hij lag in het onderhout in de veronderstelling... de veronderstelling dat hij vríj was!

Maar wàs hij dat?

Er waren mannen met geweren en woeste – gemeen woeste – beesten binnen het bereik van zijn stemgeluid en het gezichtsvermogcn van zijn vluchtende lichaam.

En plotseling hoorde hij de woorden, de bevelen die in razcrnij geschreeuwd, gegild werden.

'Freilassen! Die Hunde freilassen!'

De honden werden losgelaten! De begeleiders dachten, dat hun prooi in het nauw gedreven was! De honden werden losgelaten om de prooi te verscheuren!

Hij zag de lichtbundels over de top van het heuveltje verschijnen voor hij de dieren zag. Daarna verschenen de silhouetten van de honden die over de top naar beneden renden. Vijf, acht, een dozijn monsterachtige gedaanten, jagend naar het gehate doel dat hun reukorganen aanwees; naderbijkomend, opgezweept tot de begeerte om hun tanden in het vlees te zetten, het te verscheuren.

David versteende – en werd misselijk – van het afschuwelijke schouwspel dat nu volgde.

Het hele gebied lichtte op als een flitsend diadeem; gekraak en gesis van elektriciteit vulden de lucht. De ene hond na de andere stortte zich op de hoge afrastering. De kortharige vachten vatten vlam; afschuwelijk, aanhoudend, gillend gejank van dodelijk getroffen dieren verscheurde de nacht.

Van paniek of schrik of allebei werden schoten gelost vanaf de heuveltop. Mannen renden alle kanten uit – sommigen naar de honden en de afrastering, sommigen naar de flanken, maar de meesten sloegen op de vlucht.

David kroop uit het struikgewas en rende het bos in. Hij was vrij!

De gevangenis die Habichtsnest was hield zijn achtervolgers gevangen... maar híj was vrij!

Hij drukte zijn hand op zijn maag en rende de duisternis in.

De berm van de verkeersweg bestond uit zand en los grind. Hij strompelde het bos uit en viel neer op de scherpe, kleine kiezelstenen. Zijn blik vertroebelde; alles draaide, zijn keel was droog en hij had een zure smaak in zijn mond van het braaksel van de angst. Hij bemerkte dat hij niet meer overeind kon komen. Hij kon niet staan.

Hij zag een auto in de verte, rechts van hem. Westelijk. De wagen reed hard en seinde met zijn koplampen. Uit... aan, uit... aan. Aan, aan, aan... uit, uit, uit, met tussenpozen.

Het was een signaal!

Maar hij kon niet staan! Hij kon niet opstaan!

En toen hoorde hij zijn naam. In spreekkoor geroepen door open ramen. Door verscheidene stemmen tegelijk! Zoals een cantate gezongen kon worden!

'... Spaulding, Spaulding, Spaulding...'

De wagen dreigde hem te passeren! Hij kon niet opstaan! Hij greep naar zijn gordel en trok de Lüger eruit.

Hij schoot twee keer, hij had nauwelijks nog kracht om de trekker over te halen.

Met het tweede schot werd alles zwart om hem heen.

Hij voelde de behoedzame vingers om zijn wond, voelde het trillen van de rijdende auto.

Hij opende zijn ogen.

Asher Feld keek op hem neer; zijn hoofd lag op de schoot van Feld. De jood glimlachte.

'Alle vragen worden beantwoord. Laat de dokter uw wonden hechten. We moeten u gauw oplappen.'

David tilde zijn hoofd op en Feld steunde hem in de nek. Een tweede man, een jonge vent nog, zat ook op de achterbank en boog zich over Davids maag. Zijn benen lagen uitgestrekt op de knieën van de jongeman. Hij had verbandgaas en een pincet in zijn handen.

'Het doet weinig pijn,' zei hij in datzelfde gebroken Engels dat David al zo vaak gehoord had. 'Dit lijkt me wel genoeg. U bent plaatselijk verdoofd.'

'Ik ben wat?'

'Gewone novocaïne,' antwoordde de dokter. 'Ik zal u nu meteen opnieuw hechten. Uw arm is volgespoten met een antibioticum – dat toevallig in een Jeruzalems laboratorium gezuiverd werd.' De jongeman glimlachte.

'Wat? Waar...?'

'We hebben geen tijd,' interrumpeerde Feld rustig, maar op dringende toon. 'We zijn op weg naar Mendarro. Het vliegtuig staat klaar. Er zullen geen belemmeringen zijn.'

'Hebt u de tekeningen?'

'Vastgeketend aan de trap, Lissabon. Zo'n service hadden we niet verwacht. We dachten half op het balkon of misschien op een bovenverdieping. Onze invasie verliep God zij dank snel. Rhinemanns troepen kwamen vlug, maar niet vlug genoeg... Goed werk, die trap. Hoe speelde u dat klaar?'

David glimlachte vanwege de 'weinige pijn'. Het praten viel hem moeilijk. 'Omdat... niemand de tekeningen uit het gezicht wilde verliezen. Grappig, hè?'

'Ik ben blij dat u het zo opvat. U zult die eigenschap nodig hebben.'

'Wat...? Jean?' Spaulding wilde overeind komen uit zijn ongemakkelijke houding. Feld hield zijn pijnlijke schouder tegen, de dokter zijn romp.

'Nee, overste. Zit u maar niet in over Mrs. Cameron of de geleerde. Ze zullen ongetwijfeld morgenochtend Buenos Aires per vliegtuig verlaten... En de radiostilte is over enkele minuten afgelopen. De radarschermen zullen de treiler oppikken...'

David stak zijn hand op om de jood te doen zwijgen. Hij haalde een paar maal diep adem om te kunnen praten. 'Neem contact op met FMF. Vertel dat de ontmoeting zal plaatsvinden ongeveer... vier uur... nadat de treiler Ocho Calle verliet. Schat de topsnelheid van de treiler... teken die straal af op de kaart... volg die lijn.'

'Goed zo,' zei Asher Feld. 'We zullen het doorgeven.'

De jonge dokter was klaar. Hij boog zich voorover en zei opgewekt: 'Alles in aanmerking genomen doen deze hechtingen niet onder voor wat Bethesda zou kunnen klaarspelen. Het is beter werk dan wat er aan uw rechterschouder gedaan werd; dat was gepruts. U kunt overeind gaan zitten. Rustig aan.'

David was het al vergeten. De Engelse dokter op de Azoren – eeuwen geleden – was zwaar bekritiseerd door zijn vakgenoten. Ten onrechte: zijn opdracht had geluid, de Amerikaanse officier binnen het uur gereed te hebben voor vertrek vanaf het vliegveld Lajes.

Spaulding werkte zich stijf en moeizaam in zittende houding, met zachte hand geholpen door de beide Hagana-leden.

'Rhinemann is dood,' zei hij eenvoudig. 'Het zwijn Rhinemann is er geweest. Er komen geen onderhandelingen meer. Licht uw mensen in.'

'Dank u,' zei Asher Feld.

Zwijgend reden ze een paar minuten door. De zoeklichten van het kleine vliegveld waren nu zichtbaar; ze wierpen hun lichtstralen de nachtlucht in.

Feld nam het woord. 'De tekeningen zijn in het vliegtuig. Onze mensen staan op wacht. Het spijt me dat u vanavond nog moet vliegen. Het zou eenvoudiger zijn als de piloot alleen ging. Maar dat is niet mogelijk.'

'Daarvoor werd ik hierheen gestuurd.'

'De zaak lijkt mij iets ingewikkelder. U hebt veel doorgemaakt, u bent ernstig gewond. Eigenlijk zou u in een ziekenhuis opgenomen moeten worden... Maar dat zal moeten wachten.'

'O ja?' David begreep dat Feld iets wilde zeggen, wat zelfs deze pragmatische jood moeilijk onder woorden kon brengen. 'Zeg het me maar liever...'

'U zult dit op uw éigen manier moeten afwikkelen, overste,' onderbrak Feld hem. 'Weet u... de lui in Washington verwachten u niet met dat vliegtuig. Ze hebben uw executie bevolen.'

43

Brigade-generaal·Alan Swanson, laatstelijk verbonden aan het ministerie van oorlog, had zelfmoord gepleegd. Degenen die hem kenden zeiden, dat de spanningen van zijn taak, de immense logistieken die hij dagelijks moest afhandelen, te veel geworden waren voor deze toegeweide, vaderlandslievende officier. Ze lieten ook degenen, die ver achter de linies de oorlogsmachinerie op gang hielden met alle onbaatzuchtige energie waarover ze beschikten niet onberoerd. In Fairfax in Virginia, op dat enorme, superbeveiligde complex waar de geheimen van de Centrale Geallieerde Veiligheidsdienst bewaard werden, verdween een zekere luitenant-kolonel Ira Barden. Hij verdween gewoon van de aardbodem: de ene dag was hij er nog, de volgende dag leek hij in rook vervlogen. Met hem verdwenen een aantal streng geheime dossiers uit de archieven. Wat degenen die hun inhoud kende het meest verbaasde, waren de gegevens die deze dossiers bevatten. Over het algemeen waren het persoonlijke dossiers van hooggeplaatste nazi's, die betrokken waren bij de concentratiekampen. Niet het soort inlichtingen dat een overloper zou stelen. Ira Bardens eigen dossier werd gelicht en in het archief opgeborgen. Zijn familie ontving betuigingen van deelneming: overste Barden werd vermist na een opdracht. Merkwaardig genoeg vroeg de familie nooit om een onderzoek. Uiteindelijk hadden ze daar recht op... Merkwaardig.

In Lissabon werd een cryptograaf, een zekere Marshall, in de heuvels van Baskenland gevonden. Hij was gewond geraakt in een grensgevecht en door partizanen verpleegd. Berichten over zijn dood waren sterk overdreven geweest, wat ook de bedoeling was. De Duitse Inlichtingendienst zat achter hem aan. Voorlopig was hij binnen de ambassade geconsigneerd en deed hij weer zijn normale werk. Hij had een persoonlijk bericht gestuurd aan een oude vriend, die misschien over hem in zou zitten: een kolonel David Spaulding. Hij liet Spaulding weten dat hij niet boos was om de vakantie van de kolonel in Zuid-Amerika. Hijzelf had ook vakantie gehad. Er waren codes die ontcijferd moesten worden – als ze te achterhalen waren. Ze moesten voortaan allebei hun plannen beter uitwerken en samen op vakantie gaan. Goede vrienden moesten dat eigenlijk altijd doen.

Er was nog een cryptograaf. In Buenos Aires. Een zekere Robert Ballard. Buitenlandse Zaken was de laatste tijd erg op Ballard gesteld. De cryptograaf in Buenos Aires had een blunder ontdekt in een codebericht en had persoonlijk het initiatief getoond om er niet alleen aan te twijfelen, maar ook om te weigeren het uit te voeren. Door een reeks ernstige misverstanden en verkeerde inlichtingen had het ministerie van oorlog bevel gegeven tot executie bij aantreffen van kolonel Spaulding. Code: hoogverraad. Overlopen naar de vijand tijdens het uitvoeren van een opdracht. Er was veel moed van Ballards kant voor nodig geweest om te weigeren, een zo hoog bevel te bevestigen. En Buitenlandse Zaken was er altijd voor te vinden om de lui van het ministerie van oorlog in hun hemd te zetten.

De aerofysicus Dr. Eugene Lyons werd teruggevlogen naar Pasadena. Er was iets... het een en ander met Dr. Lyons gebeurd. Hij kreeg een lucratieve en interessante betrekking aangeboden bij de laboratoria van Sperry Rand in Californië, de beste in het land, en die baan had hij aangenomen. Hij was opgenomen in een ziekenhuis in Los Angeles voor een operatie aan zijn keel. Hij had 60% kans op een goede afloop, als hij zelf maar meewerkte. En dat deed hij. Er was nog iets anders met Lyons. Op grond van zijn contract had hij een lening bij een bank afgesloten en liet hij nu een vreemdsoortig huis in pseudo-Romaanse stijl bouwen in een rustig deel van de San Femando Valley.

Mrs. Jean Cameron keerde terug naar de oostkust van Maryland – voor twee dagen. Buitenlandse Zaken had, op persoonlijk bevel van ambassadeur Henderson Granville in Buenos Aires, een aanbevelingsbrief voor Mrs. Cameron opgesteld. Hoewel zonder officiële status was haar aanwezigheid op de ambassade bijzonder waardevol geweest. Ze had verbindingslijnen met verschillende partijen in de neutrale stad opengehouden; verbindingslijnen die door diplomatieke verwikkelingen vaak in gevaar gebracht werden. De ambtenaren van Buitenlandse Zaken besloten Mrs. Cameron de brief aan te bieden tijdens een kleine ceremonie, waarbij een bekend staatssecretaris als voorzitter fungeerde. Het ministerie vernam met enige verbazing, dat Mrs. Cameron niet in haar ouderlijk huis in Maryland te bereiken was. Ze was in Washington. In het Shoreham Hotel.

En in het Shoreham logeerde ook kolonel David Spaulding...
Het was misschien meer dan toevallig, maar het zou de aanbieding van de aanbevelingsbrief in geen geval beletten. Nu niet. Niet in Washington.

Kolonel David Spaulding keek op naar de geelbruine stenen en de vierkante pilaren van het ministerie van oorlog. Hij trok aan zijn militaire overjas en schikte die over de mitella waarin zijn arm rustte. Het was de laatste keer, dat hij een uniform zou dragen of dit gebouw zou binnengaan. Hij beklom de trappen.
Het was vreemd, dacht hij. Hij was al bijna drie weken terug en iedere dag, iedere nacht had hij nagedacht over de woorden die hij vanmiddag zou zeggen. Over de woede, de afkeer... de verspilling. Levenslange wrokgevoelens. Maar het leven ging verder en op een of andere vreemde manier hadden de heftige emoties hun hoogtepunt bereikt. Hij voelde nu alleen nog maar een vermoeidheid en een uitputting die een definitieve afdoening van de affaire eisten om zich aan iets waardevollers te kunnen wijden. Op de een of andere plaats. Met Jean.
Hij wist dat woorden geen invloed hadden op de mannen van 'Tortugas'. Een woord als 'geweten' had voor zulke mannen zijn betekenis verloren. Zoals zulke woorden ook voor hem vaak hun betekenis verloren hadden. Ook dat was een van hun misdaden; ze hadden het begrip 'fatsoen' gestolen. Van zo velen. Voor zo weinig.
Spaulding liet zijn overjas in het voorkantoor en ging de kleine conferentiezaal binnen. Ze waren er, de mannen van 'Tortugas'. Walter Kendall. Howard Oliver. Jonathan Craft. Geen van hen stond op. Allen zwegen. Elk van hen keek hem strak aan. Uit hun blik sprak een mengsel van haat en angst – de dikwijls onscheidbare gevoelens.
Ze zaten klaar om te vechten, te protesteren... om hun huid te redden. Ze hadden hun besprekingen gehouden, hun strategieën bepaald. Ze waren zo voor de hand liggend, dacht David. Hij ging aan het eind van de tafel staan, voelde in zijn zak en haalde er een handjevol carbonado diamanten uit. Hij strooide ze uit op het harde tafelblad; de kleine steentjes kletterden en rolden overal heen.
De mannen van 'Tortugas' bleven zwijgen. Ze keken naar de stenen en daarna weer naar Spaulding.

'De Koening-ruil,' zei David. 'Het materiaal voor Peenemünde. Ik wilde dat u ze zag.'

Howard Oliver ademde lang en ongeduldig uit en zei op gekunsteld verzoenende toon: 'Wij hebben er geen idee van wat...'

'Dat weet ik,' onderbrak Spaulding hem resoluut. 'U hebt het allemaal druk. Daarom zullen we van onnodige discussies afzien: er is trouwens geen enkele reden voor u om iets te zeggen. Alleen om te luisteren. Ik zal kort zijn. En u zult altijd weten waar ik te vinden ben.'

David stak zijn rechterhand in de mitella en haalde er een envelop uit. Het was een gewone zakenenvelop, maar verzegeld en dik. Hij legde hem zorgvuldig op tafel en ging verder.

'Dit is het verhaal van "Tortugas". Van Genève tot Buenos Aires. Van Peenemünde tot een plek die Ocho Calle heet. Van Pasadena tot een straat... Terraza Verde. Het is een smerig verhaal. Het werpt vragen op, die vooralsnog beter niet opgeworpen kunnen worden. Misschien zelfs nooit. Terwille van zoveel oprechtheid... overal ter wereld.

Maar dat hangt van u hier aan deze tafel af... Er bestaan verscheidene exemplaren van deze... aanklacht. Ik vertel u niet waar ze zich bevinden en u zult er nooit achter kunnen komen. Maar ze bestaan. En ze zullen op een zodanige manier in de openbaarheid komen, dat ze gelijktijdig voorpaginanieuws zullen zijn in New York, Londen en Berlijn. Tenzij u precies doet wat ik zeg...

Geen protesten, Mr. Kendall. Dat is nutteloos... Deze oorlog is gewonnen. De slachtingen zullen nog een poosje voortgaan, maar we hebben hem gewonnen. Peenemünde heeft niet stil gezeten; ze beschieten de wereld. Er zullen een paar duizend raketten gebouwd worden en er zullen een paar duizend doden vallen. Maar bij lange na niet zoveel als zij dachten. Of nodig hadden. En onze vliegtuigen zullen half Duitsland plat gooien; wij zullen de overwinnaars zijn. En zo moet het ook gaan. Want na het doden moet het verplegen komen. En daaraan zult u de rest van uw natuurlijke leven wijden. U zult alle banden met uw maatschappijen dienen te verbreken; al uw bezittingen boven het bestaansminimum – als aangegeven door het gezinsindexcijfer – dienen te verkopen en de opbrengst te schenken aan liefdadige instellingen – anoniem maar met schriftelijke bewijzen. En u zult uw aanzienlijke talenten dienen aan te bieden aan een dankbare regering – in ruil voor een regeringssalaris.

Voor de rest van uw leven zult u bekwame overheidsdienaren moeten zijn. Meer niet.

U krijgt zestig dagen de tijd om aan deze eisen te voldoen. En aangezien u een keer bevel hebt laten geven voor mijn executie, is mijn welzijn een deel van ons contract. En uiteraard het welzijn van mijn naaste verwanten.

Ten slotte, omdat ik bedacht dat u misschien anderen voor de naleving zou willen aantrekken, maakt de aanklacht het duidelijk, dat u "Tortugas" onmogelijk alleen gecreeerd kunt hebben... U kunt noemen wie u wilt. De wereld is er beroerd aan toe, heren. Die heeft alle hulp nodig die er te krijgen is.'

Spaulding bukte zich voorover naar de envelop, nam die op en gooide hem op tafel. De klap van papier op hout trok aller blikken naar die plek.

'Overweeg alles,' zei David.

De mannen van 'Tortugas' staarden zwijgend naar de envelop. David keerde zich om, liep naar de deur en verliet het vertrek. Maart in Washington. De lucht was kil, er blies een winterse wind, maar de sneeuw wilde niet komen.

Luitenant-kolonel David Spaulding ontweek de auto's toen hij de Wisconsin Avenue overstak naar het Shoreham Hotel. Hij had er geen erg in dat zijn overjas openstond: hij voelde de kou niet.

Het was voorbij! Hij was klaar! Er zouden littekens zijn – diepe littekens – maar mettertijd...

Met Jean...